D1260944

LA GUERRE SANS L'AIMER

*Journal d'un écrivain
au cœur du printemps libyen*

DU MÊME AUTEUR

Suite en fin de volume

BERNARD-HENRI LÉVY

LA GUERRE SANS L'AIMER

*Journal d'un écrivain
au cœur du printemps libyen*

BERNARD GRASSET
PARIS

Photo de jaquette
© Marc Roussel

ISBN 978-2-246-79084-6

« Ah ! que la victoire demeure avec ceux
qui auront fait la guerre sans l'aimer ! »

ANDRÉ MALRAUX,
Les Noyers de l'Altenburg.

Prologue

J'ai tenu ce journal du 23 février au 15 septembre 2011.

Certaines de ses pages, lorsque j'en avais le loisir, je les rédigeais sur le vif, en temps réel : je les reproduis, ici, telles quelles.

D'autres fois, la précipitation des événements, le feu de l'action, voire l'incommodité des lieux où je me trouvais, ne me permettaient que de jeter à la volée, sur un carnet de bord, un mot, une impression, une idée : j'ai dû, ces notations, les reprendre, leur donner forme.

Dans tous les cas, je me suis fait un devoir de rester au plus près des faits tels que je les ai vécus.

En aucun cas, je n'ai modifié quoi que ce soit à mes sentiments, mes opinions, mes convictions, tels qu'ils se sont succédé au fil des mois.

M'est-il arrivé de surestimer l'importance d'un épisode ? ai-je changé d'avis sur un personnage ? ai-je varié dans mon appréciation de la situation sur tel ou tel front ? je ne touche à rien ; je ne retranche rien ; jamais je ne cède au jeu de la lucidité rétrospective et de la réécriture de l'Histoire.

Rien, dans ces pages, n'a été gommé de mes doutes.

Rien de mes interrogations, de mes tâtonnements ni de mes anxiétés.

C'était la loi du genre.

C'est, aujourd'hui, la règle du jeu.

Et le résultat est, de Paris à Benghazi, de Misrata au Djebel Nafoussa, de Jérusalem au Caire et, pour finir, à Tripoli, un périple fiévreux, passionné, parfois chaotique – et dont la relation, lorsque je la revis, me laisse, moi-même, le sentiment d'une aventure étrange, qui me dépasse et m'étonnera longtemps.

De cette fièvre, de l'emportement corps et âme qui fut la marque de ces jours, de la stupeur qui m'en demeure, je n'ai connu, en vérité, qu'un précédent : mes années Bosnie qui donnèrent d'ailleurs lieu à un livre jumeau de celui-ci.

A deux nuances près – mais elles sont de taille.

La responsabilité politique et morale dont j'ai assez vite compris que l'enchaînement des circonstances m'avait, de fait, investi : homme sans mandat, ne m'autorisant que de moi, de mon passé, de ma généalogie, ne me suis-je pas trouvé devoir répondre de l'engagement de mon pays dans une aventure qui passait, aux yeux de beaucoup, pour hasardeuse ? cet engagement, une intervention militaire en bonne et due forme, n'était-il pas le plus risqué des choix pour un écrivain ayant fait sien le mot célèbre sur le vertige qui s'empare de ceux qui, un jour, se résolvent à faire la guerre sans l'aimer ?

Et puis le saisissement, ensuite, que ce fut, pour un homme abonné aux causes perdues et qui, quinze ans après, n'était toujours pas guéri de sa blessure bosniaque, de vivre une victoire en marche : pour la première fois, dans l'histoire de l'Occident, le droit d'ingérence proclamé, mis en œuvre, mené à bien ; pour les femmes et hommes de ma génération, pour les fils de ce terrible XXᵉ siècle qui fut marqué par le sacrifice de l'Espagne, l'abandon des Juifs à la barbarie nazie, la résignation au kidnapping de l'autre moitié de l'Europe, le lâchage de Sarajevo, du Darfour ou du Tibet, la dernière utopie moderne enfin réalisée ; pour l'auteur de ces lignes, ainsi que pour ses compagnons d'équipée au premier rang desquels, comme chaque fois, Gilles Hertzog, six mois parmi les plus intenses de nos vies.

*

Cette aventure, ce furent aussi des hommes et, avec ces hommes, des compagnonnages improbables et qui, quoi qu'il advienne, font désormais partie de moi.

Des Libyens, au premier chef.

Des personnages dont, lorsque cette guerre commence, j'ignore jusqu'à l'existence et qui vont prendre, au fil des semaines, dans l'épreuve et les espoirs partagés, une importance insoupçonnée.

Mustafa Abdeljalil dont je me surprenais, tandis que nous parlions de sa Libye martyre mais debout, à voir se surimprimer les traits sur ceux, gravés dans ma mémoire, du président bosniaque Izetbegovic.

Le général Abdelfattah Younès que je m'honore d'avoir, trois mois et demi avant son assassinat, convaincu de s'extraire quelques heures des combats pour venir, avec moi, à Paris, demander et obtenir des armes pour la Libye.

11

Mansour et Ali, les exilés magnifiques que la révolution a mis, par bonheur, sur ma route – et, parce que c'était eux, parce que c'était moi, nous ne nous sommes plus quittés.

Tel chebab, ou chef des chebabs, que je ne pouvais m'empêcher de voir avec mes yeux de nostalgique inconsolé de la Résistance française et de ses héros adolescents – ah ! ma fureur lorsque je les voyais dépeints, depuis Paris, comme des lapins détalant sous la mitraille.

Et puis enfin, non moins improbable, une figure qui, par la force des choses, traverse ces pages : le président de la République française, promoteur et acteur de ce droit d'ingérence appliqué, Nicolas Sarkozy.

Est-il besoin de préciser combien la politique française, ses joutes, ses affaires, semblaient, vues de Benghazi et des rivières de sang que l'on y avait annoncées, lointaines et, parfois, dérisoires ?

Et faut-il que je redise, ici, tout ce qui m'a séparé, me sépare et me séparera de ce Président qui n'est pas de ma famille et dont la politique, en France, n'a jamais eu mon adhésion ?

Reste qu'une drôle d'alliance s'est nouée là – de celles qu'exigent parfois les situations extrêmes et qui se dénoue aujourd'hui, la guerre gagnée, aussi naturellement qu'elle s'était nouée.

Reste que nos chemins se sont rejoints – et que cela a donné lieu, entre un homme de plume et un homme de pouvoir, à une forme d'interlocution différente, il me semble, de celles que répertorie la longue chronique française des rapports entre les intellectuels et les princes : une interlocution qui, mission accomplie, n'a plus lieu d'être et fait que nos chemins, de nouveau, se séparent.

De cela aussi, on trouvera ici la relation exacte.

Des conversations et rencontres que nous eûmes, certaines en tête à tête, d'autres avec des responsables politiques et militaires libyens auxquels je ne l'ai jamais vu fermer sa porte, je livre le verbatim.

Archéologie pour demain.

Pièces pour servir à la connaissance de ce début de siècle.

Et, au passage, le portrait d'un homme aux prises avec une tempête dont il aura été l'instigateur et, souvent, le maître – faisant mentir, ainsi, bien des idées reçues le concernant.

Je ne juge pas, j'observe.

*

Alors, bien sûr, il y a *la* grande question dont Marx a fixé, à jamais, les termes avec son aphorisme célèbre sur l'Histoire qui a plus d'imagination que les hommes.

Le destin des événements ne se joue-t-il pas toujours, pour une part, dans le dos de leurs acteurs ?

Le sort des révolutions n'échappe-t-il pas forcément, à un moment ou à un autre, à ceux qui s'en croyaient les infaillibles protagonistes ?

Et ne sommes-nous pas, tous, en ces circonstances, les fils de ce Maharal de Prague qui, pensant façonner un nouvel Adam, lâcha au milieu des hommes un incontrôlable Golem ?

Ces questions, on le verra, n'ont pas cessé de me hanter.

13

J'ignore, en l'espèce, si la Libye de demain tiendra toutes les promesses de son printemps.

Je ne suis, pas plus que quiconque, capable de prédire avec certitude qui l'emportera des révolutionnaires et des libéraux de Benghazi, adeptes d'un islam paisible, fidèle à l'esprit des Lumières, ami du droit et des droits de l'homme – ou de cette poignée de radicaux que j'ai aussi rencontrés et dont je rapporte les positions et les propos.

Je ne suis même pas certain (je le crois, j'en fais le pari, mais je n'en suis pas certain) que ces quelques islamistes radicaux, auréolés de leur double palme (la palme de la souffrance sous Kadhafi, puis celle de la vaillance dans une guerre de libération dont ils formèrent, souvent, les meilleurs bataillons) décideront de jouer le jeu de la démocratie naissante ou tenteront de la rendre impossible ; et nul ne peut assurer non plus que, dans la première hypothèse, celle où ils joueraient le jeu des partis et en accepteraient les règles, ils resteraient longtemps les minoritaires qu'ils sont aujourd'hui.

Ce dont je suis certain c'est que l'ordre ancien des choses ne laissait pas le choix.

Assassin, terroriste, produisant l'islamisme comme son ombre portée et son double parfait, Kadhafi et sa clique enfermaient le peuple libyen dans la seule alternative de la dictature et du djihadisme.

Et au lieu que ce djihadisme soit, comme il le sera désormais, une option parmi d'autres, soumise à l'arbitrage des intérêts et des raisons et dissoute, on peut l'espérer, dans la solution démocratique, il était la seule option possible à l'intérieur d'une Histoire autoritairement figée : c'était le soupir de la créature tour-

14

mentée, le seul, l'unique soupir – tout était fait pour convaincre le monde qu'on ne pouvait sortir du despotisme que par l'extrémisme et le fanatisme.

Aujourd'hui, l'Histoire recommence.

Le peuple libyen et, au-delà de lui, les peuples arabes réapprennent les mille et une façons que l'on a de soupirer, de dire son tourment, d'y remédier.

Un débat s'instaure, brouillon, discordant, tumulte de paroles gelées et qui fondent au soleil de la révolte – joyeuse, parfois inquiétante, mais le plus souvent féconde discorde d'où le pire peut sortir mais aussi, et pour l'heure, un espoir raisonnable.

Rien que pour cela, rien que parce qu'ils ont su remettre en mouvement une Histoire arrêtée et que l'on nous décrivait comme une prison pour peuples forcenés et aux ardeurs naturellement meurtrières, Libyens et Français, Arabes et Européens, tous les acteurs coalisés de ces deux cents journées mémorables, peuvent dire d'une seule voix : c'est ce que nous aurons fait, ensemble, de meilleur.

(Paris, le 26 septembre 2011)

Première partie

LA GUERRE

Mercredi 23 février 2011 *(Scène de chasse à Tripoli)*

On a toujours intérêt à bien fixer le commencement des choses. C'était avant-hier. J'étais, avec Gilles Hertzog, au Caire, rentrant d'un reportage pour *Libération* et le *New York Times Syndicate*. Je venais de passer cinq jours, dans la perplexité et l'espoir, au cœur de cet événement énorme, sans précédent, qu'est la révolution égyptienne. Et, sur un écran de télévision de l'aéroport, je vois tout à coup, en Libye, des images d'avions descendant en piqué sur la foule des manifestants désarmés et qu'ils mitraillent. D'un côté, les engins de mort apparaissant à la limite des nuages, plongeant comme s'ils allaient s'écraser et crachant leur feu. De l'autre, en contrechamp, la fourmilière humaine affolée, courant en tous sens, se figeant, se dispersant, se ramassant, se redéployant, courant encore. Un homme tombe et ne se relève pas. Un groupe, à l'abri d'un auvent, disparaît dans un nuage de cendres et de fumée. Une femme, toute pudeur bue, sa robe relevée, tourne sur elle-même, se jette à plat ventre, hésite à se relever, se relève, le corps plié.

Une autre, enveloppée dans un grand drap, s'arrête de courir, sort la tête de son drap, regarde vers le haut – l'avion ? quelqu'un, sur un balcon, qui l'a appelée ? – mais tombe elle aussi et ne se relève plus. Un autre balcon, en flammes, d'où il me semble que l'on saute. Une voiture qui se soulève de terre, transformée en une corolle de flammes. Des gens, encore. Des pauvres gens, tout petits et qui semblent boiter. C'est une image. Juste une image. Mais c'est comme quand, à Kaboul, il y a neuf ans, Hamid Karzaï m'a appris, dans son bureau, la nouvelle de la décapitation de Daniel Pearl et que j'ai décidé, sans bien savoir pourquoi, d'instinct, d'élucider le mystère de cette mort et de m'attacher aux pas de cet homme. Ou c'est comme quand, trente ans plus tôt, à Paris, j'ai entendu André Malraux lancer son pathétique appel à la constitution d'une Brigade de Volontaires pour sauver le Bangladesh du carnage – beau visage convulsé de tics, la main elle-même tremblante crispée sur la mâchoire comme si elle voulait la soutenir et l'empêcher de partir dans les décors et le jeune homme que j'étais demandant aussitôt rendez-vous et partant, seul, quelques jours plus tard, à l'aventure, pour la frontière entre les deux Bengale. Eh bien de même, ce jour-là, avant-hier : confronté à ces images de foules en panique et zigzaguant entre les tirs des Sukhoï, saisi d'horreur et d'impuissance face à ce quadrille monstrueux et inédit dans l'histoire des répressions, imaginant enfin – le son était coupé – les cris de ces gens tentant de couvrir et, en le couvrant, de chasser le crépitement des mitrailleuses, j'ai pris la décision d'aller y voir. C'est le déclic.

Jeudi 24 février (*Quand les démocraties se couchent*)

Sarkozy condamne. L'Europe déplore. Obama proteste. Et ces articles qui nous expliquent que Kadhafi, après tout… Etait-il si mauvais que ça, Kadhafi ? N'avait-il pas changé, renoncé à l'extrémisme ? N'était-il pas en train de devenir un assez bon élève de la classe antiterroriste ? N'est-il pas un élément, désormais, de la sacro-sainte stabilité régionale, cette obsession des diplomates ? Et puis cette conversation, hier soir, avec un banquier anglais m'expliquant qu'il connaît Saïf, le fils aîné, le plus éveillé de la famille, le plus moderne, ils ont fait du ski ensemble, dansé dans les boîtes de nuit de Zermatt, il serait à tu et à toi avec les Rothschild anglais – va-t-on déclarer la guerre à cet homme ? ruiner ses velléités de faire de la Libye la Suisse du Proche-Orient, son Autriche ? l'affaiblir ? et est-ce le genre de personnage qu'on peut traiter comme un Saddam Hussein ? C'est bizarre, cette gêne. Il faudrait dire cette amnésie. Et cette volonté de « sauver » un homme qui, il y a juste trois ans, à Lisbonne, au Sommet de l'Union européenne et de l'Afrique, trouvait encore « normal » que « les faibles » aient « recours au terrorisme ».

J'ai toujours l'image dans l'œil. C'était le samedi précédant sa visite d'Etat à Paris, tapis rouge, tente bédouine plantée dans les jardins Marigny, le coup de gueule de Rama Yade, le silence gêné de Bernard Kouchner. Je revois Kadhafi, assis dans la salle des conférences, le visage bouffi et figé, un turban étrangement féminin sur la tête, les mains jointes, non pour prier, mais pour exprimer la distance et le dédain ; et je revois Sarkozy, derrière lui, debout, se penchant sans que l'autre daigne se retourner et lui glissant, à l'oreille, mais assez haut pour que les micros captent ce qu'il lui dit, quelque chose comme : « je me réjouis de vous accueillir ». Tout cela est navrant. Tout cela est indigne. C'est le printemps en Libye et, au-delà de la Libye, dans le monde arabe. Et nous sommes, nous, Européens et, en particulier, Français, condamnés à ne rien faire. Je pense à ma dernière conversation avec Sarkozy, en janvier 2007, juste avant les élections : « je veux tout changer ; tout révolutionner ; viens, rejoins-moi, nous ferons la révolution ensemble ». Comme j'ai bien fait de ne pas l'écouter ! Car la révolution est là. C'est le deuxième événement majeur, après la chute du Mur de Berlin, dans la vie des hommes de notre génération. Et il ne bouge pas, il ne réagit pas, il passe à côté, quelle honte.

Vendredi 25 février *(A propos des printemps arabes)*

Deux attitudes possibles, face à cette colossale affaire que sont les révolutions arabes.

Il y a les anxieux, il faudrait dire les pessimistes, qui « savent » que les révolutions tournent mal et qui ne voient pas pourquoi celle-ci ferait exception : la place Tahrir, d'accord ; la jeunesse insurgée des facebookers, certes ; mais après ? suffit-il d'une hirondelle du web pour faire un printemps démocratique ? ces images de soldats fraternisant, sur leurs tanks, avec de jeunes rebelles urbains ne sont-elles pas trop épinalisées pour être honnêtes ? et ne sommes-nous pas, nous, Français, mieux placés que quiconque pour savoir qu'après le beau désordre des Bastille enlevées vient l'ordre abject de la Terreur ?

Il y a les optimistes, il faudrait dire les volontaristes, qui pensent qu'on n'a pas le droit, quand un peuple semble vouloir s'émanciper, aller vers plus de démocratie, triompher de son mauvais destin, de lui fermer la porte au nez en lui demandant de revenir le jour où il offrira toutes les garanties de vertu, de non-dérapage, de sagesse : bien sûr, il y a des risques ; bien sûr, des inconnues ; mais peut-on, sous ce prétexte, condamner un peuple à la tyrannie ? peut-on, parce qu'il risque de passer par la case Terreur, le figer dans son ancien régime ? cette preuve par la Révolution française n'est-elle pas, d'ailleurs, parfaitement réversible puisque après la Terreur vient Thermidor et, trente, cinquante, cent ans plus tard, tout le reste ? et n'avons-nous pas, démocrates de tous pays, suffisamment pesté contre cette forme particulièrement perverse de relativisme qui réserve la démocratie aux uns (les Occidentaux) et l'interdit aux autres (les peuples du Sud), pour laisser entendre qu'une exception arabe condamnerait cette région du monde à la tyrannie ?

J'oscille entre les deux.

Un jour, terriblement anxieux : cette image qui me poursuit du patron du Parti Wafd égyptien, en principe parfait libéral, moderne, cosmopolite, etc., m'expliquant, à la fin de mon voyage égyptien, lors d'un dîner chez l'ambassadeur de France Félix-Paganon, que la souffrance palestinienne est une blessure ouverte au flanc de tous les Egyptiens et qu'Israël est leur ennemi. « Et la Libye, lui ai-je dit ? et la souffrance libyenne dont nous avons, ce soir, en direct, alors même que nous dînons, les premiers et terribles échos ? n'est-ce pas une blessure ouverte, la Libye ? – Ah non, a-t-il expliqué, tandis que son portable, posé sur la table, près de son assiette, n'arrêtait pas de vibrer et lui de s'interrompre pour répondre, minauder, régler ses petites affaires ou, quand l'appel lui semblait embêtant, tapoter sur sa touche stop comme on corrige un animal domestiqué ! ah non ! pas pareil, la Libye ! pas blessure pour les Egyptiens car affaire des seuls Libyens ; et encore moins votre affaire, vous, Occidentaux, car dossier interarabe, à régler strictement entre Arabes ; vous n'allez quand même pas comparer un massacre perpétré par un Arabe contre d'autres Arabes avec un massacre commis par ce criminel par excellence, ce criminel par éminence, ce criminel de substance et d'essence, qu'est Israël ? »

Et puis, le lendemain – voire, le même jour, à un autre moment de la journée – me rappelant que je n'ai pas vu, place Tahrir, brûler un drapeau israélien ni conspuer un symbole américain et, soudain, plus rassuré, honteux de ma réaction précédente, de ma peu honorable frilosité : possible, après tout, que cette jeunesse soit, pour partie, indemne des funestes obsessions des aînés ; possible que le pire y cohabite avec le meilleur ou le moins pire ; et, sans remonter aux calendes de la Révolution française, pas de raison que ce printemps des peuples se passe tellement plus mal que celui, il y a vingt ans, des peuples d'Europe centrale et orientale – difficile, tourmenté, balayé par des vents mauvais, mais accouchant, à la fin, de sociétés, oh certes pas radieuses, mais normales et qui, tout en ayant, comme les nôtres, leur compte de fascistes, de crétins, d'antisémites, ne se sont pas, pour autant, crues forcées de les couronner.

J'en suis là. Perplexe mais m'exerçant au sang-froid. Anxieux, mais faisant crédit. Pensant aux conséquences, les pesant et les soupesant ; mais essayant de ne pas céder, non plus, à cette pente du pessimisme qui est en moi et qui obscurcit le jugement. Douter, mais garder foi. Rester lucide, mais sans insulter l'avenir. N'être dupe de rien et surtout pas des illusions lyriques – mais ne pas se draper, non plus, dans la pose de celui qui, plus malin que les malins, voit venir, avant tout le monde, les inévitables lendemains qui déchanteront. En langue philosophique : pratiquer l'esprit, non de sérieux, mais *de suite*.

Samedi 26 février *(Comment Kadhafi est entré dans ma vie)*

C'est venu d'un coup. Au réveil. C'est arrivé de manière indistincte, puis plus précise puis, de nouveau, extrêmement brumeuse. Une phrase, d'abord, flottante, indécise, prenant forme peu à peu, mot à mot, presque syllabe après syllabe, telle une encre sympathique à la flamme d'une mémoire évasive : « nous n'avons pas attendu Bernard-Henri Lévy pour inventer le testament de Dieu ». Puis un visage, espiègle et magnifique, crinière rousse et casque d'or d'avant la maladie, celui de mon ami Paul Guilbert à qui Philippe Tesson avait confié la rédaction en chef d'un hebdomadaire aujourd'hui oublié et auquel je n'ai pas repensé, moi-même, depuis des années, *Les Nouvelles littéraires*. Une date, alors, 1979 : je ne la « vois » pas cette date, je la déduis ; oui, dans ce demi-sommeil toujours, dans cet état de rêve éveillé où il me ressemble si peu de m'attarder, je la reconstitue puisque c'est cette année-là, 1979, qu'avait paru mon *Testament de Dieu*. Et puis, le plus étrange, sorte de coup de tonnerre dans la brume qui m'enveloppe – je suis toujours à demi endormi mais ce signifiant-ci me tombe littéralement dessus : un autre nom propre, celui de l'auteur de la phrase ; je le vois, lui, cette fois, en lettres bien graissées, surgir en haut d'une de ces grandes pages qui étaient la marque des *Nouvelles littéraires* ; j'ai peine à y croire, mais je le vois ; je me dis que c'est impossible, que c'est une farce, un diable d'humeur espiègle qui m'envoie ce rêve biscornu ; je me dis que c'est le type même de faux souvenir, ou de souvenir écran, qui se fabrique avec le temps ou surgit Dieu sait pourquoi ou, sinon Dieu, du moins l'inconscient, mais cela revient au même et je n'y crois pas davantage ; mais c'est pourtant ça ; l'évidence est bien là ; non seulement son nom mais son visage ; et l'auteur, donc, de cette phrase improbable et dont, non seulement le nom, mais les traits se sont glissés par les portes battantes de ma mémoire et s'imposent à moi dans la demi-conscience du réveil, c'est... Kadhafi, le colonel Kadhafi, qui, à Tripoli, sous sa tente, interviewé, allez savoir pourquoi, par le premier hebdomadaire culturel français de l'époque, aurait cru bon de dire – mais comment ? dans quel contexte ? – qu'il n'avait pas attendu Bernard-Henri Lévy pour, etc.

Il m'a poursuivi, ce souvenir, toute la journée. La phrase n'a cessé de me trotter dans la tête. Jusqu'à ce que, voulant en avoir le cœur net, j'aille à la BNF tenter de retrouver la collection de ce beau journal disparu. Et, là, miracle ! Je retrouve la phrase ! Je ne l'avais pas rêvée, je la retrouve ! C'étaient *Les Nouvelles littéraires*, en effet. Elles n'étaient pas, ou plus, dirigées, comme je le croyais, par Paul Guilbert, mais par Jean-François Kahn. Et c'est dans le numéro daté du 29 novembre 1979, à l'intérieur d'un dossier intitulé « Le grand frisson de l'Islam » et dont le prétexte était la révolution islamiste à Téhéran. Il s'ouvrait, ce dossier, par un éditorial de Kahn, prudent, se gardant de condamner le processus en cours en Iran. Suivaient un article de Maxime Rodinson ; un autre de Paul Balta titré « Khomeiny et la morale » ; une « Epopée de l'Islam » racontée par un Roger Garaudy alors fréquentable ; un texte d'Henry Corbin suivi d'un hommage au même Corbin par le grand intellectuel iranien Daryush Shayegan ; un reportage de Gilles Anquetil titré « Iran, j'ai découvert un peuple qui a mal à sa mémoire ». Et c'est là, coincé entre ces textes, voisinant avec un ensemble sur Michelet, avec une enquête de Jean-Louis Ezine et Jérôme Garcin sur le thème « Les prix littéraires sont-ils truqués ? » et avec un article du même Garcin sur le prix Médicis 1979 attribué à Claude Durand, que je suis tombé sur la chose : en page de droite, haut de page, sous la signature d'un certain Jean Marabini, un papier intitulé « Dans la Libye de Kadhafi, voyage dans une populocratie islamique » et consacré à celui qui est alors le jeune Guide de la Révolution libyenne. Ce n'est pas un entretien, mais un reportage. Et il y a, au fil du reportage, des citations entre guillemets dont une – celle-là même, à un mot près, dont je me souvenais : « nous n'avons

27

pas attendu Bernard-Henri Lévy pour inventer le monothéisme »...

Qu'est-ce qui a bien pu se passer, ce jour-là ? Par quelle conjonction de hasards et d'influences mon nom a-t-il bien pu entrer dans le cerveau de cet homme et en rejaillir de cette façon ? Et qui est ce Jean Marabini qui recueillit le propos ? Une petite enquête m'apprend qu'il est l'auteur d'une série de livres d'Histoire qui, à l'exception d'une *Vie quotidienne en Russie sous la révolution d'Octobre* et d'une *Vie quotidienne à Berlin sous Hitler*, sont épuisés. Nulle part, je ne trouve de biographie de lui mais, constatant que la première de ces deux « Vies quotidiennes » date de 1965, je me dis qu'il se peut qu'il soit mort et que, sinon, il a complètement disparu. Jean-François Kahn, que j'appelle, n'en a, lui non plus, guère gardé de souvenir (« je vois vaguement... très très vaguement... j'utilisais des pigistes, à l'époque, beaucoup de pigistes... on avait même un ultragauchiste qu'on sortait de sa boîte en cas de besoin... devine qui c'était ! Denis Kessler... le patron Denis Kessler, adjoint du baron Seillière au temps où celui-ci dirigeait le patronat français... » ; et il part d'un de ses éclats de rire brusques, un peu autistes, car donnant toujours le sentiment qu'ils ne s'adressent qu'à lui – puis ajoute, avant de raccrocher, brusquement aussi, sans dire au revoir, comme il a toujours fait : « si j'ai du neuf sur ce Marabini, je te fais signe »).

On parle de l'année 1979. N'existent ni internet ni le fax. Il n'y a aucune raison logique pour qu'un livre de moi sur la Bible, le judaïsme et le monothéisme ait pu arriver entre les mains ni même à la conscience du jeune chef bédouin. Pourtant, c'est ainsi. Trente-deux ans avant qu'il ne devienne ce fou dangereux faisant

28

donner ses avions de chasse contre son peuple désarmé, trente-deux ans avant qu'il ne soit l'ennemi public numéro 1 de tout ce que la planète compte de démocrates et trente-deux ans, accessoirement, avant qu'il ne m'apparaisse comme l'incarnation de ce que j'ai passé ma vie à dénoncer et combattre, le jeune colonel Kadhafi est cet imprévisible lecteur à la conscience de qui j'adviens comme celui dont il ne laissera pas dire qu'il lui a appris ce que monothéisme veut dire.

La vérité est que cette idée, la première stupeur passée, me met bizarrement mal à l'aise. Au lieu de m'amuser, au lieu de me sembler l'un de ces traits d'humour dont l'inconscient est le meilleur auteur, loin de me faire m'émerveiller sur les perles que peuvent lâcher, quand on les sollicite un peu, les longues mémoires, elle a le don de me mettre en colère. Comme si je découvrais, entre cet homme et moi, un obscur et ancien contentieux. Ou, pire, comme si je m'avisais d'une complicité inexpliquée, involontaire et dont je me serais bien passé. Je décide, tout compte fait, de voir dans ce surgissement une alerte lointaine et qui finit de me réquisitionner.

Lundi 28 février (*Demain, à Benghazi*)

Je pars demain pour la Libye. La décision est venue d'un coup, ce matin. Mon reportage égyptien, peut-être, qui m'a laissé un parfum d'inachèvement. Tous ces articles, un peu partout, qui titrent sur le « malaise » des intellectuels français face au printemps

29

arabe et qui m'agacent. Ce vieux camarade, lié aux Services, qui me dit qu'entrer en Libye serait très difficile pour quelqu'un comme moi, que c'est la jungle, que personne n'y contrôle plus rien, et cela me stimule. Le sentiment, de plus en plus insistant à mesure que les jours passent, qu'on est en présence, là, d'un événement séminal, d'une onde longue et de longue portée – et ce démon que je connais bien, ce démon, non de l'Absolu, mais du Relatif, c'est-à-dire de l'Evénement, qui m'a toujours fait courir comme après un Graal laïque. Ou cette image de foules mitraillées depuis les airs qui ne me lâche pas et que confirment les premiers bilans chiffrés ainsi que les quelques rares reporters, comme ceux de France 2, parvenus à entrer dans le pays : 640 morts selon la Fédération internationale des ligues des droits de l'homme ; 2 000 rien qu'à Benghazi, selon d'autres bilans ; un carnage, dit un médecin français rentré hier soir ; jusqu'à Saïf Al-Islam, le fils de Kadhafi, qui minimise forcément l'ampleur du massacre mais qui parle quand même de « centaines » de cadavres. J'appelle Alexis Duclos, mon petit frère photographe, qui m'a toujours rassuré en reportage (dernières nouvelles de l'enfance... Antibes... parfum de jolies femmes, nos mères, sur des plages au soleil... leurs corps flammés... leurs rires frais...), mais il est bloqué à la frontière libyenne et ce n'est, hélas, pas la bonne, c'est la frontière avec la Tunisie, celle par laquelle on ne passe pas. Puis Marc Roussel, que je connais, lui, à peine, mais dont j'aime le travail et avec qui j'étais parti en Afghanistan, après la mort de Massoud, pour ma mission Chirac-Jospin, et qui, lui, est libre. Gilles, bien sûr – comment entreprendrais-je, sans Gilles, un voyage comme celui-ci ?

30

Franck Favry, qui assurera notre protection. Fabrice Alcaud, mon ami aviateur, qui dépose un plan de vol pour Marsa Matrouh, entre Alexandrie et la frontière – comme cela, nous gagnerons du temps. Le *New York Times Syndicate*. Le *JDD*. Mes journaux habituels (*Corriere* en Italie, *El País* à Madrid, *Espressen* et *Aftenposten* en Scandinavie). Et je décide de partir demain. Je ne sais rien de ce pays. J'ignore tout de ce que je vais y trouver. Je n'ai même pas le temps de rassembler une documentation. Mais ma décision est prise.

Mardi 1er mars *(Un taxi pour nulle part)*

Marsa Matrouh. Puis Saloum. La nuit vient de tomber. Ce qui a dû être, dans un autre temps, un poste-frontière banal, organisé et peu fréquenté est devenu un gigantesque no man's land où s'entassent les réfugiés fuyant la Libye et tentant de passer en Egypte. Les bâtiments administratifs ont été pris d'assaut et transformés en dortoirs. La salle de transit où l'on vérifie les bagages est devenue un hôpital de fortune. La route n'existe plus – transformée en un campement sauvage à l'entrée duquel veillent deux énormes tanks égyptiens, canon pointé vers les réfugiés. Les bas-côtés non plus, où s'étalent, à perte de vue, des créatures fantomatiques, allongées à même la caillasse ou sur des couvertures pestilentielles – il y a là des blessés, des malades, des gens qui souffrent de dysenterie. Le poste-frontière libyen, de l'autre côté, a dû être, lui, pulvérisé car, de là où nous nous trouvons, ballottés par la foule, harcelés, trébuchant sur les corps allongés, bloqués, l'on ne voit qu'une carcasse de bâtiment qui semble avoir été démantelé et, autour du bâtiment, puis, au-delà, à perte de vue, sur des centaines de mètres, une masse compacte, il faudrait dire une nappe de corps, la même que de ce côté-ci et qui s'étend, elle aussi, assez loin dans le désert alentour.

Il y a là, tenus à l'écart, des mercenaires de Kadhafi, noirs pour la plupart, qui ont déserté les premiers combats et que les soldats égyptiens surveillent de près. Des ouvriers, noirs aussi, qui sont terrorisés d'être confondus avec les premiers. Il y a des femmes. Des enfants. Des désespérés et des qui croient encore qu'ils vont passer. Des gens qui n'en peuvent plus, harassés, demi-fous, comme cet homme, les mains sur le visage, qui tourne sur lui-même en criant qu'il est là depuis huit jours, que les Egyptiens bloquent tout, ils ne veulent pas d'étrangers chez eux, c'est terrible. Ou cet autre, en veste de pyjama sur un jean, une décoration épinglée sur le cœur, qui hurle, en arabe, « j'ai resquillé, ça n'a servi à rien, ils ne prennent personne, personne ! ». Et puis d'autres qui n'ont pas complètement renoncé, tout entiers tendus vers un but : passer, passer à tout prix, sortie de Libye, entrée en Egypte, nouvelle Terre promise – tel cet autre groupe qui nous cerne, nous arrête presque, avec un « porte-parole » qui s'exprime dans un anglais correct et dont je remarque, sous la crasse des mains qu'il agite devant son visage, quelque chose de mat et de fin qui dit l'intellectuel, peut-être un instituteur : « huit jours qu'on est là ; huit jours qu'on essaie de forcer les barrages ; et voilà qu'un autre groupe, venu de la même ville que nous, nous est passé devant ; croyez-vous qu'ils auront une dispense ? ».

Il y a cette femme, à bout de forces, qui agrippe le bas de mon pantalon, puis mon soulier qu'elle manque arracher. Cette autre, allongée, les yeux fermés, un cercle s'est fait autour d'elle, malgré la cohue, dans la cohue, gardée par d'autres femmes qui semblent la veiller, interdisent à Roussel de la photographier et nous demandent des médicaments – elle a le nez rongé, peut-être est-ce juste de la boue séchée, ou peut-être est-elle malade, en train d'agoniser, impossible de vérifier car la foule nous a déjà repris, happés, avalés, menés plus loin. Il y a ceux qui essaient de nous parler et ceux qui nous regardent passer. Ceux qui nous demandent de l'argent, d'où nous venons, où nous allons, comment des gens peuvent avoir envie d'entrer dans le pays qu'eux sont en train de fuir – et ceux qui, nous prenant pour des officiels, ou des mercenaires d'un autre type, ou des espions, préfèrent se tenir à distance. Tout cela fait peu de bruit, bizarrement. C'est une cohue. Mais sans tapage. Sans vraie clameur. Comme si un régisseur invisible avait baissé le son ou comme si l'épuisement, la lassitude, leur faisaient, réellement, baisser d'un ton. Il y a même un moment – je dois l'avouer – de réelle beauté : quand arrive l'heure de la prière et qu'une majorité de ces gens, malades et bien portants, pouilleux et encore vaillants, s'ébrouent, déplacent un peu leurs tapis et couvertures de misère, et se tournent vers La Mecque pour se mettre à prier.

Il nous a fallu une heure pour repérer, jouxtant l'immonde fosse d'aisances faite d'une longue tranchée divisée en niches que séparent des tôles levées et à l'entrée de laquelle on a écrit, à la main, sur une pancarte « Offert par Le Croissant Vert », le bureau en plein air où les voyageurs venus d'Egypte sont censés donner leurs passeports à un officier des douanes qui semble drogué. Une autre heure pour qu'un soldat, à peine plus alerte, consente à nous indiquer un nouveau guichet, cent mètres plus loin, où nous sommes supposés les retrouver tamponnés. Il est fermé, ce second guichet, par un petit rideau de fer s'entrouvrant de temps en temps sur une main anonyme qui prend le paquet de documents de voyage que lui tend un chef de groupe, en rend un paquet d'autres jetés, sans regarder, en direction de la masse des Libyens – et puis le guichet se referme, les Libyens ramassent les documents tombés à terre et à l'intérieur desquels a été glissé, presque chaque fois, un formulaire indiquant, en arabe, « document pas valable » et le cercle se reforme, et la bousculade recommence, et l'attente de la prochaine ouverture.

Là, nous avons patienté une autre heure, poussés, écrasés, violemment écartés quand le guichet se réouvre et les hommes, le reste du temps, s'habituant à notre présence et ne craignant plus de nous presser de questions. Trois fois, le guichet s'ouvre. Trois fois, la main apparaît. Et, trois fois, nos passeports n'y sont pas. Est-il sûr, d'ailleurs, qu'ils doivent y être ? N'est-ce pas le guichet des gens qui vont dans l'autre sens, de la Libye vers l'Egypte et non, comme nous, vers la Libye ? Quand nous avons compris que c'était, en effet, le mauvais guichet, mais qu'il n'y en a pas d'autre, vu que nous sommes les seuls voyageurs, à cet instant, à avoir l'idée saugrenue de rentrer dans l'enfer dont tous essaient de sortir, il a fallu que l'un d'entre nous, le plus costaud, Franck, se fraie un chemin à travers la cohue pour aller chercher, loin derrière, dissimulée par un container géant où sont stockés des colis « repas », en fait des biscuits, qu'on distribue comme à des chiens, l'entrée du bureau auquel correspondait le guichet. Là, d'autorité, il bouscule un douanier en faction. Il monte à l'étage. Il aboie à un autre douanier, somnolent : « mission officielle ». Et il trouve, jetés sur une table, noyés sous une montagne de documents libyens, nos quatre passeports qu'il apporte au douanier somnolent pour, quelques dollars à l'appui, le prier de les tamponner.

Nous avons encore eu besoin d'une autre heure pour, nos passeports en règle et nos sacs à bout de bras, traverser la mer humaine qui nous sépare, 500 mètres plus loin, de la route redevenue normale : ce sont les 500 mètres les plus longs car nous sommes, en principe, côté libyen et il n'y a plus l'ombre d'un officiel pour faire régner un semblant d'ordre – juste la horde des derniers arrivés ; les hommes, farouches, déterminés, qui n'ont pas encore vu les deux tanks égyptiens ni compris que la situation, droit devant, est presque aussi désespérée que dans le monde d'où ils viennent ; et quatre étrangers qu'ils considèrent avec une méfiance qu'aucune crainte ne dissimule.

Il est 2 heures du matin. Nous sommes en Libye, dans une autre sorte de no man's land – là où, tous feux éteints, dans une obscurité totale ou qui, en tout cas, semble telle en comparaison de la clarté tremblotante que finissaient par diffuser les quelques lampes à pétrole dispersées autour des couvertures côté égyptien, stationnent trois voitures : une Ford à demi désossée qui vient de dégorger des familles et semble si cassée qu'on se demande comment elle a pu arriver jusqu'ici ; une Lada abandonnée ; et puis une camionnette, pas tellement plus brillante, dont Roussel fait observer qu'un pneu avant est à moitié à plat – mais elle est grande, longue, trois rangées de sièges, deux jeunes gens somnolant sur le siège avant. « Tobrouk ? Allez-vous à Tobrouk ? Et combien pour nous y conduire ? » Les deux jeunes ne parlent pas anglais. Mais nous finissons par nous comprendre et nous mettre d'accord : Tobrouk, oui ; deux billets de 100 dollars ; l'équivalent d'un mois de salaire en régime kadhafiste ; et entassement sur la même banquette car les autres, derrière nous, sont occupées par des cageots de légumes.

La camionnette roule comme elle peut, haletant comme une vieille bête, brinquebalant de ses quatre cylindres, son pneu avant droit gémissant dans les cahots et un peu de vent froid entrant par les vitres brisées. La route est semée de nids-de-poule que le garçon évite, chaque fois, avec dextérité. A droite, à gauche, éclairé par la lune, très brillante dans le ciel bleu noir, il n'y a plus que le désert avec, de temps en temps, la ruine d'un ancien Borj ou l'ombre d'un corps invisible ou encore, mais en sens inverse, des voitures chargées de bagages, de ballots, parfois d'animaux, qui se dirigent vers la frontière. Tout cela, s'ajoutant à l'effet de contraste avec l'interminable piétinement antérieur, nous donne une impression de vitesse et d'aventure. Chez tous les quatre aussi, même si nous ne l'avouons pas, un sentiment de sécurité, presque de confort. Ce n'est qu'au bout d'une demi-heure, quand nous voyons la camionnette obliquer dans un chemin de traverse, manquer de s'enliser dans une ornière qu'elle n'a pas pu, cette fois, éviter, puis s'arrêter devant une masure isolée, construite en mauvais pisé, et où attend un homme enturbanné avec lequel notre chauffeur échange un bref salam aleikoum, que nous comprenons : nous sommes tombés sur un livreur de légumes qui va s'arrêter, comme ça, tous les 10 ou 20 kilomètres, pour décharger ses cageots. Il nous offre des tomates que nous dévorons à pleines dents, debout, dans la cour de la ferme. L'homme enturbanné lui donne un billet froissé et nous apporte, sans rien dire, avec beaucoup d'élégance, des cannettes de soda. Notre seule vraie inquiétude va être, les fois suivantes, de savoir si la camionnette réussira ou non à redémarrer. Et puis la question, aussi, de l'essence : en avons-nous assez ? les deux garçons avaient-ils prévu d'aller jusqu'à Tobrouk ? et comment, sinon, fait-on dans des contrées où il n'existe pas de station-service ? et la batterie ? ils coupent sans arrêt leurs phares – est-ce pour économiser la batterie ?

J'ai fait beaucoup de reportages dans ma vie. Mais, d'habitude, j'ai un « fixeur ». Une vague ONG contactée depuis Paris. Une AFP dont j'ai connu le chef de bureau, ailleurs, dans une vie antérieure et avec qui j'ai repris langue avant de partir. Un point d'appui. Un point de chute. Là, rien. Juste cette camionnette moribonde – et aucune idée du monde où je pénètre ni de ce qui m'y attend.

Mercredi 2 mars *(Sur la route)*

Hôtel El-Botnan, à Tobrouk. Le petit livreur de légumes a fini par nous jeter, à 5 heures du matin, dans le seul hôtel de la ville tenu par un kadhafiste et dont nous sommes visiblement les seuls clients. Et on ne s'est pas privé de nous le faire savoir quand, quelques heures plus tard, après une douche et un petit déjeuner fait de pain rassis, de concombres, d'œufs durs et de « Vache qui rit », nous sommes ressortis chercher un vrai taxi capable de nous conduire, 500 kilomètres plus loin, à Benghazi. Un pick-up, chargé de jeunes gens armés et debout sur la plage arrière, est passé en trombe, devant l'hôtel. L'un d'entre eux a lâché une salve de kalachnikov, au-dessus de nos têtes, sur la façade déjà criblée de balles. Le propriétaire est sorti, une carabine à la main, mais sans avoir l'air plus ému que cela par l'incident. Mollement, sans vraiment viser, attitude de celui qui a l'habitude, qui fait cela chaque matin, peut-être est-ce même devenu un jeu entre les jeunes gens et lui, il a tiré, lui aussi, un coup de carabine en direction du pick-up déjà loin.

Visite rapide de la ville. Salut aux insurgés – peut-être les mêmes que ceux de la rafale – qui, sous des tentes, tiennent la grand-place et nous parlent d'un charnier découvert à 10 kilomètres d'ici. Visite, avec eux, de l'école qui sert de galerie d'exposition pour des caricatures gore de Kadhafi dessinées par les gamins de la ville. Le poste de police, en face de l'école, incendié. Une caserne, noire de suie. Et l'édifiante histoire d'une insurrection qui ne dura que quelques heures et vit les troupes loyalistes, soit se débander, soit fraterniser avec la foule. Les choses, vues d'ici, semblent simples et peut-être, en effet, le furent-elles. Invincible, la démocratie. Irrésistible, le vent de la liberté qui a balayé ces sables riches en mémoire. Et fragiles, terriblement fragiles et incertains, les soldats, probablement démoralisés, d'une dictature elle-même aux abois et qui semble, ici, s'être tout bonnement vola-tilisée. Kadhafi va tomber comme, avant lui, Mouba-rak et Ben Ali. Il est en train de tomber. Et la vraie question que je me pose, tandis que nous prenons la route, cette fois dans un vrai taxi, en direction de Benghazi, c'est si nous arriverons à temps pour voir la chute du tyran.

A propos des « sables riches en mémoire »... Le cimetière français, au sud, carrefour pour Djarboub, où Gilles insiste pour que nous allions nous recueillir. Le SAS philosophe, André Zirnheld (fauché en plein désert, été 1942, c'est mon père qui m'en parla le premier et le personnage m'a toujours fasciné), dont nous cherchons en vain la sépulture avant d'apprendre, de la bouche d'un vieil homme baragouinant un peu de français et accroupi à l'orée des tombes, devant trois pierres noircies où il fait bouillir de l'eau pour des visiteurs hypothétiques, qu'il repose à Paris, cimetière des Batignolles, il prononce *des Bagnoles* – si c'est ça qui vous intéresse, ce n'était pas la peine de faire tout ce voyage ! Et puis Tobrouk même, la ville et le fort de Tobrouk que tint, 240 jours durant, un héroïque régiment australien et qui fut le théâtre de la première défaite de l'Afrika Korps. C'est plus fort que moi. C'est plus fort que nous. Pas une circonstance où nous ne nous mettions, Gilles et moi, en chasse des mêmes ombres. Ces rendez-vous mystérieux avec la mémoire. Ce carambolage des lieux et des temps. Ce magasin aux modèles et répertoire de rôles qui nous dépassent. L'Histoire, la grande, qui revient toujours à celle de la Seconde Guerre mondiale et qui, les années passant, demeure maîtresse de nos vies et de ses grandes scènes. Faire l'Histoire ou la refaire ? La faire *en* la refaisant ?

Comme les révolutionnaires de 1789 s'échinant à répéter la geste de l'histoire antique, ne savons-nous être nous-mêmes qu'en étant l'ombre de nos Pères ? Mai 1968, autrefois... Mon zèle antifasciste de *L'Idéologie française*... La Bosnie que nous ne pouvions vivre et défendre, à l'étonnement de nos amis bosniaques, qu'en l'indexant sur les valeurs, les paradigmes, les fantômes de la guerre d'Espagne... Et maintenant, à l'instant de nous remettre en mouvement, cette recherche, un peu puérile, des traces des batailles antinazies... C'est ainsi.

A propos des caricatures de Kadhafi. D'abord, elles sont remarquables. J'ai rarement vu, mais oui, caricatures plus fortes, plus talentueuses, plus éloquentes, niveau *Charlie Hebdo*, il faudra que j'en parle à Charb et à Pelloux, que ces Kadhafi féminisés, animalisés, transformés en boucher, en comique troupier, en chameau ailé, en rat, en docteur Folamour, en Dracula, toute la gamme des mauvais rôles, des images pitoyables de soi – il se voulait Guide, il finit clown. Mais, surtout, c'est une leçon de choses, des travaux pratiques grandeur réelle, car elles en disent long sur la décomposition d'un régime qui tombe parce qu'il ne fait plus peur et qui ne fait plus peur parce qu'il sombre dans le grotesque : et si c'était le ridicule qui avait tué Kadhafi ? ses lunettes noires ? ses extravagances ? son visage déformé par le Botox et envahi par une pâleur jaunâtre ? ses poses ? ses frasques ? et s'il était mort du rire qu'il a inspiré à ses sujets quand ceux-ci ont découvert que ce dictateur, ce type dont il fallait apprendre par cœur, dès l'enfance, et ânonner les inepties, était un pitre, un dingue, un *dingtateur*, un Père Ubu ? Le ridicule tue. Le ridicule vainc la peur. On ne peut plus avoir peur de quelqu'un d'aussi comique. C'est le ridicule qui l'a emporté sur la peur et qui a emporté ce régime aux abois. Leçon de Tobrouk. Vérité de ses enfants. Grand enseignement de philosophie politique et note additionnelle à un fameux *Discours de la servitude volontaire*. Preuve que la dictature peut se dissoudre dans l'hénaurme, le rire et le talent. Et cap sur Benghazi, fief de la révolution, où nous arriverons avant la nuit.

Nous nous sommes arrêtés à Beïda, la ville des anciens rois, où un « commandant » sans grades ni galons nous a menés jusqu'au palais d'été de Kadhafi avec ses quarante chambres saccagées et pillées, sa piscine intérieure qui sert de décharge, ses saunas, ses vasques brisées – et puis, surtout, signe qu'il s'attendait, depuis toujours, au pire, ses kilomètres de bunker souterrains avec station d'épuration des eaux, générateurs électriques aux fils arrachés, pompes cassées à la masse, abris antiatomiques où l'on descend comme au fond d'une pyramide et où les citoyens de la ville déambulent avec un reste de timidité.

Puis à Derna, la ville portuaire supposée être, à en croire les partisans de l'ancien régime, le fief d'Al-Qaïda en Libye, une base pour les islamistes, voire un « émirat » créé, il y a quelques jours à peine, par Abdel Hakim Al-Hasadi, ancien détenu de Guantanamo imposant le port de la burqa et ayant déjà commandité moult assassinats ciblés sur des musulmans trop modérés : dois-je préciser que nous avons sillonné la ville ; et que nous n'y avons rien vu qui ressemble à un émirat ni guère de burqa ?

Puis nous sommes allés, près de Beïda, à Labraq, paysage méditerranéen semé de grosses fermes aux façades lavées par le vent : là, un enfant nous a conduits jusqu'à un aéroport militaire fraîchement bombardé, devenu un cimetière d'avions où des groupes de paysans que l'on eût dit sortis de *L'Espoir* ont rejoué, pour nous, la bataille qu'ils ont dû livrer contre un bataillon de mercenaires venus du Niger et du Tchad dans d'énormes bétaillères volantes. L'endroit où les avions ont dégorgé leurs soudards. Les quatre lieux, aux quatre coins du périmètre de l'aéroport, où étaient embusqués les paysans et d'où ils sont partis à l'attaque. Les milliers de douilles vides témoignant de la violence des échanges. Jetées dans les fossés, des couvertures tachées de sang, car les combats ont duré un jour et deux nuits et les kadhafistes, la nuit, s'enveloppaient pour ne pas avoir froid. Et puis, sur les murs de certaines maisons aux abords, des éclaboussures brunes, encore fraîches, qui témoignent des méthodes expéditives du régime. Ils sont maintenant une centaine, alertés de notre présence et qui ont convergé, certains avec leurs armes, jusqu'à la piste principale. Ahmed qui, parmi eux, semble investi de la plus grande autorité et qui, soit dit en passant, est incollable sur l'épopée des Alliés et, en particulier, des Français Libres, dans cette région de Derna, Tobrouk et Bir Hakeim, voit que ces éclaboussures brunes nous intéressent et dit qu'il peut nous en montrer d'autres, beaucoup d'autres, du même genre, de toutes époques, autour de la ville. Il y en a partout, insiste-t-il. Absolument partout. N'était-ce pas la technique de Kadhafi ? Disparition, séquestration et, un beau matin, exécution – sans avis, sans cadavre, juste une de ces taches, sur une façade lépreuse, qui ne s'efface pas. Nous déclinons – on nous attend à Benghazi.

Mercredi 2 mars, soir *(Shalom de Jacob,*
mon grand-père)

Nous avons roulé six heures. Un arrêt pour acheter
à boire, dans une sorte de buvette où un garagiste
libyen, exilé à Chicago depuis trente ans et qui revient
pour se battre, nous donne la photocopie d'un rapport
de la coalition internationale contre les criminels de
guerre qui, à la date du 22 février, dressait, lui, un
bilan de 519 morts et de 1 500 disparus. Un autre
stop, en pleine montagne : histoire, a bredouillé le
chauffeur, de laisser refroidir le moteur – en réalité,
c'était une panne et il a passé un bon moment, dans
la chaleur torride, à farfouiller sous son capot. Silence,
pendant ce temps. Lumière éclatante. Cailloux, à notre
gauche, et roches sorties du sable. Falaises de craie
dentelée à notre droite. Et ces rochers immenses qui,
en contrebas, jaillissent à pic de la mer. Pas âme qui
vive. Pas une bête. Pas trace d'habitation. J'aime le
désert, je m'en rends compte. Ce n'est pas le vrai
désert, ici, d'accord. Le désert, proprement dit, com-
mencera plus loin, après Benghazi, je le sais bien. Mais
dans ma géographie imaginaire, c'est déjà ce que
j'appelle le désert. J'aime cette sécheresse, et du sol, et
de l'air, qui m'a toujours donné un exquis sentiment
de légèreté. J'aime que ce soit le contraire de la terre,
avec ses marnes lourdes, ses boues grasses, ses racines.
Il y a des gens que le désert ennuie. Il y a des gens
qui trouvent que, dans le désert, tout se ressemble et
que tout y est sans relief. Sans même parler de ceux
que le désert épouvante : guerre du désert, Rommel,
mémoires d'anciens combattants et, avant eux, Caton,

43

dans *La Pharsale*, monologuant sur les monstres, les reptiles, l'épreuve de la soif, les chairs brûlées et décomposées, l'autre royaume de Méduse – sorte d'enfer de sable, de Dante avant Dante, le visage même de l'horreur. Moi, c'est le contraire. Le désert m'enivre. Le désert m'exalte. Je peux passer des heures à voir défiler ses paysages de bronze cuit. Jamais, nulle part, je ne supporte de ne rien faire, mais je peux, ici, rester une journée à guetter les fermes abandonnées ou détruites, compter les arbres pétrifiés et observer, à travers la vitre de la voiture, la réverbération de l'air sur le sol chauffé à blanc.

Mon grand-père Shalom devait être ainsi. C'est le genre de paysages où il a dû, toute sa vie, sa courte vie, mener ses troupeaux de moutons. Béni-Saf, la ville où je suis né, était son Ithaque. Il y séjournait quatre mois par an, sans doute l'été, auprès des siens : ma grand-mère ; ma mère ; la sœur aînée de ma mère, Yvette, qui m'a mis au monde ; ses autres enfants. Mais le reste du temps, il partait pour Oujda, à la frontière marocaine, à pied, avec ses beaux moutons béni-safiens. Puis, de là, vers Jerada, Goulmima, Tinghir plus à l'ouest et, enfin, Zagora qui était la porte du désert et où il allait retrouver, vêtu comme eux, se nourrissant des mêmes dattes et du même pain trempé d'huile et de miel, les bergers arabes de M'Goun et Ait Sedrat. Je sais peu de choses de lui. J'ignore s'il faisait cette route, au bas mot 1 500 kilomètres, entièrement à pied ou un bout en camion. J'ignore si c'était pour mener des troupeaux, selon les saisons, de pâturage en pâturage ou s'il avait un riche client, dans le désert marocain, à qui il livrait, chaque année, son compte de bêtes bien nourries, achetées sur le chemin.

Je sais juste qu'il était presque illettré. Je sais, pour avoir retrouvé, un jour, dans les placards de ma mère, une attestation de maladie que, fait rare pour un Juif, même très pauvre, il savait à peine signer son nom. Mais je sais qu'il savait le langage du désert. Je sais qu'il connaissait, par cœur, la voix de cette autre mer, celle des sables, qu'il aimait sans doute autant que celle de Béni-Saf. Je sais qu'il était un athlète, marchant de l'aube au coucher du soleil ou, quand il faisait trop chaud, l'inverse, plutôt la nuit, d'oasis en oasis, calculant au plus près pour faire boire ses troupeaux. Et je sais qu'il était un athlète malade, dur à la peine mais malade, qui, comme il se souciait plus de ses bêtes que du diabète qui le rongeait et comme il fallait absolument qu'elles arrivent en bonne santé chez l'acheteur, a fini par mourir là, en pleine lumière, quelque part entre Zagora et Tagounite, de cette mort sèche qui est la mort dans le désert.

Il y a deux versions de sa mort. La version officielle : revenu à temps ; mort à Ithaque ; enterré selon les rites. Et il y a l'autre version, cueillie sur les lèvres de ma grand-mère, un jour, à la fin, son secret, peut-être son seul secret – tombé malade dans les sables de Touz ; n'ayant eu le temps que de se traîner jusqu'aux abords d'Agadès ; et ce sont Maklouf, Hyamine, Moïse et Messaoud, mes oncles, qui, alertés par un voyageur, seraient partis à sa recherche, en voiture. Je veux croire à cette seconde version. Je veux croire à cette mort en plein désert, terrible sans doute – mais la chance, en même temps, d'une chair minéralisée, la grâce de ces ossements tout de suite au contact de l'infini, un corps qui n'aura jamais pourri, la mort des saints. Je l'aime mille fois plus, l'idée de cette mort, que la mort des autres, vie et mort mêlées, trafic de la matière putréfiée, transsubstantiation maligne, larves, têtards, chenilles, toute cette dégénération de la chair devenue pâte où lèvent des créatures infernales, ces prospérités de la corruption et de la viande humaine. Comment voulait-on que je vibre à la mort de Péguy, la tête dans les betteraves, le ciel toxique au-dessus de sa tête ? Comment aurais-je pu marcher à leur chansonnette, Barrès et compagnie, sur la terre et les morts ? Ou l'inverse : n'est-elle pas là, dans cette image obscure, dans l'idée de ce Valeureux qui, tel Achille confiant à Ulysse que « plutôt que de régner sur un peuple éteint » il a, d'emblée, préféré se mettre au service d'un « pauvre éleveur » et être son « vacher », gardien de son « troupeau », a choisi le nomadisme contre l'odyssée, n'est-elle pas là, oui, la source, finalement, de ce paquet de dégoûts et de révoltes qui firent, jadis, *L'Idéologie française* ? Seules les pierres durent. Seul le désert est digne de la mort et, d'une certaine façon, de la vie des hommes. Leçon de Shalom de Jacob, le père de ma mère, qui sommeille dans la lettre de mon nom. C'est en fin d'après-midi, fatigué mais heureux, que je suis arrivé à Benghazi.

Mercredi 2 mars, fin *(Un soir, à Benghazi)*

Atmosphère caractéristique des grandes villes maritimes. Odeurs de mer. Brume lourde qui semble, avec le soir, monter des plages. La Corniche. Un bâtiment énorme que je prends pour une ancienne Amirauté mais qui est, en fait, la « Supreme Court », la Haute

Cour du régime kadhafiste qui sert, aujourd'hui, de siège au Conseil provisoire qui gère la ville. C'est un peu la place Tahrir de Benghazi. L'épicentre de la contestation. Ils sont plusieurs milliers à stationner là. Jeunes et vieux. Messieurs d'ancien régime et chebabs à keffieh brandissant des pancartes où sont imprimés des portraits de victimes de la répression. Automobilistes qui ont abandonné leur voiture à l'entrée de la Corniche et ont fini à pied – et insurgés en armes qui scandent « Libya Hora » et nous montrent, sur leurs portables, des images des pendus de Benghazi, retransmises à la télévision parce que c'était, aussi, la manière du tyran (technique, non plus du coup d'Etat, mais du coup de grâce permanent ; Kadhafi et Senoussi, ces experts ès pendaisons qui variaient les supplices comme on varie les plaisirs – pendaison par strangulation, pendaison avec chute, pendaison lente, pendaison après émasculation, leur imagination semblait sans bornes et, chaque 7 avril ou presque, offrait au peuple terrorisé sa ballade des pendus). Quelques imams. Des militaires ralliés, reconnaissables à un bout d'uniforme qu'ils ont gardé. Le peuple de Benghazi. Son peuple rassemblé. Groupe en fusion. Fraternité. Certains sont là depuis des jours et des nuits, non-stop, ne rien lâcher et cela, comme au Caire, commence par l'occupation symbolique de la Corniche. D'autres sont juste de passage, nonchalants, faire un tour et s'en aller, atmosphère mêlée d'insurrection et de flânerie, de fièvre et de douceur – et cela est assez beau.

Un mauvais signe : non pas, certes, les imams ; ni même les Allah Akbar qui saluent l'apparition, au balcon, d'un homme à chéchia qui semble être un chef religieux ; mais le fait qu'il y ait, sous le balcon, un carré réservé aux femmes (que toutes, d'ailleurs, ne respectent pas – il y en a qui nous entourent, certaines enfoulardées, d'autres tête nue, sortes de commères amusées par la présence d'étrangers et qui, pour rien au monde, n'iraient s'enfermer dans le carré !).

Un bon signe : à l'heure de la prière, toute la part de la foule qui se met discrètement à l'écart, sur l'esplanade, au bord de la mer, fumant une cigarette ou profitant de l'intermède pour prendre des photos (« notre islam, me dit Khader, un ancien instituteur, est un islam intermédiaire – entre quoi ? entre la mécréance et le fanatisme ; entre l'immoralité propre aux sociétés sans Dieu et la folie de ceux qui le mettent au centre de tout ; notre islam est un islam normal qui nous met à l'abri des folies du monde » ; *inch Allah*…).

Et puis, chez beaucoup, une chose me frappe : l'étrangeté des corps. Je ne dis pas les vêtements (costumes des années 1950, que l'on dirait sortis de la naphtaline ; uniformes de bandes dessinées ; habits traditionnels qu'on ne trouve plus guère dans les autres villes du monde arabe). Je dis, vraiment, les corps. Les silhouettes qui portent les vêtements et qui semblent, elles aussi, porteuses de gestes d'un autre âge. Une raideur légère dans la démarche. Une manière étrangement courtoise de se saluer en hochant la tête. L'absence de bousculade malgré le climat de révolution et de fête. Un je ne sais quoi de retenu, de ralenti, qui n'a soudain plus rien à voir avec les façons standardisées, mondialisées, de faire la fête en vigueur d'un bout à l'autre de la planète et qui me donne le sentiment, tout à coup, d'être dans un film en noir et blanc ou dans les photos sépia de l'album de Béni-Saf que gardait précieusement ma mère et que j'ai perdu après sa mort (ce côté hommes et femmes à l'oreille cassée, corps sortis des grands froids, que j'avais également trouvé, après la chute du Mur de Berlin, aux survivants de la glaciation communiste ou dont Lanzmann m'avait dit, un jour, qu'il est cela même qui l'avait stupéfié, il y a plus de cinquante ans, lors d'un séjour en Corée du Nord).

Est-ce que je ne touche pas là du doigt ce qui fut, à la fin des fins, *le* crime de Kadhafi : l'enfermement, le confinement, la mise en quarantaine et, au fond, la tentative de mise à mort spirituelle des descendants du Royaume de Cyrène ? Et n'ai-je pas, surtout, un début de réponse à ma question de l'autre jour, à Paris (optimisme ou pessimisme ; s'il faut aborder ces révolutions arabes dans la crainte ou l'espérance, etc.) ? C'est la question qui était mal posée. Car la vérité – mais il fallait être ici, sur cette Corniche, au milieu de son effervescence embarrassée, pour commencer de la toucher du doigt – c'est que la Libye était morte et qu'elle ressuscite. Elle n'était pas juste tyrannisée, réprimée, vandalisée, saignée. Elle n'était pas juste soumise à un dictateur assoiffé de pouvoir, de prévarication, de sang. Elle était morte. Cliniquement morte. Il avait réussi, ce dictateur, comme tous les dictateurs du monde, à en mortifier les organes vitaux. Et c'est ce qui explique, et l'assentiment de l'Occident à ce qui semblait être la fatalité de la mort arabe, et le silence des élites arabes qui pensaient n'avoir, en face d'elles, que le silence glacé de la mort. Sauf qu'un miracle se produit et que le mort s'ébroue, se met en mouvement, marche.

49

Avez-vous déjà giflé un mort, demandaient les sur-réalistes ? A-t-on déjà vu ressusciter un mort, deman-deront, un jour, les historiens du XXIᵉ siècle ? Et ils répondront : oui, une fois ; il était une fois des peuples morts, pas juste endormis, morts, d'une mort spiri-tuelle autant que clinique et politique — et un miracle s'est produit, l'ange de l'Histoire a dit à ces peuples lève-toi, marche, et ils ont marché. Alors, après, où iront-ils ? Dans quelle direction, la marche ? Lucides ou somnambules ? A la lanterne ou en pleine lumière ? Et si, à peine sortis de la mort, ils n'y rentreront pas ? C'est assez déjà de marcher. C'est assez de n'être plus ces morts.

Jeudi 3 mars *(Quand revient le démon de faire)*

Nous avons fait la connaissance d'un homme mer-veilleux. C'est notre ami, notre seul ami, à Benghazi. Il s'appelle Mohammed Abdulmalik. Mais, à cause de son air lunaire, toujours légèrement étonné, nous avons décidé de l'appeler Tournesol. Il a soixante ans, mais en paraît dix de plus. Il est maigre. Le visage décharné. Une peau ridée mais fine, translucide, comme du papier de soie froissé. Il porte un petit manteau gris, trop court et trop étroit, qui lui donne un air à la fois suspendu et accablé. Sa cravate, impeccable, même quand il se hâte ou, tout à l'heure, quand nous courrons, demeure en place sans un faux pli. Il a le regard éteint mais où passent des éclairs de malice et d'astuce. Dans une autre vie, avant que le Guide, dans un de ses accès de folie, n'en eût proscrit l'enseignement, il était professeur de français et a gardé de ce temps une curiosité de tout ce qui est français, une bonne maîtrise de la langue, un sens de l'inflexion et un accent presque parfait ainsi qu'une connaissance précise de notre littérature, mais qui s'arrête à Sartre, Camus et Etiemble.

Il passe ses journées au Tibesti qui est, avec le Uzu, l'hôtel des journalistes. Il y promène sa carcasse dégingandée, sa tristesse, sa cigarette toujours à demi éteinte et ainsi économisée. J'ai failli le vexer en lui proposant de l'argent en échange de l'aide qu'il pourrait nous apporter. Je ne suis pas fixeur, m'a-t-il dit. Je suis professeur de français. Professeur *in partibus*, c'est vrai. Evêque sans paroisse d'une langue que j'ai aimée plus que tout. Mais évêque quand même. Et si vous me voyez là, dans cet hôtel, c'est juste dans l'espoir d'entendre parler cette langue magnifique que je n'ai eu d'autre ressource, depuis vingt ans, comme les sourds ou les aveugles, que de rêver.

Tournesol ne nous a pas quittés de la journée. Il nous a menés à la caserne militaire Al-Foudheil Bou Omar, à la sortie de la ville, d'où la troupe tirait sur les manifestants désarmés. Il nous a montré, près de l'entrée de la caserne, les restes calcinés de la fameuse voiture, remplie de bonbonnes de gaz, que Mahdi Ziou, ce père de famille de quarante-neuf ans, a fini par lancer, le 20 février, contre les portes de la caserne. Il nous a menés au palais de Kadhafi, moins luxueux, moins high-tech que celui de Beïda, mais tout de même – « vous ne trouvez pas ça bizarre, a-t-il dit en riant ? chez vous, en Europe, il vous fait le coup de la tente et du lait de chamelle ; ici, en Libye, il vit comme tous les tyrans de son espèce, luxe, fric, mauvais

51

goût ! ». Puis, comme Gilles lui a dit que nous n'étions pas là pour « empiler les lieux de mémoire », il nous a ramenés à la Supreme Court, sur la Corniche, mais à l'intérieur cette fois, parvenant à nous faire pénétrer dans le dédale de salles d'audience servant de bureaux aux comités improvisés qui, depuis quelques jours, assurent l'administration de la ville.

Ici, on s'occupe de voirie. Là, de remettre en route les écoles. Là, de l'alimentation de la ville en gaz et électricité. Là encore, une jeune femme élégante, belle, qui s'appelle Salwa Bugaighis et s'exprime dans un anglais parfait, nous explique qu'elle a pris la tête d'une commission, impensable sous Kadhafi, qui s'occupe des femmes et de leurs droits. Sa sœur, Iman, qui fut, comme elle, des premières manifestations antirégime, est orthodontiste et semble être l'une des porte-parole de cette Commune libyenne. Et il y a encore le comité chargé de « gérer » les informations qui arrivent, en vrac, de toutes parts, sur les morts, les disparus, les soldats brûlés vifs parce qu'ils n'ont pas voulu tirer sur les manifestants, les fosses communes que l'on commence à découvrir dans les faubourgs des villes libérées.

Je me souviens de cette fameuse affaire d'autogestion à laquelle j'avais fait mine de m'intéresser, en 1972, au moment de ma rencontre avec François Mitterrand, parce qu'il fallait bien que je feigne, pour entrer dans le cercle, d'avoir une spécialité. Je n'y croyais qu'à moitié. J'étais beaucoup trop marxiste pour croire à ces histoires d'auto-institution de la société. Et cela s'était senti dans ma première polémique avec Chevènement qui était, en principe, au sein du Groupe des Experts, le chargé en titre du dossier et que j'avais écrasé de mon mépris d'althussérien pour ce pauvre concept « introuvable dans la théorie marxiste ». Mais là, tout à coup, face à cette effervescence démocratique et citoyenne, face à ces comités d'usagers prenant en main leurs propres affaires et se substituant à un Etat criminel puis défaillant, je me surprends à y croire un peu. La Libye anti-Kadhafi, dans ces premiers balbutiements, terre d'invention démocratique ? La révolution arabe en général, et cette révolution arabe en particulier, théâtre d'un de ces bouillonnements d'initiatives et d'inventions qui sont l'honneur des peuples en révolte ? Le pessimiste en moi, le tocquevillien, le lacanien, celui qui sait que, comme disait un certain Mao Zedong, au désordre sur la terre succède toujours l'ordre sur la terre et que les révolutionnaires, en bons hystériques qu'ils ignorent être, recherchent toujours un maître sur qui ils puissent régner, rechigne à trop y croire. Mais l'attardé du progressisme ? Le mal guéri des illusions gauchistes ? L'incurable de l'espoir ?

Je me demande bien, d'ailleurs, ce que ces gens pensent en nous voyant, ainsi, installés dans leurs bureaux, sortir, rentrer sans demander de permission, les interrompre, les conseiller, donner notre avis sur tout, évoquer la Bosnie et le Darfour, citer le précédent Izetbegovic, le cheikh Mujibur Rahman, premier président du Bangladesh qui se sépara du Pakistan occidental comme la Cyrénaïque pourrait, si c'est l'ultime recours, se séparer de la Tripolitaine. Ils n'accepteraient pas ça de journalistes, il me semble. Ni d'humanitaires. Ni de fonctionnaires internationaux. Nous ne croisons d'ailleurs, dans cette partie du bâtiment où sont les bureaux de cette administration transitoire, ni journaliste, ni humanitaire, ni fonctionnaire international. Et, y aurait-il le moindre doute que je l'aurais moi-même levé en disant, à un moment, que nous ne sommes rien de tout cela et surtout pas, rassurez-vous, des journalistes qui vont écrire ce soir, ou demain, ou même après-demain, ce dont ils sont les témoins (en l'occurrence – et j'ai vu une lueur d'inquiétude passer dans le regard de la belle orthodontiste – une histoire de réseau de télécommunications qu'il est urgent de déconnecter de celui de Tripoli, qui espionne tout).

Donc quoi ? Que peuvent-ils bien penser que nous sommes et faisons là ? Je ne le sais pas moi-même. Je me sens la proie, depuis ce matin, d'un prurit d'action, mais vague, pas formulé, sans vrai objet. Je sens, à travers ces premières conversations, que la situation est loin d'être aussi « pliée » que je le pensais à Tobrouk ; que Kadhafi peut aisément contre-attaquer et provoquer un bain de sang ; et je suis à l'affût, donc, d'un angle, d'une idée, d'une initiative, d'un personnage qui m'aideraient à aider – mais, franchement, je n'en sais pas plus et n'ai pas d'idée plus précise. Alors, à plus forte raison, eux ! Mon nom ne leur dit rien. Ecrivains, ils n'ont pas vraiment compris. Philosophes, trop compliqué, et on n'en a pas l'air non plus. Est-ce l'éternelle histoire du type qui est là parce qu'il est là ? Le truc des grands illusionnistes dont on découvre, un beau jour, qu'ils ont réussi à s'incruster, sans qu'on leur demande jamais ni quoi ni qu'est-ce, sur la photo avec le pape, Ronald Reagan, la Reine d'Angleterre, le G8 ?

« Non, vous n'y êtes pas », dit Tournesol qui écoute, sans rien dire, depuis un moment, notre conversation. « Il y a une autre explication, rigole-t-il, au fait qu'on vous laisse entrer partout... Vos habits... Juste vos habits... Personne, ici, n'est sapé comme ça... Et les journalistes encore moins... » Il a dit « sapé » en détachant bien le mot comme pour signifier qu'il sait que c'est un mot spécial, un peu familier, pas ordinaire. Il a goûté le mot, il en jouit, comme tout à l'heure quand il a dit « fric » ou quand, je ne sais plus à propos de quoi, il a répété, plusieurs fois, « artichaut » et, une autre fois, « bayer aux corneilles » – le plaisir du français... Peut-être a-t-il raison, après tout. Peut-être est-ce juste ça, la raison. Laquelle aurait le mérite, au passage, de coller avec un petit point de doctrine : mon refus de changer ma manière d'être, de me tenir et donc, en particulier, de m'habiller, sous prétexte que je serais en reportage.

Combien de fois n'ai-je pas lu ou entendu : « non mais qu'est-ce que c'est que cette façon de porter des costards dans les pays en guerre ? et des chemises immaculées ? et blanches, par-dessus le marché ? » Eh bien oui. Respect élémentaire. Considération de l'autre ou, plus exactement, de son monde que je me refuse à considérer comme un autre monde et, encore moins, comme un théâtre où il faudrait un costume de scène pour entrer. Pas de gilet sans manches multipoches. Pas de pantalon treillis. Pas de gilet zippé façon baroudeur. Etre ici, à Benghazi, comme je serais à Paris. Je sais que cela peut sonner Cocteau 1914 (uniforme griffé Poiret pour aller dans les tranchées). Ou Malaparte sur le front de l'Est (bottes impeccables, et impeccablement cirées, dans les pires lieux de désolation). Je sais qu'on entendrait cela, si je me risquais à le dire publiquement, comme l'aveu de ce dandysme qui m'est reproché depuis trente ans (Edgar Morin, dès 1977, dans *Le Nouvel Observateur* : « Bernard-Henri Lévy qui s'habille chez *Pessimism*... »). Mais qu'y puis-je si, quand je dis l'Autre, on entend Moi ?

Et si, quand je pense Levinas, on comprend Cocteau ou l'auteur de *Kaputt* ?

Peut-être Tournesol a-t-il raison. Peut-être est-ce cela, en effet, qui les intrigue et nous vaut le privilège d'avoir été admis, sans l'avoir vraiment demandé, dans ce saint des saints. Et n'est-ce pas, d'ailleurs, ce qu'avait fini par nous dire Kemal, à Sarajevo, quand, après moult séjours, il consentit à nous expliquer que ce fameux premier matin où nous étions entrés par hasard, juste pour fuir les bombardements, dans le bâtiment de la Présidence et où, le comprenant, et réalisant notre chance, nous avions demandé à rencontrer le Président, c'est, en effet, l'allure de Gilles, son veston usé mais chic, sa cravate, qui l'avaient convaincu de faire ce qu'il n'aurait fait, ce jour-là, pour aucun autre : nous conduire jusqu'au sanctuaire où se terrait Izetbegovic et où il nous confia le fameux message de détresse adressé à François Mitterrand et qui fut, de l'aveu de Mitterrand, la cause directe de son voyage surprise dans la capitale bosniaque assiégée ? Mais bon. Le fait est que je suis là. Et, sapé ou pas, le fait est que, comme en Bosnie, comme au Darfour, comme partout, je profite de la situation pour demander à rencontrer « les responsables de l'insurrection ».

Je ne sais rien d'eux. Je connais à peine leurs noms. C'est Sara Daniel, la fille de Jean, qui, à l'hôtel Tibesti, dans la conversation, me les a énumérés et j'ai pris l'air entendu de celui qui connaissait déjà tout ça alors que, naturellement, je ne savais rien. Je suis si fatigué, et si encombré de noms nouveaux, que je n'arrive pas à les retenir et ai besoin de les écrire sur la paume de ma main, au feutre, pour pouvoir les regarder, chaque fois, subrepticement, avant de dire à qui me semble investi d'un semblant d'autorité : « nous sommes ici pour rencontrer Monsieur Mustafa Abdeljalil... » ou : « savez-vous où je pourrais trouver Monsieur Abdul Hafiz Gogha, porte-parole du pouvoir de transition et qui, lui, parle aux journalistes... ? ». Cela dit, ça marche. Je sens, au fil des heures, la curiosité se muer, chez quelques-uns de mes interlocuteurs, en un vague intérêt et le vague intérêt en une ébauche de calcul – je ne sais pas lequel mais qu'il y ait un calcul, que ces gens finissent par se dire : « on ne sait jamais... ces types sont bizarres... mais, parce qu'ils sont bizarres, ils seront peut-être utiles... et pourquoi pas, dans ce cas, les conduire à X ou Y et, à travers eux, essayer de faire passer tel ou tel message », je le sens, j'en suis convaincu et le fait est que je parviens, à la fin de la journée, à rencontrer effectivement Gogha (avocat, silhouette élancée, yeux noirs très brillants, nez maigre, visage osseux, une masse de cheveux noirs qui semble trop lourde pour sa tête mais lui donne une certaine prestance) et que l'on me promet, pour demain, peut-être après-demain, une rencontre avec Abdeljalil (beaucoup plus important, lui, semble-t-il ; patron secret de l'insurrection, son chef d'orchestre clandestin ; ne me dit-on pas qu'il n'est pas à Benghazi mais à Beïda, cité des rois de Libye, d'où il dirige le mouvement à distance ? je le verrai, me dit-on ; je ne quitte la Supreme Court qu'après que l'on m'a assuré, formellement, que je le verrai...).

Il est tard. Il fait chaud. Un avocat m'attend, dans le lobby de l'hôtel, pour me parler de la tuerie, en 1996, de la prison d'Abou Salim, à Tripoli (1 200 détenus, mitraillés en quelques heures – et leurs corps jamais rendus aux familles). Puis c'est un militant des droits de l'homme, envoyé par Gogha, qui vient me remettre le dossier de l'assassinat de Daïf Al-Ghazal (« un journaliste comme vous ; ça s'est produit il y a six ans ; dans les sous-sols de la Cour Suprême – vous en revenez, n'est-ce pas ? ils lui ont coupé les doigts en disant que ça lui apprendrait à écrire ; puis ils l'ont tué, avant de mutiler son cadavre ; et tout cela pourquoi ? parce qu'il avait publié un article contre la corruption des Kadhafi »). Je monte dans ma chambre d'hôtel pour essayer de dormir un peu. Mais trop de cris me trottent dans la tête. Trop d'images. Trop de corps promis à la mort, les yeux bandés de noir, la terre qui se dérobe sous les pieds ou, comme à Abou Salim, sous la mitraille. Et trop de questions, aussi. A commencer par une – qui éclipse, désormais, toutes les interrogations dérisoires du genre : « qui sont ces types ? que font-ils là ? ». Cette question, c'est : que faire face à ces crimes et à ceux qui se projettent ? puis-je me contenter du reportage classique, avec choses vues, distanciation, interviews, un peu d'écriture ? n'est-ce pas le moment de tenter un coup de force du style Massoud à Paris, ou Izetbegovic exfiltré de Sarajevo ? Je ne sais pas. Je ne sais plus. Je finis par m'endormir avec, devant les yeux, les mains tremblantes de Tournesol quand il rallume sa cigarette et les noms d'Abdeljalil et de Gogha qui se composent en figures compliquées.

Vendredi 4 mars *(Sur le front)*

Tournesol nous a dit que l'homme était retenu à Beïda. Et nous avons donc décidé, pour ne pas perdre de temps, d'aller vers la ligne de front.

Départ, 7 heures. Deux taxis loués pour la journée. Gilles et moi dans le premier. Roussel et Franck dans le second. Où est-elle, au juste, la ligne ? A l'hôtel, hier, à l'heure du dîner, il y avait, dans la petite communauté des journalistes, autant de versions différentes que de tablées. Pour les uns, les rebelles seraient arrivés à Ben Jawad, bien après le terminal pétrolier de Ras Lanouf, à 100 kilomètres de Syrte. Pour d'autres, ils seraient au-delà de Ben Jawad, en train de marcher vers Tripoli. Pour d'autres encore, ce sont les forces loyalistes qui auraient le vent en poupe – elles auraient repris Ben Jawad, peut-être même Ras Lanouf, et seraient en chemin vers Benghazi. Personne, en fait, n'en sait rien. Peut-être est-ce la situation même qui est insaisissable, car changeant d'heure en heure. Et la seule solution semble être d'aller y voir par nous-mêmes.

Ajdabiya, d'abord, ville tout en longueur, en plein désert, à deux heures de route de Benghazi, où nous trouvons quelques dizaines de volontaires – dans le civil, des ingénieurs, étudiants, commerçants – qui n'avaient, avant ces jours derniers, jamais tenu une arme entre leurs mains et qui contrôlent l'agglomération. Un checkpoint à la porte est. Un autre à la porte ouest. Une dizaine de pick-up, sur la place centrale, certains montés de batteries antiaériennes, qui semblent en mouvement vers l'ouest. Les kadhafistes, nous

59

explique le maire, ont évacué la ville sans coup férir. Ils ont laissé derrière eux quelques chars. Ils ont laissé aussi, à la hauteur de la porte ouest, dans un hangar, d'énormes réserves de munitions made in Russie, Iran et, hélas, France qu'il se fait un plaisir de nous montrer tant elles attestent, à ses yeux, de la nature criminelle du régime. « A qui, selon vous, ces armes étaient-elles destinées ? », nous demande le jeune commandant que le maire a réquisitionné pour nous permettre d'entrer dans le dépôt. « A qui », répète-t-il, en crachant sur une caisse de bois rectangulaire, marquée « cartridge », à demi ouverte, et où je distingue des missiles de gros calibre ? « Le fait qu'elles soient là, stockées, n'est-il pas la preuve que le tyran avait, de longue date, déclaré la guerre à son peuple ? Est-ce que ce n'est pas une évidence ? » Dont acte.

Deux heures de route encore. Nous atteignons Brega, fausse ville mais vrai terminal pétrolier dont l'importance stratégique est, j'imagine, considérable et où, à voir le nombre des impacts sur les façades, ainsi que les deux cratères de bombes à l'entrée de la ville, la bataille a dû être déjà plus sérieuse. Mais pas de vraie tension, là non plus. Tout juste, en début de matinée, une frappe aérienne, mais qui n'a pas fait de victime. Et un mouvement de pick-up qui, pour certains, arrivent du front mais qui, pour la plupart, comme à Ajdabiya, y vont. Ils sont bourrés d'hommes, certains accrochés aux portières, ou debout sur les capots, ou sur les toits. Presque tous sont des civils mais avec, chacun, et comme pour affirmer leur appartenance à l'armée de libération en formation, un bout d'uniforme, parfois juste une casquette, une vareuse. « Où est le front, demandons-nous, devant l'Université du Pétrole, à deux gamins en veste de camouflage, cheveux passés à la brillantine et passe-montagne replié sur la nuque, qui font le V de la victoire et marchent d'un drôle de pas, un peu lourd, les pieds à plat, le corps en arrière ? Jusqu'où les vôtres sont-ils arrivés ? C'est encore loin ? – Justement, répond le plus âgé des deux, roux, la barbe fauve, qui s'appelle Abderrahman et parle quelques mots d'anglais ! Ça tombe bien ! C'est là qu'on va ! » Et les voilà qui sautent dans notre taxi : l'un devant ; l'autre, Abderrahman, à côté de nous, sur la banquette arrière, kalachnikov entre les jambes, tentant, dans un anglais chaotique, de nous expliquer la situation.

« Fuck Kadhafi », dit le premier qui était, avant la guerre, étudiant en médecine mais qui, avec sa veste, son keffieh à damier noir et blanc roulé sous le capuchon et son coutelas accroché à une sangle sur la cuisse, la joue guérillero. « Fuck Kadhafi », reprend l'autre, singeant un Kadhafi efféminé et sodomisé et m'expliquant, plus sérieusement, avec force gestes, qu'ils ont pris leurs chaussures sur les cadavres de deux de ses soldats, qu'elles sont trop petites, qu'ils ont du mal à marcher et qu'ils sont bien contents de nous avoir rencontrés ! « J'encule tous les kadhafistes, répète-t-il ! I fuck them ! Mauvais soldats ! Mercenaires ! » Sur quoi il part dans un récit long et confus d'où il ressort que, là même où nous les avons rencontrés, à l'Université du Pétrole, l'armée du régime a raflé des jeunes et en a fait des boucliers humains qu'ils ont obligés, au moment de l'assaut des forces rebelles, à monter en première ligne – mais l'appel de la liberté a été le plus fort et, quand les jeunes sont arrivés au contact des révolutionnaires, ils ont couru à leur rencontre, ont jeté

61

leurs armes et ont fraternisé. Et, quand j'essaie de leur demander, enfin, quelle expérience militaire ils ont, s'ils se sont déjà battus, s'ils ont peur de ce qu'ils vont trouver, ils me répondent avec cette crânerie juvénile de qui rêve d'en découdre mais n'en a pas encore eu l'occasion : « peur, nous ? jamais ! ce sont eux les peureux ! eux qui font dans leur froc ! ». C'est l'étudiant en médecine qui parle et il fait le geste de se lever légèrement de son siège et de secouer son pantalon. « Nous, quand on sue… » Il se passe la main, cette fois, sur la poitrine et l'agite, en se retournant, à hauteur de mon visage, comme pour l'égoutter. « Nous, c'est de la sueur d'homme, eux c'est de la sueur de sang – et on n'a pas besoin de les voir pour le savoir. »

Aux abords de Ras Lanouf, après une heure et demie de bonne route en compagnie de nos deux nouveaux amis, nous commençons de sentir une fébrilité nouvelle dans l'air et dans les regards – ce je ne sais quoi caractéristique de ce que Jean Hatzfeld appela, à propos de la Bosnie, « l'air de la guerre » et qui signale immanquablement l'approche des lignes de front. Les combattants, dans les pick-up, ont toujours l'air euphorique. A un endroit où la route est défoncée et où tout le monde doit ralentir, on acclame un jeune, presque un enfant, qui profite de l'embouteillage pour grimper sur le capot et s'attacher au porte-bagages. On s'arrête encore pour échanger un mot avec un copain à pied, l'embrasser, demander une information, en donner une, rire d'un paysan qui, imperturbable, transporte des cageots de fruits sur un tracteur aux roues surélevées qui paraît, même ici, sorti du Moyen Age. Mais j'ai le loisir, alors, d'observer les lèvres gercées par le vent, l'appréhension muette des regards ainsi qu'un air de détermination farouche qui n'existait ni à Ajdabiya ni à Brega. Les checkpoints sont plus nombreux. On voit un char détruit sur le bas-côté. Et, à vingt kilomètres de la ville enfin, peut-être quinze, nous nous heurtons à un tout dernier checkpoint que tiennent, pour la première fois, des hommes en demi-uniforme, veste et chapeau de camouflage, armes un peu plus solides, et où l'on nous oblige à nous arrêter pour de bon.

« Plus personne ne passe », me dit un homme parlant anglais et manifestement investi d'une certaine autorité. Il a l'air d'un soldat régulier, peut-être un officier. Il en a, non seulement l'allure, mais, à l'exception d'une casquette de joueur de base-ball, l'uniforme entier. Plus deux médailles, épinglées sur la poitrine, qui font grand militaire. « Vous vous arrêtez là », répète-t-il, en nous indiquant, quelques mètres plus loin, dans le sable, un réchaud à gaz sur lequel chauffe du thé. « Une équipe de reporters est passée tout à l'heure. C'est la dernière. Car l'ennemi contre-attaque. » Nous restons une demi-heure à boire du thé noir, lourd de sucre, que l'on nous sert dans des gobelets et à observer les pick-up bloqués comme nous et avec nous. Quelques civils. Surtout des combattants. Jeunes toujours. Pas d'uniformes, eux, en revanche. Peu d'armes. Des AK-47 et des lance-grenades dans le meilleur des cas. Des simples coutelas, ou des machettes, pour les moins bien lotis. Parfois des cartouchières, ou des étuis de revolver, vides. Et, à demi enterrés dans les remblais de terre sur le côté de la route, quelques 14,5 antiaériens que l'on ne remarque pas tout de suite et autour desquels les hommes se regroupent comme pour se réconforter.

Il y a encore des tirs en l'air, mais ce ne sont plus des tirs de joie. Et l'Allah Akbar qui les accompagne ressemble plus à la façon qu'on a, dans la nuit, quand on a peur, de se rassurer en entendant le timbre nu de sa propre voix. Un camion arrive de Brega, bourré d'hommes, qui, lui, ne s'arrête pas. Un autre, en sens inverse, qui ramène des hommes manifestement épuisés. Une ambulance arrive en trombe, qui décharge – il n'y a pas d'autre mot – le corps d'un homme, les vêtements pleins de sang, inanimé. Une fourgonnette arrive, l'embarque et l'ambulance repart dans l'autre sens.

Là-dessus, une explosion dans le lointain. Puis une autre, plus rapprochée. L'unique arbre, à côté de nous, semble gronder. « Roquette ! », crie le second de nos deux garçons, celui qui ne parle pas anglais. « Roquette ! » reprend un autre avec un accent américain appuyé. Mais il y a autant de crainte dans leur voix que de bravade. Et il y a dans leur façon de scruter l'horizon comme s'ils allaient y trouver l'origine des tirs, une fébrilité enfantine qui tranche avec les rodomontades de tout à l'heure. Autour de nous, tout se fige. Tout devient, pendant quelques secondes, complètement silencieux. Puis tout le monde se met à crier : « roquettes » encore ; ou « Grad » ; ou des mots en arabe que personne ne nous traduit. Et, tout de suite après, sans vrai élément nouveau et sans que l'officier du checkpoint ait rien dit, on se met en mouvement, mais dans le désordre : certains pick-up franchissant maintenant le barrage et filant en trombe vers le front, la plage arrière bourrée de combattants et les portières ouvertes pour permettre aux plus jeunes, debout, de s'accrocher ; d'autres, manœuvrant pour

64

faire demi-tour et, quand ils n'y parviennent pas, quittant la route et coupant par les bas-côtés ; concert de klaxons ; zigzags entre les pièces antiaériennes et les obus non explosés ; une voiture qui s'arrête tout de suite, mais c'est parce qu'elle s'est ensablée (un groupe de chebabs dépanneurs s'affairent, ils la tractent et, en échange de leur aide, se pendent aux portières pour filer dans le désert) ; et un groupe de combattants à pied quittant la route pour se diriger vers les dunes, d'où il semble que viennent les tirs. Nous essayons, nous, de nous couler dans le premier flot de pick-up, celui qui fonce vers Ras Lanouf. Mais l'officier nous bloque, parlemente avec le chauffeur puis avec nos deux garçons qui, sans rien dire, descendent et courent vers une autre voiture qui, elle, est en train de passer. Tout cela va très vite. « Sécurité », nous crie l'officier, comme s'il nous engueulait. Je sens qu'il n'y a pas de discussion possible. Et nous suivons le mouvement de repli.

Sur le chemin du retour, nous sommes bloqués par un barrage qui n'était pas là à l'aller et où d'autres hommes en uniforme filtrent les véhicules. Un jeune, d'autorité, monte dans notre taxi. Un autre monte sur le pare-chocs arrière. Je vois le corps d'un homme, sur le bas-côté, couché par terre, bave sanglante. Il crie. Une fourgonnette s'arrête. Un groupe de jeunes en descendent et courent le ramasser. Deux kilomètres plus loin, arrêtés à un autre checkpoint, nous voyons un autre corps, la tête dans une mare de sang déjà caillé, le sable noirci tout autour et un vol de mouches au-dessus de lui – celui-là, nul n'y prête attention, je suppose qu'il est mort, c'est en tout cas ce que notre passager fait comprendre à notre chauffeur en lui tapant frénétiquement sur l'épaule pour l'inviter à ne pas ralentir et en criant « Grad ! Grad ! ». Ce sentiment que j'ai toujours eu, face aux morts de la guerre : si mince, la frontière entre leur état d'avant et celui de maintenant ; la vision de leur sang qui semble leur conférer un surcroît de vitalité ; le peu de confiance que l'on sent pouvoir faire, du coup, à la vie des corps autour de soi – et l'idée que ces pensées-là, ce n'est pas le moment de m'y attarder.

Samedi 5 mars (*Voir naître le Conseil national de transition*)

Cette affaire Abdeljalil tourne à l'obsession.

J'ai commencé la journée en mendiant, auprès des journalistes du Tibesti, l'accès à l'une de ces fameuses valises satellites d'où je sais que l'on a, même ici, accès à internet. J'ai activé mes moteurs de recherche préférés et tapé, sous toutes ses orthographes (Mustafa Abdeljalil... Abdel Jalil... Jelil... Jeilil... Abduljalil... Abd el-Jelil... Moustafa avec ou sans u... et encore d'autres combinaisons...) ce nom dont, à cette heure, je répète que je ne sais pas grand-chose.

Je comprends, en gros, qu'il a été ministre de la Justice de Kadhafi en 2007 (dans les derniers mois de l'affaire des infirmières bulgares) ; qu'il a, en 2009 et 2010, de l'intérieur du système, mené campagne pour la libération des prisonniers politiques (campagne dont il est difficile de mesurer les effets réels mais qui lui a certainement valu l'aura dont il semble bénéficier) ; qu'il est l'un des premiers commis de l'Etat à avoir, le 15 février, rejoint la révolution (après quoi, une Assemblée des Sages, réunie à Beïda, le 17, l'aurait choisi comme chef provisoire du mouvement) ; et je comprends enfin que, selon les câbles américains « déclassifiés » par WikiLeaks, il est un musulman pieux, plutôt conservateur, mais « coopératif et ouvert » (et certainement pas islamiste, proche d'Al-Qaïda, etc., comme le prétend la propagande de Kadhafi).

J'ai passé le reste de la journée avec une idée en tête, une seule, exprimée à chacune de mes rencontres et répétée, sans cesse, au pauvre Tournesol censé rappeler, chaque fois, Gogha pour lui remettre en mémoire sa promesse : rencontrer cet Abdeljalil ; être conduit auprès de ce personnage dont je finis par ne plus savoir si c'est ma seule imagination qui lui prête cette importance ou si c'est la réalité ; à tout prix, vraiment à tout prix, être mis au contact de cet homme invisible, de cet individu éminemment mystérieux, de ce Pluton de l'insurrection, de cet autre Gédéon – mais peut-être est-ce à mes yeux seuls, encore une fois, qu'il est nimbé de cette aura (« non, m'assure Gilles, mais sans que je parvienne à savoir s'il ne cherche pas, lui-même, à se rassurer ; presque personne, jusqu'à présent, n'a pu le voir ; il est clair que c'est le personnage clé ; imagine le voyage au Sud-Soudan si nous ne nous étions accrochés, à Nairobi, puis à Lokichokio, pour réussir à voir John Garang... »).

Parce que l'on nous a garanti que c'était près de Benghazi et que, si le coup de téléphone arrivait, nous pourrions revenir en ville très vite, nous sommes partis à Rajma, voir le dépôt de munitions qui a explosé la nuit dernière. Ses éboulis. Ses armatures de ferraille et de béton tordues. Ces filets de fumée qui sortent encore de certaines ruines. Un peu plus loin, une pluie de poussière noire comme si la violence de l'explosion avait formé des nuages de suie et qu'ils crevaient. Et des groupes de jeunes gens, emmitouflés dans des manteaux à capuche qui semblent les protéger d'on ne sait quelle contamination, errant dans les décombres à la recherche d'une arme restée intacte, d'une caisse à munitions que l'explosion aurait épargnée. Accident ? Sabotage ? Bombardement d'avion (mais nul n'a rien vu ni entendu) ? Tout ce que l'on sait c'est qu'il y a eu vingt-sept morts et que cela tombe mal pour les combattants que nous avons entendus, hier, à Brega, pester contre le manque d'armes. D'ailleurs, tout a changé. Quelques heures à peine ont passé mais, chez les quelques-uns avec qui nous engageons la conversation, le ton est différent. Moins de vantardises. Une gravité nouvelle des visages. L'un raconte comment Kadhafi donne à ses soudards du Viagra et de la graisse à fusil dont il me laisse deviner l'usage. L'autre évoque un commandant de mercenaires tchadiens, particulièrement cruel, dont on ignore le nom mais dont on sait qu'il est manchot. Et Rabi, étudiant à l'Université, assure avoir eu des nouvelles d'un cousin de Tripoli lui annonçant une contre-offensive imminente.

Nous avons, à l'heure du déjeuner, tué le temps, sur la Corniche, à nous faire réexpliquer des histoires de crèche et de ramassage d'ordures qui nous intéressent nettement moins qu'hier. Puis dans le vieux quartier italien, à visiter la cathédrale désaffectée à double coupole verte et l'ex-palais épiscopal à demi en ruines. Nous avons tenté de retrouver les vestiges de l'ancien Benghazi, celui d'Hérodote et de la reine Bérénice — mais que peut-il bien rester d'une ville trois fois détruite, et même quatre si, à l'invasion par les Perses, puis par les Arabes, puis par les Ottomans, on ajoute l'invasion par les Italiens ? J'ai noté, au passage, et une fois de plus, que seul l'art et, plus particulièrement, l'art de la lettre, sait donner vie à la pierre et qu'une ville sans écrivains, si belle soit-elle, et Dieu sait si Benghazi est belle, ne connaîtra jamais qu'une existence de deuxième genre. Et voilà que, vers 14 heures, victoire ! Mohammed Abdulmalik, alias Tournesol, reçoit enfin le coup de téléphone qu'il attendait et qui éclaire son petit visage tout en angles et en rides. « L'homme est là », nous annonce-t-il en raccrochant, mais non sans avoir pris le temps de rallumer sa chère cigarette. « L'homme est en ville », insiste-t-il, d'une voix restée atone, un peu traînante, peut-être le fait-il exprès et est-ce sa façon de reprendre un minuscule avantage sur ces Français énervés qui le bousculent depuis hier. « L'homme est en ville, il nous attend, venez... »

Une belle maison coloniale, à l'ouest du centre-ville, qui fut l'antenne régionale du ministère des Affaires étrangères. Un jardin donnant sur la mer, mal entretenu, plein de ronces et de broussailles. Des bougainvillées rouges et blanches qui grimpent, sans tuteur, sur la façade. Un bruit strident d'insectes sitôt franchi le seuil. Un bassin dans le jardin, rempli de sable. A l'intérieur de cette étrange demeure, plusieurs pièces en enfilade où se tiennent des hommes en armes et, à l'étage, un salon à colonnades qui, avec ses baies vitrées aux rideaux tirés, avec ses canapés de skaï devant lesquels on a déjà disposé des tasses à thé et à café et avec, sur l'un des murs, une ancienne carte de Libye, très colorée et ornée de lettres bouclées, semble faire office de vestibule. Voilà l'endroit.

« Etes-vous sûr qu'il va venir ? s'inquiète Gilles après une heure passée à étudier la moindre boucle de la carte. – Oui, bien sûr, répond Tournesol avec, toujours, dans la voix, ce soupçon de désinvolture qu'il n'avait pas et qui indique que c'est lui qui, sur ce coup, est aux commandes : oui, bien sûr, il va venir ; rasseyez-vous, il ne tardera plus. » Puis, un ton en dessous et retrouvant l'intonation fraternelle qu'il avait hier : « ne soyez pas fâché ; aujourd'hui est un jour particulier ; c'est le jour où Benghazi va se doter d'un gouvernement de transition ; voilà pourquoi il est en retard ». Et, à moi qui m'étonne qu'il ne retéléphone pas pour s'assurer qu'on n'a pas été oubliés : « ne vous inquiétez pas, je vous en prie ; il a réservé du temps pour vous ; il a compris que c'était important et il prendra le temps de vous parler ».

Entre un homme, de belle prestance, que je prends, évidemment, pour lui. Un autre – même erreur. Un troisième, si imposant que, j'en suis sûr, ce ne peut être que lui : je me lève donc pour le saluer ; prépare mon compliment ; mais non, nouvelle erreur. Je me retrouve dans cette situation que je connais bien ; où il s'agit de deviner à quel signe, lorsqu'il se présentera, il faudra reconnaître que c'est lui, cet homme qui ne m'est rien, dont je ne savais, la veille encore, ni le nom ni l'existence mais qui, à cet instant, me semble être la personne la plus importante de la terre ; et où, de manière presque immanquable, je suis, chaque fois, à côté de la plaque.

Tant de fois, dans ma vie, je me suis dit : « on ne m'y reprendra pas ». Tant de fois, je me suis préparé : « ne pas se laisser, là, abuser par une apparence ». Et, chaque fois, c'est la même chose. Chaque fois, le même scénario. A Asmara (en Erythrée), à Huambo (en Angola), à Juba (au Sud-Soudan) où j'ai salué une demi-douzaine de faux John Garang avant d'être présenté au bon, à Zenica (en Bosnie centrale) où j'avais passé la journée à attendre, dans son QG, le général Mehmed Alagic, commandant mythique du VIIe Corps de l'armée bosniaque, avant de le reconnaître sous ce visage placide, au regard mi-rusé mi-affolé, que le monde découvrira, bien plus tard, au moment de son inculpation par le Tribunal de La Haye, ce fut, chaque fois, la même comédie. Et de même aujourd'hui puisque c'est au bout d'une heure, après trois nouvelles méprises où je me suis laissé avoir, ici par un air d'autorité indiscutable, là par une modestie d'allure qui me paraissait de meilleur aloi encore et, là, par une haute taille, drapée dans un costume tribal traditionnel, qui créa, quand elle parut, un imperceptible frémissement parmi les Libyens eux-mêmes, qu'a fini par se présenter Mustafa Abdeljalil, le vrai : petit ; sourire modeste ; regard de faucon ébloui ; calvitie ; cheveux très courts ; la petite meurtrissure, au front, qui signale la fréquence de la prosternation et l'intensité de la piété ; un manteau gris souris, de bonne coupe, qu'il n'ôtera, malgré la chaleur, qu'au milieu de l'entretien ; cet air de solitude extrême que j'ai toujours trouvé à ceux qui, à mains nues, affrontent la tyrannie – et, comme à l'accoutumée, il est arrivé au moment précis où je relâchais ma vigilance et je ne l'ai donc pas « reconnu ».

L'entretien se passera, en présence de six de ses collaborateurs, dans une autre pièce, attenante, tout en longueur, avec des meubles modernes, des ordinateurs, deux Thuraya posés sur une table, des téléphones cellulaires qui sonnent constamment, des cannettes de soda partout, des tapis de prière dont certains sont roulés. Mustafa Abdeljalil est assis derrière un bureau de bois massif. Il comprend l'anglais. Peut-être, aussi, le français. Mais il prétend ne pas le parler. Et demande à l'un des présents, parfaitement anglophone, de faire office d'interprète. Il m'observe. Je lis dans son regard une certaine bienveillance mais aussi un peu de distance. Il commence, pendant une bonne vingtaine de minutes, à répondre à mes questions et à m'expliquer, surtout, ce qu'est, à l'heure où nous parlons, la situation de l'insurrection : qui il est ; d'où il vient ; cette affaire des infirmières bulgares dont Kadhafi voulait se servir, contre son avis, pour faire chanter l'Occident ; la réunion de Beïda, sa ville, où l'Assemblée de Sages a décidé de le porter à sa tête ; la journée d'aujourd'hui, cruciale, qui va consacrer cette décision et doter le mouvement d'un « Conseil de transition » structuré et appelé à durer ; les succès militaires des insurgés ; les victoires des derniers jours, attestant de leur supériorité morale, de la justesse de leur cause, de leur foi ; mais le fait que, selon ce qu'il sait des réflexes de ce « Guide » qu'il a tout de même longtemps servi, celui-ci va forcément réagir, répliquer de manière brutale, tenter de laver dans le sang l'affront qui lui a été fait – et que, sauf miracle, aucune des villes libérées, Ben Jawad, Ras Lanouf, Brega, Ajdabiya, Benghazi même, ne tiendra très longtemps face à ses colonnes blindées.

Est-ce moi, là, qui le coupe ? Ou lui qui, estimant qu'il en a assez dit, s'interrompt ? Je ne sais plus. Car, à partir de cet instant, les choses vont aller vite. Je me rends compte, d'abord, qu'il n'a aucune espèce d'idée, lui non plus, de qui il a en face de lui. Il me considère avec la même sorte de curiosité qu'Izetbegovic, la première fois, dans son palais ciblé par les obus. Ou que Mujibur Rahman, vingt ans plus tôt, quand j'étais venu, au culot, dans la maison basse, à un étage, qu'il occupait dans une rue donnant sur la grand-place de Dacca, lui expliquer que j'avais participé à la libération de son pays et que ma fierté serait d'aider à sa reconstruction. Ou même que Massoud, assiégé dans son Panshir, ce jour de mai 1998, lendemain de la chute de Taloqan, où j'étais venu l'interviewer pour *Le Monde* et lui avais proposé, en le quittant, de le faire recevoir par Chirac.

« Le monde vous regarde », commencé-je donc, parce qu'il faut bien dire quelque chose et que c'est comme ça que j'ai toujours fait avec tous les combattants de la liberté dont il m'a été donné de croiser la route. « Le monde vous regarde. Il a les yeux fixés sur vous. Benghazi est la capitale, non seulement de la Libye libre, mais des femmes et des hommes libres du monde entier. Nous sommes venus vous dire cela. Nous sommes venus, disant cela, vous apporter le salut de ceux de nos compatriotes qui se souviennent de notre lutte contre le fascisme. Votre combat est le nôtre. Votre courage nous oblige. » Mais je suis accablé moi-même par la banalité de ce que j'énonce. Je suis presque gêné de me réentendre, comme je l'ai fait face à Garang au Sud-Soudan, à Abdelaziz dans les monts Nouba, à tel résistant du Burundi, d'Angola ou d'Afghanistan, à Izetbegovic, égrener les mêmes harangues ronflantes et, surtout, interchangeables qu'il écoute poliment mais dont je sais, moi, qu'elles ne veulent, réduites à elles-mêmes, pas dire grand-chose. Et c'est alors que, interchangeables pour interchangeables, et puisque je pense à Izetbegovic assiégé,

73

enfermé dans l'abri le moins bombardé de son palais mais qui semblait, ce jour-là, promis à une mort annoncée, me vient une idée, à peine moins absurde, mais qui a le mérite d'être concrète.

Je lui propose ce que j'avais proposé à Izetbegovic après qu'il m'eut expliqué, en des mots qui, à mon retour en France, allaient choquer Simone Veil, Claude Lanzmann, quelques autres, que Sarajevo c'était Varsovie et qu'il suppliait l'Occident de ne pas, une deuxième fois, laisser tomber le ghetto de Varsovie. A Izetbegovic j'avais proposé de faire de ce SOS qu'il m'adressait un message en bonne et due forme que j'irais porter, de sa part, à François Mitterrand. A lui, à l'inconnu qui se tient devant moi et qui, par bien des traits, me rappelle celui que nous avions très vite, comme les Bosniaques, pris l'habitude d'appeler « le Vieux Bonhomme », j'offre de transmettre ce qu'il vient de me dire, tel quel, à Nicolas Sarkozy – et, peut-être, s'il le souhaite, d'amener à celui-ci, en France, une délégation de citoyens ou de responsables de Benghazi.

Je n'ai, à cet instant, aucune espèce d'idée de la façon dont la chose pourrait se faire. Je n'ai, c'est le moins que l'on puisse dire, aucune certitude quant à la façon dont, à supposer même que je parvienne à entrer en contact avec lui, le chef d'Etat occidental qui a tout de même, il y a quatre ans, reçu en grande pompe Kadhafi à Paris, réagira à mon idée. Je n'ai pas voté pour lui. Je ne lui ai pas parlé depuis des années. Si, une fois, ou plutôt deux, au moment où il s'agissait d'obtenir qu'il intervienne pour sauver la tête de Sakineh, la mère de famille iranienne menacée de lapidation. Il l'avait d'ailleurs fait, c'est sans doute à lui qu'elle doit d'être toujours en vie – mais il n'y a plus eu de contact depuis.

Et la vérité c'est que, comme à Sarajevo, exactement comme à Sarajevo, cette idée m'est venue comme ça, sans réfléchir ni préméditer : juste un mouvement de révolte intérieure, juste l'effroi face à ce qui m'est annoncé et que je sens en effet venir – juste le « il faut faire quelque chose » de la sagesse populaire quand un crime se prépare, que vous en êtes averti et que vous ne vous résignez pas à la fatalité.

Mustafa Abdeljalil m'observe avec une attention presque gênante. Plus que jamais, je le sens, il se demande qui est ce type qu'il ne connaît pas, qui appartient à une espèce qu'il ne doit pas connaître davantage et qui est en train de lui proposer de le mettre en rapport avec le président de la République de la cinquième puissance mondiale. Encore serais-je diplomate... Ou journaliste... Ou espion... Toutes ces espèces, il les connaît... On en connaît, en Libye, les pouvoirs, les limites, le mode de fonctionnement... Mais non ! « Intellectuel » ! Et « engagé » ! Et le prévenant, de surcroît, qu'il « connaît Nicolas Sarkozy mais n'appartient pas à son Parti » ! Tout cela doit lui sembler de la dernière complication. L'idée le traverse, forcément, que je pourrais être un plaisantin, ou un exalté, ou un de ces aventuriers, de bonne foi mais rêveurs, que produisent, en grande quantité, les guerres. Peut-être se dit-il même (n'importe qui se le dirait – alors, à plus forte raison, un haut fonctionnaire de l'Etat libyen qui a fait sa carrière à l'ombre de ses procédures et de ses disciplines !) que ce n'est pas ainsi que les choses se font, qu'il perd son temps.

Il faudrait vérifier, doit-il se dire – mais comment faire ? Téléphoner – mais le pays est coupé du monde. M'interroger davantage, me sonder mieux – mais le temps presse. Non. Quelque chose, à cet instant, semble se produire en cet homme. Quelque chose de mystérieux et dont je n'ai, ce soir, repensant à cette scène et essayant de la retranscrire, pas de vraie explication. Contre toute attente, son visage s'éclaire. Il me remercie de mes quelques mots puis, nous regardant l'un après l'autre, Gilles, Marc, Franck, moi, nous remercie d'être là, d'avoir fait ce long voyage et d'être arrivés jusqu'à sa ville en guerre. « D'accord », finit-il simplement par dire, tandis que crépite un de ses Thuraya que, pour la première fois depuis le début de l'entretien, il oublie de décrocher. « Je suis d'accord. Joignez votre Président, si vous le pouvez. Et dites-lui bien que Kadhafi n'a plus de titre à représenter mon peuple ; la légitimité, la seule, celle qui doit être reconnue par les Nations unies, est ici. » Puis, tandis que, croyant l'entretien terminé et faisant signe à Roussel qui a, bien sûr, tout filmé, de remballer son matériel, je vais pour prendre congé, il ajoute, mais en anglais tout à coup, et son visage s'éclairant : « non, non, ne partez pas ; cette réunion est importante ; ne la filmez pas ; mais elle est importante et vous pourrez en faire état dans votre rapport à votre Président ».

Suit une conversation en arabe dont nous sommes, par définition, exclus. Mais je sens un débat vif, contradictoire, où Abdeljalil paraît plaider, insister, se battre et gagner du terrain, mais pied à pied, difficilement, face à des hommes que j'ai peut-être eu tort de prendre pour de simples collaborateurs. Au bout d'une quinzaine de minutes, tout le monde se tait. La conversation s'arrête comme elle avait commencé, d'un coup. Et un pesant silence tombe sur l'assemblée que seul Abdeljalil brise. « Voilà, fait-il, en anglais de nouveau, et comme s'il nous prenait à témoin d'un débat que nous aurions suivi. Voilà, répète-t-il en balayant l'assemblée, jusqu'à nous, de son regard perçant. Nous n'étions pas assez nombreux. C'est remis à tout à l'heure. À quel hôtel êtes-vous ? Au Tibesti ? Cela tombe bien. C'est au Tibesti, justement, que nous nous réunissons pour conclure et proclamer ceci... » Il montre une double page ronéotée qui établit la composition, en anglais, d'un « Conseil national de transition » dont je vois, en haut de liste, qu'il a la présidence. « C'est un document historique, ajoute-t-il avec une pointe d'émotion dans la voix. Vous êtes les premiers à en être informés. Gardez cela pour vous jusqu'à la fin de la réunion de ce soir. » Il va pour ouvrir la baie vitrée, à la gauche de son bureau, comme si la discussion lui avait donné chaud. Un des hommes avec qui il semblait, à l'instant, se mesurer se précipite, docile à nouveau, pour le faire. Il hume, le visage à demi dérobé, une bouffée de l'air qui remonte de la mer – et, après un moment de silence, nous donne congé pour de bon. « Premier étage du Tibesti. Et, si vous téléphonez à votre Président, merci d'en référer à Monsieur Gogha, mon porte-parole, qui vous attendra dans le hall. »

Samedi 5 mars, suite *(L'appel à Nicolas Sarkozy)*

Retour à l'hôtel. Un mal de crâne, qui menaçait depuis ce matin, a fini par se déclarer. Je monte m'étendre une heure et prendre des aspirines. Je redescends, au premier étage, où les mêmes hommes, me semble-t-il, que ceux de la villa, plus cinq autres, sont en effet rassemblés, assis autour d'une table, écoutant Abdeljalil. La tête lourde, n'ayant pas d'interprète, je me dis que le grand air me fera du bien, moi aussi, et redescends, sur le seuil de l'hôtel, à la recherche de l'endroit de l'escalier où les Thuraya marchent à peu près. Il est bientôt 19 heures. J'appelle notre pilote, histoire de vérifier qu'il a bien été autorisé à rester à Marsa Matrouh et, en même temps, pour tester la ligne – catastrophique. J'appelle Jay, au *JDD*, pour lui dire que mon papier prend une tournure intéressante – nous ne nous entendons pas non plus et je raccroche presque aussitôt. Je reste une petite demi-heure, là, sur l'escalier, le visage dans les mains, la tête comme un tambour, prêtant à peine attention aux journalistes qui rentrent de reportage. Gilles, puis Tournesol, puis Franck qui ne me lâche pas, s'inquiètent un peu, mais je leur dis que tout va bien, quelques minutes encore, quelques toutes petites minutes et cette migraine aura passé. Vient le moment enfin, puisque je m'y suis engagé et que je me sens, en effet, un peu mieux, où il faut bien que j'essaie d'appeler Nicolas Sarkozy.

Comment m'y prendre ? Sur quel ton ? Quid si la migraine revient aussi fort ? Quid, surtout, si nous nous entendons aussi mal qu'avec Jay ou le pilote ? Comment fait-on, oui, quand on appelle, depuis Benghazi, sur une ligne pourrie, un président de la République à qui l'on n'a pas vraiment parlé depuis des années ? Mais bon. A supposer que cela marche, à supposer que le standard de l'Elysée (car c'est le seul numéro que j'aie) me le passe effectivement, à supposer que je trouve les premiers mots, ceux qui permettent d'ouvrir la voie, je lui dis quoi ? quel est le message exact ? Mon mal de tête est encore trop fort pour que j'aie les idées complètement claires et je ne sais même plus, en vérité, ce qu'est le message que je veux faire passer. J'appelle.

Chance, la ligne n'est pas trop mauvaise.

Chance, le standard me passe un officier de permanence qui me dit, comme si cela allait de soi : « ne quittez pas, je vous mets en relation ».

Et puis, chance encore : après quelques secondes de musique, j'ai Nicolas Sarkozy en ligne – sa voix claire et courtoise, son ton de Président que l'on dérange mais qui imagine bien que, pour qu'on l'appelle un samedi, à cette heure, il faut que l'on ait quelque chose d'important à dire.

« Monsieur le Président », commencé-je…

Ma tête cogne, de nouveau. D'une main, je serre le Thuraya. De l'autre, je me comprime les tempes, le pouce sur l'une, l'annulaire sur l'autre.

« Je suis à Benghazi, Monsieur le Président.

— Ah, fait-il, comme si rien n'était plus naturel que de m'entendre depuis Benghazi. Comment les choses vont-elles ? Comment vas-tu ? »

C'est lui qui, le premier, m'a tutoyé. Cela ne devrait pas m'étonner vu que nous nous sommes, toujours, tutoyés. Mais là, à Benghazi, debout, en équilibre, sur la seule marche de l'escalier où les Thuraya passent, la tête en feu, garder les yeux ouverts devenant presque un problème, ce début de conversation me semble irréel.

« J'ai une chose importante à te dire.

— Oui ? »

Toujours la même courtoisie. Mais une nuance d'impatience dans la voix. Peut-être parce que la ligne grésille. Ou peut-être parce que ce foutu mal de tête me donne, sans que je le sache, une voix bizarre.

« Je viens de rencontrer les Massoud libyens.

— Les quoi ?

— Massoud. Les Massoud libyens. L'opposition à Kadhafi. Je l'ai vue se constituer en un... »

Patatras. Un type, sans doute un journaliste et, de surcroît, français est venu se coller à moi pour, lui aussi, essayer de téléphoner. Je lui ai tourné le dos. Et ce léger déplacement, outre que j'ai eu l'impression qu'il me faisait exploser la boîte crânienne, a suffi à me faire perdre le réseau. Je rappelle. Heureusement, la ligne est bonne. Heureusement, on me repasse le Président.

« Massoud, disais-je... Massoud à qui la France, sous Chirac, a honteusement fermé sa porte...

— Je sais... Je sais... »

Soupçon d'agacement, de nouveau. Peut-être parce qu'il trouve la ficelle-Chirac un peu grosse. Mais vu d'ici, de nouveau, avec la clameur des chebabs en contrebas, les rafales de kalache dans le lointain et le tir d'un bitube antiaérien, très fort, et plus proche, qui vient de retentir, rien n'est vraiment trop gros et je n'ai, pour le coup, rien calculé. Je poursuis, pivotant de quelques centimètres vers la mer car l'écran indique que je n'ai plus que quatre barres de réseau sur six.

« Je viens d'assister à un spectacle extraordinaire : la naissance de la Commune de Benghazi.

— La Commune ? J'entends mal... »

A-t-il réellement mal entendu ? Ou est-ce le mot de Commune, ce mot chargé d'Histoire, et d'une certaine Histoire, qui, tout à coup, l'effraie ?

« Enfin… Je veux dire l'opposition. J'ai vu se former l'opposition citoyenne à Kadhafi. Et je trouverais extraordinaire que la France soit la première à en prendre acte.

— Bien sûr. »

Il paraît rassuré. Presque amical. Il m'a semblé entendre, dans ce « bien sûr », l'écho, lointain, des demi-mots et connivences d'autrefois.

« Mon idée est de ramener à Paris une délégation de ce Conseil qui vient de se former.

— Bon.

— Mais j'ai une question ; je l'ai promis aux intéressés et je me dois de te la poser ; accepterais-tu de recevoir, personnellement, cette délégation ? »

Là, j'ai beau ne pas croire aux miracles, le fait est qu'il se produit, à cet instant, une sorte de miracle, le deuxième de la journée et, à bien y réfléchir, plus improbable encore que le premier. Au lieu de se récrier : « quelle idée ! », au lieu de répondre, prudemment : « pourquoi pas ? je ne vois pas très bien, mais pourquoi pas ? parlons-en de vive voix, à Paris », au lieu de botter poliment en touche en me demandant, ce que j'aurais parfaitement compris, d'appeler Jean-David Lévitte, son conseiller, et de voir cela avec lui, le président de la République, trouvant apparemment naturel de se voir suggérer la réception officielle d'un pouvoir nouvellement formé dont nul, à ce jour, ne sait rien sinon qu'il est en rébellion contre le tout-puissant gouvernement de Tripoli, répète juste, sur un ton d'évidence tranquille :

« Bien sûr… »

La conversation coupe à nouveau. Je n'ai rien fait, cette fois. J'ai pris garde à ne plus bouger d'un millimètre. Mais je me demande si ce n'est pas le Thuraya qui, contrairement à l'Iridium dont dispose la crème des journalistes, coupe toutes les trente ou quarante secondes. Il me faut dix minutes, cette fois, pour retrouver du réseau, allant d'un point à l'autre, essayant un bosquet, la rue en contrebas, un coin du parking, l'escalier à nouveau – le tout avec, dans l'esprit, cet étrange, prodigieux et énigmatique « bien sûr » qui résonne, maintenant, à l'unisson de mon mal de tête. Par bonheur, le Président est encore là. Et c'est lui qui, cette fois, commence.

« J'ai réfléchi... »

Un grésillement rend la suite de la phrase inaudible.

« Allô, fais-je, convaincu qu'il a réfléchi, oui, mais pour conclure qu'il ne comprend rien à ce que je lui demande, qu'il faut s'en parler tranquillement à mon retour, appeler Lévitte, etc. Allô ? Je n'entends plus...

— J'ai réfléchi, reprend-il, la ligne claire à nouveau, la voix timbrée. Je recevrai tes amis avec plaisir.

— Mes amis, dis-je, les tempes cognant à tout rompre et n'en croyant pas mes oreilles... Ce ne sont pas exactement mes amis... Ce sera, surtout, un acte majeur... Avec retentissement international...

— C'est ce que je dis, répète-t-il, la voix soudain lointaine, mais c'est la ligne qui refait des siennes et sa détermination semble, à en juger par la voix, inentamée. Je les recevrai avec plaisir. Parlons-en à ton retour. Viens me voir. »

Il a raccroché. Tout l'échange a duré trois fois trente secondes. Trop beau pour être vrai, me dis-je. Demain, après-demain, il va se réveiller en se disant que cette histoire n'a pas de sens. Il va se trouver un conseiller pour le mettre en garde et le convaincre qu'un président de la République ne reçoit pas, comme ça, sur un coup de fil d'un ancien ami avec qui il est en délicatesse depuis des années, la délégation d'un pouvoir dans les limbes et opposé, de surcroît, aux forces sans nombre de Kadhafi. Que dirai-je, alors, aux intéressés ? De quoi aurai-je l'air si j'annonce à Gogha, là, au bar où je l'ai laissé et où il doit toujours m'attendre : « c'est bon, Sarkozy a donné son accord, il recevra qui vous voudrez, qui nous voulons, avec plaisir, c'est historique » – et si, une fois à Paris, ils sont reçus par un conseiller ?

« Où est le problème ? », glisse Marc qui était là, discrètement, filmant la conversation, et qui a compris, à mes réponses, que les choses allaient plutôt bien. Et Gilles, qui nous a rejoints et que je mets brièvement au courant : « Sarkozy t'a dit qu'il les recevrait ; donc, il les recevra ; c'est simple ; c'est formidable ; allons le dire à Gogha ; il s'impatiente. »

Nous rentrons à l'hôtel, Gilles et Marc courant presque, moi dans l'état de Cody Jarrett, le malfrat joué par James Cagney, dans *L'Enfer est à lui* de Raoul Walsh, et qui mourait de ses migraines.

« C'est bon », lance Gilles à Gogha qui s'est installé dans l'angle le plus éloigné du bar, avec un homme coiffé d'un fez rouge, sans doute un notable, qui n'était pas là tout à l'heure et avec qui nous le retrouvons en grande et paisible conversation.

« C'est bon, répète-t-il, surexcité, et parce que la placidité de Gogha, sa façon, au lieu de sauter de joie, de nous observer d'un air étrangement circonspect, l'exaspère : le président de la République française vous reçoit ; donc, il vous reconnaît ; c'est à vous de

83

fixer la date et de composer votre délégation ; allons voir Abdeljalil ! »

Mais Gogha ne répond rien. Il considère Gilles. M'observe. S'enquiert gentiment de ma migraine. Boit une gorgée de café comme s'il avait tout son temps. Echange quelques mots en arabe avec son voisin. Et met de longues, très longues secondes, avant de nous répondre :

« Merci, amis. Merci infiniment. Je vais en référer au Conseil par qui, maintenant, tout passe. Pouvons-nous nous revoir dans une heure, ici ? »

Nous n'avons pas le temps de nous étonner, de le secouer, de nous assurer qu'il a vraiment saisi, de lui dire : « vous ne comprenez donc pas ? c'est l'occasion unique d'inviter, en Europe, les représentants des che-babs que nous avons vus, hier, si braves et si démunis », qu'il est déjà debout et s'en va – nous répétant qu'il faut l'attendre, qu'il sera là dans moins d'une heure et que cette histoire est, en effet, « intéressante ».

Mustafa Abdeljalil, entre-temps, nous a fait déposer une copie de la double page ronéotée de tout à l'heure. Ces gens sont étranges. Nous n'avons pas d'autre choix, en effet, que d'être patients.

Samedi 5 mars, fin *(Deuxième appel à Nicolas Sarkozy – et ses effets)*

Deux heures ont passé.

Nous sommes toujours au Tibesti.

En vertu d'un de ces mystères dont la Libye a le secret, les SMS passent et je reçois une batterie de SMS de Lévitte me demandant déjà les noms de la délégation que Sarkozy va recevoir et m'annonçant que je vais avoir un appel de son secrétariat particulier pour me fixer un rendez-vous dès mon retour en France.

Mais Gogha n'est pas réapparu.

Gilles et Marc sont allés à la Supreme Court, sur la Corniche, où personne n'a de ses nouvelles.

Les gens qui étaient là leur ont, d'ailleurs, paru bizarres, les reconnaissant parfois, mais soudain distants.

Que se passe-t-il ? Se pourrait-il que ce soit de ce côté que vienne, finalement, le problème ? Abdeljalil se serait-il repris ? méfié ? cette idée d'un inconnu venant lui proposer une ouverture majeure lui aurait-elle semblé, à la réflexion, trop belle pour être vraie ? suspecte ? absurde ? Tout est possible. Nous envisageons toutes les hypothèses. Le temps passant, et la paranoïa aidant, nous imaginons un de nos compatriotes, journaliste ou autre, mettant les Libyens en garde. Ou encore – mais ce serait moindre mal, car au moins les choses se feraient-elles – un contact direct entre le Conseil d'un côté et, de l'autre, non pas l'Elysée puisque Lévitte en est à me demander les noms, mais le Quai d'Orsay qui ne m'a jamais porté dans son cœur et reprendrait la main. L'explication est tout autre. Et nous allons la découvrir une heure plus tard, alors que nous sommes toujours au bar de l'hôtel, n'attendant plus vraiment, découragés, en compagnie de Tournesol qui a repris son air du monsieur qui en sait long mais ne veut rien dire.

« Bonsoir. Vous nous avez cherchés ? Nous voici… »

Nous ne l'avons pas vu entrer. C'est Gogha, accompagné du notable de tout à l'heure.

« Ah ! Enfin ! Le cabinet du président de la République nous demande les noms des membres de la délégation… »

Gogha s'assied. Commande un café.

« Attendez. N'allez pas si vite. Le Conseil s'est réuni. Il est honoré de la proposition. Il vous en sait gré et en sait gré au président Sarkozy. Simplement, c'est difficile, pour nous, de venir à Paris comme cela, sans être reconnus…

— Comment cela, sans être reconnus ? Vous êtes, de fait, reconnus ! C'est la venue à Paris qui vaudra reconnaissance !

— Oui et non… C'est difficile pour nous, vraiment, de venir sans qu'un premier geste ait été accompli… Nous venons juste de nous constituer… La situation militaire n'est pas si bonne… Nous ne pouvons pas commettre de faux pas… »

Comme je vois que sa position, aussi ahurissante soit-elle, est arrêtée, que ce n'est d'ailleurs pas la sienne mais celle du Conseil et qu'il n'en bougera plus, je le prie d'attendre à son tour quelques minutes, monte chercher mon Thuraya, ressors sur les escaliers de l'hôtel – et, tout en songeant que ces hommes ont un sacré aplomb, donne deux coups de téléphone.

L'un à Jean-David Lévitte qui a la même réaction que moi – en substance : « la reconnaissance c'est la visite ; la France ne peut décemment pas faire plus qu'accueillir au plus haut niveau les envoyés de ce Conseil nouvellement formé ».

Puis l'autre au président de la République que j'informe de la situation mais qui va avoir, lui, une réaction à nouveau très surprenante et qui me laisse aussi interdit, mais à l'envers, que l'attitude de Gogha et du CNT. En propres termes : « oui, je comprends ; leur position se tient ; il faut que je réfléchisse mais je vais trouver une solution ; viens me voir à ton retour, lundi matin ».

La « solution », je la découvrirai une heure plus tard, alors que je suis enfin remonté dans ma chambre – et je la découvrirai, comme les Benghazites, par la rumeur de la ville. Cela commence par un vacarme de klaxons sous mes fenêtres. Puis des cris de joie qui montent jusqu'à moi. Puis une petite foule que je vois affluer, à pied, sur le bord de mer et prendre la direction de la Corniche en scandant le nom de Sarkozy. Je redescends quatre à quatre. Je retrouve, devant l'hôtel, Gilles et Marc. Et, mêlés à la foule, nous essayons de comprendre. La France vient de reconnaître le Conseil national de transition, dit l'un. Non, dit un autre, elle ne l'a pas reconnu, elle a salué sa naissance, mais c'est déjà extraordinaire. Arrivés à la Corniche, nous montons dans les étages où un collaborateur de Gogha, débordé, harcelé, bombardé d'appels téléphoniques, mais joyeux, nous montre la copie d'un communiqué que vient de publier l'Elysée et que diffusent les agences de presse arabes.

« La France, dit le communiqué, salue la création du Conseil national libyen et apporte son soutien aux principes qui l'animent et aux objectifs qu'il s'assigne. Elle se félicite de la volonté d'unité qui a présidé à l'instauration du Conseil national et encourage les responsables et les mouvements qui le composent à poursuivre leur action dans cet esprit. La France condamne l'usage inacceptable de la force contre les civils et adresse sa sympathie aux proches des victimes des affrontements en cours en Libye. Elle rend hommage au courage des populations soumises à la violence, à Zaouïa et dans d'autres localités libyennes. Elle appelle au plein respect de la résolution 1970 du Conseil de sécurité et à une solution politique rapide qui permette la cessation des violences et l'établissement d'un gouvernement démocratique qui réponde aux aspirations du peuple libyen. »

La population, dehors, hurle de joie. Les gens, de plus en plus nombreux, viennent aux nouvelles ou, parfois, les ont déjà mais viennent les fêter, s'embrassent, nous embrassent. Rendez-vous est fixé pour demain matin, ici même : l'invitation de la France est acceptée, naturellement ; on nous donnera, demain, les noms des délégués. Mon mal de crâne a disparu.

Dimanche 6 mars (*A la recherche des djihadistes de Derna*)

Réveil aux aurores. Retour sur la Corniche que nous retrouvons encore pleine de monde et avec des drapeaux bleu blanc rouge que l'on a bricolés pendant la nuit. La forme n'y est pas. Certains sont trop larges. D'autres trop carrés. Je vois, en m'approchant du plus grand, énorme en vérité car recouvrant un bout de la façade du centre de presse, qu'ils sont faits de pièces de tissu hâtivement cousues et qui n'ont pas, elles non plus, le vrai rouge ni le vrai bleu. Mais l'impression est saisissante. C'est la ville qui s'est mise à la fête et cette fête est française. C'est Benghazi qui, à la suite de cette improbable série de coups de téléphone et de rencontres d'hier, a décidé de rendre hommage à mon pays et cet hommage est populaire et spontané. J'ai beau n'être pas étroitement patriote. Cette idée me fait quelque chose. Et c'est empli d'émotion que j'entre dans le bureau de Gogha qui n'est pas arrivé mais a dépêché un adjoint chargé de me transmettre les « premiers éléments » de la délégation qui répondra à l'invitation du président Sarkozy. Il y aura M. Ali Essaoui qui a été ministre des Finances sous Kadhafi, puis ambassadeur en Inde et, à ce titre, l'un des premiers diplomates à avoir fait défection (il n'a pas de visa pour entrer en Europe – est-ce que cela peut s'arranger ?). Il y aura M. Mahmoud Jibril qui était le patron, ces dernières années, d'un « National Economic Development Board », fer de lance de la libéralisation de l'économie libyenne et qui, selon le document ronéoté que m'a fait porter Abdeljalil et que j'ai dans la poche depuis hier, est en charge, avec le premier, des relations internationales du Conseil. Il y aura peut-être un troisième homme, on ne sait pas encore. « Pourquoi pas une femme, dis-je ? Ce serait important, pour l'opinion française, une femme. Et vous avez les sœurs Bugaighis, Iman et Salwa, qui feraient merveille – On verra, on ne sait pas, on vous dira… » Je donne mon numéro de téléphone et mon e-mail, ainsi que ceux de Gilles et Marc. M'assure que l'on n'attendra pas la dernière minute et que l'on nous tiendra bien informés dès que la délégation, ou un élément de la délégation, sera en route vers Paris. Et je décide de rentrer sans délai – Derna, puis Tobrouk, tout le chemin en sens inverse jusqu'à Saloum, puis Marsa Matrouh, où nous attend l'avion.

A Derna, nous nous arrêtons de nouveau. Cette histoire d'« émirat islamiste », dont m'a encore parlé un journaliste, dans la salle du petit déjeuner, au

Tibesti, me chiffonne. Et, comme nous avons prévu un décollage dans la nuit nous amenant à Paris autour de 8 heures et que nous avons donc, finalement, un peu de temps, nous décidons d'y passer une partie de la journée. Il y a peu de femmes dans les rues, c'est vrai. Les rares que nous voyons sont voilées. Et nous renonçons à compter les mosquées. Mais un « émirat », vraiment ? Et « islamiste radical » ? Il faut être prudent, bien sûr. D'autant que nous ne réussissons pas à voir celui qui est censé être « l'émir » de la ville, cet ancien d'Afghanistan qui s'appelle Abdel Hakim Al-Hasadi mais qui est, me dit-on, « sur le front », avec « sa brigade », là où « ça tape le plus fort » car les combattants de Derna sont « les meilleurs de Libye ». Mais enfin, il y a des signes qui ne trompent pas – et qui ne vont pas dans le sens que je redoute.

Achour, ancien de la faculté de médecine, qui est musulman, bien sûr ; pieux, c'est probable ; mais qui nous explique que la Libye de demain reconnaîtra la liberté, non seulement d'opinion, mais de conscience et qui est tellement pris par son explication qu'il en oublie l'heure de la prière.

Ce groupe de combattants qui vivent sous des tentes, non loin de la grande mosquée : l'un raconte la libération de la ville ; l'autre nous montre, plein de colère, des images de corps mutilés qu'il a gardées dans son portable et qui témoignent de la sauvagerie des kadhafistes ; le troisième nous conduit, dans une salle attenante à la mosquée, à un Mur des Visages où sont affichés les « martyrs » des journées de février et nous les nomme un à un, en une émouvante mais sobre liturgie – j'ai beau regarder, interroger, chercher, je ne vois pas la différence avec les autres jeunes insurgés que j'ai pu voir à Ajdabiya ou Brega.

Cet imam, fier de nous dire que sa ville est « la plus religieuse de Libye » et, dans le même souffle, comme si ceci allait avec cela, que c'est celle qui a payé le plus cher – deux cents morts – sa révolte contre Kadhafi : il conteste que Derna ait fourni, depuis dix ans, l'un des plus gros contingents de « combattants étrangers » partis lutter contre les Américains en Irak ; il se récrie quand je lui parle de « fondamentalisme » et me sert le même mot, « islam intermédiaire », que le monsieur du premier soir, sur la Corniche de Benghazi ; il n'y a qu'un terroriste dans ce pays, martèle-t-il, et ce qu'il prépare contre nous est terrible, c'est Mouammar Kadhafi, alias « Le Frisé ».

Deux détails, encore.

La France. Les nouvelles d'hier soir qui déclenchent, ici, le même enthousiasme qu'à Benghazi. La joie, c'en est presque gênant, chaque fois que nous disons que nous sommes français et sommes en chemin vers Paris. Et, plus important, l'unanimité de ces jeunes pour demander, aussitôt, dans le même souffle, une intervention militaire : sous quelle forme ? ce n'est pas clair ; mais l'appel, lui, l'est ; la main est là, tendue, et qui appelle au secours ; on est loin, très loin, de l'Afghanistan, de l'Irak, et de la haine de l'Occident qui y est souvent la vraie religion.

Et puis cette anecdote. A la sortie de la ville, nuit tombée, alors que nous cherchons la route de Tobrouk, un checkpoint improvisé. Là, pour la première fois depuis notre entrée dans le pays, sans doute fait-il juste l'important, l'homme en faction demande nos passeports. Sur les passeports de Gilles et moi, à la lumière de sa torche, il note tout de suite, et compte, le grand nombre de tampons israéliens. Il nous fait débarquer de nos voitures. Nous conduit sous la bâche tendue par quatre hampes de drapeau qui constitue le poste. Nous invite à nous asseoir dans les fauteuils défoncés, perdant leur paille, et posés sur un tapis miteux, qui sont tout son mobilier. Et, la radio mise à fond et déversant un flot de nouvelles que l'on devine inquiétantes et d'où émergent les noms de Ras Lanouf, Ben Jawad, Brega, Benghazi, nous voilà partis dans une longue discussion nocturne, musclée mais sans haine, sur Israël, le sionisme, les droits bafoués des Palestiniens – dont le seul ennui est qu'elle nous retarde un peu.

Mais tout va bien.

A 1 heure du matin, nous sommes à la frontière que nous passons, dans ce sens, assez vite.

Et, à 3 heures, nous sommes à Marsa Matrouh où un employé somnolent nous fait aussitôt embarquer.

Entre-temps, j'ai eu, pour la première fois, accès à mes e-mails.

Dans le flot de ceux-ci, perdues au milieu des dépêches qui commencent à parler d'un possible « retournement de situation » en faveur de Kadhafi, trois informations.

Est paru mon reportage dans le *JDD*, titré « Que pouvons-nous faire pour la jeune révolution libyenne ? » et où je suggère des interventions militaires aériennes ciblées sur les aéroports de Kadhafi, le brouillage de ses systèmes de transmission et de commandement et, surtout, la reconnaissance du Conseil national de transition comme seul représentant légitime du peuple libyen.

Une alerte AFP cite une déclaration d'Alain Juppé qui, lors d'une conférence de presse au Caire, il y a quelques heures, a reconnu que « le colonel Kadhafi et son régime » se sont « discrédités » et « doivent partir » mais a aussitôt ajouté qu'il était hostile à l'idée même d'une « intervention militaire occidentale en Libye » qui aurait, selon lui, « des effets tout à fait négatifs ».

Et puis j'ai un message du secrétariat du président de la République me demandant d'être là, demain matin, je devrais dire tout à l'heure, à 10 heures, à l'Elysée.

Comment ceci va-t-il avec cela ? Et comment Sarkozy pourra-t-il concilier la prudence de son ministre et l'humeur audacieuse qui semble être la sienne dès lors qu'il confirme ce rendez-vous ? J'en saurai plus dans quelques heures.

Lundi 7 mars *(Un matin, à l'Elysée)*

10 heures. J'ai à peine eu le temps de passer prendre une douche, me raser, enfiler une chemise propre. Et me voilà, à l'Elysée, face à ce Président auquel me lie une relation, somme toute, singulière.

Un adversaire, évidemment. Un homme pour qui je n'ai pas voté et ne voterai pas l'an prochain. Et une politique que je n'ai cessé, depuis quatre ans, sur à peu près tous les sujets, de combattre avec vigueur (signe qui ne trompe pas : je m'aperçois que je ne l'ai pas vu, en tête à tête, depuis ce jour de juin 2008, il y a presque trois ans, où il m'avait demandé de venir lui parler d'Arte – et encore n'était-ce pas un tête-à-tête puisque Alain Minc, instigateur de la rencontre, était présent !).

93

Mais une amitié, en même temps. Une très ancienne amitié qui date de sa toute première élection, à vingt-huit ans, maire de Neuilly. J'étais électeur à Neuilly. Il m'avait invité à déjeuner. Et une relation est née là, ponctuée de vrais moments de camaraderie ; de points de complicité intellectuelle comme au moment de l'émission de télévision où il nous avait défendus, Glucksmann et moi, contre Tariq Ramadan ou, plus important, à l'époque de la guerre de Bosnie où il était, en conscience, plutôt de notre bord ; d'épisodes biographiques, enfin, du genre que l'on n'oublie pas. Le mariage d'un frère… Ce matin funeste de novembre où le sol se dérobe sous vos pieds, où vous croyez que vous allez mourir aussi et où l'on a commencé par vous répondre qu'il n'y a plus de place, même pas une petite tombe, dans l'ancien cimetière de Neuilly, pour celui qui vous a fait et qui vient de vous quitter – par chance, il était là… Bref. Scellée dans ce passé, une liberté de relation et d'approche qui ne s'est jamais complètement perdue et qui a sans doute facilité l'étonnante conversation téléphonique d'avant-hier ainsi que la non moins étonnante conversation de vive voix que nous allons avoir maintenant (autre signe qui en dit long mais, celui-ci, dans l'autre sens : ce tutoiement, presque gênant – le fait qu'il soit le premier et, selon toute probabilité, le dernier président de la République qui me tutoie et que je m'autorise à tutoyer).

Je l'observe tandis qu'il m'invite à m'asseoir, face à lui, dans ce vaste bureau où je suis déjà venu plaider d'autres causes auprès de ses deux et même trois prédécesseurs.

Giscard, c'est un peu flou et j'ai du mal à raccorder les images. Nous étions, avec Maurice Clavel, Claude Lévi-Strauss et Jean-Luc Marion, venus lui parler, entre autres, du cas Ranucci et de la question de la peine de mort. J'ai juste le souvenir d'un Monsieur très bien élevé, un peu absent, qui semblait focalisé sur la seule idée de bien nous regarder tour à tour, le même nombre de secondes pour chacun, avec une régularité d'horloge.

Pour les deux autres, en revanche, les images sont plus précises et je ne peux m'empêcher de faire la comparaison.

Mitterrand à qui j'étais donc venu, dans des circonstances semblables, transmettre le SOS d'Izetbegovic : il était barricadé derrière son bureau, comme s'il voulait mettre le maximum de distance, non seulement entre lui et moi, mais entre la Bosnie et lui.

Chirac, je le voyais pour parler de la mort de Massoud, des Talibans qui l'avaient tué et de ce rapport qu'il me demandait sur « la participation de la France à la reconstruction de l'Afghanistan » – et c'était l'inverse : le jour où j'étais venu prendre commande du rapport, puis celui, deux mois plus tard, où j'étais revenu le lui remettre, il avait tenu à s'asseoir dans un des fauteuils réservés à ses visiteurs et s'était mis en quatre pour me mettre à l'aise – se levant sans cesse, se rasseyant, m'offrant « un Perrier rondelle », me demandant si je voulais « des cacahuètes » et, à un moment où mon téléphone s'était mis à sonner dans ma poche, se levant à nouveau, faisant mine de s'écarter pour me laisser décrocher : « prenez, ne vous gênez pas, c'est peut-être important ».

Sarkozy, lui, est à égale distance des deux. Ni bureau, ni fauteuil – canapé. Ni marmoréen comme

Mitterrand, ni bon camarade comme Chirac – juste ce qu'il faut de légitime prudence et d'encouragement amical à parler.

« Merci d'être venu, commence-t-il.

— C'est moi qui suis heureux que ce rendez-vous ait été possible. Et si vite.

— J'ai lu ce que tu as écrit. Mais raconte-moi, tout de même un peu. »

Je lui raconte Benghazi. Gogha. Le mystérieux Abdeljalil. Le Conseil national de transition que j'ai vu naître. Les drapeaux français sur la Corniche. Un cerf-volant, après Derna, frappé, lui aussi, aux couleurs de la France. Le sort du printemps arabe qui, aujourd'hui, se joue en Libye. Et les trois ou quatre propositions concrètes que j'avance dans le *JDD*.

Il m'écoute. Sans m'interrompre, pendant une bonne dizaine de minutes, il m'écoute. Est-il *déjà* convaincu ? Quel est son degré, *exact*, d'information ? Dans le doute, j'en rajoute un peu. Le front de Ras Lanouf. Le courage désordonné mais magnifique des chebabs. La certitude que l'on a, à Benghazi, que les légions de Kadhafi, si elles arrivent jusqu'en ville, ne feront pas de quartier et que couleront, vraiment, les rivières de sang promises par Saïf Al-Islam.

« Ce n'est pas une hypothèse d'école, insisté-je. C'est un massacre annoncé. Et une annonce qui, si l'on en croit les intéressés, et je crois qu'il faut les croire, n'est pas de pure rhétorique. D'ailleurs... »

Ces mots-ci, les mots que je vais maintenant prononcer, je n'ai aucune idée de la façon dont ils me sont venus. Ils me ressemblent si peu... Ils sont tellement le contraire de ma vision du monde et de moi... Et, pourtant, je me vois les articuler – je m'entends proférer cette phrase qui, en temps normal, m'aurait semblé passablement grotesque :

« D'ailleurs, c'est bien simple… S'il y a un massacre à Benghazi, le sang des massacrés éclaboussera le drapeau français. »

Et non seulement je les profère, ces mots, non seulement je me vois les puiser au fond de je ne sais quel puits inconnu de moi, mais il me semble qu'ils provoquent, chez celui qui les reçoit, un effet à peine moins inattendu.

C'est un peu, pour le coup, l'histoire de François Mitterrand recevant le SOS d'Izetbegovic. Je lui avais parlé, en long et en large, de la ville assiégée. Je lui avais dit les enfants snipés et les intellectuels tenant séminaire sur Sartre dans les caves des immeubles bombardés. Je lui avais raconté les journalistes héroïques continuant, sur la ligne de front, d'écrire et imprimer, tous les jours, le journal de la ville, *Oslobodjenje* – et le lumineux Jovan Divjak, général chargé de la défense de Sarajevo et, pourtant, d'origine serbe. Je lui avais tout dit. J'avais multiplié les angles d'attaque. Mais rien n'y faisait. Rien ne semblait ébranler sa souveraine indifférence à l'endroit de ces Bosniaques dont il se sentira, jusqu'au bout, moins proche que des Serbes. Jusqu'au moment où une phrase, une simple phrase, éveilla une lueur dans son œil, puis une ou deux questions indiquant que l'affaire commençait de l'intéresser : c'est la phrase où je lui dis (comme ça, en passant, mais je compris que c'était le détail qui, pour lui, allait tout changer car il raccordait l'ensemble de l'histoire à une scène fondatrice de son imaginaire) que cet Izetbegovic assiégé, pathétique, peut-être mort à l'heure où nous parlions, m'avait fait irrésistiblement penser à la dernière image de Salvador Allende, traqué mais digne, un casque posé de travers sur la tête et attendant, dans le palais présidentiel de Santiago bombardé, l'assaut des fascistes chiliens. Là, c'est la même chose. C'est ce qui semble s'opérer avec cette histoire de drapeau français éclaboussé du sang des insurgés. Et, à une série de menus signes (une lueur trouble dans le regard, une fixité soudaine et fugitive des traits) j'ai la même impression d'avoir touché, sans le savoir, un point secret de l'âme, un ancien tourment, je ne sais.

« C'est bien, fait-il, en me coupant, la voix plus sourde tout à coup. C'est bien. Gagnons du temps. Je sais tout cela. C'est la confirmation des rapports que je reçois. Il est trop tard, à l'évidence, pour une interdiction de survol. Mais des frappes ciblées sur les trois aéroports d'où décollent les avions militaires, plus un brouillage de leurs systèmes de transmissions, c'est, en effet, une solution… »

Il fait une moue, comme pour dire : « espérons que, même pour cela, il ne soit pas déjà trop tard », puis jette un œil à son portable qui, sur le canapé, vient de vibrer et poursuit :

« Des frappes sur Syrte, Sebha, Bab al-Azizia, peuvent peut-être suffire, oui. Mais il faut aller vite. Très vite. »

Il n'a pas de note devant lui. Mais je me rends compte qu'il est au fait du dossier.

« Le vrai problème sera politique, dit-il, comme s'il se faisait une objection à lui-même. D'abord ce Conseil national de transition…

— Oui ?

— J'ai donné mon accord pour les recevoir, donc je les recevrai.

— Bon.

— La vraie question c'est : qu'est-ce qu'il faut en faire ? et, à quel niveau, la reconnaissance ? »

Il semble sincèrement se poser la question et n'avoir, sur ce point, pas arrêté sa doctrine. Je lui redis, alors, la bonne impression que m'ont faite ces hommes. Le fait que ce sont d'anciens juges, des avocats, des hommes de loi et de droit. Je lui dis, aussi, la portée historique qu'aurait, tant qu'à faire, une reconnaissance pleine et entière. Il m'interrompt.

« Quand peuvent-ils être à Paris ?

— Je ne sais pas... Très vite... Le président du CNT, Mustafa Abdeljalil, songe à deux hommes qui sont en charge des dossiers de politique étrangère. L'un est en Inde. L'autre au Caire... »

Je sors de ma poche la copie que j'ai faite du communiqué annonçant la création du Conseil. A la main, à côté du nom de Essaoui, j'écris : « problème de visa Schengen ». Le Président prend la feuille, y jette un regard rapide, la repose.

« Et puis il y a l'autre problème politique. La France ne peut pas, non plus, y aller seule.

— Oh, fais-je ! Trois aéroports... »

Il sourit.

« Même trois aéroports, cela ne se fait pas sans l'accord de nos alliés. Et, plus important encore, sans un mandat international. Le pire serait de faire la même erreur que Bush en Irak. On ne le pardonnerait ni à la France ni à moi. Mais voilà... »

Il fait le geste du prestidigitateur sortant un lapin de son chapeau. Et lui vient un deuxième regard, moins grave, plus juvénile, que celui qu'il affiche depuis le début de la conversation.

« Mais voilà. Ça tombe bien. Il y a une rencontre entre Européens vendredi prochain. Puis, à Paris, le 14 mars, le sommet du G8... »

Nouvelle objection, à soi-même :

« Ce sera tard, naturellement. On ne va pas pouvoir attendre jusqu'au G8. Mais on va régler ça dès vendredi. On va faire un consensus européen. Et, forts de ce consensus, on ira aux Nations unies.

— Et si ça ne marche pas ?

— Ça marchera. »

Il voit mon air dubitatif et demande, sincèrement surpris :

« Qu'est-ce qui pourrait s'y opposer ?

— Je ne sais pas... Qui dit que Berlusconi, Merkel, se laisseront convaincre si facilement ?

— Nous nous entendons bien, Angela Merkel et moi. Et elle ne peut pas être insensible à la justesse de la cause.

— Alors, dans ce cas, Juppé... »

Il fait comme s'il n'entendait pas, et répète :

« Merkel ! Comment imaginer Merkel dire non à une opération de sauvetage du peuple libyen ? »

Je reviens à la charge :

« Mais Juppé ? On se souvient de la façon dont il s'est conduit au moment de la Bosnie, puis du Rwanda. Il sera forcément contre cette histoire libyenne. Il ne serait pas Juppé, s'il n'était pas contre. Si je peux me permettre un conseil : tout faire depuis ici, à travers la cellule diplomatique, et ne rien dire à personne – garder le secret, même pour Juppé. »

Il fait, toujours, comme s'il n'entendait pas. Ou comme si, plus exactement, il ne comprenait qu'à moitié.

« Ça sert à quoi, la politique, si ce n'est à se souvenir des leçons de l'Histoire et à en tirer les conséquences ? Je ne serai pas Mitterrand. Je ne serai pas le Président sous lequel on aura laissé mourir le peuple libyen. »

Je songe à 2007. Je songe à cette conversation, la dernière que nous ayons eue avant la présidentielle, que j'avais rapportée en ouverture de mon *Grand cadavre à la renverse*. Il ne parlait pas de la Libye, naturellement. Mais il parlait de la liberté des peuples en général. Et de son ambition, s'il était élu, de mener une grande politique étrangère, indexée sur l'impératif des droits de l'homme. Je ne l'avais pas pris au sérieux, à l'époque. Je n'avais pas cru à sa sincérité. Et il faut bien dire que tout ce qu'il a pu faire depuis (à commencer, en décembre 2007, par l'indécente réception, justement, de Kadhafi) ou, mieux, tout ce qu'il n'a pas pu ou voulu faire (pas une avancée au Darfour, un faux beau geste en Géorgie et, en direction de Poutine, une main non moins tendue que celle de son prédécesseur) n'a cessé de me donner raison. Là, soudain, je ne sais plus. Il y a, dans sa façon de dire « je ne serai pas le Président sous lequel on aura laissé mourir le peuple libyen », un accent de vérité qui me trouble. J'enchaîne.

« Les militaires, en revanche, seront pour. Longuet, je ne sais pas. Mais les militaires, les vrais, ceux que j'ai vus piaffer en Bosnie, puis en Afghanistan, puis au Tchad, ceux qui en ont assez de rester l'arme au pied devant des peuples qui agonisent, accueilleront la nouvelle d'une intervention avec faveur. »

Il répond, mais à côté. Légèrement rêveur, et à côté.

101

« Quand je pense à tous ces gens qui diront que je fais ça pour des raisons politiciennes... Je ne me fais pas d'illusions. Cette guerre ne sera pas populaire. Ou, si elle l'est, ça ne durera pas longtemps. Mais ce n'est pas la question. Il faut la faire. »

Puis :

« Quelle est la situation de la ville ? Menacée ? Anxieuse ? Prête à réagir à une offensive de Kadhafi ? Comment ?

— Oui, je crois, prête. C'est le mot de Malraux sur Madrid pendant la guerre d'Espagne : la mystérieuse et prodigieuse capacité de résistance des villes.

— Les hommes ?

— Plus vaillants que ne le dit la presse. Plus déterminés aussi. Et prêts à prendre le relais si une force alliée leur dégage le ciel et leur offre un appui aérien sérieux. »

Il hoche la tête comme pour dire que cela, aussi, corrobore ce qu'il sait déjà. Nous échangeons encore quelques propos — dont un, vif, sur la réception de Kadhafi en 2007 dont je lui fais reproche et dont il persiste à prétendre qu'il ne la regrette nullement car ç'avait été la seule façon, à l'époque, de « tirer d'affaire les infirmières bulgares ». Mais, pour l'heure, il semble que nous soyons d'accord.

Mardi 8 mars *(Les émissaires de Benghazi)*

Je me passe et repasse la boucle des événements. Je pense et repense à cette séquence folle qui commence sur un petit camion de légumes, continue avec une improbable communication téléphonique sur un Thuraya détraqué et s'achève sur cette histoire de drapeau bleu blanc rouge que j'aurais scrupule à avoir ainsi instrumentalisée si je ne m'apercevais que j'y suis, moi aussi, contre toute attente, un peu sensible. Je ne parle à personne. J'ai promis au Président le secret. Il semble lui-même s'y tenir – et donc, à plus forte raison, moi. Personne, non. Absolument personne. Sauf, bien sûr, Gilles qui maintient le contact avec Benghazi et tente de « tracer » nos émissaires et le moment de leur arrivée en Europe. J'attends.

Mercredi 9 mars *(Les émissaires encore)*

Gilles et Marc ont l'information. Ce sont bien Jibril et Essaoui, les deux hommes que nous avait annoncés le bureau de Gogha. Plus un troisième, Ali Zeidan, patron de la Ligue des droits de l'homme libyenne. La cellule diplomatique de l'Elysée s'occupe de tout. Ils seront là, ce soir, à Paris, dans un petit hôtel du VIIIᵉ arrondissement. Zeidan vient de Munich. Jibril arrive du Caire. Tous deux ont passé les journées d'hier et aujourd'hui au Parlement européen de Strasbourg où Essaoui les a rejoints. Cet après-midi, sans Essaoui qui avait son problème de visa, ils ont été reçus, à Berne, par la Présidente de la Confédération helvétique et ont juste eu le temps d'attraper le dernier avion de Berne à Paris. Ils sont là, donc. Et seront, demain matin, à 10 heures, avec moi, reçus par Nicolas Sarkozy.

Jeudi 10 mars *(Quand la France reconnaît la Libye libre)*

Elysée. 10 heures. Nous sommes dans la grande salle de réunion, jouxtant le bureau du Président, qui fut le bureau d'Attali. Côté gauche de la table, en entrant, Sarkozy entouré d'Henri Guaino, de Jean-David Lévitte et de son adjoint Nicolas Galey. En face, Ali Essaoui entouré, sur sa gauche, de Mahmoud Jibril et sur sa droite d'un homme que je ne connais pas et dont je déduis que c'est Ali Zeidan – plus moi qui, d'instinct, m'assieds à côté de Zeidan.

Les Libyens sont intimidés.

L'atmosphère est solennelle.

Les conseillers français, bizarrement, ont l'air déboussolé, comme s'ils ne savaient pas, eux-mêmes, à quoi ils doivent s'attendre.

Guaino, en particulier, est tassé sur sa chaise, les épaules en dedans, le regard brûlant dans un visage maussade et une drôle de manière de lancer, à droite, à gauche, des coups d'œil inquiets.

Sarkozy a un visage tendu, concentré, que je ne lui connais pas.

C'est lui qui commence et qui, du reste, parlera pendant l'essentiel de l'entrevue.

« Je suis avec une extrême attention, dit-il, l'évolution des événements dans votre pays. Monsieur Bernard-Henri Lévy m'a tenu informé de son voyage à Benghazi, de ce qu'il y a vu et de sa rencontre avec le président Abdeljalil. Merci de vous être déplacés et d'avoir pris la peine de venir jusqu'ici. La communauté internationale, c'est vrai (il se tourne vers Jean-

David Lévitte), ne peut pas rester inerte face à ce qui se passe à Benghazi et dans les autres villes de Libye. Certains parlent d'aide humanitaire : dites-moi si je me trompe, mais il me semble que le temps de l'aide humanitaire est passé. D'autres pensent à une interdiction de survol, une no-fly zone, pour les avions de Kadhafi : je crois comprendre que cette formule, aussi, est très insuffisante compte tenu de l'accélération des événements. Non. Je suis arrivé à la conclusion — arrêtez-moi, là aussi, si je me trompe — que la seule solution, face à la violence qui se déchaîne et à l'étendue des crimes qui sont commis, est une opération militaire.

« Oh ! on ne va pas déclarer la guerre à la Libye. Ni, encore moins, faire la révolution à la place des Libyens. Les Français n'ont eu besoin de personne, en 1789, pour faire leur révolution. Et je ne vois donc pas pourquoi les Libyens auraient besoin des Français, ni de n'importe qui d'autre, pour faire la leur. J'ai vu, soit dit en passant, l'histoire de ces forces spéciales britanniques qui sont entrées chez vous, sans autorisation, armées jusqu'aux dents. Vous avez eu bien raison de les remettre à leur place. Car on ne fait pas cela quand on vient chez des amis. On demande la permission et on attend d'être sûrs de l'avoir pour arriver avec du matériel sensible. Donc, là, je réponds à votre invitation. J'ai compris, à travers Monsieur Lévy, que vous étiez demandeurs d'une intervention aérienne modeste, limitée dans le temps, sans troupes au sol et ciblée sur les moyens militaires qui font, dans la population civile, les dégâts dont le monde est témoin. Eh bien je suis d'accord. Je vous le dis au nom de la France, je suis d'accord sur cette intervention limitée, ciblée, que vous nous demandez.

« Simplement, il va falloir qu'on y mette les formes et qu'on ait un peu de monde avec nous. Je ne parle pas de la France : les grandes forces politiques me suivront. Mais il y a nos partenaires européens et il sera très important qu'ils soient d'accord et qu'ils nous suivent. Et puis, au-delà de l'Europe, vous avez la communauté internationale dont le soutien nous sera, et vous sera, également très précieux. On ne va pas faire cela sans la communauté internationale, n'est-ce pas ? Entendez-moi bien : on pourrait le faire techniquement ; la France a les moyens techniques, c'est-à-dire militaires, de mener une opération de ce type sur le théâtre libyen. Mais là, ce n'est pas de technique que je parle mais de politique et de diplomatie (il se tourne, à nouveau, vers Lévitte). Et je pense aussi, voyez-vous, aux lendemains de ce que nous allons déclencher et à la nouvelle Libye qui en sortira. C'est à vous, de nouveau, qu'il appartiendra de savoir quelle démocratie vous voulez, à quel rythme vous la construirez. Mais je sais (il se tourne, cette fois, vers Guaino) que la démocratie est votre horizon. Or ça commence aujourd'hui, la démocratie. Ça commence avec un consensus international autour de la justesse de votre cause. D'autres ont essayé de s'en passer, on a vu où ça les a menés ! Donc, c'est d'accord. La France est à vos côtés. Mais je vous demande juste quelques jours pour me laisser le temps d'organiser les choses et de m'assurer, en particulier, de ce soutien de la communauté internationale.

« Si je ne l'obtiens pas ? Si, contre toute attente, la communauté internationale renâclait à condamner

106

Kadhafi et à agir contre lui ? Je ne peux pas l'imaginer. Mais enfin imaginons l'inimaginable. Supposons que la France n'obtienne pas de résolution au Conseil de sécurité des Nations unies. Enfin, "la France"... Ce ne sera pas "la France" de toute façon. Car, d'abord, j'agirai main dans la main avec mon ami Cameron, le Premier ministre britannique. Et puis, ensuite, nous allons nous appuyer sur un projet de résolution existant qui est un projet libanais. Mais bon. Imaginons que le projet ne soit pas voté. Dans ce cas, nous passerons outre. Nous trouverons, avec nos amis britanniques, d'autres moyens, d'autres instances, pour donner sa légitimité à l'opération. Par exemple la Ligue arabe. Je suis en contact avec Monsieur Amr Moussa. Il suit avec beaucoup d'attention, lui aussi, l'évolution des événements. Eh bien on fera une coalition ad hoc avec un certain nombre de pays européens, des pays d'Afrique et la Ligue arabe. Ce sera moins bien que les Nations unies. Mais ce sera mieux que rien. Car cela permettra d'agir. Mais, encore une fois, ce n'est pas ce qui se passera. Le dossier est bon. L'émotion est grande. Et je n'ai pas de doute sur notre capacité, ensemble, à mobiliser les hommes et femmes de bonne volonté autour de cette opération de protection des populations civiles.

« Alors, après, il y a des choses que je peux faire seul, et sans attendre la permission de quiconque. Par exemple vous reconnaître. Il y a des règles simples, vous le savez. Un chef d'Etat a des droits (peu) et des devoirs (beaucoup). Or, au premier rang de ces devoirs, il y a l'obligation de protéger sa population. Kadhafi a failli à ce devoir. Il a même fait pire que cela puisque les victimes de la répression qu'il a déclenchée se comptent, apparemment, par milliers. Il reste à vérifier les chiffres mais, en toute hypothèse, c'est beaucoup. A partir de là, il a perdu le droit à diriger son pays. Il n'a plus aucune légitimité. Et c'est pourquoi je suis partisan d'un transfert de légitimité total, rapide et même immédiat en faveur du Conseil national de transition que vous représentez. Concrètement, ce sera très simple. Nous allons vous reconnaître, dès aujourd'hui, comme seuls représentants légitimes de la Libye. Dans des délais brefs (de nouveau, il se tourne vers Lévitte), par exemple à la fin de la semaine prochaine, nous allons vous envoyer un ambassadeur et vous allez nous en envoyer un. Et j'espère, je vous le répète, qu'un grand nombre de pays rejoindront cette position française et vous reconnaîtront comme autorité légitime de la nouvelle Libye.

« Si vous devez garder tout cela secret ? (Il fait mine de réfléchir et de consulter du regard ses conseillers.) Non. Il n'y a plus de raison, maintenant, de garder le secret. Les gens qui me connaissent savent que je n'ai qu'un discours et, donc, qu'une parole. S'il y a des journalistes, dans la cour, quand vous sortirez, vous pourrez leur dire l'essentiel de ce que je viens de vous dire. Sauf, peut-être, un point : cette idée d'une instance de légitimité alternative pour le cas où l'ONU ferait défaut – ça, gardons-le, pour le moment, entre nous. »

L'audience a duré une heure. Les Libyens sont stupéfiés. Ils n'ont, en lui serrant la main, pas de mots assez forts pour dire leur gratitude à ce Président providentiel. La cour étant, en effet, noire de journalistes et de caméras de télévision, j'ai le réflexe, au moment de sortir, de prendre le couloir qui part sur la droite, sous l'escalier, et de me mettre derrière une fenêtre habillée d'un rideau de mousseline à l'abri duquel je vais pouvoir écouter leur conférence de presse improvisée. Quand ils ont terminé et qu'ils se dirigent vers la sortie, côté Faubourg Saint-Honoré, suivis par les caméras, je ressors par la porte latérale, rue de l'Elysée. Mais, à peine dehors, mon téléphone sonne. C'est le Président qui veut savoir ce que j'ai pensé de l'entretien, si je suis heureux, si tout est bien conforme à ce que nous nous étions dit. Puis, étrangement, sans que, même maintenant, alors que la journée est terminée et que j'en dresse le bilan, je comprenne pourquoi, il me lance : « bon... tu étais là, hein, toi aussi... alors, n'hésite pas... dis ce que tu as vu et entendu... n'hésite pas à t'exprimer... ». Le temps que la conversation s'achève, puis que je regagne la rue du Faubourg Saint-Honoré, les journalistes ont disparu. Il ne reste qu'une chaîne arabe, à laquelle je dis quelques mots. Devant le Bristol, Didier François qui m'invite à venir, à 18 heures, sur Europe 1. Et cette interview, donc, sur Europe 1, où j'essaie, face à l'emballement médiatique, de calmer le jeu, de dire qu'il ne faut pas exagérer et que la France n'a pas l'intention d'aller bombarder Tripoli. On est loin de l'image, répercutée sur toutes les chaînes, de Bernard-Henri-Lévy-qui-s'exprime-au-nom-de-l'Etat-sur-le-perron-de-l'Elysée-pour-annoncer-la-guerre-à-la-Libye. Mais si ça les amuse... Ces piques n'ont aucune importance... La seule chose qui compte c'est que le Président a tenu parole. Le Conseil national de transition est reconnu. Je suis heureux.

Vendredi 11 mars *(Quand le président de la République croit devoir déchanter)*

Sud de la France. J'ai, avant de quitter Paris, donné une interview – la première de ma vie – à cette chaîne, Al-Jezira, dont j'ai dit tant de mal au moment de sa création et dont je découvre que c'est, en fait, une grande chaîne, genre CNN, où l'on peut, comme aujourd'hui, s'amuser à lancer une formule qui va mettre la Toile en joie : les « blow jobs » qu'il sera « de plus en plus difficile d'administrer aux dictateurs arabes ». Je suis ravi de mon mot. Ravi quand on se demande, ici ou là, qui est visé. Il est 22 heures. Je dîne. Le téléphone sonne. J'hésite à décrocher, craignant que ce ne soit la énième radio me demandant, que dis-je ? *exigeant* « un son » sur cette affaire de « blow job » ou sur la « diplomatie de perron ». Mais non. C'est Sarkozy. Mais un Sarkozy chagrin. Presque dépité. Et n'ayant, je le sens rien qu'au ton, pas entraîné ses partenaires européens aussi facilement qu'il l'espérait.

Il dit l'inverse, naturellement. Il fait le détaché – genre : « ça n'a pas été facile ; mais ça aurait pu être pire ; au moins ai-je obtenu un communiqué commun ». Il insiste, au passage, sur le fait que la Ligue arabe progresse « à grands pas » vers une position de fermeté. Mais la réalité, je la découvrirai un peu plus tard, en lisant le communiqué en question et en écoutant, à la télévision, les commentaires : il s'est beaucoup avancé, hier, avec les Libyens ; peut-être trop ; et il est clair que ses partenaires viennent de lui faire payer son cavalier seul (nouvelle manifestation, à leurs yeux, de l'éternelle « arrogance française »). Quant aux Américains, c'est encore autre chose : une série de coups de téléphone à New York me donne la température, qui ne vaut guère mieux. Républicains comme Démocrates semblent sur la ligne : « les Etats-Unis d'Amérique ont deux guerres sur les bras, dont ils ne savent comment se tirer ; est-ce bien le moment de s'en coller une troisième, de surcroît improvisée ? ». La France, somme toute, est seule. La montagne d'hier est peut-être en train d'accoucher d'une souris. Et encore Sarkozy a-t-il eu la sagesse de faire son coup de force sans demander l'avis de quiconque car, lorsque l'on voit comment tout ce petit monde réagit *après*, on ose à peine imaginer les obstacles qu'il aurait mis *avant* !

Maintenant que l'on en est là, que faire ? Y a-t-il un moyen d'aider, et lequel ? De pousser, et comment ? Ou bien tout est-il fichu et sommes-nous en train d'assister à la réédition, sous une autre forme, de la séquence Mitterrand-1992 avec ce beau voyage à Sarajevo qui, presque aussitôt, fit pschitt ? Tout cela me tourne dans la tête. L'insomnie ajoutant la confusion au désarroi, j'échafaude des plans hasardeux (repartir à Benghazi – mais pour quoi faire ? une pétition – c'est dérisoire ; un Appel européen – à peine mieux). Jusqu'à ce que me vienne, là, à 3 heures et quelques du matin, une idée qui est un peu moins mauvaise et dont je réserve l'exécution à demain. En gros : jouer les Américains. Mieux : *une* Américaine. Je la connais un peu, cette Américaine. Je l'ai vue, avec Tina Brown, en 2004, à Boston. Je l'ai revue, un soir, il y a deux ans, au Carlyle, où elle était venue, comme moi, écouter une chanteuse de folk. J'ai salué son courage, et sa dignité, plusieurs fois, dans des articles et dans

American Vertigo au moment du viol symbolique que fut, pour elle, le déballage de l'affaire Lewinsky. Et, bien avant cela, en 1994, à New York, son bureau ayant eu vent d'une projection de *Bosna !* pour un groupe d'intellectuels et de leaders d'opinion et ayant demandé une copie du film, elle m'avait fait savoir son indignation face au martyre de Sarajevo et à l'inaction des nations ! Cette Américaine c'est, bien sûr, Hillary Clinton, Secrétaire d'Etat de Barack Obama. Elle sera à Paris, lundi, pour le Sommet du G8. Et je décide de tout faire, tout, pour faciliter une rencontre entre elle et l'un des trois de la délégation de l'Elysée.

Vendredi 11 mars, suite *(Comme avec Massoud ? comme en Bosnie ?)*

Tard dans la nuit.

Il y a *deux* événements traumatiques dont je redoute la répétition.

Mitterrand-Sarajevo. Je pensais, vraiment, y être arrivé. Je me souviens, comme si c'était hier, de Védrine m'appelant, à Esbly, ce fameux samedi, de la part du Président, pour me dire que celui-ci venait de s'envoler, depuis Lisbonne, pour la capitale bosniaque assiégée. Sauf que ce Président-là était un vrai roué. Il savait ce qu'il faisait en noyant le problème *politique* du nationalisme serbe et de son projet de purification ethnique dans le vacarme d'un geste *humanitaire* visant à la création d'un pont aérien permettant des livraisons de couvertures qui ne serviraient, elles-mêmes, comme nous le disions dans *Bosna !*, qu'à faire des linceuls. L'affaire était réglée depuis le début.

Et puis il y a, ensuite, moins connu mais qui m'a laissé un souvenir aussi cuisant, le pas de deux Massoud-Chirac. J'avais, en février 1998, en le quittant, convaincu Massoud de venir se faire connaître en France. Après trois ans d'hésitations, il avait fini, en 2001, fin mars, le vendredi 30 exactement (j'étais en reportage, chez John Garang, au Sud-Soudan, tout cela est gravé, en lettres et chiffres de feu, dans mon souvenir) par me faire appeler par l'ingénieur Itzak pour me dire qu'il était prêt. Je préviens aussitôt François Pinault qui, parce qu'il avait toujours été prévu que nous irions ensemble chercher « le Chef », dans son avion, à Douchanbe, au Tadjikistan, et parce qu'il devait, le moment venu, engager Chirac à le recevoir, me demandait régulièrement des nouvelles du projet. Le temps que je rentre à Paris, il appelle son ami Président. Le surlendemain, dimanche, il le voit et le persuade. Le lundi matin, la machine Elysée se met en branle et, se mettant en branle, alerte, bien obligée, la machine Matignon. Lundi après-midi, Matignon prétend avoir reçu, de la mission française à Kaboul, l'information selon laquelle l'initiative élyséenne mettra en danger les humanitaires français présents sur le sol afghan. En sorte que le Premier ministre, Lionel Jospin, soit qu'il prenne la menace au sérieux, soit qu'il cherche à désamorcer un coup politique qui tournera à l'avantage de celui qui, à un an de la présidentielle, est déjà engagé dans une lutte à mort avec lui, ouvre le parapluie et prévient que la chose, si elle se fait, se fera sans lui. Et le Président, dans le doute, la mort dans l'âme mais ne voulant prendre aucun risque, annule l'invitation, demande à François Pinault, aussi navré que moi, d'annuler l'envoi de son avion – et fait passer le bébé, discrètement, au Parlement européen. Nicole Fontaine, sa présidente, sauva l'honneur. Ainsi qu'Hubert Védrine, ministre des Affaires étrangères, prenant sur lui de recevoir celui qui était, à l'époque, quelques mois avant le 11 septembre et son propre assassinat, l'emblème de l'islam modéré et de sa résistance au terrorisme. *Le* scénario catastrophe. *Celui* dont je redoute, plus que tout, de voir se reproduire, aujourd'hui, la spirale de faiblesses. En sommes-nous là ?

Samedi 12 mars *(Vers une ligue franco-arabe ?)*

Le Caire. Déclaration musclée de la Ligue arabe. Kadhafi, dit-elle, a « perdu sa légitimité ». Les forces de progrès doivent « coopérer » avec le CNT. Et le Conseil de sécurité des Nations unies doit, sans délai, imposer une « interdiction de survol » de la Libye. Un début de ralliement à la position française ? L'ébauche de cette grande alliance qu'évoquait le Président devant les envoyés d'Abdeljalil ? A coup sûr, une étape décisive. Une date. Le démenti à la thèse imbécile de l'Egyptien qui, lors de notre dîner du Caire, à l'ambassade de France, excluait toute internationalisation de cette affaire interarabe qui ne pouvait être réglée qu'entre Arabes. J'appelle Aalam Wassef, mon compagnon de Tahrir Square, l'un des derniers à tenir la place face aux ennemis de la révolution. Il confirme.

Lundi 14 mars *(Un rendez-vous manqué avec Clinton ?)*

J'ai fait comme j'ai décidé.

J'ai appelé, dans le désordre, et jusqu'à ce que l'un d'entre eux, celui de Mahmoud Jibril, finisse par répondre, les portables des trois membres de la délégation de l'Elysée.

Après m'être assuré que Jibril, donc, pouvait être à Paris, sans trop de difficulté, aujourd'hui, lundi, j'ai fait, avec un ami qatari, le siège du cabinet d'Hillary Clinton pour lui obtenir un rendez-vous, à 17 heures, hôtel Westin, juste avant la rencontre de la Secrétaire d'Etat avec Nicolas Sarkozy, puis le dîner officiel du G8 à l'Elysée.

Sauf que rien ne s'est passé comme prévu et que ç'aura été, d'un bout à l'autre, une vraie journée de dupes.

Premier temps. L'avion de Jibril, affrété par les Qataris, atterrit à l'heure prévue, 14 h 30, en provenance de Doha. Ce qui, le rendez-vous étant à 17 heures, laisse le temps nécessaire pour rentrer à Paris, passer au Raphael où je lui ai réservé une chambre et préparer la rencontre avec Hillary. Sauf que personne n'a pensé à prévenir qui que ce soit de l'arrivée de l'éminent représentant du Conseil national de transition nouvellement reconnu. Et la police de l'air du Bourget, son passeport entre les mains, s'agite, s'affaire, téléphone dans tous les sens, parlemente, mais nous bloque. J'ai beau plaider et tempêter. Jibril a beau fulminer, s'indigner et menacer, puisque c'est comme ça et qu'il n'est pas le bienvenu, de repartir comme il est venu. J'ai beau expliquer aux policiers, butés, que c'est le même Jibril, muni du même passeport, que celui de mercredi dernier, lors de sa première visite à Paris. Rien n'y fait. Une heure passe. Deux. Je finis par appeler le Président qui ne comprend rien à l'histoire et me renvoie sur Lévitte. Puis Lévitte qui, me faisant observer qu'il n'était informé de rien, promet de faire ce qu'il peut. Puis c'est Anne-Laure Mondésert, de l'AFP, qui appelle et qui, ayant eu vent du rendez-vous avec Clinton, s'étonne que nous soyons toujours là, au Bourget, et voit déjà venir le pataquès politique et, partant, la bonne petite information. Et c'est Michel Duclos, conseiller diplomatique au cabinet du ministère de l'Intérieur (à qui j'explique qu'on frise l'incident majeur et que ce n'était pas la peine de sidérer le monde en étant les premiers à reconnaître le CNT pour, trois jours plus tard, en humilier l'émissaire) qui finit par régler le problème. Il est 17 h 30, hélas. L'heure du rendez-vous est passée. Jibril, qui n'est pas commode, a l'air et, surtout, l'humeur d'un taureau furieux. Nous montons dans ma voiture, et arrivons aux portes de Paris, sans qu'il desserre les dents.

Deuxième malentendu. Dans la voiture, tandis que je bataille pour essayer de trouver une autre heure pour ce rendez-vous Clinton, Jibril reçoit un SMS sur son propre téléphone. « Juppe, s'exclame-t-il, un peu de bonne humeur subitement revenue ! Nous avons rendez-vous avec M. Juppe. » Fort bien, dis-je, en demandant au chauffeur de foncer vers le Quai d'Orsay. Même si ce rendez-vous-là, je dois à l'honnêteté de l'avertir que, vu l'état de mes relations avec celui qu'il appelle M. Juppe, sans accent, comme une jupe, je l'y accompagnerai mais n'y assisterai pas... Las ! A la guérite du Quai, personne n'a entendu parler de M. Jibril. En creusant, nous apprenons que le ministre lui-même n'est pas là vu qu'il est, depuis une heure, à l'Elysée, recevant Clinton avec Sarkozy. Et quand descend enfin un conseiller – qui, par parenthèse, étouffe un fou rire lorsqu'il me reconnaît – c'est pour dire qu'il y a eu confusion, que le SMS était mal formulé et que le rendez-vous est, non avec Juppé, mais avec son directeur de cabinet. Je fonce à Issy-les-Moulineaux, à Arte, présider le conseil de surveillance qui doit introniser Véronique Cayla et faire ses adieux à Jérôme Clément. Gilles Hertzog, lui, reste et attend, dans un café voisin, que le rendez-vous avec le directeur se termine. Jibril, que le froid parisien a surpris, se met en tête d'acheter un cache-nez et un manteau. Deux heures plus tard, quand je le retrouve, il est plus rogue encore, plus furieux que quand je l'ai quitté.

Troisième malentendu. La rencontre avec Clinton. Elle a finalement été recalée à 21 heures, juste après le rendez-vous Sarkozy-Juppé, puis le dîner de l'Elysée. Nous sommes à l'hôtel Westin. C'est le grand caravansérail, typique des Américains en déplacement. Nuées de journalistes. Assistantes diverses et variées. Services secrets. Gardes du corps. Et, soudain, à 22 heures, la ruche qui se met en mouvement comme si un signe l'avait avertie de l'arrivée imminente de la reine des abeilles. « Ah vous voilà, s'esclaffe-t-elle en me voyant, au pied des ascenseurs, mêlé, avec Jibril, à la nuée des siens ! Je vous croyais en Libye. – Justement, Madame, j'en reviens. » Et, désignant Jibril : « C'est même pour cela que nous sommes là… » Nous montons dans les étages. Le rendez-vous, tête à tête entre Jibril et Clinton, dure un peu plus de cinquante minutes. Et, quand Jibril en ressort, il est plus furibond encore qu'au Bourget, plus fulminant qu'après son vrai faux rendez-vous avec

« Juppe » et il explique aux Clinton girls, atterrées, qu'il veut une *back door*... Oui, une *back door*... J'exige une porte de service ou, même, une sortie de secours... Car je ne veux pas voir de journalistes... Je ne veux être désagréable avec personne mais ne veux pas non plus, pour autant, donner quelque crédit que ce soit, à qui que ce soit, pour ce rendez-vous qui s'achève... Car le rendez-vous, m'explique-t-il, de retour dans la voiture, s'est mal passé. Clinton n'a rien dit. Elle l'a laissé parler mais n'a rien dit. Et il a bien senti qu'il ne « passait » pas avec son plaidoyer pour les civils de Benghazi et son appel à la cohérence d'une politique américaine qui ne peut pas plaider, partout, les valeurs de démocratie et des droits de l'homme et laisser tomber, quand il s'en réclame, le peuple libyen martyrisé. Jibril est sûr qu'il a échoué. Jibril est sûr que Clinton n'a rien compris. Et c'est pourquoi, après un saut au Bristol où il a rendez-vous avec des Emiratis, nous rentrons au Raphael où, fatigués, malheureux, l'amertume de Jibril ayant eu raison de notre bonne humeur, nous nous asseyons, Gilles et moi, pour rédiger dans la salle à manger déserte, sur une table déjà dressée pour le petit déjeuner du lendemain, le brouillon d'un « Appel de la dernière chance » que, dès l'aube, je conseillerai à Jibril de lancer, perdu pour perdu, comme une ultime bouteille à la mer.

« Amis du monde entier ! dit l'Appel. La Libye libre est en danger de mort, venez à notre secours. Il y a trois semaines, le peuple libyen se révoltait après quarante ans d'oppression et libérait une bonne partie du pays, au prix de milliers de morts. Mais le tyran s'est ressaisi. Son armée de mercenaires a repoussé nos combattants trop démunis, partis libérer Tripoli. Ses avions, ses chars, son artillerie nous pilonnent jour et nuit en plein désert.

Nous avons dû reculer. Nos pertes sont énormes. La route de Benghazi libérée est ouverte aux colonnes infernales dont nous redoutons, impuissants, l'arrivée rapide. Rien, dans le désert, ne s'oppose plus à la force mécanique, aux blindés, que nous n'avons pas les moyens ni le temps d'arrêter. Nous n'avons que nos poitrines à leur opposer. Et nous allons nous sacrifier. Une seule force peut nous sauver, amis du monde entier. Celle des amis de la liberté. Seule une force extérieure, réellement extérieure, peut nous sauver. La France, la première, nous a reconnu comme un pays libre. Son drapeau flotte à Benghazi. Nous adjurons ce grand pays de prendre l'initiative d'une concertation militaire internationale. Les flottes étrangères à proximité de nos côtes, ainsi que l'armée égyptienne amie, peuvent enrayer de façon décisive, par leur seule dissuasion, l'avancée mortelle des troupes de Kadhafi sur Benghazi et la Libye libre. Amis français, vous qui avez subi l'occupation étrangère implacable durant la Seconde Guerre mondiale, vous que le général de Gaulle, la Résistance française et tous vos Alliés ont menés à la libération, Monsieur le Président Sarkozy, venez à notre secours. Le printemps arabe, la liberté libyenne ne doivent pas mourir à Benghazi. »

Il est 2 heures du matin. La journée de demain sera rude.

Mardi 15 mars *(Un appel du président Sarkozy)*

Je n'y comprends plus rien.

D'un côté, l'échec. Et, même, le désastre. Le G8 s'est prononcé pour des sanctions, mais a écarté l'option militaire. L'Allemagne a pesé de tout son poids pour empêcher un communiqué trop musclé et semble avoir eu raison de la détermination française. Côté intellectuels, j'ai cosigné une pétition que m'a envoyée Glucksmann et dont le texte a été rédigé par Nicole Bacharan et Dominique Simonnet. Mais la seule pétition qui aurait un sens, la grande pétition d'intellectuels français et allemands faisant pression sur leurs gouvernements pour les rappeler aux règles élémentaires de l'honneur, je n'arrive pas à l'organiser – Hans Christoph Buch ne répond pas ; de Peter Schneider, j'ai un faux numéro ; et quand j'appelle le professionnel incontesté du genre, Bob Geldof, il me répond qu'il est aux Etats-Unis, qu'il a trop à faire en ce moment et que, de toute façon, seuls les Etats, à ce stade, peuvent encore arrêter le massacre.

Mais, de l'autre, j'ai, à 15 heures, un appel du Président, fulminant contre ses partenaires et, en particulier, l'Allemagne (« je ne sais pas si la Chancelière se rend compte des risques qu'elle a pris et qu'elle a fait prendre à son pays ; je suis de ceux qui jugent naturelle la candidature de l'Allemagne à un siège de membre permanent au Conseil de sécurité des Nations unies – mais comment peut-on vouloir une chose et son contraire et, face à la première grande crise de la politique européenne depuis les guerres des Balkans, se défausser de cette façon ? ») mais pas découragé pour autant, bizarrement pas tout à fait découragé (le spectre de la Bosnie, encore ; le précédent de Srebrenica dont je me rends compte, au passage, qu'il a en tête la presque exacte chronologie ; « aujourd'hui c'est moi qui décide, me dit-il, et je veux tout faire, tout, je ne sais pas encore comment mais j'y réfléchis, pour empêcher un *nouveau* Srebrenica ») et insistant, une fois de plus, sur le soutien, non démenti, et capital, de la Ligue arabe. Et, par ailleurs, une « source » dans l'entourage d'Hillary me dit que Jibril n'a pas compris ; que ce diplomate chevronné est, étrangement, passé à côté de la situation qu'il générait ; qu'il a touché Hillary ; qu'il a ému l'animal politique mais aussi, tout simplement, la femme ; et qu'à peine a-t-il eu tourné les talons, par sa fameuse « back door », qu'une conférence téléphonique s'est tenue, entre Paris et Washington, en pleine nuit, avec Robert Gates (hostile à l'intervention) et Obama (hésitant) dont il n'est pas du tout certain qu'elle soit allée dans le sens de la non-intervention et de Gates.

Dans le doute, je juge sage de « retenir » notre « Appel de la dernière chance » – et en préviens Jibril par SMS. Donnons-nous vingt-quatre heures, proposé-je. Les humains, même politiques, sont parfois mystérieux. Qui sait si, sans le savoir, vous n'avez pas ébranlé Madame Clinton ?

Mercredi 16 mars *(Deuxième appel du Président)*

Les vingt-quatre heures sont passées. J'ai envoyé un nouvel SMS à Jibril, lui demandant confirmation de sa volonté de diffuser l'appel rédigé lundi soir. Je travaille, en attendant, dans ma chambre, à l'hommage à Jorge Semprun que je dois prononcer, fin juin, en présence de Jorge, au Musée du Prado, à Madrid. Le téléphone sonne. C'est le Président. Il a vu la pétition Bacharan-Simonnet qui vient de paraître dans *Le Monde*. Et il semble avoir, lui, un peu avancé –

toujours sombre, toujours pessimiste, mais entrevoyant, peut-être, une solution.

« Tu connais notre ambassadeur aux Nations unies ?

— C'est bien celui qui a été ambassadeur en Israël il y a sept ou huit ans ? Un proche de Villepin ?

— C'est quelqu'un de très bien. Un fonceur. Il s'est disputé, hier soir, avec Susan Rice. Les Américains sont étrangement mous. Je ne les comprends plus. »

Un blanc. Puis :

« Ou je ne les comprends que trop bien. Mais passons...

— Trop bien ?

— Non. Peu importe. Il faut avancer, maintenant. Et essayer de passer en force.

— L'équation des Américains, dis-je, convaincu qu'il en sait plus que moi et qu'il me le dira, me semble bien compliquée. Clinton, d'un côté, dont on me dit que son rendez-vous avec Jibril, hier, l'aurait tout de même secouée... »

Il ne fait pas de commentaire.

« Et Robert Gates, de l'autre, qui est allé jusqu'à dire, comme le plus épais des isolationnistes, que les partisans d'une action de force en Libye relevaient de l'asile psychiatrique... »

Il grommelle quelque chose sur Robert Gates et l'asile psychiatrique. Mais change de sujet.

« Quelles nouvelles a-t-on de là-bas ?

— Les chars de Kadhafi ont passé Brega. Ils ont repris le contrôle de toutes les localités, y compris, sans doute, Ajdabiya dont les rebelles, le matin de la réunion de l'Elysée, avaient encore le contrôle. A l'heure qu'il est, ils marchent sur Benghazi. »

Quelques secondes de silence. Il reprend, la voix étouffée, comme s'il se parlait à lui-même.

« Je sais tout cela. C'est pourquoi il faut tenter le tout pour le tout. Maintenant. On échouera peut-être. Mais on ne pourra pas dire qu'on n'a pas essayé.

— Tenter le tout pour le tout, cela veut dire quoi ?

— Prendre le monde de vitesse.

— C'est-à-dire ?

— Les Américains, d'abord. Mais aussi les Russes qui s'apprêtent à déposer un projet de résolution qui ne parlera que de cessez-le feu et noiera le poisson.

— Sans parler des Chinois qui président le Conseil...

— Sans parler des Chinois, oui, bien sûr. C'est pour toutes ces raisons qu'il faut aller vite et jouer l'effet de surprise. Mais pas un mot, naturellement. Absolument pas un mot. »

Et puis, après un nouveau silence, une note d'ironie dans la voix, ce tout dernier mot avant de raccrocher :

« Et si je peux me permettre un conseil, un très modeste conseil, que Jibril laisse tomber, pour le moment, son appel aux nations... »

Je ne me souviens pas de lui en avoir parlé. Ou peut-être si, je ne sais plus. Tout est si bizarre, de toute façon. Le Temps est devenu bizarre. Tantôt rapide, horriblement accéléré, quand tombent les flashes radio citant telle déclaration de Saïf Al-Islam, le fils de Kadhafi, qui annonce que tout sera fini « sous quarante-huit heures », ou donnant la parole aux rares correspondants restés sur place qui évoquent des scènes de panique, des familles qui s'entassent dans des voitures pour Tobrouk et un nouvel afflux de réfugiés arrivant à la frontière égyptienne. Tantôt très lent au contraire, des minutes qui durent des heures, comme des nuages lourds et qui tardent à crever – quand j'essaie de joindre Benghazi ou actionne mes alertes twitter et facebook sur la Libye. Qui l'emportera dans cette course de vitesse entre les chars d'un côté et l'adoption, de l'autre, de ce projet de résolution dont Sarkozy me parlait tout à l'heure mais qui n'est, pour l'heure, ni écrit, ni déposé ni, à plus forte raison, voté ?

Jeudi 17 mars *(Le jour le plus long ; trois conversations avec le Président sur fond de désastre imminent)*

Folle journée.

La plus folle, peut-être, depuis le début de cette histoire.

8 h 20. Je suis chez Patrick Cohen, sur France Inter. Je me fais l'interprète, je crois, de tous ceux qui voient venir ce massacre annoncé et que nous n'aurons pas su empêcher. Je tempête. Je fustige. J'ai l'impression, plus que jamais, de revivre les heures funestes de la Bosnie et retrouve d'ailleurs, pour le dire, mes mots de l'époque sur les Norpois, les non-interventionnistes de tout poil, les adeptes de l'idéologie Quai d'Orsay. Au fil de l'interview, cognant à droite, cognant à gauche, je déplore l'assourdissant silence des socialistes qui devraient tout de même comprendre qu'il y a des situations où il faut laisser les empoignades politiques au vestiaire et accepter, quelque désaccord que l'on ait, par ailleurs, avec lui, de soutenir un Président qui va dans le bon sens. Arrive la deuxième partie de l'émission. Celle réservée aux auditeurs. Et surgit une voix

qui me dit quelque chose mais que je mets quelques secondes à reconnaître : celle de l'ancien ministre de la Défense, Paul Quilès, venu dire qu'il respecte ma colère mais qu'il récuse l'idée d'un silence des socialistes car c'est la première secrétaire du Parti, Martine Aubry, qui, la première, bien avant Sarkozy, a appelé à intervenir en Libye. Sorti du studio, dans ma voiture, je cherche son téléphone. L'appelle. Je ne l'ai pas revu depuis au moins trente ans, lointaine époque du Groupe des Experts, il me semble qu'il s'occupait déjà, pour François Mitterrand, et derrière Charles Hernu, des questions militaires – mais je l'appelle. « Peu importent les querelles en paternité. Il y a urgence. Et, si vraiment Martine Aubry a pris la position que vous dites, allons la voir ensemble et faisons que cette position – qui fut, jusqu'ici, peu audible – trouve l'écho qu'elle mérite. » Quilès me répond qu'il est chez lui, dans le Tarn, mais qu'il va faire en sorte qu'Aubry me joigne. Appel, en effet, presque aussitôt, non d'Aubry, mais de son conseiller, François Lamy, qui me pose quelques questions, à peu près les mêmes que Sarkozy hier, et me dit qu'il reprendra contact très vite.

10 heures. Premier étage du Flore. Je suis en train de discuter avec Daniel Cohn-Bendit de cet autre appel de la dernière chance que je veux lancer, depuis hier, entre intellectuels allemands et français et qu'il est le seul à pouvoir concevoir avec moi. Il est ému. Moins goguenard que d'habitude, réellement ému. Et, sans y croire vraiment, ayant le sentiment de livrer une sorte de baroud d'honneur, nous faisons une liste de personnalités que nous allons appeler dès ce matin, lui surtout, à Francfort, à Paris, pour leur faire endosser un ultime SOS. Et voilà que tombe, sur *Le Post*, sous le titre

« Martine Aubry a-t-elle entendu le coup de gueule de BHL contre le PS avant de pousser le sien contre la communauté internationale ? », une longue dépêche qui commence par ces mots : « alors que les forces de Kadhafi sont en train de reprendre le dessus sur les rebelles et que l'ONU tarde à se prononcer sur une zone d'exclusion aérienne au-dessus de la Libye, la patronne du PS a lâché, jeudi, lors d'une visite à Sannois pour soutenir le candidat PS aux cantonales dans le Val-d'Oise, ceci » – et qui reproduit, ensuite, cette déclaration d'Aubry : « je pense à la Libye ; on n'en parle pas ; on a laissé faire ; aujourd'hui, la communauté internationale est dans l'incapacité, le manque de courage d'agir ; j'ai honte pour l'Europe ; j'ai honte pour nos organisations internationales ; on se met d'accord pour aider les banquiers, pas pour aider un peuple ; je suis désolée de ce coup de gueule, mais j'y pense jour et nuit ». L'AFP, quant à elle, ajoute que le maire de Lille a rappelé que le PS avait demandé « dès le 27 février une zone d'exclusion aérienne » et qu'elle a dressé, surtout, « un parallèle avec la passivité de la communauté internationale » lors de la guerre d'Espagne – « le monde entier, a-t-elle martelé, avait dit que ce qui s'était passé avec Franco était inacceptable, mais on a laissé faire et on fait la même chose aujourd'hui ». Bien joué, dit Dany. Belle manœuvre politique, pensé-je aussi. Mais pourquoi pas ? Et qui sait si, la politique étant ce qu'elle est, la rivalité nourrissant l'émulation, cette déclaration ne va pas, si besoin, ajouter encore à l'énergie du Président ?

14 heures. Je finis de déjeuner avec Matthieu Tarot. Le téléphone sonne. C'est le Président, justement. Mais un Président différent. Car ayant retrouvé sa pugnacité de la semaine dernière. Il m'annonce que

l'ambassadeur de France à l'ONU a « doublé », comme il me l'avait annoncé à demi-mot, son homologue américaine en déposant, avant elle, un projet de résolution musclée. Il me dit – mais cela, je l'avais compris en voyant Bernard Guetta, ce matin, dans le studio de France Inter, filer en annonçant à l'assistant de Patrick Cohen qu'il partait avec Juppé mais qu'il venait d'y avoir un mystérieux changement de programme – qu'il a littéralement « détourné » son ministre qui devait partir pour Berlin, mais à qui il a donné ordre de filer à New York défendre la résolution française. Et il me révèle surtout sa carte maîtresse dans la négociation qui vient de commencer : une conversation avec Medvedev qu'il a convaincu de s'abstenir en échange de l'inscription, dans le projet de résolution, d'une phrase où l'on s'engage formellement à ne pas envoyer de troupes au sol. Se pourrait-il que l'avenir de la Libye, donc du monde arabe, donc du monde, tienne à des micro-négociations, donc des micro-concessions, de cette sorte ?

20 h 30. Dîner solitaire, sans appétit, zappant d'une chaîne à l'autre, surfant sur la Toile, à la recherche d'informations fraîches. Tout le monde attend, en fait, l'entrée des colonnes de la mort dans Benghazi. Selon CNN, c'est une question de jours. Selon Al-Jezira, une question d'heures. Mais l'issue ne fait plus de doute pour grand monde... Nouvel appel du Président, alors. La chancelière Merkel, gronde-t-il, est « lamentable » de prudence. Mais Medvedev tiendra parole. Il a, lui, Nicolas Sarkozy, personnellement convaincu le Sud-Africain et le Grec. En sorte que, si Hu Jintao qu'il a appelé, lui aussi, personnellement, accepte de ne pas user de son veto et se contente de s'abstenir, si

tel autre membre cède à la supplique (il n'y a pas d'autre mot) qu'il lui a adressée, il y a une vraie chance que la résolution française passe – triomphant, ainsi, du maquis d'hostilités, d'intérêts adverses et de réticences qui, en principe, devait la bloquer.

Minuit enfin. Nous avons, sur le plateau de Taddeï, attendu jusqu'au dernier moment, mais en vain, de connaître l'issue des débats à New York et le résultat de la course-poursuite entre les « résolutionnaires » et les colonnes blindées. Nous sommes, au Montalembert, avec une partie de l'équipe de *La Règle du Jeu*. Quelque chose nous dit que tout cela est trop long, beaucoup trop long, que ce n'est pas bon signe. Et Maria de França, Armin Arefi, Gilles Collard, réfléchissent à une initiative que nous pourrions, cette fois, prendre à New York quand le téléphone sonne. C'est, à nouveau, le président de la République. « Je suis encore réveillé, ce qui n'est pas trop mon genre. Mais je voulais te l'annoncer moi-même. La résolution a été votée. Oui, votée. C'est une grande victoire pour la France. Mais c'est une grande victoire, surtout, pour la Libye dont les populations sont désormais sous protection de la communauté internationale. » Dans cette ultime conversation, la troisième de la journée, alternent des mots de joie (« j'ai bataillé, je suis heureux »), de gratitude (« Zuma a été formidable »), des considérations plus futiles (si Obama va, ou non, l'appeler pour le féliciter), des curiosités (ce que l'on pense autour de moi et si je suis bien certain que Cohn-Bendit, par exemple, était favorable à l'intervention militaire) et puis le ton grave du chef de guerre qu'il est, à partir de cet instant, forcé de devenir (il a, *déjà*, une idée du terrain et des fronts ; il a, *déjà*, mis au travail son état-major particulier et ses généraux ; il aura, *dès demain matin*, un plan de frappes qu'il faudra, si l'on veut sauver Benghazi, mettre en œuvre sans tarder).

Vendredi 18 mars *(La guerre ?)*

Journée de veillée d'armes. Je sais que les avions sont en route. Je sais qu'ils ne seront opérationnels et « sur zone » que demain, samedi, après le sommet qu'a convoqué la France et qui, réunissant représentants de pays occidentaux et arabes, achèvera de donner forme à la coalition déjà investie de la plus haute légalité internationale possible. Comment Kadhafi va-t-il réagir ? Aura-t-il la sagesse de mettre les pouces ? Ou va-t-il continuer d'avancer – et, défiant la communauté internationale, rendra-t-il inéluctable l'intervention ? Aux dernières nouvelles, il aurait annoncé un cessez-le-feu. Mais, à la Corniche où je parviens à joindre un des adjoints d'Abdeljalil, on me dit que c'est une manœuvre et que les colonnes continuent d'avancer. Je passe la nuit, de nouveau, à zapper entre CNN, Al-Jezira, Al-Arabiya ; à suivre les tweets de Mohammed Nabous ; et à tenter, jusqu'à l'aube, de joindre à nouveau Benghazi.

Samedi 19 mars *(La France a sauvé Benghazi)*

Les opérations ont commencé.
Trois nouvelles conversations téléphoniques avec le Président.

La première, juste avant le déjeuner et le Sommet sur le point de se tenir à l'Elysée. « Tout le monde sera là. Ban Ki-moon. Hillary Clinton. Les Norvégiens, ce qui n'est pas mal car ils ne sont pas membres de l'Union européenne. J'ai enfin réussi, je crois, à convaincre Angela Merkel de nous suivre – en échange d'un amendement que nous avons préparé ensemble et où l'on reconnaît à chaque pays le droit d'appliquer, de manière différenciée, les résolutions que les Nations unies pourraient être amenées à adopter sur cette affaire libyenne. Le Qatar sera là. Pas l'Emir qui est déjà venu, hier, secrètement, régler les derniers détails de l'opération, mais son Premier ministre qui est très bien. Le seul petit problème ce sont les représentants saoudiens et émiratis qui l'ont posé. Ils ne voulaient pas s'asseoir à la même table qu'Hillary Clinton à cause du soutien qu'elle apporte aux insurgés de Bahreïn. Mais enfin ils sont là. Et c'est l'essentiel. C'est la première fois qu'un pareil front, pays du Nord et du Sud, Européens et Arabes, se mobilise contre une dictature. »

Puis la deuxième, un peu avant 16 heures. Le déjeuner vient de s'achever. C'est un Président plus tendu, anxieux, qui m'annonce, cette fois, le début imminent des frappes. « Il était temps, fait-il. Tous les renseignements qui nous parviennent indiquent que Kadhafi s'est moqué de nous avec son prétendu cessez-le-feu. Et la chute de Benghazi, à l'heure où nous parlons, ne serait plus qu'une question d'heures, peut-être de minutes, si nous n'intervenions pas. Mais là, cela ira. Nous serons sur zone à temps. Les avions français frapperont les premiers. Puis les Canadiens. Les Américains arriveront demain. Et, dans les heures qui suivent, les

Arabes. Pourquoi pas tout de suite ? Parce qu'ils ont des problèmes de pilotes. Mais cela n'a aucune importance. Ils sont complètement derrière nous. »

Et puis enfin, un peu avant 20 heures, un troisième appel. Apaisé. « Une première colonne vient d'être neutralisée. Nous avions déjà, il y a deux heures, détruit un véhicule blindé. Mais, là, c'est plus sérieux. Ce sont quatre chars. Les quatre premiers chars, qui étaient aux portes de Benghazi. Ce sont nos avions qui ont frappé dans les deux cas. Les avions français. Nous taperons toute la nuit, s'il le faut. Nos renseignements étaient bons. La ville n'aurait pas tenu une nuit de plus. Les cellules kadhafistes s'y croyaient déjà et avaient, dans les faubourgs, commencé de se découvrir. Maintenant, ils se terrent. La peur a changé de camp. C'est bien. »

Dimanche 20 mars *(Où il apparaît que la Libye ne sera pas l'Irak)*

Messages de « félicitations »… On a beau dire : cela fait bizarre, pour un intellectuel, de recevoir des félicitations pour une guerre qui, si juste soit-elle, reste une guerre et va forcément faire des morts, des blessés, des dégâts en tous genres, des destructions. L'idée donne le vertige. Elle plonge dans des abîmes de perplexité. Et je passe l'essentiel de la journée cloîtré dans ma chambre, n'appelant personne, ne répondant à personne, surtout pas aux journalistes qui ont lu l'article de Renaud Girard, hier, dans *Le Figaro* et qui essaient d'en savoir plus sur cet écrivain qui aurait

131

réussi, au terme d'un invraisemblable enchaînement de hasards et d'entêtements, à trouver le chemin d'un cerveau présidentiel et à lui faire produire une résolution du Conseil de sécurité entérinant, pour la première fois, la pleine, entière et militaire application du principe d'ingérence.

Je ne fais, en vérité, qu'une exception. Butel. Michel Butel. Je l'ai rappelé, lui, tout à l'heure, après l'étrange et beau message qu'il m'a adressé, quelques minutes après la première frappe sur les faubourgs de Benghazi. « Bernard, disait-il. Depuis toujours nous le savons : ce que nous avons fait de nos vies et de cette "fatalité", notre caractère, doit un jour affronter l'Evénement qui le démentira, l'humiliera, le contrariera ou – par miracle – le confirmera, l'exaltera et le magnifiera. Tu viens de passer le Grand Examen. Ce que tu avais créé auparavant menait là. J'étais parfois en désaccord, parfois irrité. Aujourd'hui, ces jours-ci, je suis simplement heureux de t'avoir rencontré, heureux que nous soyons ces drôles d'amis, lointains souvent, mais proches dans toutes les circonstances sérieuses. Je t'embrasse. Michel. »

Oui, mon drôle d'ami. Nous ne nous sommes pas beaucoup vus, ces derniers temps, c'est vrai. Je ne sais même plus, tout à coup, si je suis toujours du petit groupe qui cotise à l'association 1901 créée par ses anciennes femmes et maîtresses pour assurer la préservation du monument national qu'il est, à leurs yeux, devenu. Mais je me souviens de *L'Imprévu*. Je me souviens de la place qu'il a eue dans ma vie, avant d'autres, plus que d'autres, de « meilleur ami » en titre. Je me souviens du temps – mais est-il sûr qu'il soit révolu ? – où son intelligence, sa part de génie ainsi que la désinvolture « debordienne » de son style de vie et de pensée m'impressionnaient au plus haut point.

De tous les messages que je reçois, le sien est celui qui me fait le plus plaisir.

A part cela, réflexions vagues.

Cette affaire de guerre. Pour la première fois, la guerre, la vraie et, si j'ose dire, la guerre vraiment. Jusqu'ici, je plaidais pour. J'appelais à. Je m'indignais contre les pacifistes, les pétainistes, les salauds qui pensaient qu'un petit fascisme vaut toujours mieux qu'une grosse guerre. Mais je ne prenais pas tellement de risques car je savais que, à la fin des fins, le pacifisme aurait toujours le dernier mot et que le monde, aussi fort que les gens comme moi puissent crier, resterait divisé entre, d'un côté, les munichois préférant la certitude de vivre couchés à la perspective de mourir debout et, de l'autre, les défenseurs de la démocratie empochant les dividendes de l'honneur sans encourir le risque de voir leurs appels soumis à l'épreuve du réel. Là, ce n'est plus le cas. Là, la guerre a vraiment lieu. Et j'ai intérêt à ne pas m'être trompé.

Qu'est-ce qu'une guerre juste ? Depuis le temps que j'en parle… Depuis le temps que je disserte sur la question… Une guerre juste c'est une guerre qui, si l'on en croit les quelques-uns qui, de saint Augustin à saint Thomas puis à Grotius, en ont produit le concept, se reconnaît à trois traits principaux qui semblent, tous les trois, être au rendez-vous de cette guerre libyenne. 1. La noblesse de la cause : sauver une population civile d'un massacre annoncé, n'est-ce pas le prototype de la cause juste ? 2. Le dernier recours : les chars étant aux portes de Benghazi et ayant avancé malgré les négociations politiques, les sanctions économiques, les efforts diplomatiques, qui niera que s'applique, de plein droit, cet argument du dernier recours ? 3. La proportionnalité enfin, c'est-à-dire l'idée que les dégâts occasionnés par la guerre seront inférieurs à ceux qu'elle aura empêchés : c'est là que les choses se compliquent, là que personne n'est sûr de rien – là qu'il ne reste qu'à espérer et, pour ceux qui le peuvent, à prier.

Pourquoi cette guerre-ci et pas la guerre d'Irak que j'ai, toujours, pour ma part, condamnée ? Quatre différences. Et même cinq. Cinq raisons objectives, claires, indiscutables, qui indiquent que l'on est dans un paradigme différent et que cette guerre de Libye est bien l'antiguerre d'Irak. 1. Un mandat onusien, source d'une légalité internationale indiscutable. 2. Un mandat moral fort, donné par une Ligue arabe dont il ne faudra jamais oublier qu'elle fut tout de suite là, avec l'Occident, pour condamner l'agression de Kadhafi contre son peuple. 3. La présence d'un Conseil national de transition qui a le mérite d'exister, de jouir d'une assise populaire véritable et d'avoir bien meilleure allure que le misérable Congrès national irakien que présidait Chalabi. 4. Une insurrection démocratique, une insurrection *populaire et démocratique*, qui préexistait à l'intervention et que celle-ci vient, non susciter, mais conforter – cela, encore, change tout ! Et puis 5. Pas de troupes au sol, pas d'armée d'occupation – ce qui, si l'on s'y tient, si l'on parvient à protéger les civils de Benghazi, voire à faire tomber Kadhafi, sans être obligés d'envoyer un corps expéditionnaire, achèvera de singulariser cette guerre et de la distinguer de celles qu'a menées l'Occident jusqu'ici.

Pour toutes ces raisons, Michel Butel a raison. Pour toutes ces raisons, et d'autres, c'est sans doute le grand

Evénement, le rendez-vous majeur de ma vie intellectuelle et politique. Quelles autres raisons ? Oh, tant d'autres... Ce fameux devoir d'ingérence pour lequel je plaide depuis plus de trente ans et qui est peut-être en train de trouver sa première application... Cette saloperie souverainiste, cette saloperie d'idéologie selon laquelle les nations ont toujours le dernier mot et que, dès lors qu'un massacre, un crime contre l'humanité, un génocide, se produisent dans le huis clos d'une nation souveraine et n'empiètent pas sur la souveraineté de la nation d'à côté, il n'est pas question de s'en mêler – peut-être est-elle en train de connaître, cette idéologie, sa première défaite historique... Cette autre ligne de pente encore qu'est, dans ma vie, depuis toujours, le refus de la *fatalité géographique* : quand j'allais, jeune normalien, soutenir la résistance des Bangladeshis contre le premier embryon de génocide d'après le plus jamais ça d'Auschwitz ; quand j'allais au Darfour, en Angola, au Burundi ; quand je plaidais, dans un relatif désert, pour que l'on ne se résigne pas à l'atroce séparation de l'humanité en peuples brahmanes, d'un côté, dotés de tous les droits et privilèges, et, de l'autre, peuples intouchables, damnés de la terre et de la guerre, maudits... Et puis la question des rapports entre juifs et musulmans, le point d'honneur que j'ai mis, toute ma vie, à ne pas penser selon ma souche et, là encore, à tendre la main : quand le Juif que je suis passait des soirées entières, avec Izetbegovic, dans Sarajevo bombardée, à débattre des relations entre islam et judaïsme, quand il plaidait, à l'université de Bir Zeit ou autour du Plan de Genève, pour un Etat palestinien en même temps que pour l'existence d'Israël, quand il se portait, et se porte, au secours de peuples musulmans persécutés par des non musulmans et, parfois, par d'autres musulmans, que faisait-il d'autre que se préparer, en effet, à ce grand rendez-vous d'aujourd'hui ?

Lundi 21 mars *(Ali et Mansour)*

J'ai pris un appel, en fait, hier soir. Un seul. Celui d'un Libyen m'indiquant une concentration de troupes et de blindés, dans le Sud, dont il me priait de communiquer les coordonnées à l'Elysée. J'ai pris note. Informé Lévitte par SMS. Et j'ai donné rendez-vous au Libyen, histoire de voir la tête qu'il a, pour ce matin. Il est là, à l'heure dite, avec un de ses compagnons. Et je le reconnais, maintenant ! Oui, je n'avais rien compris, hier, au téléphone, mais, maintenant, je le reconnais ! C'est l'un des trois de la visite à Sarkozy, celui qui était en face du Président, à la droite de Mahmoud Jibril, à ma gauche – Ali Zeidan ! Il porte le même costume marron bien coupé. Les mêmes lunettes d'écaille dont je note, cette fois, qu'elles corrigent une très légère dissymétrie du regard. Le geste est précis. La voix nette, bien timbrée. Le cheveu, grisonnant et ras, dénote une certaine élégance. Il vit en Allemagne depuis des années. Il a des affaires de matériel médical qu'il mène en même temps qu'il préside la branche libyenne de la Fédération internationale des ligues des droits de l'homme. Opposant parfait, autrement dit. Zéro contact ni compromission avec le régime. De même que l'homme qui l'accompagne, massif, silhouette lourde et churchillienne, géant flottant dans un habit encore plus grand que lui et qui vit, lui, en Floride, a un passeport américain et parle, de surcroît, un français impeccable. Pourquoi ? Il s'appelle Mansour Saif Al-Nasr. Il descend d'une famille du Fezzan, illustre et francophone. Son grand-père fut le dernier bey du Fezzan, allié aux Français et refusant l'indépendance, donc la division de la Libye, que ceux-ci lui offraient. Il a soixante-trois ans, dont quarante-deux d'exil. Il m'explique l'histoire du pays. Me raconte quelques forfaits peu connus du Colonel. Me dit aussi qu'il a un oncle qui fut le tuteur du futur « Guide » et a donc été de ceux qui, dès le coup d'Etat, ont su que le pays allait à la catastrophe. Quand arrivent les journalistes de deux chaînes de télévision, Canal et TF1, qui les ont localisés et viennent les interviewer, je leur découvre, à tous deux, une habileté dans l'usage des médias qui me plaît. J'accroche tout de suite avec ces deux hommes. Je ne comprends pas bien leur rôle dans la galaxie CNT mais, avec l'un comme avec l'autre, je sens une sympathie immédiate, des réflexes et une longueur d'ondes communs – et je leur propose de rassembler autour d'eux, demain, sous l'égide de *La Règle du Jeu*, non pas une conférence de presse, mais une rencontre informelle avec des amis journalistes, intellectuels et politiques.

Mardi 22 mars *(Visages de la Libye libre)*

Conférence de presse au Raphael. Deux hommes, oui. Deux inconnus qui n'ont pas mis les pieds en Libye depuis des décennies et qui ne sont, au sens strict, ni l'un ni l'autre membres du CNT. Maria essaie bien de convaincre l'un, Zeidan, de laisser planer l'ambiguïté sur son appartenance au Conseil et l'autre, Saif Al-Nasr, de ne pas insister trop lourdement sur le fait qu'il n'est pas retourné au pays depuis quarante ans. Rien à faire. Ils sont, par-dessus le marché, d'une intégrité à toute épreuve. Et ce sont eux qui, de fait, ont raison car ils vont, pendant deux heures, devant quelques-uns des journalistes les mieux informés et les moins complaisants de Paris, devant tout ce que la ville peut compter d'éminences, répondre aux questions, éviter les pièges et incarner, à merveille, les couleurs de la Libye libre. Ils sont éloquents quand, en réponse à une question de Yann Moix, ils décrivent le calvaire de leur pays sous Kadhafi. Emouvants quand ils remercient la France de son intervention providentielle. Habiles quand Emmanuel Jarry, de Reuters, essaie de les coincer sur le revirement de Sarkozy invitant à Paris, il y a quatre ans, celui qu'il combat aujourd'hui. Ils ne commettent, en vérité, qu'une erreur, mais elle passe inaperçue : quand on leur demande ce qu'ils feront, s'ils l'emportent, des contrats pétroliers existants et que, tout naturellement, sans se démonter et avec, une fois de plus, une honnêteté qui confine à la naïveté, ils répondent qu'ils les honoreront mais non sans donner une prime aux pays qui, comme la France, les auront beaucoup aidés. Un mot de plus, une dose supplémentaire de malveillance dans l'assistance, et la presse titrait, demain, sur la nouvelle « guerre du pétrole ». Heureusement, cela s'arrête là. Je presse discrètement le pied de Zeidan, et il s'arrête là. Je sens que je vais aimer ces deux hommes. Leur fantaisie secrète. Leur bonté. Le côté

Boudu sauvé des eaux de Floride de Mansour Saif Al-Nasr. Et le regard d'enfant qu'a, parfois, Ali Zeidan.

Mercredi 23 mars *(La querelle avec Juppé et ses sources)*

L'autre ministre des Affaires étrangères...

On m'avait déjà fait le même coup, il y a quinze ans, au moment de la guerre de Bosnie. Au moins cela prouve-t-il la constance de la presse. Et, aussi, celle de mes réflexes face à des situations qui ont plus en commun qu'il n'y paraît (Abdeljalil dans le rôle d'Izetbegovic ; Sarkozy dans celui de Mitterrand ; Lévitte de Védrine ; et Juppé en Dumas...). Le seul problème c'est qu'autant je honnissais, à l'époque, Roland Dumas, autant je détestais son cynisme, son côté Talleyrand sans le talent, autant je méprisais ses manières de Bel-Ami vieilli, œillet à la boutonnière, entregent érigé au rang d'un des beaux-arts, courbettes, autant me répugnait cette vie d'indignité dont tout le monde savait qu'il l'avait tressée, paille à paille, avec les vices de ses contemporains, autant je n'ai rien contre Juppé. Je ne suis pas fanatique du responsable politique, c'est vrai ; et, quand je vois les benêts s'extasier sur le « grand » ministre des Affaires étrangères que la providence et, en la circonstance, Sarkozy nous a donné, quand je les entends soupirer d'aise à l'idée de ce « pro » qui aurait enfin succédé au « zozo » qu'était Kouchner, je ne peux m'empêcher, moi, de penser qu'il l'était, ministre, et ce même ministre, titulaire du même portefeuille, lors des deux grands rendez-vous que l'Histoire du demi-siècle a donnés à notre pays et que, dans chacun des deux cas, il a pris le mauvais parti : celui de la non-intervention en Bosnie et celui de la protection, puis de l'aide à l'exfiltration, des génocidaires Hutus du Rwanda. Mais, avec l'homme en revanche, je n'ai jamais eu de problème. J'ai même le souvenir, à Bordeaux, plusieurs fois, dont une récente, dans le cadre d'un colloque organisé par *Libération*, de rencontres sympathiques, presque amicales et, parfois, d'une connivence tacite. Et l'homme, en tout cas, m'a toujours paru estimable, carré, honnête – chose que j'ai d'ailleurs dite, il y a cinq ou six ans, à l'époque où la justice l'embêtait avec une sombre affaire d'emplois fictifs et où une université canadienne prétendait en tirer argument pour l'interdire d'enseignement (j'ai alors pris, presque seul, dans un de mes bloc-notes du *Point*, sa défense contre la meute). Tout cela pour dire que l'idée de contourner Juppé, d'humilier Juppé, l'idée de voir Juppé avaler les couleuvres que lui cuisinerait Sarkozy et dont je serais, moi, le pourvoyeur direct ou indirect, est peut-être un fantasme de Juppé, ou même de Sarkozy, mais que ce n'est absolument pas le mien et que cela ne me fait plaisir en rien.

Pour être tout à fait sincère, il faut quand même que je dise qu'il a des raisons, Juppé, de se méfier. Une au moins. Une raison. Même si c'était un malentendu énorme et, au demeurant, plutôt rigolo. Comment dire ? On est en pleine guerre de Bosnie. On n'a pas cessé, depuis deux ans, de s'échanger des noms d'oiseau. On déjeune, en tête à tête, à sa demande, au Quai, sur le thème : « s'opposer est une chose ; mais au moins faisons-le convenablement, sans coups bas, en hommes d'honneur et d'intelligence et en essayant, quand c'est possible, quand il y a un visa à donner à un grand blessé, ou une bourse à un intellectuel ou un artiste bosniaques, de se passer les informations ». Le déjeuner commence digne. Se poursuit courtois. Il finirait presque, si nous n'y mettions chacun le holà, dans la découverte de l'autre, l'irrésistible sympathie, le côté « comment avons-nous pu, si longtemps, ignorer que etc. ». Cette fois on garde le contact, disons-nous. Ce sera comme une hot line, continuons-nous. Puissent les circonstances offrir, très vite, une occasion au chef de la diplomatie française et à celui du parti bosniaque en France de montrer que leur différend n'exclut pas l'estime et le dialogue, concluons-nous. Le déjeuner fini, le premier pousse le souci de l'estime et du dialogue jusqu'à raccompagner le second jusqu'en bas du grand escalier. Et à peine suis-je dans ma voiture que Jérôme Clément, alors patron d'Arte et, par ailleurs, proche ami de mon nouvel ami, m'appelle par le plus grand des hasards.

« Une tuile ! Notre grand colloque de samedi... Balladur, qui devait l'ouvrir, vient de s'annuler... Il faut, dans l'après-midi, trouver une idée pour le remplacer...

— J'ai une idée, lui dis-je... Je sors de son bureau... Jusqu'ici on s'entendait mal... Mais on a décidé de se faire confiance, de s'affronter dans la loyauté, de garder une hot line et de trouver très vite une occasion de prouver qu'on peut être adversaires sans se traiter pour autant comme des chiens... C'est Juppé !

— Ça n'a pas de sens, me répond-il, imperceptiblement agacé. On ne peut pas appeler Juppé comme ça, du mercredi pour le samedi... C'est absurde...

141

— Laisse-moi essayer... On ne sait jamais... C'est comme un défi qu'on s'est lancé... Si le type est aussi bien que tu me l'as toujours dit, s'il est loyal, s'il a le sens de l'honneur et de la parole donnée, je suis sûr qu'il se mettra en quatre pour me donner ce gage... À moi de jouer... »

Aussitôt dit, aussitôt fait. Juppé, que l'on me passe tout de suite, est pris. Mais Juppé, comme je l'avais prévu, se libère. C'est un gage d'amitié que vous me demandez, dit-il. Je vous donne le gage d'amitié. C'est difficile, sachez-le. J'ai tout un programme, à Bordeaux, qu'il va falloir que je défasse. Mais on a dit qu'on ferait, donc je fais. C'est d'accord.

Arrive le jour du colloque. Je ne sais plus quel en est le thème. Mais, comme on est en pleine guerre de Bosnie, et que c'est moi qui, avec Jérôme, le préside, j'ai dû trouver un moyen de mettre la Bosnie dans le coup et, même si je ne l'ai pas fait, même si c'est juste un de ces sempiternels colloques sur « l'Europe et la culture », les gens ont dû le comprendre comme ça car le fait est que je repère, dès l'entrée, les visages devenus, à force, familiers des inconditionnels de la cause bosniaque. L'amphi Richelieu est plein. Il y a du monde sur les bancs, sur les marches, dans les travées latérales et les galeries, en équilibre sur le rebord des fenêtres, assis par terre, sur l'estrade, bloquant l'accès à la table, partout. La salle est fiévreuse. Elle ne sait pas bien ce qu'elle attend, mais elle attend clairement quelque chose.

« Le ministre est arrivé », vient-on me dire à l'oreille alors que je suis en train de tenter de convaincre les appariteurs de faire entrer une cinquantaine de personnes supplémentaires. « Ah, dis-je ! Formidable ! »

142

Et vu qu'il est mon invité personnel, hot line, gage d'amitié, nouveaux rapports, etc., j'arrête tout pour aller moi-même le chercher, là-bas, caché dans les coulisses où il attend de faire sa grande entrée. Je fends la foule dans un sens. Je la refends dans l'autre, avec lui. « Pardon, pardon », dis-je, en faisant attention à ne pas écraser les filles et garçons assis par terre, tassés, entre les coulisses et l'estrade. « Eh là, faites gaffe », entend-on lorsqu'on écrase quand même un pied, ou une main, qui n'a pas pu se garer. Mais c'est gentil. Bon enfant. Et s'il y a un murmure sur notre passage, c'est plus de surprise que d'hostilité ou même de protestation.

Bref. Tout va bien. On réussit, à force d'enjambements et de « pardon, désolé, excusez-nous, pardon », à rejoindre la table où nous attend Jérôme. On s'assied, le ministre bien au centre et bien entre nous deux. Je prends le micro, histoire de remercier celles et ceux qui sont venus si nombreux, et un samedi s'il vous plaît ! quel héroïsme – et histoire, surtout, de remercier le ministre qui, malgré un emploi du temps chargé, et malgré des différends qui ne sont un secret pour personne, a accepté d'ouvrir ce colloque. Sauf… Eh oui, il y a un sauf… J'ai tout prévu. J'ai la situation bien en main. A une réserve près. Gilles. Mon ami Gilles. L'autre chef du parti bosniaque à Paris. L'autre personne à qui le parti bosniaque fait, comme à moi, une confiance aveugle. Gilles qui a en travers de la gorge, comme moi, tous les coups bas que Juppé a pu porter, non pas contre nous, mais contre la Bosnie. Et Gilles que j'ai juste oublié de prévenir du mini-tournant tactique qui fait que je me suis à demi réconcilié avec Juppé et que celui-ci, en signe de

143

bonne volonté, m'a fait le cadeau d'honorer au pied levé l'invitation que je lui ai adressée. Je l'aperçois au fond de la salle, mais trop tard. Vu ma myopie, j'aperçois en réalité, dans un demi-brouillard, une grande silhouette, prise dans un manteau blanc bizarre. Et, avant que j'aie pu dire quoi que ce soit, je vois la silhouette se dresser ; je sens, plus que je ne vois, un bras accusateur pointé vers la tribune ; et j'entends une voix de stentor, et j'entends une voix vengeresse, et j'entends une voix qui, en réalité, est strictement sur la ligne qui était encore la mienne il y a trois jours, hurler : « Monsieur le ministre des Affaires étrangères, Monsieur le ministre de la Démission nationale, les morts de la Bosnie vous saluent bien. »

La salle, croyant que c'est un signal et qu'on s'est partagé les rôles, bon flic et mauvais flic, moi avec Juppé et Gilles contre Juppé, embraye au quart de tour et part dans un tonnerre de huées, hurlements, trépignements, clameurs, sifflets. Juppé, qui était en train de réviser son discours, regarde Jérôme d'un air d'incompréhension stupéfiée, me regarde l'air de dire : « vous n'êtes quand même pas assez salaud pour m'avoir tendu ce piège ? », blêmit, bredouille quelques mots que couvre la clameur et, avant que j'aie pu dire ni faire quoi que ce soit, se lève pour, avec Jérôme, et avec les mêmes gens que tout à l'heure qui, cette fois, se lèvent sur son passage et se joignent au chahut, se frayer, à grand-peine, un chemin jusqu'à la sortie. « Qui était cet énergumène, demande-t-il à Clément une fois à sa voiture ? Qui était ce type, en grand manteau blanc, qui a donné le signal du chahut ? » C'était Gilles Hertzog, répond Clément qui n'a jamais

144

su mentir, ce n'est pas maintenant qu'il va commencer. « C'est le meilleur ami de Bernard, pour ainsi dire son lieutenant. »

Nous n'avons jamais eu l'occasion de nous expliquer. Et de ce jour date, chez le déjà ministre des Affaires étrangères de la France, la conviction que je suis, sinon le diable, du moins un fieffé salaud.

Jeudi 24 mars *(Le « Quai »…)*

« La guerre en Libye s'enlise. » Je lis cela partout. Elle n'a commencé que depuis quelques jours. Mais les gens en ont déjà assez. Ils trouvent déjà que c'est trop long. L'époque est tellement zappeuse, tellement inconséquente, qu'une guerre qui dure plus de huit jours leur semble déjà interminable. Cette routine du découragement. Cette habitude de la faiblesse. Cette affaire libyenne comme un bon révélateur, dans le fond, des éternels réflexes abandonnistes, pétainistes, français. Et puis, me concernant, une petite musique bizarre qui commence de monter. Non plus exactement : le ministre bis, etc. Mais (variante) : l'homme qui, avec sa diplomatie parallèle, son accès direct au Président, ses interventions sauvages et intempestives, porte atteinte à une grande institution française, notre fierté, cette perle de notre couronne républicaine, ce miracle que le monde nous envie et qui, de surcroît, était en train, comme par hasard, oui, oui, c'est incroyable mais c'est vrai, de faire, au moment même où Lévy le faisait, exactement ce qu'il a fait.

Ah le Quai ! Ces foudres de guerre ! Ces prodiges d'imagination et d'audace ! Ces grands prévisionnistes qui, c'est bien connu, n'ont cessé, depuis des décennies, de voir venir les révolutions, les anticiper, les soutenir ! Ils ont été magnifiques en Bosnie. Admirables au Rwanda. Leur politique africaine était un modèle du genre. Et là, en Libye, ils nous préparaient un chef-d'œuvre, leur chef-d'œuvre, un coup politique fumant, complètement secret et qui, si je n'avais pas cassé le travail, allait stupéfier le monde. La déclaration de Juppé, au Caire, jurant qu'il n'y aurait pas d'intervention militaire ? Subterfuge ! Sa mine défaite quand il descend du Thalys et apprend, de la bouche des journalistes, que Sarkozy vient de reconnaître le Conseil national de transition comme seul représentant légitime du peuple libyen ? Comédie ! Le rétropédalage dans les heures, puis les jours, qui suivirent ? Malentendu ! Le Quai cachait son jeu. Le Quai nous la jouait discret. Le Quai est génial.

J'adore cette façon de réécrire l'Histoire. J'adore ce petit conseil de guerre tenu hier, paraît-il, dans le bureau d'un directeur du Quai, sur le thème : « la situation actuelle et nos tâches ; les évidences contre lesquelles nous ne pouvons aller et les menus interstices où nous allons pouvoir loger nos éléments de langage ». Et ces coups de téléphone aux grands correspondants diplomatiques pour essayer de leur vendre, lourdement, laborieusement, le petit scénario d'un plan ourdi, de longue date, par un Quai d'Orsay vaillant, prescient, qui a tout vu depuis le début, tout compris depuis toujours et qui avait, bien au chaud, son plan de renversement du régime Kadhafi ! En soi, ce n'est pas grave, me dit Jean-Paul Enthoven qui observe tout cela avec l'œil, non de Sirius, mais de la littérature éternelle. C'est même plutôt bon signe de voir ces grands stratèges immobiles, ontologiquement non-interventionnistes, éprouver le besoin de prendre le train en marche. C'est vrai. Encore que le train n'est pas encore arrivé ; et c'est moi qui, pour le coup, redoute de les voir saloper, saboter, empêcher de venir à terme, ce beau geste français. Et puis, par ailleurs, ce n'est pas tous les jours que l'on voit fonctionner ainsi, au laboratoire, et sur un cas d'autant plus éclairant qu'il est apparemment minuscule et qu'on ne prend pas trop de précautions, la bonne vieille mécanique de la réécriture de l'Histoire ; et le spectacle de cette manœuvre, cette débauche d'énergie insensée, destinée à démontrer l'indémontrable, cette agitation tous azimuts et, somme toute, assez puérile de gens qui ne reculent devant rien pour réécrire l'Histoire, sont, franchement, édifiants.

Deux perles dans le genre – deux perles naines que je ne résiste pas au plaisir de consigner.

D'abord, le convoi d'aide médicale, constitué de médecins, de logisticiens et de matériel hospitalier qui est arrivé à Benghazi le 3 mars au soir et que tous les journalistes de la ville étaient allés accueillir. Faisant feu de tout bois et se disant que, plus le temps passera, plus les invraisemblances de leur récit se perdront dans la brume d'une archive incertaine, les gorges profondes du Quai commencent à raconter que le convoi était escorté par des gendarmes français (ce qui est vrai) et que ceux-ci, ainsi que les agents de la DGSE qui les accompagnaient, avaient reçu mission d'établir un contact « en bonne et due forme » – suivez leur regard… – avec le CNT (ce qui est assez farce vu que le CNT n'est formé que le 5 au soir et n'existe, à ce moment-là, pas encore !).

Et puis, surtout, cette étrange nouvelle parue dans une Lettre confidentielle qui s'appelle la « Lettre A » sous un titre du genre « BHL a failli y passer à Benghazi ». J'aurais été « arrêté » sur la Corniche de Benghazi. On m'aurait pris pour un « agent israélien ». Et, au bord de me faire « lyncher » par des jeunes insurgés, je n'aurais dû mon salut qu'à la vaillante intervention d'agents de la DGSE, les mêmes sans doute que ceux de la caravane humanitaire, qui se seraient miraculeusement trouvés sur place et auraient fait rempart de leur corps pour me protéger. Inutile de préciser que cette information est sans queue ni tête. Je suis, là, aux premières loges d'un spectacle (la fabrication, de toutes pièces, sans le moindre fondement, sans l'ombre d'un feu pour sa petite fumée, d'une désinformation pour le coup en bonne et due forme) dont je pensais qu'il n'existait que dans les mauvais polars. Mais ce qui est intéressant c'est que, lorsque je demande à Patrick Klugman d'aller voir le directeur de cette « Lettre A » pour le prier de retirer une information que je démens catégoriquement et dont le seul effet sera, si, un jour, je retourne en Libye, de donner de mauvaises idées et, là, de me mettre en péril, ce qui est intéressant, c'est que je découvre que la source de ce brillant montage est évidemment la même que celle de la fuite sur le convoi d'aide médicale. Avec, en prime, la goutte de venin – « agent israélien » – en queue d'article. Mais les institutions n'ont-elles pas, elles aussi, un inconscient ? Et pourquoi le Quai d'Orsay échapperait-il à la règle ?

148

Vendredi 25 mars *(Ghost writer de Mahmoud Jibril)*

En début d'après-midi, coup de téléphone du Président. J'ai toujours un peu peur, lorsque j'entends, au bout du fil, « ici le secrétariat du Président, le Président voudrait vous parler ». J'ai toujours peur, en réalité, d'un Sarkozy qui aurait trop lu les journaux, trop écouté ses ministres ou les Messieurs du Quai et qui commencerait à trouver qu'il s'est embarqué dans une aventure plus compliquée qu'il n'y paraissait. Mais non. C'est juste une conversation de routine pour, comme il dit, me tenir « informé » – et puis, à la fin, une demande.

« Je pars pour Bruxelles, commence-t-il. Je me sens comme un éléphant dans un magasin de porcelaine... Tous ces Européens qui ne m'attendent que pour me faire la peau... »

Puis : « les premiers avions qataris sont arrivés ». Dans le ciel, je demande ? « Non, pas vraiment dans le ciel, mais enfin ils sont là et le symbole est avec eux. »

Puis : « les Américains ont enfin donné leur aval au fait que l'on puisse bombarder, non plus seulement les avions, mais les chars de Kadhafi » (veut-il dire leur aval au fait que les avions *américains* bombardent, eux aussi, les chars ? je ne comprends pas bien, mais n'ose le faire répéter.).

Il m'annonce encore qu'il est en train de monter, avec Cameron qui, au début, était réticent mais qui a fini par se rallier à l'idée, une « usine à gaz » permettant à la coalition d'être commandée par un groupe de contact resserré – il dit « un groupe pilote » – tandis que l'OTAN, dont il redoute la lourdeur, assurera la logistique des opérations.

149

Et puis il en vient enfin au vrai motif de l'appel :
« nos amis de Benghazi... est-ce qu'ils ne pourraient
pas, nos amis de Benghazi, se manifester un petit peu
plus ? » Et, quand je lui demande ce qu'il entend par
là, si c'est un geste militaire qu'il attend et lequel :
« non, non, militairement tout va bien, c'est politiquement qu'il faudrait qu'ils apparaissent ». Ce qui, même
s'il ne le dit pas, signifie qu'il aimerait bien, ne serait-
ce que pour rassurer l'Opinion, une déclaration un
peu spectaculaire du CNT saluant l'effort militaire des
alliés et, en particulier, de la France.

J'appelle aussitôt Mansour. Puis Gilles avec qui
nous rédigeons, comme à la grande époque bosniaque,
un projet de « lettre de remerciement au peuple français » que Mansour traduit en arabe et envoie, aussitôt,
à Mahmoud Jibril qui est, depuis ce matin, le Premier
ministre du CNT. Je la trouve, à la relecture, trop
mélodramatique. Mais elle est dans le ton de toutes
les lettres du même genre que nous écrivions, il y a
quinze ans, pour Izetbegovic. Et Jibril, surtout, la valide.
Il y ajoute une phrase, une seule, au début, celle où
mon nom est mentionné. Mais il valide le reste et me
le renvoie signé, sur papier à en-tête et avec cachet
officiel du Conseil.

Nous l'avons titrée, cette lettre : « la Libye libre
reconnaît le rôle prééminent de la France ».

C'est le second texte, avec celui de la nuit du chassé-
croisé avec Hillary, que j'écris pour le compte de cet
homme.

En voici le texte, tel que je l'adresse à Etienne Mou-
geotte qui me promet de le publier, demain, samedi,
en bonne place, dans *Le Figaro*.

« Cher Bernard-Henri Lévy. Permettez que, une fois encore, je passe par vous – vous qui nous avez fait, le premier, approcher le président Sarkozy – pour lui délivrer le message suivant.

« Monsieur le Président. Vos avions, en pleine nuit, ont détruit les chars qui s'apprêtaient à martyriser Benghazi et à entrer dans la ville sans défense. Que vos aviateurs en soient remerciés. Comme l'a dit Winston Churchill, en 1940, à propos des aviateurs anglais : "rarement autant d'hommes auront dû autant à si peu d'hommes". Depuis, les frappes de la coalition ont paralysé le dispositif du tyran, même s'il tient les villes de la côte où il s'est barricadé et d'où, faute de moyens, nous ne pouvons pas encore le déloger. Que les forces britanniques, américaines, européennes, que les forces du Qatar et du Koweït, que les forces françaises, soient remerciées de cela aussi. Le peuple libyen voit en vous des libérateurs. Sa reconnaissance envers vous tous sera éternelle. Je voudrais ajouter, cher Président Sarkozy, à votre attention personnelle et à celle du peuple français, ceci. Le peuple libyen mais aussi les peuples amis voisins, à commencer par nos frères tunisiens et égyptiens, voient dans le secours que vous nous apportez un grand geste à l'égard du monde arabe. Ce secours au Printemps arabe, ce soutien décisif à l'aspiration des populations de notre région aux libertés et aux droits humains, c'est en Libye qu'il se manifeste aujourd'hui : mais nous savons qu'il dépasse nos frontières et s'adresse, par-delà notre lutte, à tous nos frères. Pour l'heure, notre lutte de libération continue. Certes, nos forces doivent s'organiser. Nos structures de commandement doivent être plus efficientes. Mais

151

souvenez-vous, Monsieur le Président, que notre armée n'existait pas il y a encore quatre semaines. Nous avons tous les hommes prêts à combattre. Nous ne doutons pas de leur vaillance. Nous ne voulons pas de forces extérieures. Nous n'en aurons pas besoin. Nous allons, grâce à vous, gagner la première bataille. Nous gagnerons, par nos propres moyens, la bataille suivante. Notre libération est pour demain. Il nous faut seulement un peu de temps. Nous savons que nous pouvons compter sur vous jusqu'à la libération complète du pays et la chute du tyran Kadhafi. Merci la France. Vive la Libye libre. »

Dans la soirée, le Président à qui je l'ai, naturellement, adressée me rappelle. Il semble satisfait. Il paraît sincèrement ému, aussi, lorsque je lui fais observer qu'elle sera, cette lettre, le tout premier acte officiel du tout nouveau gouvernement de la Libye libre. Au passage, il me dit que les choses ont bougé depuis tout à l'heure ; que les douze avions émiratis, ainsi que les six avions qataris, sont bel et bien, maintenant, entrés dans la bataille ; il m'annonce aussi que le sommet européen qu'il redoutait ne s'est finalement pas si mal passé, que l'ensemble des partenaires a fini, bon gré mal gré, par se ranger derrière la France et qu'un sommet, à Londres, achèvera, la semaine prochaine, de resserrer les liens – en même temps qu'il permettra de réfléchir aux moyens d'encourager, favoriser, voire organiser les défections dans le camp Kadhafi.

Samedi 26 mars *(Vite, un geste d'Israël !)*

Hier soir.

Hall du Raphael.

Conversation avec Avigdor Lieberman, ministre des Affaires étrangères d'Israël, dont j'ignorais qu'il descendait là.

Je rentre de France 2 où j'ai finalement fait le 20 h que j'avais annulé, la veille, pour cause de BBC.

Il est là, dans le hall, accompagné d'un ami belge qui m'accoste : « le ministre vient de vous voir, à la télévision, dans sa chambre ; il sort pour un dîner rapide mais aimerait bien, juste après, bavarder avec vous de cette affaire libyenne ».

Une heure après, il est de retour.

Conforme à ce que j'imaginais.

Ce physique de videur de boîte de nuit.

Cette façon de se mettre à l'aise en tombant la veste et la cravate.

Ces reniflements sonores, tonitruants, on dirait des ronflements, je ne peux d'ailleurs pas m'empêcher, pendant qu'il parle, de l'imaginer dormant, et ronflant, comment peut-on même dormir quand on ronfle aussi bruyamment ?

A part ça, intelligent.

C'est la surprise : je le trouve plus intelligent, et articulé, que je ne le pensais.

Je lui dis combien je trouve navrante la frilosité d'Israël face aux printemps arabes.

J'insiste sur le fait que ces révolutions sont là ; que cela plaise ou non, elles sont là ; elles n'ont demandé à personne la permission d'exister et suivent le cours

153

que l'Histoire leur a prescrit ; mais le choix, en revanche, est pour le reste du monde et, en particulier, pour Israël – va-t-on s'accrocher au monde ancien ? veut-on être les derniers à livrer un combat d'arrière-garde, perdu d'avance, déshonorant ? et n'est-il pas, d'un point de vue non seulement éthique mais stratégique, immensément plus payant d'épouser un mouvement qui, de toute façon, ne dépend que de lui-même ?

Je l'encourage, enfin, à dissiper la méchante rumeur qui lui prête, à lui, Lieberman, des relations personnelles avec un obscur homme d'affaires autrichien qui serait lui-même l'un des proches de Saïf, le fils préféré de Kadhafi : « ce n'est pas la position de Shimon Pérès, dis-je ; ce n'est pas celle d'Ehud Barak ; tout ce qui compte dans le pays sait que Kadhafi est l'un des adversaires les plus acharnés d'Israël ; pourquoi l'homme en charge de la politique étrangère de l'Etat, vous, reste-t-il si étrangement en retrait ? »

Contre toute attente, il me répond avec une batterie d'arguments que je trouve mauvais, irrecevables – mais qui ont leur logique.

1. Ne pas lâcher ses alliés. Israël a peu d'alliés. Israël est isolé comme le sont peu d'Etats sur la planète. Et chacun de ses rares alliés est une providence, un don de Dieu. Pourquoi trahir Ben Ali qui a fait ce qu'il a pu, depuis des années, pour contenir l'antisionisme de la rue tunisienne ? Pourquoi aurait-il fallu abandonner Moubarak qui a été le loyal gardien du traité de paix historique, seul de son espèce, signé par Sadate avec Begin ? Et pourquoi inquiéterait-on le jeune roi de Jordanie, pour ne pas parler du vieux roi saoudien, avec qui Israël entretient de discrets rapports et qui

vivent dans la terreur de voir les printemps arabes emporter leur trône ?

2. Eviter de donner le moindre signe de faiblesse. Notre région est difficile, dit-il. Elle est cruelle. Elle ne respecte que la force. Or la force d'Israël tient aussi, par une sorte de prophétie autoréalisatrice, en cette force même dont elle offre le spectacle. Regardez ce qui s'est passé quand nous avons quitté le Liban. Voyez comme la région a perçu le redéploiement de Tsahal hors de Gaza. Nous adressions des messages de paix : ils étaient entendus comme des signes de faiblesse. Nous donnions des gages de bonne volonté : la rue arabe croyait qu'elle pouvait nous mettre à genoux. Je veux bien coopérer avec les nouvelles autorités d'Egypte. Je veux bien, parce qu'elles me le demandent, et en contravention, au demeurant, avec les accords de Camp David qui le proscrivent, déployer des troupes supplémentaires dans le Sinaï et le faire pour, en particulier, aider à protéger la maison de Moubarak, surveiller les allées et venues de sa famille, veiller sur les touristes. Mais je ne veux, à aucun prix, donner l'image d'un pays qui a peur. Je ne veux pas, en tendant la main à des révolutionnaires dont nous ne savons rien, donner le sentiment que nous montrons patte blanche, que nous allons dans le sens du vent.

3. Enfin, et accessoirement, il veut éviter le ridicule. Ne pas avoir l'air du gros naïf qui ne voit pas la table d'échecs dans son ensemble mais une seule et unique pièce – ou, pire, du politicien calculateur qui prendrait le parti de ces révolutions par intérêt, pour faire bien et en empocher les dividendes. J'ai beaucoup de défauts, dit-il. Mais pas celui de l'opportunisme. Et,

quant à jouer les Byron, les libérateurs de la Libye, les romantiques, franchement, j'ai passé l'âge... Est-il en train, mine de rien, de se payer ma tête ?

La conversation se prolonge tard dans la nuit. Il siffle whisky sur whisky. Plus les heures passent, plus il a l'air, non d'un videur, mais d'un pilier de bar qui ne veut pas aller se coucher. Mais, plus il boit, plus sa langue se délie, ses arguments se libèrent, sa pensée s'affûte et me devient, à moi-même, d'une terrible clarté. La vérité est que cet homme a peur. Oui, cet homme qui me dit qu'il a peur d'avoir l'air d'avoir peur est un homme qui est tout bêtement terrorisé. Et, sur ce gros visage aux expressions simples et au regard d'ivrogne, dans ce corps énorme mais épuisé et qui est, maintenant, secoué par des reniflements de plus en plus sonores et qui semblent des appels à l'aide, dans cette voix qui, au début, jouait à la voix de ministre mais qui, au fil des heures, et le bar s'étant vidé de toute oreille possiblement indiscrète, ne triche plus et tremble un peu, je vois quelque chose que je connais bien et qui est la millénaire, la pathétique, la dramatique peur d'Israël. Et, contre cette peur, j'en ai peur, nul ne peut rien.

Dimanche 27 mars *(Nouvel appel du Président)*

Rien de spécial. Juste m'informer des derniers développements. Me dire que les aviateurs français sont sur le point de bombarder Syrte. « Enfin bombarder Syrte, je me comprends, précise Nicolas Sarkozy... Bombarder les batteries aériennes autour de Syrte... Les

156

neutraliser une à une…. Et en prenant garde, naturellement, qu'il n'y ait pas de dommage collatéral… »

Je lui demande ce que sera la « grande initiative diplomatique » annoncée par les radios, depuis ce matin, en boucle, et qui devrait, dit-on, sortir du sommet de Londres de mardi. « Rien, me dit-il. La presse en fait une montagne. Mais il y a malentendu. C'est ce dont nous parlions vendredi : cette porte de sortie, ce sas, qu'il faut maintenant ouvrir pour les généraux et cadres du régime qui entendraient faire défection. Mais, quant à Kadhafi, en revanche, rien, pas de compromis possible, il doit partir. »

Je comprends, sans qu'il me le dise aussi clairement, que Cameron et lui ont laissé Berlusconi proposer un plan d'exfiltration au Guide déchu. Ils lui ont laissé, puisqu'il semblait désireux de le jouer, le rôle du bon apôtre tentant de sauver la mise de son vieux complice de Tripoli. Si, par extraordinaire, cela marche, on s'y résignera et on laissera s'organiser une retraite dorée au Zimbabwe. Mais lui, Sarkozy, n'y croit pas. Il ne le souhaite pas, et n'y croit pas. Etrange sentiment, tout à coup, qu'entre Kadhafi et lui c'est devenu, comme on dit dans les polars, « personnel ».

Je le lui dis : il rit.

Je lui demande pourquoi : il ne répond pas.

Une information dont, seul, il disposerait ? Un trait du personnage découvert, il y a quatre ans, lors du fameux voyage à Paris ? Un événement, quelques semaines plus tôt, à Tripoli, lorsqu'il envoya le secrétaire général de l'Elysée ainsi que sa propre épouse négocier la libération des infirmières bulgares ? J'en suis réduit aux hypothèses.

157

Lundi 28 mars *(Qu'est-ce que le Depardieudonné ?)*

Etrange et triste coïncidence ce matin. Dieudonné est à Tripoli d'où il m'abreuve d'injures – ce qui n'est pas nouveau. Mais Gérard Depardieu est dans *Le Figaro* où il s'en prend également à moi – sur un ton et avec une violence qui, eux, me surprennent. Les mots ne sont pas les mêmes, naturellement. Mais il y a dans l'inspiration des deux diatribes, dans leur parfum de testostérone et de vinasse, dans leur côté scabreux, bierreux, vaguement coprologique, assez de points communs pour inspirer à Jean-Paul un joli mot-valise : « le Depardieudonné » et, à *La Règle du Jeu*, un article très marrant du même Jean-Paul qui commence par ces mots : « le Depardieudonné est un animal français, épais, aviné, bourru, parfois inculte » et qui se termine par ceux-ci : « pourquoi la même cible, le même jour, dans des termes si voisins – alors que le Depardieudonné nous avait habitués à un art du dédoublement plus subtil ? la tératologie est, il est vrai, une science tragiquement balbutiante ». Une fois de plus, comme en Bosnie, se vérifie cette façon qu'ont les Evénements, les vrais, pas les Evénements en peau de lapin platonicien dont se gargarisent les révolutionnaires de salon ou de laboratoire, non, les événements réels, les événements de chair et de sang, ceux où se jouent les destins des peuples ou leurs désirs de liberté, de fonctionner comme des opérateurs de vérité, des révélateurs d'inconscient politique, des facteurs de division ou de rapprochement inattendus, des cartographes inspirés. En Bosnie, rapprochement avec Julliard ou Mongin, rencontre de Hitchens, brouille avec Marek Halter, réconciliation avec Finkielkraut. En Libye, les mêmes *usual suspects*, plus d'autres nouvellement inattendus – Martine Aubry, rencontrée ; Joffrin ou Demorand, parfaits ; les reportages de Rémy Ourdan dans *Le Monde*, de Jean-Pierre Perrin dans *Libération* ou de Maurice Olivari à France 2, impeccables ; Mehdi Belhaj Kacem qui m'alerta tout de suite, et le premier, sur l'énormité de l'Evénement tunisien ; et puis l'apparition, à l'inverse, sur mes radars personnels, de cette bête sans espèce mais non sans avenir – le triste Depardieudonné…

Mardi 29 mars *(L'ombre de Kouchner)*

10 heures.

Conversation avec le Président.

Il est en colère contre Barack Obama qui est « en train de vouloir se retirer ». Il a eu une discussion avec lui, hier soir. Très dure. Très ferme et très dure. Et il a acquis la conviction que les Etats-Unis allaient essayer de se dégager.

« C'est bizarre, insiste-t-il. Ils ont été bien, au début. Très bien. C'est lui, Obama, qui a fait l'arbitrage final, entre Gates et Clinton, quand la décision d'intervention a été prise. Mais, là, tout à coup… Je ne comprends plus ce qui se passe… Il est en retrait, j'en suis convaincu… »

Je lui fais observer que ce retrait qui, de toute façon, ne sera pas complet et laissera forcément en place la logistique lourde du Pentagone n'est, d'un point de vue européen, pas forcément une mauvaise chose : ne laisse-t-il pas aux Européens les mains plus libres ?

cette Europe qui peine à se faire, ne tient-elle pas, du coup, une occasion inespérée de prouver, à marche forcée, son unité ? et puis, pour ne parler que de la France et puisque c'est elle, la France, qui, en Europe, est en pointe, ce retrait américain n'aura-t-il pas aussi pour effet de lui laisser, le jour venu, je veux dire le jour d'une victoire qui, elle, ne fait pas de doute, l'essentiel du mérite – et des lauriers ?

« Oui, fait-il avec, dans la voix, une pointe d'appréhension que je ne lui ai pas entendue depuis un mois que nous nous parlons... Peut-être... Je ne sais pas... Encore faut-il que cela marche... Oui, encore faut-il qu'on réussisse à aller au bout de tout ça et que ça fonctionne... »

Puis, même nuance d'inquiétude :

« Des nouvelles du terrain ?

— J'ai eu Jibril hier. Les armes françaises arrivent. Les instructeurs aussi. J'ai l'impression que les choses vont dans le bon sens...

— Oui, fait-il, toujours doutant, toujours étrangement anxieux.... C'est vrai. Mais, en attendant, on a quand même dû les freiner un peu. On n'était pas sûr qu'ils aient les moyens de leur fougue et on a donc dû les stopper. Pas assez d'armes. Mais pas assez de formation non plus. Pas assez d'instructeurs. Il va falloir s'occuper, aussi, de cela – et être patients. »

Et puis, soudain, il se reprend. Je le sentais abattu, exténué, presque déprimé. Il change complètement de registre. Et il passe, sans crier gare, en mode allègre – sur un ton qui, tout à coup, ne lui ressemble plus du tout.

« Allez ! Ils sont formidables ! Nos amis sont formidables ! Nous les avons invités à Londres. Le sommet s'ouvre dans quelques heures et ils seront là. Célébrés. Consacrés. Le centre de toutes les attentions. Ils le méritent. C'est des gens bien. Il n'y a pas de problème. Il n'y a jamais de problème. On va la gagner, cette guerre ! »

Et il raccroche.

Il me dit quelque chose, ce ton. J'ai une impression de déjà vu, de déjà entendu. Il n'est pas à lui, ça, j'en suis sûr. Mais à qui, alors ? D'où lui vient-il ? Où l'a-t-il pêché, cet entrain brusque, légèrement surjoué, et dont on dirait qu'il n'a pas eu le temps de le transcoder dans son langage et dans sa voix à lui ? Où est-il allé la chercher cette façon, complètement à côté, de faire comme si tout allait bien et qu'il avait la situation bien en main ? Mais oui... C'est évident... Il a emprunté, sans le savoir, pour résister à ce moment d'abattement qui ne lui ressemble pas, une voix qui lui ressemble encore moins mais qu'il a dû beaucoup entendre, dans des circonstances semblables à celle-ci, et qui est celle... celle... je la reconnaîtrais entre mille... C'est la voix de Bernard Kouchner ! C'est son ancien ministre dont il retrouve, telle une piste fantôme, cette bonne humeur communicative, ces bouffées d'enthousiasme juvénile, ce goût pour la méthode Coué, que l'infatigable militant des droits de l'homme a toujours eu dans les moments critiques et dont je suis sûr qu'il le bluffait !

Il devait l'agacer aussi, bien sûr. L'impatienter. La preuve : il l'a viré et, avant, lui avait substitué Lévitte, alias Diplomator, qui était devenu son vrai ministre des Affaires étrangères. Mais Kouchner le rassurait, avec son inébranlable optimisme, son ardeur, son côté « on y va les petits gars », son tempérament de bon docteur qui a toujours la solution. Et le docteur a trouvé le moyen, à distance, sans le savoir lui non plus, de lui prescrire sa potion magique et de la lui transfuser. Qu'est-ce qui reste d'un ami ? Qu'est-ce qui survit d'un ministre ? Ça, peut-être…. Un son… Un lambeau de voix… Une façon de murmurer comme on parle, la nuit, pour se donner du courage et de l'allant… Parfois un geste… Ou une mimique… Le reste… Oh le reste ! Heureux, déjà, ceux qui conservent, en nous, cette existence des ombres.

Mercredi 30 mars (*Si Kouchner était toujours au Quai…*)

C'est une vraie question, d'ailleurs, Kouchner.

Je pense à lui. Souvent. Je pense qu'il fut, avec Glucksmann, avec moi, mais plus que nous, l'inventeur de ce devoir d'ingérence qui est en train, sans lui, de voir sa première application.

Je pense que son choix d'être ministre c'est là, maintenant, avec cette ingérence en Libye, qu'il aurait enfin trouvé sa justification et sa logique. J'ai toujours dit, à l'époque, qu'il avait eu tort d'accepter le poste. Je lui ai toujours dit, quand il m'a demandé mon avis, qu'il avait, en se ralliant, bradé sa légende, trahi sa biographie. Mais au moins allait-il y avoir, au bout, cette affaire libyenne qui était faite pour lui, taillée à sa mesure et qui, à elle seule, blanchissait tout. Or la Libye n'a rien blanchi. Car, à quelques semaines près, il l'a ratée. Il a avalé toutes les couleuvres, essuyé toutes les humiliations, il s'est tu sur la Chine et le dalaï-lama, il a oublié le Darfour, il a, face à Poutine, dit le contraire de ce qu'il croyait – et, au moment où il allait prouver qu'il avait eu raison, au moment où l'Ange de l'Histoire allait se manifester et, via la Libye, le racheter, il a été contraint de partir et de laisser la place à Juppé. Quelle ironie. Quelle tristesse.

Et puis, en même temps, ironie de l'ironie, ironie au carré, je me demande si, justement, lui ministre, la Libye aurait été la Libye. Je n'aurais pas été dans le tableau, ça c'est sûr. Car, encore moins que Juppé, il n'aurait apprécié mes intrusions dans son domaine d'autorité. Mais peut-être n'y aurait-il pas été, lui non plus. Peut-être n'y aurait-il pas eu de guerre du tout. Peut-être Kouchner, parce qu'il était ministre, n'aurait-il pas convaincu Sarkozy. Et peut-être Sarkozy, dans ce fonctionnement bizarre qui est le sien, n'aurait-il pas fait avec Kouchner ce qu'il a fait contre Juppé. Qui sait ?

Jeudi 31 mars *(Newsweek et la France)*

Arrivée à New York hier soir. Tout de suite chez Tina Brown, entourée de son équipe de jeunes journalistes à cheval sur *Newsweek* et le *Daily Beast*. Sarkozy, ici, est un *great guy*. Le Nouvel Observateur, à Paris, titre : « Game Over ». Ici, ce qui ressort c'est sa détermination, son courage et sa façon de prendre à bras-le-corps cette guerre d'un nouveau genre. *Newsweek*, d'ailleurs, prépare une couverture avec un grand article de Christopher Dickey sur le thème « le philosophe et son Président » ou « le philosophe qui a convaincu le Président ». Je dis à Tina que je préfère le second titre au premier, car Sarkozy n'est pas *mon*

Président. Mais j'ai du mal à les convaincre, elle et son équipe, qu'une alliance de circonstance n'est pas un ralliement et que je ne suis toujours pas, malgré la Libye, devenu sarkozyste. Ils comprennent, à la fin. Mais je les sens déçus.

Vendredi 1er avril *(Bernard-Henri Lévy est mort !)*

Un poisson d'avril, à Paris, annonce ma mort. Comme au moment de la guerre de Bosnie, quand le commissariat du XVIIe, informé par des Serbes de Paris, avait annoncé que j'avais été abattu, en pleine nuit, boulevard Pereire et quand, comme si d'être tué était un crime et que c'était au présumé coupable qu'il appartenait, dans ce tribunal bizarre qu'est le tribunal du Grand Spectacle, d'apporter la preuve qu'il ne l'est pas, Marie-Joëlle Habert avait eu trente minutes, pas une de plus, pour apporter la preuve à l'AFP que j'étais bien vivant. Sauf qu'aujourd'hui il y a twitter et que la nouvelle n'attend pas trente minutes pour commencer de fuser ou, comme on dit désormais, de buzzer. Alors j'appelle Jean-Baptiste Descroix-Vernier. Comme chaque fois, j'appelle à la rescousse mon magicien d'Oz de l'internet. Et, comme chaque fois, il met en mouvement sa grande armée de ninjas et m'arrange, presque instantanément, le coup. Comment fait-il ? Noie-t-il la nouvelle ? La pulvérise-t-il comme, au laser, un vilain calcul ? Entre-t-il par effraction dans ceux des sites qui la propagent, gentleman cambrioleur d'un nouveau style, amical, fraternel, homme à principes, chevalier ? La tue-t-il ? Je ne sais pas. Mais le fait est que cela marche. Comme pour

164

la bataille Sakineh que je n'aurais jamais menée sans lui. Comme pour la bataille de l'Unesco, quand il s'est agi de faire barrage à la nomination d'un ancien ministre égyptien qui avait promis de brûler les livres israéliens dans la grande bibliothèque d'Alexandrie : je n'ai pu la gagner qu'avec lui. Comme pour Polanski qui ne sait pas, je crois, ce qu'il doit à ce personnage hors normes, d'une générosité sans limite mais qui, à quelques exceptions près, n'aime les humains qu'à distance. Oui, il se jette dans la bataille de ma résurrection et, évidemment, la gagne. Au passage, je découvre deux ou trois personnes de ma connaissance que la nouvelle ne contrariait pas plus que cela.

Samedi 2 avril *(Un Juif fauteur de guerre)*

Est-ce cette Une de *Newsweek* ? L'article de Steven Erlanger, dans le *New York Times,* qui reprend et développe l'article de Girard dans *Le Figaro* et celui de Saïd Mahrane dans *Le Point* ? Le *New Yorker* (Richard Brody : « Bernard-Henri Lévy a-t-il conduit l'OTAN à la guerre ? ») ? Toujours est-il que je sens monter, ici, mais aussi en France, toute une histoire sur le thème : « cette guerre dont personne ne voulait » — manière élégante de dire : « cette guerre qu'a voulue Sarkozy, qu'a inspirée Bernard-Henri Lévy et que ces diables, alliés de circonstance et pour la circonstance, font sur le dos des peuples ».
La troisième oreille entend deux choses.
Ici, aux USA, la folie complotiste qui s'est emparée du pays au moment de la guerre d'Irak et de la supposée

prise de contrôle, par les intellectuels néoconservateurs, du cerveau de George Bush : Sarkozy a beau n'être pas Bush ; cette guerre de Libye a beau, comme je le répète partout, être le contraire exact de la guerre d'Irak ; et j'ai beau, moi-même, me situer à l'opposé des gens du *Weekly Standard* ; rien n'y fait – il ne se passe pas un jour sans que je lise un article, un blog, un sous-blog, qui écrase les deux situations l'une sur l'autre et confonde ma relation avec Sarkozy avec celle, jadis, de Bill Kristol avec George Bush.

En France, le bon vieux thème célinien des maîtres qui, dans l'ombre, « somnambulisent » les maîtres d'apparence et mènent le monde à une hécatombe dont personne, à part eux, ne voulait. Qui sont ces êtres sans scrupules, ces monstres assoiffés de sang, qui nous ont mis dans des « beaux draps », qui officient à « l'école des cadavres » et pour qui le massacre des peuples innocents n'est qu'une « bagatelle » ? Les pamphlets céliniens ont beau être interdits depuis soixante ans, jamais réédités, coulés dans le béton de la réprobation et de la censure, tchernobylisés : l'extraordinaire est qu'ils soient là, vivants comme au premier jour, crachant leur venin – parfois je me dis qu'il faudrait les lire, que c'est dommage de les avoir interdits, qu'ils seraient moins là s'ils étaient là et qu'on a bien tort de faire comme si les peuples n'avaient pas, eux aussi, un inconscient.

Dimanche 3 avril *(Céline ou Chateaubriand ?)*

Dîner avec Charlie Rose et Arianna Huffington. Admettons, leur dis-je, que j'aie joué ce rôle. Admettons que j'aie, en effet, pesé pour aider à décider de cette guerre. Il y a un précédent d'un écrivain français déclenchant une guerre. Un seul. C'est un précédent énorme, évidemment. Et il n'est pas question de comparer. Mais l'intéressant est qu'il n'a rien à voir, ce cas, avec les idioties antisémites qui dégoulinent en France et aussi, il faut bien le dire, aux Etats-Unis. Ce précédent c'est celui de Chateaubriand devenant ministre des Affaires étrangères *pour* déclencher la guerre d'Espagne, l'autre, la sienne, celle de 1823 et du rétablissement de Ferdinand VII sur son trône. Qu'il n'y ait pas de quoi se vanter (rendre son trône à un « petit-fils de Saint Louis » n'est pas la préfiguration rêvée pour le devoir d'ingérence) est une chose. Et que les motivations de Chateaubriand (sauver les monarchies européennes, écraser le spectre de la Révolution et, au passage, gagner au finish son bras de fer avec Napoléon) ne soient pas très sympathiques, c'est évident. Mais le fait est là. Il l'a voulue, cette guerre, depuis le congrès de Vérone. Il l'a pensée comme une de ses œuvres. Et quand Villèle, qui est un peu le Juppé de l'époque, découvre le pot aux roses, quand il s'aperçoit que son ministre se fiche du problème de « conversion des rentes » (l'équivalent, pour l'époque, de notre problème de « dette souveraine ») sur lequel son gouvernement risque d'être mis en minorité et pour lequel il a besoin de la solidarité de tous ses ministres, il est trop tard, la guerre est finie et celui que Maurras appellera « l'oiseau rapace et solitaire, amateur de charniers » a augmenté les *Mémoires d'outre-tombe* de quelques-unes de leurs meilleures pages.

Lundi 4 avril *(Un mystère Obama)*

« Le moindre chebab de Benghazi, affrontant les chars kadhafistes, montre plus de courage que toute notre administration réunie », me dit un Christopher Hitchens que la lutte contre la maladie a rendu méconnaissable mais dont elle a n'a entamé ni le mordant ni la fermeté sur les principes.

Bizarre, il a raison, cette pusillanimité des Américains.

Et bizarre (mais c'est la même chose) qu'ils se soient lancés à corps perdu dans ces deux guerres longues, coûteuses, extraordinairement difficiles, peut-être perdues, qu'étaient les guerres d'Afghanistan et d'Irak — et que cette guerre-ci, cette guerre sans troupes au sol, cette guerre sans guerre de mille ans entre chiites et sunnites, cette guerre qui prend un peu de temps mais dont chacun sait bien qu'elle est gagnée d'avance, bref, cette guerre de Libye, soit celle où ils entrent de mauvais gré et à reculons.

La grande erreur stratégique des Etats-Unis en ce début de siècle ?

Le vrai signe de ce recul, de cette éclipse, dont parlait Arianna l'autre soir et qui serait la tendance lourde du moment ?

Ou juste un problème Obama, ce président finalement indécis, incertain de soi et si étrangement enclin, de surcroît, à payer l'addition pour les autres — en l'occurrence l'addition des années Bush et de la désastreuse guerre d'Irak qu'il se serait senti tenu de solder en ne se lançant pas dans cette juste guerre de Libye (et ce alors que, je le répète, le raisonnement aurait dû être exactement inverse : c'est cette guerre-ci qu'il fallait faire ; cette guerre qu'il ne fallait pas manquer ; et c'est précisément parce que Bush a eu tort en Irak qu'il aurait dû, lui, Obama, avoir raison en Libye) ?

Aujourd'hui, en tout cas, toutes ces émissions de télévision où, à l'exception de Fareed Zakaria, je n'ai affaire qu'à des isolationnistes déchaînés et me jetant au visage le prix des Tomahawk...

Mercredi 6 avril *(Repartir...)*

Rentrer à Paris. Et, de là, repartir en Libye. C'est dommage. Car j'aime New York et j'ai besoin, à chaque retour, de huit jours pour me faire à cette vie new-yorkaise. Mais il faut. Car, pour le dire simplement, je sens monter, contre cette guerre, une si vive hostilité, je vois tellement de sottises sortir de la bouche de zombies autoproclamés experts ès Libye, j'en ai si profondément assez d'entendre répéter en boucle : « ce CNT dont on ne sait rien... ce pays divisé... ces tribus en guerre, séculaire, les unes contre les autres... », que je me dois, d'abord, d'y aller voir – et, ensuite, de recharger, en urgence, mes batteries de réponses et d'arguments.

Jeudi 7 avril *(Repartir !)*

Retour à Paris.
Au séminaire de Julia Kristeva, à Paris 7, mon intervention, prévue de longue date, sur Céline : je reviens

sur ces *phantom tracks* des pamphlets dans la bande-son de l'époque.

Puis déjeuner avec le légendaire Bob Woodward venu lancer, à Paris, son excellent livre sur « les guerres d'Obama » : à lui, je ne peux m'empêcher de redire ma surprise devant cette guerre manquée qu'est, au contraire, pour Obama, la guerre de Libye. « L'Amérique fait le travail, lui dis-je. Elle fournit les drones, les satellites, les couvertures technologiques, sans quoi les avions français, anglais, arabes, seraient aveugles. Mais, bizarrement, elle reste en retrait. Bizarrement, elle fait profil bas. Bizarrement, le syndrome Mars le cède à un vénusisme exagéré. Pourquoi ? » Woodward n'a pas vraiment d'explication. Trois hypothèses. L'erreur d'appréciation, naturellement. L'intoxication de la Maison-Blanche par un Pentagone et des Services qui lui auraient vendu la thèse d'un Kadhafi surpuissant, suréquipé et qui ne ferait qu'une bouchée de groupes rebelles désorganisés. Ou, pourquoi pas, une Administration dont le souci principal serait de protéger ses alliés dans la région, en particulier les Saoudiens, et, pour les protéger, d'arrêter l'épidémie démocratique aux portes de Tripoli.

Demain, je repars en Libye.

Deuxième partie

L'ESPOIR

Vendredi 8 avril *(Retour à Benghazi)*

Décollage au petit matin. Même itinéraire que la première fois. Marsa Matrouh. Puis Saloum. Les mêmes (Gilles, Marc Roussel, Franck Favry) plus un second cameraman (Vojta Janyska car nous avons, la semaine dernière, décidé, tant qu'à faire, de rassembler du matériel, de façon plus systématique, pour un éventuel film) et un second ange gardien (Franco Favorel) et, enfin, Ali et Mansour les inséparables, mes deux amis libyens du Raphael. Les préposés à la police de l'air égyptiens nous reconnaissent et accélèrent les formalités. Le même chauffeur de minivan (un seul pour toute la ville ?) nous conduit jusqu'à la frontière. La route, familière. La frontière, identique à elle-même. Il y a moins de monde, c'est la différence. Beaucoup ont dû finir par passer et il n'y a plus la masse folle, agressive, de la première fois. Mais ceux qui sont restés semblent plus épuisés encore. Ils ont les yeux plus creux. Les silhouettes plus abîmées. Emane d'eux une tristesse sans colère, d'autant plus insoutenable. Des âmes mortes. Des âmes qui appellent, mais sans mots.

173

Des vies pour rien. Des vies de rien. Etre né, avoir vécu, bientôt mourir, et il n'en restera rien. Je me rends compte, tandis qu'Ali fait la queue, avec notre paquet de passeports, au même endroit qu'il y a un mois (la même main apparaissant et disparaissant, très vite, par la même petite trappe du même petit guichet – sauf qu'il n'y a plus tellement de raison ; elle n'est plus assaillie, cette main, par la même horde désespérée ; il n'y a plus, autour d'elle, qu'un groupe d'hommes sans colère, de femmes aux rides pensives et d'enfants qui tuent le temps en jouant à éviter les mares d'eau croupie qui se sont creusées là où la foule d'il y a un mois a, dans son piétinement, fini par creuser la terre ou en improvisant une marelle dans les zones de terrain sec où se sont formés des motifs bizarres, semblables à des rosaces) je me rends compte, en regardant ces gens, que, s'il y a bien un combat qui m'aura occupé entre tous, c'est celui-là : le combat pour ces vies infimes, ces petites vies, sans destin ni ampleur.

Colombani m'a dit, un jour, que j'avais une vision « épique » du monde. Admettons. Mais à condition d'ajouter que le comble de l'épique ce n'est pas de célébrer les personnages officiellement épiques mais de traiter épiquement les personnages infimes, sans traces, sans archive, dont la mort même ne dérangera en rien l'ordre du monde. Il en faut des efforts sur soi pour regarder dans les yeux un homme sans regard. Il en faut, de l'humilité épique, pour considérer le visage de ceux qui n'ont plus vraiment de visage. Et ces grognements étranglés, rageurs, à peine humains, des hommes qui gisent dans l'ancienne salle de transit… Mais oui ! Je sais pourquoi, en définitive, je n'ai jamais aimé le mot d'ordre dandy : « faire de sa vie un chef-d'œuvre ». Car ce n'est pas de ma vie que j'ai voulu, et veux encore, faire œuvre – mais de celle des autres, ceux-là.

Des voitures, cette fois, nous attendent de l'autre côté. Des types solides, armés de pistolets, plus une kalachnikov ou un fusil d'assaut entre les sièges avant de chacune des quatre voitures. Dans la mienne, un homme trop corpulent, aux cheveux longs, portant un blouson de cuir comme les Bulgares des années 1960 et retirant la puce de son portable après chaque conversation, toujours très brève, avec le chauffeur de la voiture de tête. Et en avant pour Benghazi avec, toujours, la même impression de prendre une navette pour une planète inconnue. Sauf...

Oui, sauf qu'il y a une autre différence, de taille, avec l'expédition précédente. La présence d'Ali et Mansour, amicaux, rassurants, plus de problème de langue, autorité naturelle à chaque étape de cette route que nous avons l'impression, grâce à eux, avec leurs yeux, de redécouvrir. Et je dis bien avec leurs yeux car il y a cet autre fait, extraordinairement émouvant, je le leur fais répéter plusieurs fois, j'ai peine à les croire au début, je ne suis même pas certain d'avoir compris, mais si, c'est cela, c'est incroyable mais c'est cela : Mansour a quitté la Libye en 1969, Ali en 1980, et c'est la première fois, l'un depuis trente ans, l'autre depuis quarante ans, qu'ils reviennent dans ce pays chéri qu'ils pensaient ne jamais revoir. Etre l'instrument de ceci, l'agent et le témoin de ce retour, être celui par qui mes amis vont retrouver les leurs – quelle émotion.

Vendredi 8 avril, soir *(Le dîner des tribus)*

Mansour et Ali n'ont pas perdu de temps.

Je suis à peu près certain qu'ils s'y sont pris depuis Paris (et non, comme ils essaient de me le faire croire, par pure délicatesse et pour que je n'aie pas à trop les remercier, ici, depuis le Tibesti où nous sommes arrivés en milieu d'après-midi) – mais, tout de même, quelle performance !

Sachant que l'un des grands problèmes posés à l'image de la rébellion est cette affaire de division tribale et que l'un des objectifs principaux, pour moi, de ce nouveau voyage est d'essayer d'y voir plus clair, un peu plus clair, dans cette affaire, ils ont organisé, dès ce soir, quelque part entre Benghazi et Ajdabiya, un sommet informel des chefs de tribu de la Libye.

Je ne sais pas où nous sommes.

Nous avons pris la sortie ouest de Benghazi.

Nous avons roulé une trentaine de kilomètres, d'abord sur la route principale, puis sur des chemins de traverse.

Mais, peut-être parce que je me disais, comme souvent, que j'aurais bien le temps de me renseigner après, peut-être aussi parce qu'Ali et Mansour, pour des raisons de sécurité, n'avaient pas trop envie que je sache où nous allions et répondaient évasivement à mes questions, peut-être parce qu'ils ne le savaient pas très bien eux-mêmes, peut-être enfin parce que je suis saturé d'informations et n'en peux plus, le fait est que je suis arrivé à destination en sachant juste que nous sommes invités par le Docteur Almayhoub, membre du Conseil national de transition et président du Conseil des Sages et des dignitaires – rien de plus.

Une centaine de pick-up stationnent devant le grand portail de la ferme où nous nous arrêtons.

Autour d'eux, se tiennent deux ou trois fois plus d'hommes en armes – plus d'autres, que je devine, embusqués dans les fourrés.

Une fois franchi le portail, à l'entrée du bâtiment principal, énorme hangar aux murs passés à la chaux, nous attendent, debout, alignés selon un protocole que je devine mais ne déchiffre pas, éclairés, en contre-plongée, par des lanternes posées au sol, trente-deux chefs ou représentants de tribus, certains habillés à l'occidentale, la plupart en habit traditionnel, gilets brodés, étoles, gandouras blanc et or, cafetans de cachemire ou manteaux en peau de renard, chéchias multicolores, armes d'apparat à la ceinture, cannes de bois sculpté, que nous saluons un à un.

Il y a là tous les chefs, sans exception, des tribus de Cyrénaïque.

Plus des représentants des autres tribus, sortis clandestinement du Fezzan ou de Tripolitaine.

Nous leur serrons la main, un à un, trente-deux poignées de main, je les compte, avant, tous ensemble, d'entrer dans la grange ; tous ensemble, d'ôter chaussures et babouches ; et, tous ensemble, de prendre place le long des murs où ont été disposés des tapis, des nattes de sol, des divans très bas qui font les genoux hauts et les silhouettes cassées, des coussins de laine ou de lamé, des couvertures.

Le dîner sera servi par terre, sans couverts – grands plats de viande de mouton que l'on décortique à la main et dont on fait des boulettes incorporées à des blocs de riz graisseux, mais savoureux, pris dans le plat d'à côté.

Mais l'essentiel c'est, avant le dîner qui n'en sera que l'épilogue, la Cérémonie des discours.

Le mot n'est pas trop fort tant chacun donnera, dans le style qui lui est propre, de solennité à son propos.

Certains se contentent d'un salut laconique, mais senti, aux amis français de passage.

D'autres, comme le délégué de la Montagne verte, déclament comme au théâtre et louent la position de la France qui « restera mémorable jusqu'à la fin des temps ».

Le chef de la tribu qui règne sur la région de Tobrouk déclare : « dans certains pays musulmans, il y a des débats entre les sunnites et les chiites ; ici, nous sommes tous unis dans un double sentiment – la haine de l'extrémisme et l'amour, désormais, de la France ».

Le délégué de Misrata qui est l'un des rares à être en costume civil et qui raconte être arrivé, la veille, par un ferry, ramenant des blessés et venant chercher des médicaments et des armes, nous charge d'un message « pour le président Sarkozy et le grand peuple français » : « quand le peuple libyen, avec l'aide de Dieu, sera libre, il n'oubliera pas ce que vous avez fait ; nous sommes un petit peuple, mais qui a le sens de la reconnaissance ».

Abdeslam Charif, autre délégué de Misrata, lance, d'une voix enrouée par l'émotion, un appel à aider sa ville comme nous avons aidé Benghazi ; il termine son discours en larmes.

Un jeune homme, représentant la tribu des Megarha, celle qui domine en Tripolitaine et fut longtemps alliée à la tribu des Kadhafa (celle de Kadhafi), explique que sa tribu bouge, qu'elle est de moins en moins fidèle au « Guide » et que sa présence, ici, en témoigne.

Il y a un représentant des Kadhafa justement, la tribu du « Guide », qui, avant qu'il ait prononcé un mot, est l'objet d'une ovation debout.

Il y a un délégué de la tribu des Warfala, en Cyrénaïque, dont Mansour m'avait expliqué qu'elle était traditionnellement fidèle à Tripoli.

Un troisième délégué de Misrata, blond, visage poupin, chéchia mauve et gilet brodé or, s'écrie : « on est un pays de tribus, mais nos tribus sont attachées à l'unité nationale ; personne n'acceptera que cette unité nationale soit brisée ».

L'homme d'Ajdabiya, une gandoura blanc écru, nouée en toge, et sur laquelle il a enfilé un gilet noir, a appris que nous comptions rendre visite à sa ville et nous en remercie avec effusion.

Voici Cherif, le cousin de Mansour, dont j'ai fait la connaissance, tout à l'heure, au Tibesti, dans le coin du bar où Gogha avait attendu l'issue de ma conversation téléphonique avec Sarkozy : il était habillé d'un costume gris anthracite qui lui donnait l'air d'un avocat ou d'un médecin et j'ai peine à le reconnaître, ici, trois heures plus tard, dans son costume traditionnel de chef de tribu du Fezzan – « aucun Libyen, répète-t-il, ne se résignera jamais à la partition du pays ; tous ceux qui sont ici sont là pour en témoigner » ; et les présents, d'une seule voix, grondeuse et chaleureuse à la fois, d'une voix de bataille et déjà de victoire, lancent : « Libya Hora ! ».

Voici, encore, le représentant de Zaouïa : « le peuple français fait partie de la Libye ; le peuple libyen attendait un sauveur et ce sauveur ce fut la France ; soyez les bienvenus, vous êtes nos frères ».

Il faudrait tous pouvoir les citer, ces « Cavaliers » libyens ; il faudrait pouvoir décrire la bonté de leur visage quand ils parlent de la France et leur regard devenant impitoyable quand est prononcé le nom de Kadhafi ; il faudrait pouvoir rendre l'intensité de ce moment où me semblent, soudain, si futiles les spéculations parisiennes sur le « tribalisme libyen ».

Vient mon tour de parler. Je dis mon émotion. Je jure, à mon retour, de me faire fidèlement l'écho de ce que je viens d'entendre. Et je me permets, enfin, une suggestion : écrire, tous ensemble, ils sont là, cela tombe bien, nous pouvons le faire aussitôt, sur le coin de ce plateau que je débarrasse et qui va me servir de pupitre, le manifeste pour une Libye unie qu'ils ont au bout de la langue et qui est l'exact message que l'Occident doit entendre...

A peine ai-je fini ma phrase qu'ils sont debout, redressés de toute leur taille, les plus vieux un peu bancals, le représentant des Warfala manquant perdre son turban, mais tous debout, pour lancer, sous les voûtes de la grange, un nouveau et tonitruant « Libya Hora » répété plusieurs fois, d'une voix, comme un cri de guerre et de joie.

Le Docteur Almayhoub demande le silence. Embrasse ces bizarres étrangers qui offrent de se faire les plumes d'une assemblée de guerriers dont ils ne savent rien. Et nous voilà, de nouveau, à l'ouvrage : Gilles et moi dans le rôle du scribe ; Mansour, Ali et le Docteur Almayhoub près de nous ; et l'assemblée se pressant autour de ses

180

hôtes, curieuse de ce volume de poèmes d'Aragon que j'avais dans ma poche et dont j'arrache et noircis la page de garde : au bout d'une demi-heure, nous avons quelque chose, chacun reprend sa place, je lis.

« Le titre de cet appel, dis-je, pourrait être : "Toutes les tribus de Libye n'en font qu'une". »

Grognement approbatif de la salle.

« Et le texte, le voici – synthèse des mots qui sont les vôtres et dont nous ne sommes que les greffiers. »

Silence, intensité des regards.

« Nous, chefs ou représentants des tribus de Libye, nous sommes réunis ce jour, à Benghazi, autour du Docteur Almayhoub, membre du Conseil national de transition. Face aux menaces qui pèsent sur l'unité de notre pays, face aux manœuvres et à la propagande du dictateur et de sa famille, nous déclarons solennellement ceci. Rien ne saurait nous diviser. Nous partageons le même idéal d'une Libye libre, démocratique et unie. Chaque Libyen a, certes, ses origines dans telle ou telle tribu. Mais il a toute liberté de créer des liens de famille, d'amitié, de voisinage ou de fraternité avec n'importe quel membre de n'importe quelle autre tribu. Nous formons, nous, Libyens, une seule et même tribu : la tribu des Libyens libres, en lutte contre l'oppression et le mauvais esprit de la division. C'est le dictateur qui, tentant de jouer les tribus de Libye les unes contre les autres, divisait le pays pour mieux régner. Rien n'est vrai dans ce mythe, qu'il a nourri, d'une opposition ancestrale et, aujourd'hui, d'une fracture entre tribus du Fezzan, de la Cyrénaïque et de la Tripolitaine. La Libye de demain, une fois le dictateur parti, sera une Libye unie, dont la capitale sera Tripoli et où nous serons enfin libres de former une société civile selon nos vœux. Nous profitons de ce message, confié à un philosophe français, pour remercier la France et, à travers la France, l'Europe : c'est elles qui ont empêché le carnage que nous avait promis Kadhafi ; c'est grâce à elles, avec elles, que nous construirons la Libye libre, et indivisible, de demain. »

Mansour a traduit à mesure. A la fin de la lecture, tous se lèvent et, sans applaudissements cette fois, graves, viennent apposer leur paraphe, tour à tour, dans ce qui reste de blanc sur la page, puis au dos. Le Docteur Almayhoub prend la feuille. Par tous moyens, dit-il, il va tenter de recueillir d'autres signatures. Beaucoup d'autres. Celles des chefs ou représentants des tribus absentes, si possible toutes et, en particulier, en Tripolitaine. Il nous fera passer l'ensemble, à Paris, pour publication. Il ne sait pas encore quand ni comment. Mais il trouvera.

Samedi 9 avril *(Vers un Dayton libyen ?)*

Petit déjeuner, au Tibesti, avec l'ambassadeur américain – je crois qu'il a le titre d'« Emissaire » ou de « Haut Représentant » – Chris Stevens. Il est jeune, élégant, sourire éclatant, très *west coast*, mais la bonne, celle de San Francisco. Il était là au Westin, à Paris, seul témoin, il me semble, de la rencontre entre Jibril-le-Furieux et Hillary-l'Enigmatique. Nous échangeons des banalités. Cette façon qu'ont les diplomates de ne rien dire, mais d'essayer de se renseigner en n'en ayant pas non plus trop l'air. A un moment, je ne sais pourquoi, nous nous mettons à parler de Richard Holbrooke.

Amabilités d'usage. Ma dernière rencontre avec lui, à Tbilissi, dernier jour de la guerre de Poutine et Medvedev contre Saakachvili. La précédente, à Paris, chez l'ambassadrice Harriman, le soir du déclenchement des frappes sur Sarajevo. Dayton, enfin, dont il fut l'un des architectes et qui est, à mes yeux, un accord scélérat.

« Vous croyez ? dit-il, pour la première fois se découvrant. Je ne sais pas... L'intention, au moins, était bonne... »

Peut-être, dis-je en substance. Mais solution de facilité. Enfer des accommodements. Mort, en tout cas, de la Bosnie multiethnique, cosmopolite, qui était ce que nous étions venus sauver. Tristesse d'Izetbegovic, je peux en témoigner, pistolet américain sur la tempe, contraint d'entériner ce mauvais accord – il était en train de l'emporter et on le forçait, en toute extrémité, au nom de calculs géopolitiques désolants, à reprendre son habit de vaincu...

Et puis, soudain, saisi d'un doute :

« Mais pourquoi me parlez-vous de Dayton ? Ce type de solution vous paraîtrait-elle convenir en Libye... ? »

Et lui, sourire de loup, dents blanches dans visage bronzé de jeune diplomate plein d'avenir – prenant le risque de cette minibrèche dans ses arrière-pensées :

« Et pourquoi pas ? La Libye, si vous y réfléchissez bien, n'a pas toujours été la Libye. Il y en a longtemps eu deux. Et même trois avec le Fezzan. Et ce sont les compagnies pétrolières qui, à un moment donné, ont tapé sur la table et ont, pour leur commodité, pour n'avoir qu'un interlocuteur avec qui traiter, fait en sorte que le pays s'unifie. Alors qu'aujourd'hui... Le monde a tellement changé... Est-ce que les mêmes compagnies pétrolières, porteuses des mêmes intérêts, ne pourraient pas considérer que deux Libye valent, sinon mieux, du moins aussi bien qu'une ? »

J'ignore si c'est un propos de table ou un aveu.

Un point de vue personnel ou celui de son administration.

Une analyse, vraiment, ou un ballon d'essai qu'il laisse filer puisqu'il refuse d'en dire davantage.

A suivre.

Samedi 9 avril, suite *(CNT : who's who ?)*

Rendez-vous avec Abdeljalil.

Pour des raisons de sécurité, il n'est plus ni au Tibesti, ni sur la Corniche, mais à l'hôtel el-Fadeel, à l'ouest de la ville – faux air d'hôtel de vacances, vrai marbre kadhafiste, noria d'officiels et de para-officiels, un soupçon de protocole, les ambassadeurs français et britannique qui arrivent sur nos talons et une suite, au rez-de-chaussée, qu'Ali Zeidan négocie afin que nous attendions tranquillement l'arrivée d'Abdeljalil et menions, en attendant, d'autres interviews.

Car je suis résolu à profiter de ce second voyage pour tenter d'y voir clair, plus clair en tout cas, dans ce fameux Conseil national de transition qui focalise, en Europe, les critiques et les doutes. On n'a pas pu rendre publics, pour d'évidentes raisons de sécurité, les noms de ceux de ses membres issus des villes sous contrôle de Kadhafi ? Très louche, ça... Hautement suspect.... Assez, en tout cas, pour qu'on voie ce CNT comme une société secrète, à la structure opaque et aux objectifs mystérieux, que la France aurait sacrée beaucoup trop vite représentante officielle du peuple libyen… Comment faire comprendre que ces fantasmes sont absurdes ? Que le CNT n'est ni l'Angkar ni même le FLN algérien ? Que ses membres, à la réserve près, encore une fois, des représentants d'Ajdabiya, Al Koufra, Ghat, Nalut, Misrata, Zintan, Zaouïa, Bani Walid et autres villes sous la botte, sont parfaitement connus ? Qu'ils vivent à visage découvert ? Et qu'on peut, si on le veut, leur parler, les faire parler, leur faire raconter leur vision du monde, leur histoire ? Eh bien en le faisant. En essayant de donner l'exemple et en allant, concrètement, même si c'est un peu fastidieux, à leur rencontre. C'est ce que j'ai commencé de faire, hier, au Tibesti, en interviewant Othman Suleiman El-Megyrahi (représentant de la région de Boutan) et Fathi Mohammed Baja (l'un des représentants de la région de Benghazi) et en décidant de mettre à profit la journée d'aujourd'hui pour voir les sept que je ne connais pas encore (étant entendu que je considère être à peu près à jour sur Abdeljalil et Gogha – ainsi que, naturellement, sur Jibril et Essaoui, les hommes de la rencontre avec Sarkozy mais qui ne font pas formellement partie du Conseil).

C'est Ali qui me les amène. Je devrais dire qu'il me les rabat. Dès qu'il en voit un dans le hall de ce nouvel hôtel, devenu point de ralliement et où, chose très étrange pour quelqu'un qui rentre de trente ans d'exil, il semble connaître tout le monde, hop, détournement immédiat, par ici svp, il y a un écrivain français, doublé d'un cameraman, lui-même accompagné d'un autre cameraman qui etc.

185

Ainsi Ashour Hamed Bourashed, de Derna, avec sa belle gueule émaciée qui le fait ressembler à Roger Vailland. Je lui parle d'Abdel Hakim Al-Hasadi, cet enfant de Derna que je n'ai pas pu voir mais qui a si mauvaise réputation. Le sait-il ? Est-il informé de ces articles qui, dans la presse française (Sara Daniel, pour *Le Nouvel Observateur*), britannique (le *Daily Telegraph*), italienne (*Il Sole 24 ore*, le quotidien du patronat), le disent proche d'Al-Qaïda ? Il me dit qu'il connaît cet homme, naturellement. Mais que, s'il est, en effet, un musulman très pieux, s'il a pu être tenté, il y a quelques années, par une forme de fondamentalisme, primo cela n'a rien à voir avec Al-Qaïda ; secundo, il est loyal envers le Conseil national de transition, discipliné ; et, tertio, il est minoritaire à Derna, la majorité de la population se reconnaissant en lui, Ashour Hamed Bourashed, personnalité laïque de la ville, avocat spécialisé en droit maritime et en problèmes environnementaux. Tout le reste est propagande et malveillance.

Ahmed al-Zubair al-Sanusi, soixante-dix-sept ans, qui est le descendant direct du roi Idris, renversé par Kadhafi et qui fut, quelques années après l'accession au pouvoir de Kadhafi, condamné à trente et un ans de prison. « Je suis le plus vieux prisonnier politique du pays, me dit-il avec un air infiniment mélancolique… le plus ancien, celui qui est resté le plus longtemps enfermé et, aussi, le plus âgé… » Il gère, au sein du Conseil, le dossier, justement, des « prisonniers politiques ». Un dossier assez énorme, impliquant assez de familles, pour mériter un plein portefeuille.

Omar Hariri, soixante-sept ans, autre vétéran de la révolution de 1969, militaire, presque aussitôt emprisonné lui aussi et responsable, aujourd'hui, des affaires de Défense au sein du Conseil ; c'est un laïque ; très populaire chez les jeunes révolutionnaires ; il est de la tribu des Farjan, qui domine à Syrte.

Ahmed Rabuh Al-Abar, autre représentant de Benghazi, businessman, liens historiques avec la dynastie des al-Sanusi, chargé des Affaires économiques, laïque.

Fathi Tirbil Salwa, cet avocat de trente-huit ans, intelligent, moderne, venu à la conscience politique face à l'image, en 1986, des pendus de Benghazi, ces étudiants dont le seul crime avait été de réclamer des droits ; puis prenant en charge la défense des familles des disparus d'Abou Salim, la prison de Tripoli où la police de Kadhafi exécuta, dix ans plus tard, comme un autre avocat était venu me le raconter, au Tibesti, le premier soir, 1 200 prisonniers qui, eux, n'avaient rien fait du tout (ils étaient juste, m'explique-t-il, originaires de Benghazi où se déroulait, au même moment, un début de révolte populaire) ; Fathi Tirbil dont le visage d'adolescent prolongé devint le symbole du mouvement lorsque, le 15 février, la police du dictateur commit l'imprudence de débarquer dans son cabinet et de le mettre en état d'arrestation, est, au sein du Conseil, chargé de la Jeunesse.

Ali Tarhouni, le meilleur économiste du groupe, son ministre des Finances, l'homme chargé de frapper monnaie et de faire repartir les exportations de pétrole depuis Tobrouk : opposant historique, lui aussi ; exilé en 1973, à vingt-trois ans ; condamné à mort par contumace ; passé par l'Université du Michigan puis par la Foster School of Business de l'Université de Washington.

Une femme, Salwa Fawzi El-Deghali, ancienne étudiante à Paris, ancienne professeure, elle est la seule femme mais elle a trois et même, depuis quelques jours, quatre domaines de responsabilité : les femmes ; les affaires légales ; les travaux préparatoires à la rédaction de la future constitution ; et puis, désormais, l'instruction du dossier à charge contre Kadhafi, pour le jour où la Cour pénale internationale décidera de l'inculper.

Et puis enfin, représentant de la région d'Al Qubah, issu de la tribu des Alabaydat, l'une des plus grandes tribus de Libye puisqu'elle s'étend de Saloum à Beïda, l'homme d'hier soir, la puissance invitante du dîner des chefs de tribus, le Docteur Almayhoub, qui me raconte, cette fois, son histoire et comment Kadhafi lui voue, depuis trente ans, une étrange haine personnelle : exclu de l'université où il a été professeur avant de devenir son doyen ; interdit de tout enseignement ; convoqué onze fois à Tripoli pour des entretiens ubuesques où le Guide, des nuits durant, tentait de le convaincre d'embrasser la « Troisième Théorie » et où lui, obstiné, s'y refusait au prétexte qu'il l'estimait teintée, cette théorie, de « proudhonisme » ; assigné à résidence dans sa ville d'origine, Al Qubah, au cœur de la Montagne verte ; survivant en revenant à la vie simple des bergers, ses ancêtres ; et là, en février, des émissaires des tribus bédouines de la Montagne viennent le chercher, tel Saül ou Gédéon, pour le supplier d'être, sinon leur roi, du moins leur représentant au sein du Conseil de transition qui se profile et où il aura pour domaine de responsabilité, la « coordination du Front intérieur national », autrement dit la responsabilité de l'unité nationale et du dialogue entre les tribus.

Je ne prétends pas avoir, avec chacun, conduit des entretiens exhaustifs. Mais enfin j'en sais assez, et j'ai recueilli assez de récits pour pouvoir dire : 1. que ces gens ont été nommés au terme d'un processus qui n'est pas strictement démocratique mais dont il est difficile de nier qu'il s'est fait à partir de la base – celle des tribus et sous-tribus se réunissant au niveau des villages, puis des villes, puis des grandes villes, avant de désigner, le plus souvent à l'unanimité, celle ou celui que la dernière assemblée, la plus nombreuse, réunie en agora, considérera comme le plus sage ; 2. que la composition finale du Conseil témoigne, elle aussi, et au total, d'une certaine maturité politique puisqu'on a réalisé le tour de force d'y représenter toutes les tribus mais aussi toutes les régions, toutes les catégories socioprofessionnelles du pays ainsi que le spectre à peu près complet de ses sensibilités spirituelles et politiques – à la notable exception, et c'est évidemment très important, de ce fameux « islamisme radical » dont la presse européenne commence à brandir l'épouvantail mais dont je n'ai, pour l'heure, pas trouvé trace ; 3. que, s'il y a, parmi eux, et même au sommet de l'institution, des kadhafistes repentis, la majorité sont des opposants historiques, formés à l'école de la prison et qui ont appris, sous les coups, à l'épreuve de la torture, ce que droits de l'homme et démocratie veulent dire – la plupart sont des juristes de formation, ou des intellectuels, et j'aime cette idée d'un peuple de Bédouins choisissant, pour s'incarner, des professeurs d'université.

De toute façon, je m'arrête là.

Car c'est au milieu de ma dernière interview que l'on vient nous prévenir que le président Abdeljalil est arrivé de Beïda, qu'il a vu les ambassadeurs français et anglais – et qu'il nous attend.

Samedi 9 avril, suite *(Deuxième rencontre avec le président Abdeljalil)*

Toujours le même regard de faucon ébloui. Le même nez aigu. La même façon de venir vers vous à petits pas et de s'asseoir sur le rebord du canapé. La même absence apparente d'autorité. Ou, mieux, la même autorité diaphane mais qu'il impose dès qu'il se met à parler. Les seules différences c'est qu'il n'a plus son manteau (comme si l'atmosphère s'était subtilement réchauffée) et que s'est mis en place, autour de lui, un embryon d'ordre et de protocole (Essaoui, tout près, aux aguets mais silencieux ; Ali et Mansour, un peu plus en retrait ; et une vraie négociation pour obtenir de laisser entrer la caméra).

Je livre un message oral que m'a confié, le jour de mon départ, le président Sarkozy : qu'il ne regrette rien, évidemment, de ce qui a été fait ; qu'il le referait, si c'était à refaire, exactement de la même façon ; et qu'il l'invite, pour l'heure, à lui rendre visite à Paris.

Je lui dis, quoique sans lui parler de ma conversation de ce matin avec l'émissaire américain, que je crains, si la guerre dure, que n'apparaisse, dans la communauté internationale, la tentation d'imposer un Dayton arabe : je lui raconte le vrai Dayton, celui de Bosnie, qu'il ne connaît visiblement pas très bien ; et

190

je lui dis comment la partition de son pays arrangerait beaucoup de monde – les compagnies pétrolières bien sûr, mais aussi la foule de ceux qui veulent bien donner une leçon à Kadhafi mais pas forcément payer le prix (militaire, politique) d'une destitution.

Et puis je lui parle, surtout, de ce thème de l'enlisement qui fait les choux gras de la presse occidentale et auquel je lui suggère de répondre par un texte bien senti, solennel, qui serait sa première prise de parole depuis son entrée en fonction et aurait le mérite de le faire mieux connaître : la bataille politique n'est-elle pas, aussi, une bataille d'hommes ? une guerre des corps et des noms ? et son adversaire de Tripoli ne se pose-t-il pas là, et bien là, par l'énormité de sa présence et de son nom ?

Abdeljalil écoute. De temps en temps, il consulte du regard Ali Essaoui à sa gauche et Ali Zeidan face à lui. Quand il est bien certain que j'ai fini, il m'adresse un sourire intimidé, me souhaite la bienvenue pour ce second séjour à Benghazi et remercie Sarkozy et la France pour l'intervention miracle du 19 mars : « car, oui, c'était un miracle ; les légions de la mort étaient à nos portes ; c'était notre dernière nuit de vivants ; tous ceux qui étaient restés se préparaient au martyre ; et, alors, vos avions ont frappé… »

Il reste quelques instants les yeux dans le vague, ailleurs, humant drôlement l'air autour de lui, comme je l'avais vu faire, le jour de notre première rencontre, par la fenêtre ouverte de la maison néocoloniale. Puis il revient, son long visage triste s'étant étrangement, et subitement, coloré. Et il me répond point par point. La partition, jamais. La visite à Paris, volontiers. Invitation, en retour, du Président français qui devrait être, en toute rigueur, le premier chef d'Etat étranger à atterrir

191

à Benghazi. Et puis, sur le dernier point, celui de ce grand discours que je suggère, oui, il accepte – pourquoi ne réfléchirais-je pas à un projet et ne reviendrais-je pas demain, ou après-demain, le lui soumettre ?

« Pas demain, Monsieur le Président, aujourd'hui. Le monde, pardon de le répéter, attend que vous parliez. Il faut que vous le fassiez vite. Permettez que nous nous isolions et rédigions quelque chose, là, tout de suite : un projet, en effet, que Monsieur Ali Zeidan vous soumettra. »

Le Président permet. Le Président attend. Et me voici, de nouveau, à l'ouvrage. Deux fois en deux jours. Trois fois, si je compte le texte de Jibril, en mars, pour *Le Figaro*. Cela devient une habitude. Une manie. C'est presque absurde quand j'y pense. Car pour qui ai-je fait cela ? Et pour qui le referais-je ? Le président Mujibur Rahman, jadis, au Bangladesh, ne me faisait pas autant confiance. Izetbegovic, oui – mais j'en usai moins souvent. Et, en même temps, c'est si important… Je veux tellement que cela marche… Je veux tellement, à mon retour, pouvoir répondre aux Cassandre qui vont partout glosant sur ce CNT inconsistant, sans discours, sans allure… Et puis, justement, la Bosnie… Le spectre, je me répète, de la Bosnie… Pas un jour sans que j'y pense. Pas une nuit sans que je me repasse tel épisode de sa longue et terrible agonie. La Bosnie, cette Libye où nous, Occidentaux, avons failli. La Libye au miroir de ce que nous avons tenté, et manqué, en Bosnie. Comment, ici, ne pas échouer ? Comment, cette fois, pour la première fois, tirant les leçons de notre défaite là-bas, parvenir à gagner ici ? Une heure après, le projet est écrit. Transmis par Ali. Validé par le Président. Puis aussitôt transmis à Olivier Biffaud, pour *Le Monde*, ainsi qu'au *New York Times Syndicate*. Il s'intitule : « la liberté a besoin de temps ». Il se présente comme une « Déclaration » de Mustafa Abdeljalil qui, « transmise à quelques heures de la réunion du Groupe de contact sur la Libye, à Doha », énonce « les principes sur lesquels les Libyens libres ne transigeront pas ». Voici le texte.

« Le 17 février, le peuple libyen se révoltait après quatre décennies d'oppression et d'injustice et libérait une grande partie du pays au prix de milliers de martyrs, dont les noms nous seront chers à jamais.

« Dans la Libye libre en formation, s'ouvrait le règne du droit et de la justice.

« Nous avons constitué des comités locaux, puis un Conseil national de transition, pour conduire à son terme notre lutte sans retour, faire naître une première démocratie et administrer notre pays exsangue en attendant le jour où toutes les femmes et tous les hommes de Libye pourraient, débarrassés de Kadhafi et de sa famille, s'exprimer enfin au grand jour à travers des élections générales, transparentes et libres.

« Aujourd'hui, hélas, le tyran est toujours là.

« D'abord sur la défensive, il s'est bientôt ressaisi.

« Son armée de mercenaires a repoussé nos combattants devant Syrte.

« Ses blindés, son artillerie, ses colonnes infernales les pilonnant en plein désert, nos chebabs intrépides, partis, sans chars ni armement lourd, libérer Misrata encerclée et Tripoli sous la botte, ont dû reculer, subissant de graves pertes.

« Sans le secours des avions français qui sauvèrent Benghazi du bain de sang que lui jurait le dictateur, sans l'intervention de la communauté internationale

193

menée par Monsieur Sarkozy et ses alliés, la Libye tout entière retombait dans les fers. Car rien, dans le désert, ne s'oppose aux blindés, sauf depuis les airs. Les avions occidentaux y sont, pour l'heure, souvent parvenus et nous sommes infiniment reconnaissants de cela.

« Mais la flotte aérienne de l'OTAN ne peut délivrer les villes occupées où s'abritent désormais les forces de Kadhafi, utilisant les populations civiles comme boucliers humains.

« Nous-mêmes, les Libyens libres, n'avons pas encore une force suffisamment aguerrie pour accomplir cette tâche ô combien vitale pour tous nos concitoyens pilonnés ou réduits en servitude.

« Six semaines de liberté ne font pas de milliers de citoyens en armes une armée : il leur faut plus de temps.

« Pour l'heure, nous tenons bon. Et, de cela déjà, nous sommes fiers.

« Nous ne demandons pas que l'on fasse la guerre en notre lieu et place. Nous ne demandons pas à des soldats étrangers de venir contenir l'ennemi. Nous n'attendons pas que les amis de la Libye libèrent notre pays pour nous. Nous demandons que l'on nous accorde le temps et les moyens de constituer une force qui tiendra en respect les mercenaires et les prétoriens du dictateur puis libérera nos villes.

« La communauté internationale, sauf à se déjuger, doit continuer à nous venir en aide, pas seulement grâce aux avions mais sous forme aussi d'équipements et d'armements.

« Qu'on nous octroie les moyens de nous libérer, et nous étonnerons le monde : Kadhafi n'est fort que de notre jeunesse et de notre faiblesse de départ ; c'est un tigre de papier ; attendez, et vous verrez.

« Il serait injuste, il serait fatal, sous prétexte de cette faiblesse de départ, de vouloir nous sacrifier sur l'autel d'une paix presque sans conditions.

« Serait-ce une paix ou, plutôt, une reddition qui ne dirait pas son nom ?

« Peut-on raisonnablement négocier avec Kadhafi, ce tyran, quand ses forces, en outre, menacent dangereusement la Libye libre ?

« Va-t-on, ici ou là, au nom d'un réalisme aveugle, cette éternelle excuse des partisans de l'abandon, réduire le soutien qui nous a sauvés, le mesurer, et, demain, nous lier les mains ?

« La liberté a besoin de temps pour l'emporter.

« Nous avons attendu quarante ans que son heure sonne : nous avons besoin d'encore un peu de temps.

« J'adjure nos amis étrangers de ne pas compromettre par lassitude ou impatience notre combat pour la Libye libre et, au-delà, pour tous les peuples épris de liberté et de justice. »

Ce style drapé. Un peu solennel. Cette ponctuation qui n'est plus la mienne. Ni l'ordre des mots. Ni leur corps. Mais intérêt supérieur. Et urgence.

Samedi 9 avril, encore (*Les larmes du général Younès*)

Gilles a dit au président Abdeljalil : « si vous voulez que nous vous aidions, vous devez, d'une certaine façon, nous aider ; c'est ce qu'avait fait Alija Izetbegovic, président de la Bosnie-Herzégovine, au moment du siège de Sarajevo ; il nous avait donné accès à ses commandants, à ses lignes de front, à ses archives militaires, à quelques-uns de ses secrets ; nous attendons la même chose de vous ; nous attendons le même accès à vos forces spéciales, vos camps d'entraînement, vos centres stratégiques, votre haut commandement, c'est important ».

Pour les forces spéciales, les camps d'entraînement, les lignes de front, nous verrons demain et après-demain.

Mais, pour le haut commandement, cela s'est fait là, tout de suite, dans la foulée, le Président donnant lui-même le coup de téléphone qu'il fallait.

Et c'est ainsi que nous nous retrouvons, en début d'après-midi, dans le bureau d'un grand type en uniforme de camouflage, crinière gris bleuté, physique d'acteur américain, qui s'appelle Abdelfattah Younès et qui est cet ancien officier kadhafiste, ancien ministre de l'Intérieur, rallié à la révolution, dont Abdeljalil a fait le général en chef des forces libyennes libres.

« Ça ne va pas, l'OTAN », jette-t-il d'emblée, avec ce côté ivre, dodelinant, que j'ai souvent vu aux chefs de guerre au sortir des nuits sans sommeil passées à boire du café dans des bunkers enfumés, à recevoir des communiqués alarmistes qui tombent toutes les trois minutes, à ployer sous le poids des alertes – et à décider quand même.

« La France a fait un travail extraordinaire, marmonne-t-il, la voix toujours pâteuse… Extraordinaire… Mais, là, ça ne va plus… Depuis que vous avez laissé l'OTAN prendre la main, il n'y a plus de décision, on ne sent plus de volonté, ça ne va plus… Et les nouvelles, ce matin, n'étaient pas bonnes… »

Il me fait penser à Massoud, dans le Panshir, au lendemain de la chute de Taloqan… A Amir Peretz, ministre de la Défense d'Israël, le matin du jour où, au cœur de la deuxième guerre du Liban, les Palestiniens avaient capturé deux de ses soldats d'élite... A Divjak, aux heures sombres du siège Sarajevo, s'endormant dix minutes, comme un bébé, la tête sur la table, bavant sur ses rapports d'état-major inachevés, se réveillant en sursaut.

« Trop long à réagir, l'OTAN, insiste-t-il, comme s'il se réveillait, lui aussi, mais peinait à rassembler ses idées... On lui donne les indications... Mais il s'assied dessus... Il s'assied bien tranquillement... Et, quand il décide de se bouger, pfttt ! trop tard, la cible a disparu... Venez, vous allez comprendre. »

Le pas lourd, il nous entraîne, au rez-de-chaussée, dans la « Control Room », la salle des opérations, qui est une vaste salle des cartes où travaillent trois officiers supérieurs sans uniforme et où arrivent, en principe, toutes les informations qui montent du terrain et qu'on répercute vers l'OTAN, lequel décide ou non de frapper. Je ne suis pas sûr que d'autres étrangers soient entrés dans ce saint des saints. Je demande à Marc et Vojta de bien tout filmer.

« Un exemple, fait-il, en ouvrant, au hasard, un grand livre relié qui ressemble au registre de présences d'un conseil d'administration ; vous êtes à la page du 5 avril ; et vous voyez là une indication de cible que nos troupes communiquent, le 5 avril donc, à 6 heures ; or... »

Il hésite. Va à la page suivante. Revient.

« ... or, enchaîne l'un des colonels qui vole à son secours et nous montre une note en haut de la page, l'OTAN ne nous répond, ce jour-là, qu'à 11 h 50 ; cinq heures plus tard, mon général...

— Voilà, renchérit le général qui ne sait pas s'il doit afficher une mine navrée à cause des cinq heures de délai ou triomphante parce que la note lui donne raison ; l'OTAN aurait voulu permettre à la cible de filer qu'il ne s'y serait pas pris autrement. »

Puis, à nouveau au colonel :

« Autre exemple ?

— Celui-ci, mon général… »

Il prend une feuille volante, posée sur la plus grande carte – celle qui est dépliée au milieu de la table centrale. Et, le général lui adressant un signe lassé, découragé, un signe qui semble vouloir dire « continuez, ça me fait trop mal », c'est lui, le colonel, qui poursuit.

« C'est une colonne constituée de deux chars, trois véhicules blindés légers, quatre camions, qui sort de Brega. Coordonnées communiquées aujourd'hui même, 6 heures, à l'officier de liaison… »

Je l'interromps :

« Officier de liaison de qui ?

— De l'OTAN.

— Parce que l'OTAN a des officiers de liaison sur le terrain ?

— Naturellement. Des Anglais. Des Italiens. Un Français, capitaine de corvette, arrivé en même temps que vous – nous savons que vous l'avez vu.

— C'est exact. Mais je n'étais pas sûr.

— Ils ont eu l'information à 6 heures. Il est 15 heures. Et nous n'avons, à l'heure où nous parlons, aucune indication qu'ils aient frappé. »

Il nous donne, avec son collègue, huit cas du même type, tous pris les derniers jours et indiquant une « boucle de décision » dont la moyenne semble être, en effet, comprise entre trois et dix heures. Pourquoi ce temps ? Et, sans entrer dans la paranoïa légèrement complotiste que je devine, sinon chez Abdelfattah Younès, du moins chez ses adjoints (que veut l'OTAN ?

à quoi joue-t-il ? ne le fait-il pas exprès ?), n'est-il pas évident que les choses fonctionnaient mieux quand les pays avaient, chacun, la pleine responsabilité de leurs frappes ? Le général semble épuisé. Nous remontons.

« D'autant qu'il y a encore autre chose, renchérit-il en se jetant sur son fauteuil, lourdement, comme si cette visite à la salle des opérations l'avait achevé. C'est ceci. »

D'un classeur rangé, derrière lui, sur une étagère, il tire, sans se relever, des photos, floues, mais où l'on distingue des carcasses de char.

« Ce sont nos chars, murmure-t-il.

— Parce que vous avez des chars, le coupe Gilles ?

— Naturellement », fait-il, à voix très basse, presque inaudible.

Je surprends le regard de Marc. Il s'inquiète de la qualité du son. Je hausse les épaules, pour dire que nous n'y pouvons rien, que j'aurais scrupule à le brusquer et que l'essentiel c'est le contenu de ce qu'il va dire.

« Nous avions trente T-54 et T-55 qui ne faisaient peut-être pas le poids face aux T-72 de Kadhafi mais nous les avions réparés, ils fonctionnaient. Or... »

Il s'interrompt – s'assurant, lui, pour le coup, que la caméra tourne.

« Or ils ont été victimes, il y a deux jours, de ce que vos militaires appellent une frappe amicale. A partir de là, faites vos comptes... Vous êtes français, en mission, vous représentez Sarkozy, donc faites les comptes et transmettez... »

Je n'ai pas le temps de lui dire que nous ne représentons personne et que nous ne sommes pas sûrs de pouvoir transmettre grand-chose. Il prend déjà une feuille blanche, que la caméra cadre. Y trace deux colonnes. Les barre. S'y reprend. S'arrête comme si cela aussi était au-dessus de ses forces.

« J'ai dit cela au ministre Juppé, deux fois, au téléphone. Mais il n'en a rien fait. D'un côté, vous avez la lenteur de la décision de l'OTAN quand nous lui signalons une concentration de troupes kadhafistes. De l'autre, son empressement, il faut bien appeler les choses par leur nom, à frapper notre dernière misérable colonne de chars alors que nous la leur avions clairement annoncée. La vérité... »

Il est parti pour la colère. Il a une tête de vieux lion kesselien prêt à se réveiller et à rugir. Mais la voix reste curieusement en l'air.

« La vérité, c'est que nous n'y arriverons pas...

— Pardon ? »

La voix n'est plus seulement en l'air. Elle est cassée. Un peu tremblante. C'est la voix d'un lion qui ne sait plus rugir et s'en aperçoit. C'est celle d'un matamore qui ne joue plus et s'effondre.

« Je ne garantis plus rien, fait-il, un ton en dessous encore, presque une plainte. Vous avez sauvé cette ville, et c'est bien. Mais si les mêmes qui ont sauvé la ville ne lui livrent pas, très vite, ce dont elle a besoin, je ne peux plus assurer sa défense. Je ne peux plus. C'est ainsi. »

Dans ses yeux de soldat, je vois perler des larmes dont je ne saurais dire si elles sont de fureur, d'impuissance, d'humiliation ou, peut-être, de comédie à cause de la caméra. Puis plus rien. Un visage figé, et qui se ferme. Je fais signe à Marc d'arrêter de filmer.

Samedi 9 avril, fin *(Drôle d'endroit pour un appel*
à Sarkozy)

Le parking, vide à notre arrivée, fourmille maintenant d'hommes en armes, de pick-up qui manœu-
vrent en tous sens — il y a même deux camions
surmontés d'une batterie de DCA en train de prendre
position ; une autre DCA, déjà installée, qui ressemble
à un chien à l'arrêt et pointe vers le ciel ; et encore
une mitrailleuse lourde, au portail d'entrée, qui prend
l'avenue en enfilade comme si l'on s'attendait à une
attaque.

Debout devant nos voitures, nous sommes sous le
choc de cette image d'un général qui a tout vu, tout
connu, traversé tous les cercles de l'enfer jusques et y
compris ceux qu'il a lui-même tracés et qui est rede-
venu, là, sous nos yeux, un homme ordinaire, avouant
son impuissance, démonté, désemparé.

L'un, pour relativiser les choses, insiste sur la présence de la caméra et se demande si l'homme n'a pas
forcé le trait.

L'autre remarque qu'il n'a bizarrement pas su,
quand nous lui avons posé la question, donner le chiffre
exact des tanks détruits lors de la « frappe amicale »
de l'OTAN — est-ce bien sérieux ?

Le troisième souligne que cette guerre est une guerre
de chebabs, de jeunes civils insurgés ; on ne voit, sur
les fronts, pas beaucoup d'hommes en uniforme ; un
général de carrière, blanchi sous le harnais du kadhafisme, est-il la source d'informations la plus fiable sur
la réalité des rapports de forces ?

Mais bon. Le fait est là. Tous, quoi que nous en
disions, sommes sous le coup de cette scène peu

ordinaire. Tous, même sans nous l'avouer, gardons dans l'œil la fixité de ce regard de vieux briscard se résignant, devant des inconnus, à l'aveu le plus coûteux aux hommes de son espèce. Et, tous, nous sentons qu'il y a là un message, un vrai message, qu'il est urgent, d'une manière ou d'une autre, de faire passer.

Nous sommes samedi.

Il est 15 heures.

Et, face à cette situation, face à *l'information* qu'est ce discours d'un général, commandant de la défense de Benghazi, avouant que continuer de remplir sa mission est au-dessus des forces dont il dispose et que la ville se trouve, somme toute, dans la même situation qu'il y a un mois, à la veille de la destruction, par les avions français, de la première colonne de chars entrant dans ses faubourgs, je retrouve mon réflexe de l'époque et, là, sur ce parking, dans la chaleur de ce début d'après-midi, j'essaie, de nouveau, d'appeler le président de la République.

Les gens, si je raconte un jour cette scène, penseront que je me moque.

Ils diront : « qu'est-ce que c'est que cette histoire d'écrivain qui, chaque fois qu'il se trouve à Benghazi, décroche son téléphone pour appeler Sarkozy ? »

C'est pourtant comme cela que les choses se sont passées.

Me sentant à peine moins bouleversé, et requis, qu'après ma rencontre avec Abdeljalil dans la maison néocoloniale de style italien, j'ai réagi de la même façon.

Et l'étonnant est que, de nouveau, comme l'autre fois, j'ai eu la chance de tomber sur un secrétariat de permanence qui me connecte aussitôt.

« Monsieur le Président... Je suis à Benghazi...

— Je sais. Tout va bien ?

202

— A peu près, oui. Je suis confus de cet appel. Mais j'ai deux nouvelles. Une amusante. Une importante.

— Commençons par l'importante.

— Non. L'amusante. Ce sera court. Un enfant est né, il y a quelques jours, à Tobrouk, à qui l'on a donné ton nom.

— Pardon ?

— Il s'appelle "Nicolas Sarkozy". Nom de famille : je ne sais plus. Mais prénom : "Nicolas Sarkozy".

— C'est absurde !

— Pas forcément. C'est comme dans les années 1960, au moment du livre de René Dumont, quand il y a eu, dans les familles ivoiriennes ou sénégalaises, une génération de bébés qu'on prénommait "l'Afrique-noire-est-mal-partie".

— Soit. Et la nouvelle importante ? »

Je ne saurais dire si mon histoire l'amuse, lui fait plaisir, l'émeut – ou s'il n'y croit qu'à demi.

« L'autre nouvelle, insiste-t-il, une nuance d'irritation pointant dans la voix ?

— Je viens de voir le général en chef chargé de la défense de Benghazi et je crois que si nous ne l'aidons pas...

— Mais nous l'aidons !

— Apparemment pas assez.

— Nous faisons ce qui doit être fait. C'est à eux, maintenant, de prendre le relais.

— Tout le problème est là. Il semble – c'est, en tout cas, ce qu'il dit – qu'ils n'en aient pas les moyens.

— Mouais... Qui est ce général ?

— Younès... Abdelfattah Younès...

— Je vois. »

Le Président semble sceptique. J'insiste.

« Si nous ne l'aidons pas, m'a-t-il dit, Kadhafi avancera, reprendra le terrain perdu et tout ce que la France a fait aura été fait pour rien.

— Il faut voir... Je ne sais pas. »

Il semble pressé de couper. Peut-être parce qu'il ne comprend pas ce que je veux. Peut-être parce qu'il trouve, en effet, que la France en a fait assez. Peut-être parce qu'il est juste occupé. Sous l'œil dubitatif de Gilles et des autres, je tente alors le tout pour le tout.

« Un instant. Je voudrais le faire venir à Paris.

— Pardon ?

— Oui. Je vais lui proposer de l'inviter à Paris.

— Et pour en faire quoi ?

— Te l'amener. »

Silence au bout du fil. Je suis moi-même, il faut bien le dire, embarrassé de mon idée puisque je n'ai, à cet instant, rien proposé encore à Younès. Le Président a-t-il raccroché ? Non. Il est toujours là. Et, la voix claire (la zone doit disposer de matériels de transmission militaires sophistiqués et la qualité de la communication est incomparablement meilleure que celle d'il y a un mois, au Tibesti), il me répond :

« Pourquoi pas... »

Je lui fais répéter :

« Tu serais prêt à le recevoir ?

— Oui. C'est une idée, en effet. Et je dis donc : pourquoi pas. Il faut me rappeler de Paris. Et organiser cela avec Lévitte. »

Et il raccroche.

A-t-il bien compris ce que je lui demande ?

Est-il, réellement, prêt à cette nouvelle rencontre ?

Et pouvons-nous, maintenant, retourner voir Younès, prendre la responsabilité de lui faire quitter Benghazi – et ce, alors que je sais qu'à tort ou à raison il ne se déplacera que s'il a l'assurance de voir Sarkozy et personne d'autre ?

Je n'ai plus trop le choix.

Ali Zeidan remonte, dans les étages, informer l'intéressé.

Il revient, dix minutes plus tard, avec sa réaction : à condition que Mustafa Abdeljalil y soit favorable, il accepte évidemment (le seul problème, a-t-il dit, c'est qu'il doit déjà faire un aller et retour, demain, à Rome par un avion militaire italien ; mais il y passera la nuit, dans ce cas, et il nous suffira de faire, nous-mêmes, sur le chemin de Paris, escale à Fiumicino où il nous attendra).

Il appelle Abdeljalil pour s'assurer de son accord – et c'est, à nouveau, le cas.

J'appelle Lévitte qui n'est au courant de rien (ce qui n'est pas bon signe) et semble réservé à l'idée que ce soit le Président lui-même qui voie le général (ce qui m'inquiète un peu).

Mais les dés sont jetés.

Cette visite en France sera, quoi qu'il arrive, une bonne chose.

Il ne me reste qu'à espérer que le Président se souvienne de sa promesse – et l'honore.

Dimanche 10 avril (*Le chef des chebabs*)

« J'ai commencé cette révolution avec un laptop à l'épaule ; un mois plus tard, c'est un fusil. » L'homme qui s'exprime ainsi s'appelle Mustafa El-Sagezli. Il était, dans le civil, patron d'une entreprise de puces électroniques et il a pris, voici quelques semaines, le commandement de l'armée des chebabs, ces jeunes combattants indisciplinés qui ne sont, d'ailleurs, pas tous jeunes (certains – je l'ai vu, en arrivant, dans le terrain vague où, à l'abri de barbelés, ils sont à l'entraînement – ont quarante, cinquante ans, voire davantage) et qui ne sont pas non plus aussi indisciplinés qu'on veut bien le dire (tout son travail consiste, comme il nous l'explique, à tenter d'en faire, justement, une vraie armée).

Nous sommes dans le camp dit du 17 février qui fut, avant la guerre, une prison du régime et dont il a fait ses quartiers. Il a quarante ans. Il est mince. Belle gueule. Collier de barbe. Il porte un foulard à damier, en V, sur les épaules. Il a un air d'intelligence et de curiosité. Le regard séducteur. La voix enjôleuse. Il est, en quelque sorte, l'alter ego civil d'Abdelfattah Younès – il est à la résistance civile ce que l'autre est à la résistance militaire.

Nous avons fait, très vite, avec lui, le tour des lieux d'entraînement. Visité les stands de tir. Vu, comme au camp des forces spéciales, tout à l'heure, dont je n'ai rien eu le temps de noter et qui est, lui, sous le contrôle du général Younès et de ce qui reste d'armée régulière à Benghazi, le champ de sable où l'on dresse les hommes à courir, sauter, grimper le long d'une paroi, monter une échelle de corde en un temps record – les exercices classiques de toutes les unités d'élite au monde. Il a passé en revue, avec nous, les deux cents membres, alignés en quatre rangs, d'une future unité combattante à qui l'on était en train d'apprendre, sous un soleil de plomb, à saluer, marcher au pas, crier

« Libya Hora », présenter armes (qui n'étaient, en fait, que des bâtons). Et nous avons eu la surprise, encore une fois, de voir qu'il comportait, ce bataillon de chebabs, c'est-à-dire, en principe, de jeunes, un nombre respectable de « vieux » : quadragénaires bien sonnés, parfois quinqua ou sexa, intellectuels, dégaines de professions libérales, cheveux blancs retenus en catogan par des turbans de couleur, gestes maladroits, visages tavelés ou qui n'ont pas l'habitude du soleil – le mélange caractéristique, bigarré, de toutes les armées populaires, de toutes les armées de libération que j'ai pu connaître dans ma vie, y compris cinq ou six probables salafistes, reconnaissables à leur barbe maigre et qui me saluent sans retenue. Nous avons fait ce tour, donc. Mais nous sommes, maintenant, dans la baraque de bois qui sert de bureau au commandement de la base. Et c'est lui, Mustafa El-Sagezli, qui m'intéresse, en vérité, le plus.

Son air d'intelligence, je l'ai dit. Sa façon d'expliquer que, comme en Tunisie, comme en Egypte, cette révolution a commencé comme une e-révolution. Son côté direct. Sa façon, pas si habituelle, de répondre précisément aux questions précises que nous lui posons – beaucoup plus précisément que le général en chef Younès, hier.

« Deux mille hommes sont passés ici, commence-t-il. Un tiers ont fini leur entraînement et sont affectés à la défense de Benghazi. Un tiers sont aux avant-postes ; en particulier à Ajdabiya. Et un dernier tiers, un petit tiers, ceux que vous venez de voir, sont toujours ici, en formation. Mais attention... »

Il fait comme s'il cherchait ses mots. Mais il me semble que c'est un truc, qu'il sait où il veut en venir.

207

« Attention. Il faut que vous sachiez aussi qu'il y a des tas de volontaires qui se présentent et qu'on ne peut pas accueillir. Parfois parce qu'on n'a pas d'uniformes – mais ce n'est pas le plus grave. Parfois parce qu'on n'a pas d'armes à leur donner – et ça c'est plus embêtant... »

Il consulte du regard celui qu'il m'a présenté, au début de l'entretien, comme le vrai numéro 1 de la base, Fawzi Bou Katef, un ingénieur de l'industrie du pétrole que Mansour, curieusement, semble connaître et qui, peut-être parce qu'il ne parle pas bien l'anglais, peut-être pour une autre raison, reste en retrait ; l'homme ne fait aucune objection à ce qu'il poursuive.

« C'est très embêtant, ce problème d'armes. Je sais qu'on dit, en Europe, que la coalition, dans le ciel, fait à la perfection ce qu'elle doit faire et que c'est nous, au sol, qui ne suivons pas. Mais comment voulez-vous suivre quand on manque de tout et qu'on n'a même pas de quoi équiper... ? »

Il jette un coup d'œil rapide, sur son ordinateur ouvert, à un tableau de chiffres.

« ... les deux cent douze garçons qui, rien que ce matin, se sont présentés et qu'on a dû renvoyer chez eux ? Et, pourtant, ce serait simple... »

Il sort une liasse de papiers d'une chemise plastifiée que j'ai remarquée, dès le début, coincée, comme pour le caler, sous l'ordinateur. Et il adresse un nouveau regard à numéro 1 qui reste impénétrable.

« Je sais que vous parlez au président Sarkozy, reprend-il, les papiers dans la main, comme s'il hésitait à me les donner. Nous savons tous le rôle que vous avez joué et personne, ici, ne l'oubliera. Est-ce que vous pourriez vous charger de ceci ? Le transmettre ? Tout est là. »

Il me passe la chose. Ce sont quatre pages, écrites en arabe.

« C'est une liste d'armes... Une petite liste... Mais dont nous avons un besoin urgent... Et, en plus, une feuille de route doublée d'un projet stratégique... Regardez. »

Il reprend les papiers, les pose sur la table entre nous et commence de lire, très pédagogue, soulignant chaque fois du doigt les têtes de chapitre.

« Cent 4 × 4 blindés... Du 12,5 et du 14,5... Du matériel de transmission... deux cents talkie-walkie, plus deux bases et, si possible, trois... Un minimum de cent pick-up, de sept à huit cents RPG7... Mille kalachnikovs... quatre et, si on le peut, cinq Milan lance-missiles... »

Il me regarde comme pour dire : « et ainsi de suite, vous voyez le genre ». Et conclut, en repliant les feuilles et en me les tendant à nouveau.

« Vous croyez que c'est possible ? Je mets cela entre vos mains. »

A mon tour de me tourner vers Gilles. Puis vers Vojta qui avait coupé sa caméra mais à qui je fais signe de recommencer à filmer.

« Qu'entendez-vous par possible ? Je n'ai aucune compétence dans ces matières... »

Il fait une moue qui veut dire : « oh les compétences ! je n'en avais pas, moi non plus, de compétences ! » J'insiste.

« Je suis un écrivain. Pas un diplomate. Et encore moins un militaire. Cette conversation me dépasse. Mais je vais faire traduire le document. Et le remettre au président de la République. Cela, oui, je peux le faire.

— Voilà, me répond El-Sagezli avec un sourire réjoui. Nous ne vous en demandons pas plus. Et puis, il y a encore autre chose… »

De nouveau, il regarde son chef.

« Le plan.

— Le plan ?

— J'ai un plan, oui. Secret. Mais qui changera, si vous, les Français, l'endossez, la tournure de cette guerre. »

Il sort, d'un autre classeur, une carte de la Libye qu'il étale sur la table – et se lève. La caméra filme toujours.

« Vous voyez cette zone ? »

Il montre du doigt la zone côtière – celle autour de laquelle on se bat depuis un mois : Ajdabiya, Brega, Syrte. Et, du doigt, il fait le signe d'un aller-retour incessant.

« Un jour nous… Un jour eux… Cela n'a pas de sens. Lisez les Mémoires de Rommel. Tout le monde sait que ces guerres du désert, personne ne les gagne vraiment et personne ne les perd jamais. En revanche, regardez ici… »

Il fait, avec le même doigt, le geste de survoler la Libye et de se poser, au centre de la carte, dans le sud du pays.

« Là. Vous lisez quoi ?

— Koufra, dis-je après qu'il a levé le doigt.

— Eh bien voilà, s'exclame-t-il d'un air de triomphe. Koufra ! Ce n'est pas à vous que je vais dire ce que Koufra signifie pour les Français !

— En effet… La première victoire des Français Libres… La revanche de l'honneur et du courage…

— Regardez, maintenant, ici… »

Le doigt fond, de nouveau, sur la carte et tombe sur un autre point, plus au nord.

« Vous êtes à Marada. Or Marada c'est la zone des puits de pétrole. Vous me suivez ? »

La caméra continue à tourner. Il le sait. Le doigt repart dans l'autre sens, sur la côte.

« Toutes les troupes de Kadhafi sont là. Alors que là… »

De nouveau, le centre de la carte. On dirait un prestidigitateur enchaînant les tours.

« Là, à Marada, il n'y a personne. Vous m'entendez ? Ce crétin a massé toutes ses forces sur la zone côtière et aux abords de Syrte. Et dans cette zone hautement stratégique, il n'y a personne. »

Il arbore un air de supériorité et d'évidence.

« Voici mon plan secret. On envoie une unité d'élite sur Al-Agaila, entre Brega et Ras Lanouf. De là, mouvement vers Marada. Puis, éventuellement, on se rabat sur Zintan et Misrata qu'on libère. Mais, surtout, surtout, on tient les puits de pétrole de la zone. Qu'en pensez-vous ? Cette attaque-surprise, c'est la seule à laquelle Kadhafi ne s'attend pas.

— Une fois encore, je ne connais rien à tout cela. Mais j'aime l'idée de l'attaque-surprise. On a toujours intérêt, il me semble, à…. »

Il me coupe, de plus en plus passionné et comme si, de me parler, le faisait prendre conscience de son brio stratégique.

« On a des gens à Marada. Ils ont été contactés. Ils sont, à 100 %, avec nous. Le plan est prêt. On a juste besoin d'aide.

— Je vois.

— Et vous voyez le deal ?

— Ah, le "deal", non. Dites-moi.

— Vous nous aidez. Quelques hélicoptères de combat suffiront. Plus quelques unités spéciales au sol. On prend, ensemble, le contrôle des puits de pétrole. Et, moi, je vous apporte sur un plateau le symbole de Koufra. »

Il me met dans la poche les quatre feuilles pliées, en arabe, où était la liste des armes dont il a besoin. Il répète plusieurs fois, dans un état d'excitation grandissant : « now, we are partners – maintenant, nous sommes des partenaires ». Il insiste : « la France, pour nous, ce n'est pas l'Italie – on a une page blanche avec la France ». Puis, mine du négociateur qui estime qu'il a tout dit et que c'est à nous, maintenant, d'accepter ou non son offre, il ferme son laptop, se lève et nous emmène, au pas de charge, visiter la partie du camp que nous n'avons pas encore vue.

Nouvelle revue de détail, dans la fraîcheur de la fin d'après-midi, sur un autre terrain d'entraînement où les recrues s'exercent à tirer, dans des nuages de poudre et de fumée d'autant plus spectaculaires que ce sont des balles à blanc.

Passage par le lieu où ont été détenus, avant qu'ils ne soient livrés à la Croix-Rouge, une trentaine de prisonniers, capturés entre Brega et Ras Lanouf, et dont il affirme qu'ils ont été traités conformément aux lois de la guerre, avec justice – « n'est-ce pas le double sens de la guerre juste, selon vos philosophes chrétiens qui ont réfléchi à cette notion ? la justesse de la décision d'entrer en guerre et la justesse, ensuite, dans la conduite des opérations ? » Le patron des chebabs connaît donc des philosophes chrétiens...

Arrêt pour téléphonage avec un membre du Conseil national de transition, peut-être Ali Essaoui, à propos de l'incompréhensible bavure commise, il y a trois jours, par l'OTAN et dont nous parlait le général Younès. Comment une telle chose a-t-elle pu se produire, tonne-t-il, Mansour nous traduisant à voix basse ? Une erreur, vraiment ? Et, vu que nous avions clairement signalé à l'OTAN notre mouvement, ne faut-il pas envisager l'hypothèse d'une faute délibérée ? D'un sabotage ? D'une trahison ? Toutes les explications semblent évoquées. Toutes, pour son interlocuteur invisible comme pour lui, semblent également envisageables.

Un nom revient dans la conversation, plusieurs fois, avec, chaque fois, des accents de colère redoublée : Youssouf Mangoush.

« C'est l'un de nos meilleurs commandants, commente-t-il, à un moment où la conversation coupe et où il attend que l'autre le rappelle. Il a soixante ans. Il était le commandant de la seule unité qui s'est battue au Tchad sans essuyer une seule perte. Il est issu d'une grande et noble famille… »

Mansour l'interrompt et me glisse : « tu te souviens de la jeune femme, très élégante, qui connaissait tes livres et qui t'a invité à parler, hier soir, dans la grande salle du Tibesti ? elle appartient à la même famille que Mangoush… » (oui, belle rencontre, mais que je n'ai pas eu le temps de relater, avec les femmes de la ville – liberté de ton, des foulards mais aucun voile, espoir d'une Libye laïque, droits des femmes…). Et El-Sagezli d'enchaîner : « il était 40 kilomètres en avant de la colonne de tanks ; il s'est fait capturer ; puis torturer ; atrocement torturer, vous comprenez ? et, pour ça aussi, je voudrais que le Conseil diligente une enquête sur le pourquoi et le comment de la bavure ».

Je voudrais lui demander le rapport entre ce Mangoush et les tanks, entre la capture du premier et la destruction, par erreur, des seconds. Mais il enchaîne déjà : « je viens de vous montrer notre prison ; eh bien, là aussi, grande différence ! nous, nous livrons nos prisonniers à la Croix-Rouge ; eux, quand ils ont arrêté Mangoush ainsi que, avec lui, le colonel Nasser de Tobrouk, ils les ont torturés et les ont, sous la torture, amenés à la télévision pour leur faire tenir des propos hostiles à la révolution ; Nasser l'a fait ; il a dit qu'il nous avait rejoints parce que nous avions pris ses enfants en otage ; Mangoush non ; il n'a pas cédé ; vous imaginez le cran qu'il faut pour cela ? »

Je n'ai toujours pas le temps de commenter le cran de Mangoush, la barbarie de ses tortionnaires, les mystères décidément impénétrables des boucles de l'OTAN, que nous sommes en voiture, filant — comme nous le lui avions demandé, mais je pensais que, tout à son plan, à son « deal », à son émotion, il l'avait oublié — vers les premières lignes de défense de la ville, une quarantaine de kilomètres plus au sud, puis, j'espère, la ligne de front d'Ajdabiya.

El-Sagezli nous montre les chars détruits par les premières frappes françaises, avec leurs carcasses déjà rouillées. Les traces des chenilles dans la terre, avant l'attaque, qui semblent gravées dans la boue qui a séché. En plein désert, des casemates de fortune où nous nous arrêtons. Et, là, un bataillon de jeunes hommes sortis de chez lui, entraînés par lui et qui semblent tout investis du redoutable honneur qu'il leur a fait

214

en les mettant là, à l'endroit même où l'on stoppera, s'ils reviennent, les prochains chars.

Leurs visages poupins. Ces mains qui vont devoir tuer et qui n'ont eu, jusqu'ici, qu'à jouer, travailler, caresser. Ces regards qui s'exercent à la détermination, défient un ennemi imaginaire, mais dont on sent qu'ils luttent, déjà, contre l'angoisse. Quant au petit mitrailleur qui descend, pour nous saluer, de la tourelle du dernier char resté à la rébellion, il a des épaules bizarres, inégales, pas franchement athlétiques – à moins que ce ne soit sa parka qui lui donne cet air légèrement bossu.

Un avion apparaît, exécutant de mystérieuses manœuvres – longue empreinte blanche qui s'incruste dans le ciel et se boucle sur elle-même. Le petit mitrailleur se met, comme un enfant, en montrant la trace, à crier « un avion, un avion ». Tous, ses camarades et lui, fixent alors le ciel – tentant, gestes suspendus, de décrypter le message de l'avion. C'est l'OTAN, dit le tankiste. Non, dit un autre, c'est le tyran. Le tankiste a raison, dit un sous-officier sorti en trombe de sa tente, le tyran n'a plus d'avions. Bien sûr que si, arbitre un quatrième – air supérieur de celui, El-Sagezli nous l'expliquera plus tard, qui sort de Tripoli : les Algériens viennent de lui en livrer une escadrille. Mais c'est El-Sagezli qui tranche, comme si ces jeux le fatiguaient :

« Allez, c'est fini, on s'en va ; il faut rentrer à Benghazi ; il va être trop tard pour aller, ce soir, à Ajdabiya. »

Puis, dans la voiture, tout à trac, un éclair noir, et étrange, dans le regard :

« Faisons un pacte, voulez-vous ? Je vous amène, demain, à Ajdabiya, sur la ligne de front. Mais vous, en retour, vous m'amenez voir votre Président afin que je lui présente mon plan. »

Décidément !

Lundi 11 avril *(Un tonneau à Benghazi)*

Scène surréaliste, ce matin, au Tibesti.

On a annoncé l'arrivée de la mission de l'Union africaine qui était, hier, à Tripoli et qui vient proposer au CNT un plan de sortie de crise, prétendument « équilibré », mais qu'elle a concocté, en fait, avec le « Frère Leader ».

Doivent arriver le Malien Amadou Toumani Touré, le Mauritanien Mohammed Ould Abdel Aziz, le Congolais Denis Sassou Nguesso, le ministre des Affaires étrangères de l'Ouganda ainsi que, en principe, le Sud-Africain Jacob Zuma – celui-là même dont Sarkozy me disait tant de bien : ils semblent tous plus ou moins acquis à la position de Kadhafi, intoxiqués par lui, achetés (c'est ce que me dit Patrick Mille, ce matin, depuis Paris, et j'ai l'impression, hélas, qu'il a raison).

La foule, dès 9 heures, a commencé d'affluer devant l'hôtel. A 10 heures, ils sont dix mille, peut-être plus, exaspérés par la chaleur, surexcités par l'attente et rendus furieux, enfin, par le ballet des voitures officielles que l'on sent prêtes à foncer dans le tas pour arriver jusqu'à l'aire d'entrée, y déposer leurs augustes passagers et leur permettre de s'engouffrer, dans la bousculade créée par ceux des manifestants qui sont parvenus à monter jusque-là, dans le tambour d'entrée de l'hôtel.

On scande des slogans hostiles à Kadhafi. On pousse, de plus en plus fort, les barrières dressées, 100 mètres plus bas, au pied de l'escalier, pour contenir le gros des protestataires. Quand on ne parvient pas à les pousser, on tente de les escalader et quand les forces de l'ordre, mobilisées en grand nombre, refoulent les trop audacieux, la foule hurle à la trahison, conspue les autorités et lance des injures dont certaines me semblent, à l'oreille, antiafricaines et racistes. A un moment, alors qu'arrive, à 10 h 30, la troisième voiture, celle du Malien, quelque chose me dit que les choses pourraient, réellement, mal tourner ; ou peut-être est-ce juste cette atmosphère de monôme qui, moi aussi, me monte à la tête ; toujours est-il que j'emprunte son mégaphone à l'un des jeunes lanceurs d'injures ; je monte, entraînant Mansour avec moi, sur le toit d'une camionnette ; et là, je ne sais quelle mouche me pique mais je me lance, Mansour traduisant, dans une harangue étrange, à la fois fiévreuse et raisonneuse, dont je ne sais toujours pas, ce soir, si elle était censée, vraiment, refroidir les esprits ou si ce n'est pas elle qui, au contraire, se mettait au diapason de l'émoi ambiant.

« Je suis français, dis-je, sous l'œil étonné de la foule qui n'a évidemment aucune idée de l'énergumène qui s'adresse à elle et sous l'œil, il me le dira un peu plus tard, plus éberlué encore, de Chris Stevens, le jeune émissaire des Etats-Unis, qui suit la scène de la fenêtre de sa chambre. Je suis français, ami de la Libye et vous adjure de vous arrêter. Le monde vous regarde. Il vous suit et vous admire. Donnez de votre mouvement une image de brutalité, de violence – et vous perdrez le bénéfice de votre révolution admirable. Donnez l'image inverse ; protestez calmement et dans la retenue ; ces

217

hommes indignes, vendus à Kadhafi, et qui voudraient vous vendre avec eux, traitez-les dignement ; vous verrez comment cette maturité, cette hauteur de vue, cette grandeur, vous vaudront une considération redoublée. » Sur quoi je redescends de ma camionnette et retourne à l'hôtel, plutôt content, sur l'instant, de ma petite performance quoique me disant, assez vite, que sortir les grandes orgues de l'Intellectuel haranguant son groupe en fusion benghazien était peut-être, finalement, déplacé – et tentant de me rattraper en confiant aux médias présents dans le hall et qui attendent l'issue des discussions entre les quatre délégués et le CNT des réflexions un peu plus articulées : « comment l'Afrique en est-elle arrivée là ? faut-il que les idéaux libérateurs d'antan soient tombés bas pour qu'un vulgaire Kadhafi puisse, ainsi, les prendre en otage ? Fanon, Senghor, réveillez-vous, ils sont devenus minables ! appel aux grandes chancelleries, enfin, qui doivent savoir qu'il y a là, sur ce terrain africain, une autre bataille diplomatique, politique, à mener – et d'urgence ».

Sartre, trente ans après sa mort, porte encore son tonneau comme une croix. Il ne me reste qu'à espérer – et à recommander à Marc – que mon tonneau-camion ne sera pas l'image de moi qui restera de ce voyage.

Lundi 11 avril, suite *(Avec les combattants d'Ajdabiya)*

C'est ici que l'on se bat depuis, maintenant, deux semaines. Un jour, avantage aux insurgés. Le lendemain, aux kadhafistes. Le tout pour le contrôle du kilomètre d'ordures et de poussière qui sépare la porte ouest de la ville (contrôlée par les seconds) de la porte est (où sont les avant-postes insurgés).

« C'est ce que je vous expliquais hier, nous dit El-Sagezli tandis que nous descendons des voitures. Ce petit jeu est terminé... Cette guerre à la Rommel sans Rommel... Quand j'ai pris le commandement des chebabs, j'ai pris une décision... »

Un homme arrive en courant, le jeune commandant Boulal, coiffé d'un étrange bonnet rouge, presque phrygien, et qui explique, hors d'haleine, qu'on signale une colonne de véhicules kadhafistes là, sur notre gauche, à quelques kilomètres ; qu'il vient de le dire, en personne, à l'officier de liaison insurgé qui s'est lui-même mis en rapport avec l'officier de liaison italien qui assure le contact avec l'OTAN ; mais cela fait déjà deux heures, et rien ne s'est passé...

« Une minute », nous dit El-Sagezli, colère froide, contenue – donnant, dans son talkie-walkie d'abord, puis au téléphone, une série d'ordres brefs que me traduit Mansour.

Par talkie-walkie, il fait doubler les positions en demandant que monte, en première ligne, une unité fraîche de chebabs que nous avons croisée avant l'entrée de la ville et qui bivouaquait dans une position de réserve.

Et puis, au téléphone, il appelle la salle des opérations de Benghazi et demande que l'on mette en œuvre toutes les « procédures d'urgence » et que l'on informe, sans délai, le commandement opérationnel de l'OTAN de la présence des véhicules.

« Il faut qu'ils arrêtent de nous prendre pour des idiots, peste-t-il quand il a terminé, et comme s'il se

219

justifiait. Ils ont détruit, déjà, les derniers chars que nous possédions. Je veux bien que ce soit une bavure. Je ne comprends pas, je vous l'ai dit hier, comment une bavure pareille est possible mais, enfin, admettons. Là, en revanche, c'est très clair. On leur signale une colonne indubitablement ennemie. Il faut que leurs avions soient là dans l'heure. »

Je lui fais observer que l'OTAN s'est bien rattrapé, hier, en détruisant, ici même, une colonne de chars arrivés aux abords de la ville et en sauvant, ainsi, ce qu'il en reste.

« Oui. Mais il a fallu batailler. Et cela a pris un temps anormal. C'est un problème de fond. Et dont j'aimerais, si je le rencontre, parler avec Monsieur Sarkozy. Au début, quand chaque pays décidait, la boucle était courte, il se passait quelques minutes, parfois une heure. Aujourd'hui, cela dure des heures. A croire qu'ils le font exprès. Et c'est pourquoi, sur cette affaire de chars de l'autre jour, je suis partisan d'une commission d'enquête qui fasse toute la lumière car on ne peut pas rester comme ça, dans l'incertitude, le doute, le soupçon… »

Je m'apprête à lui dire que nous savons tout cela ; que Younès nous l'a dit, presque dans les mêmes termes, hier ; mais il change de sujet.

« Bon. Où en étais-je ? Oui. Notre changement de stratégie. »

Nous sommes partis dans la direction qu'indiquait le jeune commandant Boulal, le sable feutrant le bruit de nos pas et trois membres des forces spéciales, le doigt sur la gâchette de leur kalachnikov, nous précédant. Un vent s'est levé, chaud, râpeux.

« Ma première décision, quand j'ai pris le commandement de ce bazar, a été de creuser des trous, juste creuser des trous. Je ne sais pas si c'est ce qu'on vous apprend dans les écoles de guerre en France. Mais, moi, quand j'ai vu ça... »

Il montre l'étendue du désert, l'air poussiéreux, les traces fraîches de véhicules qui permettent de poursuivre l'assaillant – et, çà et là, des hommes silencieux, accroupis derrière les dunes, qui attendent.

« Quand j'ai vu ça, tout ça, cette immensité, ce terrain découvert où tout le monde roule comme il veut, j'ai compris que c'est l'endroit du monde où l'on est le plus vulnérable face à l'avancée des chars et aux bombardements des Grad.

— Evidemment, fais-je, songeur, cette idée de "terrain découvert" me faisant un effet étrange, comme si elle piquait quelque chose en moi, loin, au fond du fond de ma mémoire... Nulle part où fuir... Nulle part où se cacher... Partout, la menace... Où que l'on aille, quoi que l'on fasse, une cible...

— Exactement, poursuit El-Sagezli (j'ai dû faire une drôle de tête, car il me regarde avec surprise). C'est pourquoi j'ai dit à mes hommes : on ne va pas faire le procès du passé ni essayer de se demander pourquoi personne, depuis un mois, n'y a pensé ; mais, à partir de maintenant, c'est un ordre ; la première chose que vous ayez à faire c'est de vous enterrer. »

Je vois en effet, maintenant, presque invisibles parce qu'elles épousent le tracé des dunes, quelques courtes saignées, creusées dans le sol et qui ne communiquent pas. Je demande à ce que nous descendions dans l'une d'entre elles, une dizaine de mètres de longueur, hauteur d'un homme, taillée en V, des ferrailles renforçant les parois, une petite échelle plongeant à mi-pente et le fond, très étroit, couvert de gravats. Il y a là deux hommes, assis en tailleur, face à face, le plus corpulent tenant ses épaules de biais tant l'espace est compté, qui jouent aux dominos. Un troisième, quelques mètres plus loin, à l'extrémité du boyau, est dans un sac de couchage et se redresse lorsque nous paraissons. Il n'y a pas assez de place pour tout le monde. Marc et Vojta sont restés en surface mais ils n'auraient, de toute façon, pas eu assez de recul pour filmer. On étouffe.

« Et quant à ma deuxième décision, c'est ce que je vous disais hier, au bureau. N'est-ce pas, Ahmed ? »

Il a apostrophé l'homme au sac de couchage, la cinquantaine, cheveux gris, lunettes, yeux éteints, T-shirt « I love New York » froissé.

« Tu te rappelles notre engueulade, la première fois où je suis monté à Ajdabiya ?

— Oui, répond l'homme, voix sombre, caverneuse, mais c'est un effet de résonance.

— Eh bien raconte à Monsieur Bernard ; montons et raconte-lui. »

Nous remontons. Et l'homme, à l'air libre s'animant, reprenant des couleurs et du timbre, de me raconter cette première algarade, il y a un mois, avec celui qui était en train de devenir son chef.

« Nous sommes là, me dit-il, en me montrant une dune, une cinquantaine de mètres plus loin, plus au sud encore. Nous sommes là, quelques hommes de ma compagnie et moi – et... »

Il regarde Mustafa El-Sagezli, comme pour s'assurer que ce n'est pas une blague, qu'il a vraiment la permission de tout rapporter.

222

« Nous sommes là et arrive Mustafa qui est venu nous passer en revue. Moi, alors, à Mustafa : "j'ai de bonnes nouvelles, chef ; les hommes du tyran ont reculé". Mustafa à moi : "et puis ? so what ? qu'est-ce que tu en conclus ?" Moi à Mustafa : "la voie est libre ; Brega est à notre portée ; nous pouvons avancer". Mustafa : "justement non ; c'est précisément ce qu'il ne faut plus faire ; vous restez ici ; vous renforcez vos positions ; vous protégez Benghazi". Moi : "tu dis ça parce que tu es de Benghazi, et tu protèges ta ville, c'est logique". Mustafa : "je dis ça parce que, si on gagne 10 kilomètres vers Brega, on les reperdra le lendemain ; alors que, si on perd Benghazi, on ne la regagnera jamais ».

L'homme regarde à nouveau Mustafa qui l'invite à aller jusqu'au bout, insiste. Il baisse la voix.

« J'ai désobéi. Nous avons gagné 10 kilomètres. Puis nous les avons aussitôt reperdus. Et je suis un adepte, depuis, de Mustafa. »

Mustafa éclate de rire et donne une bourrade à l'homme qui rit à son tour. Avec eux deux, nous allons jusqu'à une infirmerie de fortune, installée sous une tente, avec des bandes, découpées dans des torchons, qui attendent le blessé. Puis, vers un de ces pick-up bricolés, surmontés d'un bi-tube, dont nous avions vu le prototype à la sortie de Benghazi et dont le chauffeur, je décide de ne plus m'en étonner, reconnaît Mansour et l'embrasse. Puis, 100 mètres plus loin encore, nous arrivons à un véritable petit complexe fait de cinq trous de marmite, complètement invisibles, où se tient, chaque fois, un homme armé d'un fusil d'assaut et, juste devant, une ultime levée de sable, oblique, inclinée à 120° vers le sud, hérissée, par endroits, de barbelés, qui vient en renfort de la dune et qui est vraiment, cette fois, la première ligne.

Une vingtaine d'hommes sont là, debout, étendus de tout leur long sur le remblai. Les plus petits sont sur le dos, les yeux tournés vers le ciel, au repos. Les grands, ceux dont la tête dépasse, font face au désert et surveillent, raides, les yeux mi-clos, comme s'il fallait économiser aussi la force des regards. L'un d'entre eux, peut-être le chef, passe ses jumelles à Mustafa qui fixe un point devant lui, longuement – puis me les tend.

« Regardez, souffle-t-il. Vite. »

Je me souviens du petit soldat serbe de la colline de Grondj, sur la première tranchée, dans la forêt, au-dessus de Sarajevo. Il m'était apparu, énorme, presque obscène, dans la lunette du fusil que m'avait passé un combattant. Le temps de rendre le fusil, puis de me le faire remettre de force dans les mains, il avait disparu et j'avais eu quelque peine à faire comprendre à mes amis pourquoi je n'avais pas tiré, que ce n'était pas mon métier, pas mon rôle, etc. Mais, là, ce n'est pas cela. Pas âme qui vive. Même pas de tranchée, semblable à la nôtre. Mais, assez loin, à une distance que je ne parviens pas à évaluer, de vagues présences noires, grossies par la jumelle : sans doute la colonne de véhicules signalée – enterrée elle aussi, ou peut-être est-ce le paravent naturel de la dune. Nous restons là un bon moment, dans un silence total, juste le bruit du vent et, venant par bouffées, cette odeur d'hommes épuisés, pas lavés, qui règne dans toutes les tranchées du monde et contribue peut-être, ainsi que la peur partagée, au climat de fraternité si spécial qui y règne. Au bout d'une dizaine de minutes, sans rien dire, Mustafa rend la jumelle. Ceux des hommes qui étaient adossés au remblai se retournent et, l'un grimpant sur un

224

cageot, l'autre sur des toiles de tente empilées, le troisième se calant sur une fente de visée creusée dans le sable tassé, se mettent, sans que l'ordre en ait été proféré, à la hauteur de leurs camarades. Cinq autres hommes, que nul n'a entendus arriver et qui se tenaient accroupis, derrière nous, un lance-grenades entre les jambes, se redressent, nous entourent et, sans un mot non plus, nous invitent à courir, avec eux, en zigzag, pas trop vite à cause de Mansour, en direction de la route principale.

« Tout va bien », dit Mustafa, quelques minutes plus tard, en riant, tandis que nous retrouvons nos pick-up et que retentit, au loin (mais au-delà, il me semble, de la zone où nous étions), le bruit sourd des obus à double explosion (l'impact, d'abord, plutôt mou – puis la déflagration, souterraine, qui éboule les tranchées) dont on m'avait dit, en effet, que s'était dotée l'armée loyaliste.

« Pas de problème. Ce sont des Grad. Tirées depuis 20 kilomètres. J'ai pressé le pas parce que je ne voulais juste pas que la journée se passe sans que vous visitiez la ville. »

La ville morte. La ville pétrifiée, vitrifiée, même là où elle n'est pas détruite. Une ville complètement vide, sorte de Pompéi moderne et miséreuse, où les ordures seraient la lave. Une voiture passe, en trombe, sur l'avenue principale, rebaptisée avenue Sarkozy. Une autre, quelques minutes plus tard, s'arrête : c'est un reporter d'Al-Jezira, le seul journaliste resté sur place, accompagné du maire qui surgit tel un fantôme. Voulez-vous visiter l'hôpital ? Oui, bien sûr, l'hôpital. Le seul de la ville. La dernière et paradoxale trace de vie dans ce paysage de fin du monde. Nous y allons en passant par d'autres rues, encore plus détruites, que celles par lesquelles nous sommes arrivés. Sa façade est, non moins que celle des immeubles alentour, criblée d'éclats d'obus. Un mort du jour, tué à 100 mètres d'ici, que le médecin, rage aux lèvres, nous exhibe comme une preuve. Un grand blessé, en train de suffoquer, sons de bête, bruit liquide, appel et prière à la fois, lèvres gonflant et dégonflant comme une bouche de poisson. Un homme, sans doute un infirmier, qui nous montre, sur son portable, la vidéo d'un enfant qui avait ravitaillé en eau des rebelles en embuscade et qui, pour cela, est en train d'être castré. Il voudrait pleurer. Il ne peut pas. Il n'a la force que d'un sanglot, un hoquet, qui s'arrête aussitôt. Nous sommes, nous, si écœurés que nous n'avons pas le courage de lui demander comment il a eu ces images, qui les a filmées, comment. Pour la première fois depuis trente ans, machinalement, j'allume une cigarette que me passe, tandis que nous sortons, le reporter d'Al-Jezira. Dehors, un ciel bleu-gris, fané, semble sur le point de prendre la teinte des murs de l'hôpital – sauf plus loin, au-delà des tranchées, où il rougeoie par intermittence.

Mardi 12 avril *(Un graffiti antisémite…)*

Corniche de Benghazi. Supreme Court. L'énorme bâtiment où, lors de notre précédent séjour, se réunissait le Conseil national de transition, Nous avons rendez-vous, ce matin, avec un adjoint d'Abdeljalil dont je n'ai, hélas, pas noté le nom et avec qui nous allons, à la demande du Président, deux heures durant, préparer la visite de Younès à l'Elysée. Nous arrivons à pied, avec Mansour, Ali ainsi qu'un nouveau venu dans notre petit groupe : Souleiman Fortia (un architecte de Misrata qui représente sa ville au sein du Conseil et que nous sommes allés accueillir, la nuit dernière, au port de Benghazi : lui aussi, comme l'autre délégué de Misrata, rencontré lors du dîner des tribus, arrivait par la mer, sur un bateau chargé de blessés, après une traversée de trente heures – son visage rond de bourgeois, un peu chinois, pommettes larges et hautes, creusé par l'épuisement). Et voici qu'en chemin, alors que Fortia nous raconte les détails de son équipée et que nous essayons de voir comment nous pourrions, nous-mêmes, sur le même bateau, ou un bateau du même type faisant le trajet en sens inverse, rallier Misrata, survient un incident, un minuscule incident. Il n'est apparemment rien, cet incident, comparé à l'horreur dont Fortia témoigne. Rien à côté de la mort de son frère cadet, snipé d'une balle dans la tête le mois dernier. Et rien, non plus, rapporté à la mort de son autre frère assassiné, lui, en 1996, lors du massacre d'Abou Salim, la prison de Tripoli. Mais voilà. Cet incident m'importe. Et il est, l'air de rien, beaucoup trop chargé de sens pour que je ne le note pas ici. L'une de ces « sécrétions du temps » dont Michel Foucault disait qu'elles n'ont pas leur pareil pour condenser l'esprit d'une situation...

Nous sommes à l'entrée de la Corniche. A la hauteur du poste de sécurité où deux militaires désarmés essaient de régler la circulation. Les flâneurs sont nombreux. Beaucoup de jeunes. Des femmes. Et j'aperçois, droit devant, peinturluré sur le mur, dans le style des caricatures qui m'avaient enchanté à Tobrouk, un Kadhafi aux énormes mâchoires, deux cornes lui ayant poussé sur le front et, au-dessus du front, allusion à la rumeur, que j'avais déjà entendue, d'une prétendue ascendance juive et de non moins prétendus liens avec Israël, un énorme « Zionist » taggué en lettres rouges. Je fais comme si de rien n'était. Je me concerte discrètement avec Gilles, histoire de m'assurer qu'il a vu, lui aussi, ce que j'ai vu. Et nous mettons au point un scénario que, profitant d'une minute où je m'éloigne, il met en œuvre aussitôt.

« Eh les amis ! Qu'est-ce que c'est que ce graffiti antisémite que nous venons de dépasser ? Bernard n'a rien remarqué, heureusement. Car il faut que vous sachiez que ce genre de cochonnerie peut vous coûter son soutien – et c'est le genre de détail avec lequel, en Occident, on ne plaisante pas. »

Consternation des amis... Protestations d'innocence et de bonne foi... « Eléments incontrôlés », dit Ali... « Pas significatif », renchérit Souleiman... « Quel est le pays, au monde, qui n'a pas ses antisémites ? insiste Mansour. Vous-mêmes, en France : n'est-ce pas Bernard qui, l'autre soir, nous a parlé de ce fascisme français qu'il a décrit dans un de ses livres ? De toute façon, c'est intolérable. » Deux heures plus tard, ressortis de la Supreme Court, notre rendez-vous terminé, nous repassons au même endroit. La saloperie a disparu. Elle a, tout simplement, été effacée. A sa place, un grand aplat de chaux comme quand, à Tanger, on répare un mur lépreux et qu'on maquille de blanc approximatif la saignée de béton... Pour des exilés de trente et quarante ans, Mansour et Ali sont, une fois de plus, bien efficaces ! Et, cet incident, je décide de l'inscrire, non au passif d'une ville matraquée, depuis quarante-deux ans, par une propagande imbécile, mais à l'actif d'une administration qui a décidé, ce matin, de mettre l'antisémitisme hors la loi.

Mardi 12 avril, suite *(Un charter de Libyens pour Paris)*

Midi.

Retour au Tibesti.

Typiquement le genre d'imbroglio dans lequel, par tempérament, et l'épuisement aidant, je suis capable de m'enferrer.

Mais le principe de ces carnets n'est-il pas de tout dire, ou presque tout ?

Le fait est là.

Ce n'est qu'ici, à midi, alors que l'opération Younès est lancée, et bien lancée, que je m'avise d'un détail qui, soudain, m'embête un peu : je ne sais, finalement, pas grand-chose de ce général que je m'apprête à amener chez le président de la République française – et il serait peut-être temps de m'en soucier.

Pas d'internet, comme d'habitude.

Recherche d'une de ces « valises » qui se branchent directement, à prix d'or, sur les satellites géostationnaires.

Un journaliste de France Inter, avec qui j'ai sympathisé hier, et que je retrouve attablé devant un café froid qui est la mono-boisson du bar de l'hôtel, m'offre de monter dans sa chambre et de me laisser accéder à la sienne quelques minutes, le temps d'une rapide recherche.

Et, là, léger problème mais qui va prendre, au fil des heures, des proportions grandissantes.

L'« acteur américain » a fait – ce que je savais – ses classes sous Kadhafi.

Le « nouveau Divjak », le héros au cœur tendre et qui s'est si pathétiquement livré, hier, devant notre caméra, a été – je le savais aussi – un serviteur de l'ancien régime.

Mais ce que je découvre c'est qu'il a été un peu plus que cela et qu'il a, en Libye même, une réputation effroyable.

Les forces spéciales, c'était lui.

La 36e brigade de parachutistes, autrement appelée Saïka, qui a longtemps terrorisé Benghazi, c'était lui.

Le soutien au terrorisme irlandais et à l'IRA, avec le bain de sang qui, des décennies durant, a endeuillé la Grande-Bretagne, c'était encore, et apparemment, un peu lui.

Ministre de l'Intérieur du Guide, il était son vrai numéro 3, peut-être son numéro 2, il était de tous les mauvais coups, et je trouve, sur un blog, le récit d'une conférence de presse qu'il a donnée ici, à l'hôtel, le 5 avril dernier, et où un homme, rapidement maîtrisé, s'est mis à hurler : « tu as tué nos fils, Abdelfattah ! » – allusion, semble-t-il, à une manifestation, il y a cinq ans, devant l'ambassade d'Italie, à Tripoli, qu'il aurait fait réprimer dans le sang.

Alors, j'ai beau me dire qu'il a changé. J'ai beau savoir que c'est avec des transfuges que se font aussi les révolutions et qu'il a, lui, de surcroît, une prime de 2,5 millions de dollars sur la tête qui est le prix, pour Kadhafi, de sa défection. Je commence tout de même à me demander si je ne suis pas allé vite en besogne en le présentant au chef de l'Etat comme l'émouvante incarnation de la ville de Benghazi et si je ne prends pas une responsabilité politique, morale, personnelle en le ramenant, avec moi, à Paris.

La visite est censée rester secrète, bien sûr.

Mais qui dit qu'elle le sera ?

Quel est le secret, en démocratie, qui tient plus de huit jours ?

J'hésite, tout à coup.

D'un côté, le message dont Younès sera porteur (y compris, je ne sais plus si je l'ai noté, sa conviction que Kadhafi n'est plus à Tripoli mais à Traghan, à 120 kilomètres de Sabbah, en plein désert sud-saharien, enterré dans un camp secret dont il connaît par cœur, lui, Younès, le réseau de bunkers et d'abris souterrains puisqu'ils l'ont construit ensemble, jadis, pour servir de base au corps expéditionnaire libyen au Tchad).

De l'autre, l'insoutenable légèreté d'un système médiatique qui, lorsqu'il s'avisera du passé pour le moins chargé de l'homme que je ramène dans mes bagages, ne s'intéressera plus qu'à ça (quel est, en régime d'Opinion, le média qui résiste au délicat plaisir d'oublier la réalité d'une guerre, de démagnétiser ses enjeux et de se focaliser sur le merveilleux sujet que sera l'irruption, chez Sarkozy, de l'abominable homme du désert qui, jusqu'au mois dernier, était un des exécuteurs des basses œuvres du régime ?).

J'en suis là.

J'en suis presque à chercher un prétexte pour, sans le blesser, annuler tout le projet de visite.

J'en ai un, d'ailleurs, de prétexte – j'ai le prétexte en or que vient de me fournir Ali en me donnant, dans la voiture, au retour de la Corniche, « les dernières nouvelles ». Ça y est, Younès est parti pour Rome. C'est bon, il nous attendra demain, à l'heure que nous lui indiquerons. Mais attention. Vu que nous l'amenons à Paris, il a annulé l'avion italien qui devait assurer son vol retour pour Benghazi. C'est sur nous qu'il compte donc, maintenant, pour, après son rendez-vous avec le Président français, assurer son rapatriement. Et pas un rapatriement par la route, naturellement. Pas un rapatriement via l'Egypte, avec les 1 000 kilomètres que font les journalistes et que nous faisons, nous aussi. Non. Vol direct. Vol Paris-Benghazi, par avion, comme il sied aux chefs d'Etat et chefs de guerre. D'autant qu'il est, lui, un chef de guerre spécial qui ne peut pas, surtout en ce moment, se permettre de rester trop longtemps loin du front.

Je n'ai pas réagi, sur le coup. J'ai enregistré sans répondre et en songeant qu'il sera bien temps, à Paris, d'organiser cela. Mais je me dis, maintenant, que c'est la providence qui a parlé et qu'il va suffire, pour arrêter toute cette histoire que je sens, décidément, de moins en moins et qui, dans ma tête de levinasso-kafkaïen drogué à la culpabilité, prend une ampleur de plus en plus démesurée, de revenir voir Ali et de lui tenir à peu près ce langage (au demeurant, la stricte vérité) : « on ne s'est pas compris, avec Younès... il a eu tort d'annuler l'avion italien... car il n'y a que les Etats qui aient, non seulement le pouvoir, mais les moyens de faire atterrir un avion à Benghazi... je ne suis, moi, pas un Etat... et je ne me vois pas, dans l'urgence, et d'ici, expliquer le problème à l'Etat français et faire que Younès rentre, comme il le souhaite, sitôt son rendez-vous terminé... ne prenons donc pas le risque qu'il reste, même un jour ou deux, bloqué... préférable d'annuler, reporter, organiser autrement, calmement, ce voyage... »

J'en suis là de mes réflexions, j'en suis à chercher le moyen de faire passer, sans qu'il ait besoin de se déplacer pour le délivrer lui-même, le SOS du général, quand arrive, sur mon Thuraya, un nouvel appel de Lévitte qui va, à la fois, tout régler et relancer la mécanique des atermoiements et des craintes.

1. Confirmation officielle, pour demain, mercredi, du rendez-vous avec le Président.

2. Ce jour étant le jour où le Président dîne avec le Premier ministre britannique, le rendez-vous tombe finalement très bien et lui-même, Jean-David Lévitte, semble avoir oublié les réticences que je sentais hier – nous serait-il possible d'arriver, tant qu'à faire, autour de 17 heures, afin qu'une réunion de travail puisse se tenir avant le dîner ?

3. Le Président sait qui est Younès et, de toute façon, me fait confiance.

4. C'est la France qui, bien entendu, se chargera de son rapatriement, jeudi, à Benghazi.

D'un côté, oui, tout est réglé. Plus d'échappatoire possible. Brigade Saïka ou pas, il n'est plus pensable de reculer. Nous devons prendre la route, dès ce soir, pour être en Egypte, demain, avant midi ; à Rome avant 15 heures ; à Paris à 17 heures. Et tant pis pour le projet de voyage, par bateau, à Misrata qui, entre-temps, avait pris forme – remis à plus tard !

Mais, de l'autre, Lévitte, en parlant de la « confiance » qui m'est faite, a prononcé, sans le savoir, le mot qui tue et fait repartir à plein régime ma machine à culpabilité et à scrupules. Ce ne sont même plus des scrupules que j'ai, maintenant. Ni des doutes. Ni des craintes. C'est une sarabande de journalistes ou, pire, de militants des droits de l'homme que je vois arriver, non pas seulement dans ma tête, mais dans les rues, à Paris, peut-être aux grilles de l'Elysée, escortés des mânes des quatorze manifestants assassinés, jadis, en 2006, devant l'ambassade d'Italie sur ordre de l'invité spécial du Président. Et c'est tout le bel et bon travail accompli depuis un mois que je vois compromis, détruit, foulé aux pieds par la horde de journalistes et de militants – et tout cela à cause d'une idée idiote qui m'est venue dans un instant d'émotion inconsidérée...

Alors ?

Alors, les cauchemars ayant une fin et Gilles ayant, comme souvent, l'art de sortir par le haut des situations les plus embrouillées, il a une idée simple mais, ma foi, assez brillante : puisqu'on ne peut plus reculer, pourquoi ne pas avancer et, non plus annuler Younès, mais le noyer – autrement dit, et sans forcément prévenir l'Elysée qu'on mettra devant le fait accompli, inviter, avec lui, autour de lui et en même temps que lui, une délégation assez étoffée pour que l'on ne voie pas *que lui* ?

Fortia, déjà... Souleiman Fortia... Le héros de Misrata... Est-ce que la ville assiégée, et martyre, ne mérite pas, elle aussi, une réception secrète à l'Elysée ?

Hassan... Le jeune Hassan Droé, ce cousin éloigné de Mansour que nous voyons beaucoup depuis notre arrivée et qui a, lui aussi, une belle histoire : natif de Warfala, dans l'ouest du pays ; longtemps habitant Syrte, le soi-disant fief de Kadhafi ; étudiant à Tours, au moment du déclenchement de l'insurrection et décidant de venir à Benghazi, sur le front, avec le cameraman d'une chaîne arabe, pour répondre à la propagande officielle prétendant que les gens de l'ouest sont étripés par les rebelles dès qu'ils posent le pied à l'est ; il a fait ce qu'il avait à faire ; il s'est fait filmer, hier, avec nous, à Ajdabiya, lui, le Tripolitain, fraternisant avec ceux de Cyrénaïque ; est-ce que ça ne l'arrangerait pas de rentrer à Paris avec nous ?

Et puis enfin Mustafa, le jeune Mustafa El-Sagezli, chebab et chef des chebabs, incarnation de la résistance citoyenne qui est, elle, sans réserve, l'honneur de cette révolution : n'a-t-il pas son plan Koufra, et sa liste d'armes, à présenter ? ne nous a-t-il pas dit, à deux reprises, qu'il rêvait de rencontrer Sarkozy ? et, avec sa dégaine moderne, son anglais parfait, sa façon de dire, comme l'autre jour, qu'il a commencé la révolution avec un laptop et la poursuit avec un lance-roquettes, n'est-il pas le parfait contrepoint à Abdelfattah Younès ? j'ai un peu honte de raisonner ainsi ; j'ai l'impression d'être en train de faire un casting ; mais le fait est que l'on peut difficilement rêver meilleure combinaison que celle de ces deux hommes, le militaire et le civil, Delestraint et Jean Moulin, le professionnel rallié et le rebelle – c'est parfait !

Nous cherchons Hassan qui est déjà au Tibesti et à qui nous demandons de ne plus bouger.

Nous revenons, à la Corniche, quérir Fortia qui se fait faire, sur-le-champ, une accréditation par Abdeljalil.

Nous retournons au camp du 17 février prévenir Mustafa qui, lui, n'est pas là, mais son officier d'ordonnance file à sa recherche, une lettre de moi entre les mains et, quelques heures après, il paraît, retour du front, n'en croyant pas ses oreilles ou peut-être comprenant tout, mais ne posant pas de question inutile.

Tout est bien.

Mardi 12 avril, soir *(Un discours sur la Corniche)*

« Jeunesse de Benghazi… Peuple de Libye… » Je n'imaginais pas qu'il puisse y avoir tant de monde. Je ne croyais même pas que cette prise de parole, organisée par Salwa Bugaighis, la belle juriste rencontrée lors de notre premier séjour et dont nous avions suggéré le nom pour la délégation élyséenne du 10 mars, aurait effectivement lieu. Et je n'ai donc rien préparé. « Jeunesse de Benghazi… Libres tribus de la Libye libre… L'homme qui vous parle est le libre descendant d'une des plus anciennes tribus du monde… » L'autre ancien professeur de français, comme Tournesol, qui se tient à côté de moi, partage le même micro que moi et doit traduire, membre de phrase par membre de phrase, à mon rythme, marque une imperceptible hésitation. Donc je répète, à l'attention des milliers, peut-être des dizaines de milliers de femmes et d'hommes qui sont là, debout, sur l'Esplanade, face à notre tribune improvisée – certains agitant des drapeaux de l'ancienne monarchie libyenne, d'autres des drapeaux français, d'autres brandissant à bout de bras des armes de poing ou des kalachnikovs : « je m'appelle Bernard-Henri Lévy ; je suis le descendant, comme vous, d'une très ancienne tribu ; mais je suis, aussi, français ; et je suis venu vous apporter le salut de la France, de son peuple, de son Président… » Sans que j'aie eu à le nommer ni qu'il y ait eu besoin de le traduire, à ce seul mot de « Président », la foule, d'une seule voix, s'époumone : « Sarkozy, Sarkozy » – scandant les syllabes de son nom, s'en délectant, les chantant, râlant. Je reprends, laissant bien, entre chaque morceau de phrase, le temps nécessaire au traducteur. « Je reviens d'Ajdabiya, sur la ligne de front, où je suis allé voir, magnifiques de courage, les chebabs de Benghazi. » Au mot de chebabs, la clameur reprend. Puis, quand je dis mon admiration pour les défenseurs de la ville, ces braves, ces héros, elle grossit, s'amplifie, devient cri. « J'ai vu votre Président » : hurlement. « J'ai vu Abdel-fattah Younès » : rugissement. « J'ai parlé avec une délégation de femmes, vos épouses, vos sœurs – et je les ai, également, trouvées admirables » : la foule a encore grossi ; il y en a, en face de nous, jusqu'à la mer ; et, aussi, des deux côtés de la tribune, à droite, à gauche, à perte de vue ; la clameur, à ce point, devient délire, presque hystérie. « Je ne suis, entendez-moi bien, l'envoyé de personne. » Là, léger flottement. « Je sais qu'on vous a dit qu'un ambassadeur allait parler ce soir ; mais non ! je ne suis pas cela ! je suis un homme seul, qui ne représente que lui. » La cla-meur retombe, indécise. « Je suis un philosophe ! » La foule attend, ne comprenant plus bien, déçue. « Le cœur de ma philosophie, ce sont les droits de l'homme et c'est le droit de chaque homme, de chaque femme (je répète : *de chaque femme*), aux mêmes droits. » Reprise des applaudissements, mais timides. « Il y a une théorie, en Europe, qui dit que les droits de cha-cun sont relatifs à sa religion, son ethnie, l'endroit où il est né et que la démocratie est une idée d'Européens qui n'aurait pas sa place en Libye. » Nouveau flotte-ment. Je sens que l'interprète ne suit pas, que la foule le sent et qu'elle ne suit pas non plus. « Eh bien ma philosophie va contre cela. Elle plaide, ma philoso-phie, que ça ne change rien d'être européen ou arabe, chrétien et juif ou musulman – car nous sommes frères

237

en humanité et avons tous droit aux mêmes droits. »
La clameur reprend, hésitante, plutôt une rumeur. Je
me demande si l'interprète a traduit « juif ». J'essaie,
ma main couvrant notre micro commun, de lui poser
discrètement la question. Mais il ne comprend pas.
Ou feint de ne pas comprendre. Me fait-il, à l'envers,
le coup de Lawrence à Gaza, avec Churchill, traduisant
quand la foule crie « Vive le ministre », ou « Vive la
Grande-Bretagne », mais omettant soigneusement le
« égorgez les sionistes » qui faisait moins bien dans le
tableau ? J'enchaîne. « Et vous savez quoi, chebabs de
Benghazi ? » La clameur reprend, forte de nouveau, et
qui enfle. « Ce qui se passe ici prouve que c'est moi
qui ai raison ; la façon dont vous retrouvez, comme
s'ils avaient toujours été les vôtres, les réflexes démocratiques prouve que votre combat est mon combat,
que mon combat était votre combat. » De nouveau,
problème de traduction. Mais comme un ténor qui
aurait mis du temps à trouver son octave et qui voudrait éviter d'avoir à recommencer, la foule tient sa
note et, à tout hasard, d'une seule voix, crie : « Libya
Hora, Libya Hora ». Mon tour de m'enhardir – mon
tour de monter d'un cran : « je suis venu, jeunes de
Benghazi, non vous parler, mais vous écouter ; et ce
que j'ai entendu, c'est une leçon de philosophie, une
leçon de résistance et de vie… » La foule, cette fois,
s'y retrouve. Et la clameur s'installe, plus franche, plus
joyeuse. « Il y a une philosophie de Benghazi. Et cette
philosophie c'est celle d'une invincible liberté. » Je ne
garantis pas les mots. Car je parle sans notes. Mais ce
que je certifie c'est le tumulte, pour le coup. La joie.
Les drapeaux que l'on me met dans les bras. Les
fanions à la gloire de la Libye libre. Deux femmes qui

montent avec leurs bébés. Et moi qui, soudain, me sens soulevé, hissé, porté – passant de bras en bras sur cette mer humaine qui va jusqu'à la mer et hurle « Libya Hora ». Je n'avais pas ressenti pareille émotion depuis le jour de février 2000 où, avec Luc Bondy, Michel Piccoli, d'autres, nous avions pris la parole, à Vienne, sur la place des Héros, devant cent mille citoyens venus manifester contre le retour du fascisme version Haider. Mais les gens, à Vienne, avaient idée de qui nous étions. Nous partagions des repères. Nous avions des signes de reconnaissance. Alors que là... Ces femmes voilées, car il y en a... Ces barbes salafistes, peu nombreuses, mais il y en a aussi... Ces gens qui, pour certains, me regardent comme une bête curieuse et qui, pour les autres, auraient acclamé n'importe quel Français à ma place...

Quitter la Place est sportif. Je réussis, après cinq bonnes minutes, à toucher terre. Mais voilà que la foule se met en tête de m'escorter. Et, Franck étant complètement débordé, je fais l'essentiel du kilomètre nous séparant du Tibesti entouré de dizaines de jeunes qui se disputent le privilège d'entourer un homme dont ils ne savent rien, qui ne leur a presque rien dit mais qui représente, à cet instant, l'Europe qui les a sauvés – l'un poussant l'autre, chacun prétendant mieux faire que son voisin, chacun bousculant chacun, l'écartant, le frappant s'il ne s'écarte pas, me heurtant au passage, me protégeant contre les autres et, en me protégeant, me bousculant ou m'empêchant d'avancer : le maigre service d'ordre officiel, celui, en uniforme neuf, que la Municipalité avait prévu, est affolé, dépassé, puis laisse carrément tomber – comment faire mieux qu'une foule en liesse ? comment lui résister ? et qu'importe si, dans la bousculade, l'obscur Français manque perdre une chaussure ou étouffer dans l'écharpe aux couleurs de la Libye libre qu'on lui a nouée, de force, autour du cou ? Je dis « l'essentiel » du trajet car, à 300 mètres de l'hôtel, à l'endroit où l'avenue s'élargit et où quelques rares voitures parviennent à circuler, il y en a une qui s'arrête et finit par me prendre à son bord. Mais, même là, l'escorte ne désarme pas. Car, même là, les plus tenaces, et aussi les plus téméraires, montent sur le toit et sur le capot, s'accrochent aux pare-chocs, aux vitres – et nous accompagnent jusqu'à l'hôtel. Etre une image, un signifiant, le nom sans nom d'une France que l'on acclame à travers moi – quel étrange aventure ! quelle bizarrerie ! Absurdité, bien sûr. Mais beauté du malentendu. Eh oui.

Mardi 12 avril, fin *(Un convoi dans la nuit)*

Mustafa El-Sagezli a tenu à nous préparer un dîner dans le jardin de sa maison des faubourgs de Benghazi. Il est content de nous montrer sa belle demeure, ses marbres, ses serviteurs, ses mets bien raffinés pour temps de pénurie, ses jolies nappes, sa vaisselle, l'armée de gardes du corps qui veillent sur le seuil et aux angles stratégiques, son fils parlant un anglais parfait, bref sa vie d'avant qui sera sa vie d'après quand son pays sera libéré et qui dit, à la fois, ce pour quoi il se bat et pourquoi il aurait, s'il l'avait voulu, parfaitement pu ne pas se battre et, comme tant d'autres, se planquer. Et c'est après dîner, donc tard, très tard, que nous prenons la route pour Tobrouk. Une voiture d'escorte en tête.

Ali et Mansour dans la deuxième. Puis Marc et Vojta. Puis Franck et Franco. Gilles et moi juste derrière. Même voiture qu'à l'aller. Même chauffeur à veste de cuir noir qui nous avait impressionnés avec sa façon de retirer la puce de son portable après chaque communication. Une dernière voiture suiveuse derrière nous. La nuit noire. Le brouillard. C'est idiot mais je ne pensais pas qu'il pût y avoir du brouillard dans le désert. Et puis, après que la voiture de queue nous a, Dieu sait pourquoi, doublés, prendre un mauvais embranchement, revenir sur nos pas, ne plus trouver personne, hésiter, reprendre le mauvais embranchement, se retrouver seuls, sans escorte, mais foncer quand même dans l'obscurité et rattraper le reste du convoi, à Tobrouk, devant le grand hôtel, complètement vide, où Ali nous a fait réserver des chambres. Il ne nous reste que deux heures, maintenant, avant de devoir repartir vers la frontière. Et je suis trop fourbu, de toute façon, pour dormir, membres rompus, tête vide, juste un bain. Aux premières lueurs de l'aube, nous reprenons la route vers l'Egypte, puis Marsa Matrouh, où nous arrivons pile à l'heure pour le décollage.

Mercredi 13 avril *(La véridique histoire du ralliement du général Younès à la révolution)*

L'Egypte.
Nous n'avons, dans notre opération de camouflage d'Abdelfattah Younès, oublié qu'un détail : le paramètre bureaucratique égyptien.

Le pilote, qui nous a attendus, avait déposé un plan de vol prévoyant un départ, à 9 heures, pour une liste précise de passagers.

Or nous arrivons avec trois passagers nouveaux, qui plus est libyens, que je ne lui ai pas annoncés (Fortia, l'homme de Tours et cousin de Mansour – et puis le Prince des chebabs avec son laptop et sans son lance-roquettes...) ; et cela suffit à créer une complication considérable.

L'agent d'escale commence par nous annoncer une petite heure d'attente, histoire de vérifier les nouveaux passeports.

Puis deux, mais avec autorisation d'embarquer et d'attendre dans l'avion.

Puis une troisième, son visage fermé, presque hostile et, il me semble, ironique.

A midi, voyant que nous entrons dans la zone critique où le rendez-vous à l'Elysée risque de faire les frais du retard, j'appelle Lévitte qui me dit que Nicolas Galey, son adjoint, va arranger les choses.

Une heure plus tard, Galey rappelle, embêté – « j'ai eu l'ambassadeur d'Egypte à Paris, celui de France au Caire, j'ai joint ou fait joindre nos contacts au plus haut niveau du nouveau pouvoir ; mais c'est un pouvoir bizarre ; on n'a plus, avec lui, les liens qu'on avait avec l'ancien ; ajoutez la force d'inertie propre à la bureaucratie égyptienne millénaire ; cela va s'arranger ; mais il faut attendre encore ».

A 14 heures, au énième coup de téléphone de Younès qui, lui, pendant ce temps, est arrivé au salon d'honneur de l'aéroport de Rome, ne comprend pas et trouve le temps long, je me fâche et demande au commandant de procéder à la mise en route de l'appareil

– pauvre coup de force qui n'a pour effet que de faire surgir une voiture de piste venant se positionner devant nos roues, puis une deuxième derrière nous.

L'Egypte millénaire a bon dos.

Je finis par me demander si nous n'avons pas là, surtout, l'illustration de ce que je pressens, depuis le début, de la relation entre la nouvelle administration égyptienne et le printemps libyen : pourquoi les Egyptiens ne viennent-ils pas au secours du « peuple frère » de Tripoli ? pourquoi leur armée, qui est l'une des plus puissantes de la région et pourrait, si elle le voulait, balayer les kadhafistes en quarante-huit heures, reste-t-elle l'arme au pied ? eh bien voilà… réponse ici, à travers la façon dont Mustafa El-Sagezli, chef des chebabs de Benghazi, se voit traiter par un obscur fonctionnaire qui, là-bas, au Caire, a la photocopie de son passeport entre les mains et entreprend de lui faire rater son rendez-vous avec le président de la République française.

Tout cela pour dire que c'est à 17 heures, soit l'heure prévue pour la rencontre avec Sarkozy, que nous sommes autorisés à décoller et qu'en comptant les trois heures de vol pour Rome, puis le temps nécessaire pour, s'il nous attend toujours, récupérer Younès, puis les deux heures de vol Rome-Paris, nous serons rendus au Bourget, au mieux, à 22 heures : qu'adviendra-t-il, alors, du rendez-vous élyséen ? sera-t-il reporté ? annulé ? transformé, maintenant que le dîner Cameron sera passé, en une rencontre avec un conseiller ? et, dans cette dernière hypothèse, la plus probable, que vais-je dire à Abdelfattah Younès que je voulais, jusqu'à hier, annuler mais que j'aurai, pour finir, dérangé et fait attendre pour rien ? Le cauchemar continue…

243

J'avoue que, la colère ayant cédé la place à l'abattement, puis l'abattement à la résignation, je n'ai, à cet instant, pas trop l'esprit à cet aspect des choses.

Si j'ai une idée en tête c'est celle, à la limite, du voyage à Misrata auquel j'ai renoncé à cause de ce plan calamiteux.

En sorte qu'aux questions, à peine plus réveillées, que posent mes compagnons, je réponds par un vague : « reporté ; nous arrangerons cela à l'arrivée, mais je suis sûr que le rendez-vous sera reporté » – juste pour avoir la paix.

Ali s'endort, aussitôt après le décollage.

Hassan, la paupière lourde, feuillette des magazines people.

Marc fait des images, à tout hasard.

Je me mets, sous l'œil de Mansour me précisant les détails qui me manquent, à rédiger ces notes.

Il n'y a guère que Gilles pour, avec El-Sagezli, poursuivre une conversation enflammée sur le plan miracle qui donnera le symbole de Koufra aux Français.

Et ce n'est qu'à l'escale de Rome – où nous attend un Younès que j'imagine piaffant de colère et d'impatience – que les problèmes vont se poser.

D'abord, et pour la petite histoire, nous frisons à nouveau l'incident quand les carabinieri montent à bord vérifier les passeports : Mustafa, quand il voit, par le hublot, une voiture s'approcher qui n'est pas encore celle d'Abdelfattah, bondit vers moi, très pâle, m'avouant qu'il n'a pas de visa Schengen – et j'ai juste le temps de l'enfermer dans les toilettes en priant pour que les policiers ne s'aperçoivent pas qu'il manque un passager par rapport au document de vol qu'ils ont entre les mains.

Mais, surtout, Abdelfattah Younès arrive, rasé de près, pimpant, étonnamment joyeux malgré les six heures passées à poireauter, un costume de bonne coupe remplaçant son uniforme de Benghazi et lui donnant meilleure allure encore ; il est flanqué de son fils Tarik, d'Ahmed al-Sharkassi, un homme d'affaires dont la sœur a épousé son autre fils et d'Issam al-Swilhi, un autre homme d'affaires qui a, peu ou prou, l'âge de son fils ; et la première question qu'il me pose c'est évidemment : « alors Sarkozy ? quand est, au juste, mon rendez-vous avec Sarkozy ? ».

Découvrant qu'il est le seul d'entre nous, dans toute cette agitation, à n'avoir pas été informé (ou, s'il l'a été, à n'avoir pas enregistré) que le rendez-vous était aujourd'hui, à 17 heures, et qu'il a donc été manqué, je songe qu'il sera bien temps de le lui dire à Paris et marmonne, à la libyenne, que « tout est sous contrôle ».

Comme le vague de ma réponse ne le satisfait visiblement pas, qu'il veut un lieu, une heure, quasiment un ordre du jour et qu'il a d'ailleurs préparé, comme El-Sagezli, tout un plan en vue de la rencontre (« là, dans ma serviette, ce dossier, regardez, à l'attention personnelle du président de la République française, lisez… ») j'envoie un message à Galey, mais juste avant le décollage et en sachant bien qu'il ne le lira pas car ils sont tous, à l'heure qu'il est, en plein dîner Cameron.

Et la vérité est que je passe le vol à éviter que l'on aborde le sujet. Ça tombe bien. Mustafa et Abdelfattah se connaissent. Que dis-je ? Ils tombent dans les bras l'un de l'autre. Car il se trouve que c'est le premier qui a négocié, en février, pour le compte des insurgés, le ralliement du second. Et ils ne se font pas prier pour raconter, dans le détail, avec al-Sharkassi qui a joué, lui aussi, un rôle dans l'histoire, la folle chronique de ces trois jours où le destin de la Libye, et le leur, a basculé. Mansour, comme d'habitude, traduit.

Récit d'al-Sharkassi venant, le 17 février, demander à Mustafa d'aller trouver Abdelfattah qui commande, pour le régime, la garnison de Benghazi.

Récit de Mustafa allant voir les juristes de la Corniche, futurs membres du CNT, qui lui confient un mémo dont le contenu est à peu près : « rejoins-nous, Abdelfattah ; épargne à ton peuple le bain de sang ; nous te laisserons la tête de l'armée, tu sauveras ton honneur ».

Suite du récit de Mustafa se présentant au camp des forces spéciales, celui-là même où nous l'avons connu, lui, mais qui est le QG, à l'époque, d'Abdelfattah et exigeant un tête-à-tête, sans Abdallah Senoussi, l'âme damnée de Kadhafi, qui est, ce jour-là, dans le bureau.

Les hésitations d'Abdelfattah, quand il prend connaissance du mémo : « je veux bien, oui, ne pas faire tirer ; je veux éviter le bain de sang ; mais je ne peux pas accepter que les manifestants, devant les casernes, conspuent le nom du Guide ».

Le téléphone, pendant la conversation, qui ne cesse de sonner. Mustafa, jusqu'à ce jour, n'est pas sûr d'avoir compris qui était au bout du fil. Cette voix stridente... Cette image d'Abdelfattah bizarrement respectueux... Cette façon de donner, à la Voix, du « Saïdi » en veux-tu en voilà et de répéter en boucle « tout va bien, Saïdi ; tout est sous contrôle, Saïdi »... Mais oui, répond Abdelfattah, en rugissant de rire ! Bien sûr que c'était lui ! Je peux bien te le dire aujourd'hui, c'était la voix de Kadhafi !

Ce deuxième rendez-vous, dans la même journée, où Abdelfattah demande à Mustafa de réfléchir à un accord amendé, qui intégrerait ses scrupules vis-à-vis de Kadhafi : « voici une carte Sim sécurisée ; je t'appellerai demain, à 11 heures précises ; je compte sur toi pour avoir trouvé une idée ».

Mustafa chez les juristes de la Corniche qui rédigent un nouveau mémo deal, mais plus dur encore, et sans la clause que souhaitait Abdelfattah : « cessez le feu ; livrez ceux qui, parmi vos hommes, ont tué des manifestants ; libérez Gogha ; autorisez les manifestations ».

Mustafa encore (mais s'adressant moins à moi qu'à Abdelfattah et al-Sharkassi qui sont en train de découvrir, avec passion, l'autre côté de leur histoire, son autre scène cachée) : « on est le lendemain matin, 11 heures ; à peine y ai-je mis la carte Sim que mon portable sonne ; c'est toi, al-Sharkassi, qui me fixes mon troisième rendez-vous, le jour même, à 14 heures, avec toi, Abdelfattah ; je n'en mène pas large, je peux te le dire, moi aussi, maintenant, quand j'entre dans ton bureau pour te remettre le nouveau mémo deal ; quelle garantie ai-je ? qui me dit que tu ne vas pas me faire arrêter ? et te souviens-tu qu'Abdallah Senoussi est entré sur mes talons et que tu m'as fait ressortir, puis rentrer au bout de dix minutes ? »

Mustafa toujours, mais à mon intention, Abdelfattah et al-Sharkassi l'écoutant comme les enfants à qui l'on narre, sur le ton du conte, leur propre histoire : « Abdelfattah est d'accord sur presque tout, ce jour-là ; il a abandonné, finalement, sa demande de respecter le Guide et souhaite juste que les jeunes n'entrent

247

pas dans la caserne ; bien, lui dis-je, laisse-moi ressortir, que j'aille en référer ; et, à peine suis-je ressorti, revenu sur la Corniche et ai-je transmis son vœu, que c'est lui qui me rappelle ; et, comme je lui expose que non, hélas, ceux de la Corniche sont inflexibles et que nul n'empêchera la prise de la caserne, il hurle : "quelle est la solution, alors ?" ; et je lui rétorque, les Messieurs de la Corniche autour de moi, dans la même pièce, me soufflant mes phrases : "la solution, tu la connais ; c'est le papier que je t'ai laissé hier et que tu as mis dans ta poche devant moi ; c'est notre dernier mot…" »

Et le même Mustafa se tournant, une dernière fois, vers Abdelfattah, les deux hommes à l'unisson maintenant, riant de conserve, se tapant dans la main en signe de parfaite complicité : « c'est toi qui l'as échappé belle, ce jour-là, Abdelfattah ; car j'avais aussi dans l'idée de te demander, tant que j'y étais, d'arrêter ce chien de Senoussi ; je ne sais pas pourquoi je ne te l'ai pas dit ; les choses sont allées trop vite ; tu m'as annoncé ton ralliement et je n'ai pas eu le réflexe de te poser cette ultime condition ; comment aurais-tu réagi ? est-ce que tu l'aurais fait, ce cadeau, à la révolution… ? »

Le récit, oui, les tient, nous tient, en haleine pendant le temps du vol.

Et l'avantage, encore une fois, c'est que le sujet délicat – le rendez-vous élyséen – est complètement passé à l'as.

Il est 23 heures quand nous atterrissons au Bourget.

Et là, miracle…

Mercredi 13 avril, fin *(Minuit à l'Elysée)*

Trois voitures officielles nous attendent.

Zéro formalités.

Zéro douaniers ni policiers.

Embarquement immédiat pour ce que nous avons l'habitude, avec Gilles, en souvenir des visites à Paris du président Izetbegovic, d'appeler le « Bosno-Rodéo » : pimpons, gyrophares, feux rouges systématiquement brûlés, coups de botte des motards d'escorte dans les portières des voitures qui ne se rangent pas sur-le-champ.

Et, au bout de vingt minutes de cette course folle, sans aucune explication et alors que nous pensions que l'on nous conduisait au Raphael, arrivée rue de l'Elysée, entrée latérale de la Présidence, où s'engouffre le cortège.

Le dîner Cameron doit être terminé. Car le Palais est désert. Au lieu des huissiers habituels, c'est un conseiller de permanence qui nous attend, bougon, au pied de l'escalier latéral, pour nous faire monter quatre à quatre, nous faire passer par des antichambres dont je ne soupçonnais pas l'existence et nous conduire (nous sommes, en comptant le fils d'Abdelfattah, Hassan, al-Sharkassi, Mansour, Ali, Fortia, les deux chefs militaires, un ami d'Abdelfattah qui nous attendait au Bourget et moi, dix) jusqu'à la salle de réunion, celle-là même où ont été reçus, il y a un mois, mais en grande pompe, le jour de la reconnaissance officielle du CNT, Jibril, Essaoui et Ali.

Entrent, par une autre porte, Jean-David Lévitte ; Nicolas Galey ; le chef d'état-major particulier du

Président, le général Puga ; et puis, sans protocole, les yeux cernés, Nicolas Sarkozy.

Et c'est ainsi que, dans ce palais endormi, glacial, qui ressemble à une salle des fêtes après extinction des lampions, dans ce climat bizarre où chacun reprend, d'instinct, sa place habituelle (les Français d'un côté ; les Libyens, plus moi, de l'autre – nous sommes d'ailleurs trop nombreux ; il faut que Galey se lève pour aller, dans l'antichambre, chercher deux chaises supplémentaires et le fils d'Abdelfattah restera debout tout l'entretien...), dans ce climat étrange, fantomatique, où les perspectives mêmes de la pièce paraissent changées, s'engage le dialogue le plus inattendu dont j'ai été le témoin, à Paris comme à Benghazi, depuis le début de cette aventure.

C'est le Président qui commence, en français, traduit par la même interprète officielle que le matin de la reconnaissance du CNT.

« David Cameron est à Paris. Nous avons décidé d'intensifier les frappes et de passer à la vitesse supérieure. Kadhafi ne doit pas douter de la force de notre détermination. Il n'y a pas l'ombre d'une nuance entre nous sur ce point. Pas l'ombre... »

Abdelfattah l'interrompt. Sans uniforme, avec son costume gris souris bien coupé, son visage reposé, il ne manque décidément pas de chic et force l'attention.

« Monsieur le Président, commence-t-il en anglais, la voix un rien grandiloquente, et comme s'il tentait, mais sans y parvenir, de se rebrancher sur la qualité d'émotion qui l'avait submergé, l'autre jour, à Benghazi, dans son bureau, au retour de la Control Room, Monsieur le Président, le peuple de Benghazi, ses citoyens, les forces de défense que j'ai l'honneur de commander, savent ce qu'ils doivent à la France... »

Sarkozy fait « oui » de la tête – il ne se formalise pas de la façon qu'a cet officier au physique Clint Eastwoodien de lui couper la parole ; mais il fait l'homme qui sait cela et aimerait qu'on en vienne au fait.

« Monsieur le Président, notre gratitude traversera les générations. Nos fils (il se tourne vers son fils), vos fils (il le désigne, lui), nos petits-enfants, les vôtres, et encore les enfants de nos petits-enfants, resteront liés par cette fraternité qui nous unit quand nos chebabs (il jette un coup d'œil à El-Sagezli, mais moins pour le prendre à témoin que pour s'assurer qu'il ne va pas profiter de l'allusion pour lui ravir, à son tour, la parole) hissent le drapeau français aux côtés du drapeau libyen sur les lignes de front. Nous avions des liens historiques. Nous avons, désormais, des liens de sang... »

Il fait le geste de relever sa manche et de montrer les veines de son poignet. Mais il bataille avec son bouton de manchette, n'y parvient pas et c'est Sarkozy qui, faisant encore oui de la tête, le presse de continuer.

« Monsieur le Président. Nous avons besoin d'aide. Les avions de Kadhafi, grâce à vos avions, sont cloués au sol. Mais il garde des forces. Et nos combattants n'ont presque rien. En sorte que... »

Le Président, cette fois, l'interrompt. Cet homme doit lui rappeler quelqu'un, ou quelque chose, ou peut-être l'impressionner. Car je le trouve étonnamment patient. Mais il finit, quand même, par l'interrompre.

« Nous vous aidons déjà. Nous avons reconnu, ici même, dans cette pièce, votre Conseil national de transition... »

Il se tourne vers le général Puga, assis à sa droite et ajoute :

« Vous avez d'autres amis qui vous livrent beaucoup de choses. Et cela se fait, vous le savez bien, avec l'accord de la communauté internationale. Est-ce que quelqu'un, parmi vous, imagine une seule seconde que, quand le Qatar par exemple, vous soutient, cela puisse se faire sans l'assentiment du reste de la coalition ? »

Il s'est tourné, cette fois, vers nous, feignant de vérifier, en un tour de rhétorique typiquement sarkozien, que nul, autour de cette table, n'imagine une seule seconde que etc. Puis, sans transition, soucieux :

« Alors, bien sûr, nous avons des alliés. Et nous devons faire avec ces alliés. »

Mine rembrunie de celui qui ne peut même pas dire à quel point il est difficile de faire avec ces alliés.

« Vous avez les Grecs, par exemple. Il va falloir leur apprendre à vivre, aux Grecs. Il va falloir expliquer à Monsieur Papandréou qu'il nous met un peu trop de bâtons dans les roues. On ne peut pas empêcher une opération sans y être. On ne peut pas espérer saboter, alors qu'on n'est même pas dans le bateau… »

Puis, me prenant, je ne sais pourquoi, à témoin.

« C'est comme les Turcs. Ils prennent une grande responsabilité au regard de l'Histoire, les Turcs… »

Il lève le doigt et répète, toujours à mon intention, comme si c'était moi qu'il menaçait :

« Une grande responsabilité ! Mon Dieu, comme je me félicite de les avoir bloqués lors du débat sur leur possible entrée en Europe. »

Et puis, plus grave, un ton en dessous, à l'intention, cette fois, des Libyens :

« C'est comme les Américains. Cela me navre que les Américains soient en arrière de la main. Mais rassurez-vous : avec David Cameron, nous allons les ramener dans le jeu ; ce n'est pas possible que notre ami Barack Obama n'écoute pas nos arguments et reste à l'écart de cette opération. »

Ali, qui n'a pas encore pris la parole, demande si la France et l'Angleterre pourraient, en mettant les choses au pire, se débrouiller sans l'Amérique.

« J'ai répondu à cette question, répond-il, lors de notre première rencontre ! »

Il a reconnu en Ali l'un des membres de la troïka du 10 mars, ce qui n'est pas très surprenant. Ce qui l'est davantage c'est qu'il se souvienne du détail de ses propos d'alors.

« Il y a des moyens que l'Amérique est seule à avoir. Et nous avons, au moins techniquement, besoin de ces moyens. Mais, pour le reste, oui, nous pourrions, je vous l'avais dit, opérer sans eux. »

Il se tait quelques instants. Paraît réfléchir. Puis précise sa pensée.

« C'est une question assez théorique. Car Barack Obama peut raconter ce qu'il veut : je ne vois pas les Américains venir expliquer au monde qu'ils n'en sont pas. Maintenant, si votre question est : "cette guerre restera-t-elle, dans l'ensemble, une guerre européenne ?", la réponse est : oui, dans l'ensemble, elle restera une guerre européenne. »

Il répète, comme pour lui-même :

« Une guerre européenne. »

Puis, traçant sur la feuille de papier, devant lui, un début de dessin bizarre, il précise :

« C'est nous qui, selon toute vraisemblance, continuerons de fournir l'essentiel des moyens et de mener les frappes. »

Puis, ton de celui qui, les préliminaires achevés, veut en venir aux choses concrètes :

« Alors, justement, les moyens… Je vous demande la plus extrême discrétion sur ce point, naturellement… »

Il répète, comme s'il voulait être sûr qu'on l'a compris :

« La plus extrême discrétion… »

Puis, après avoir, de nouveau, balayé la table du regard comme pour souligner que l'exhortation s'adresse à chacun :

« Les instructeurs, déjà. Nous en avons combien, au juste, des instructeurs français au sol ? »

Il se tourne vers Lévitte qui, gêné, fait une réponse inaudible.

« Peu importe le nombre exact. Des Français parlant arabe, on vous en a mis un certain nombre. On va, dans les jours ou les semaines qui viennent, en remettre encore. Et personne ne pourra dire que nous n'aurons pas pris nos responsabilités. Non. La vraie question c'est celle des moyens matériels qui vont avec. Vous avez besoin de quoi, au juste ? »

C'est Mustafa El-Sagezli qui, sortant de sa poche la liste qu'il nous avait donnée à Benghazi et se levant pour, sans façon, la faire glisser, à travers la table, jusqu'à la place du Président, prend, cette fois, Abdelfattah de vitesse.

« De ceci, Monsieur le Président. Voici la liste de ce dont nous avons d'urgence besoin. »

Sur quoi, restant debout, plus petit qu'Abdelfattah, mais grandi par son aplomb ainsi que par cet « uni-

254

forme » de chef des chebabs (foulard à damier, chemise bleue à carreaux, jean façon treillis, tennis) qu'il avait quand nous l'avons fait chercher, hier, à Benghazi, et qu'il n'a pas quitté depuis, il se lance, lui aussi, dans un développement aux accents lyriques et dont je sens qu'il l'a, comme Abdelfattah, préparé. Gratitude, à nouveau… L'affaire de ce stade de Benghazi qui s'appelait Chavez et qu'on a débaptisé pour l'appeler stade Sarkozy… Et puis, reprenant, mot pour mot, une histoire que je lui ai racontée dans l'avion (mais en forçant le trait et sans me douter qu'il allait la resservir, telle quelle, à l'intéressé), il dit combien le peuple de Benghazi aime l'idée d'un Président français qui, le samedi du déjeuner des chefs d'Etat, la « dernière bouchée avalée », sans prendre le temps « ni de boire son café ni de replier sa serviette », téléphone à son chef d'état-major pour donner le top des opérations.

Sarkozy sourit. Et corrige.

« C'est un peu plus compliqué que cela. Vous imaginez bien que, pour que les avions frappent à 17 heures, il fallait qu'ils soient dans le ciel dès 9 heures. Pour qu'ils soient dans le ciel dès 9 heures, il fallait que l'ordre ait été donné la veille au soir. Et, pour être en mesure de donner l'ordre la veille au soir, il fallait que l'on se soit préparé plusieurs jours auparavant. Autrement dit : pour pouvoir frapper, comme vous dites, la dernière bouchée avalée, il a fallu prendre des libertés – que cela reste entre nous – avec la loi internationale. »

Silence autour de la table. Regard embarrassé des conseillers. Mais le Président veut conclure et, prenant la liste d'El-Sagezli, puis découvrant qu'elle est en arabe et la reposant donc, il répète sa question.

« De quoi, au juste, avez-vous besoin ? »

Mustafa, à qui j'ai discrètement fait passer un papier lui enjoignant d'être bref, résume sa liste en cinq minutes puis expose les grandes lignes de son plan de cisaillage de la Libye par le milieu.

Abdelfattah, jugeant qu'il ne peut pas, sur ce terrain, se laisser damer le pion par un civil et peut-être, qui sait ? par ce civil-ci en particulier, profite d'un instant de silence pour reprendre l'avantage et expliquer qu'il a besoin d'armes antichar pour Benghazi mais que l'autre idée, le plan auquel nul n'a pensé mais que lui, grand stratège devant l'Eternel et bon connaisseur, de surcroît, de la psychologie de son ennemi, vient présenter est d'armer les combattants du Djebel Nafoussa, ces régions montagneuses, au sud de Tripoli, où Arabes et Berbères, mêlés, au coude à coude, résistent au tyran.

Il sent qu'il marque un point ; il sent une qualité de silence nouvelle autour de la table et, donc, en remet une louche – un soupçon d'exaltation dans la voix.

« On fera d'une pierre deux coups, Monsieur le Président. Ou même trois. Et pourquoi pas quatre. D'abord, au Djebel Nafoussa, on est au-dessus de la capitale. Ensuite, on a là, je les connais bien, des guerriers redoutables et, s'ils sont armés, invincibles. Kadhafi, troisièmement, s'attend à tout sauf à cela et sera donc pris par surprise. Et puis on règlera, au passage, dans le feu du combat partagé, une rivalité ancestrale entre tribus arabes et berbères. »

Les Libyens écoutent.

Les conseillers notent.

256

Le Président, lui, ne note rien – mais il y a, dans son regard, après qu'Abdelfattah a terminé, un air de gravité qui indique que l'idée lui plaît.

Quant à moi, je l'observe prenant mentalement note de l'idée ; j'observe cette espèce de gravité, presque de solennité, qui a envahi son visage, jusque-là plutôt jovial ; et, peut-être à cause du caractère fantomatique de la scène, peut-être aussi à cause de la fatigue, la mienne, qui commence de me brouiller les idées, mais la sienne aussi, qui lui brouille les traits, je me surprends, en l'observant, à voir défiler, sur le théâtre de ce visage, les masques successifs dont je l'ai vu s'affubler depuis le temps que je le connais et qui résument sa biographie (le jeune loup de 1983, le chiraquien mimétique, le dauphin du balladurisme, le loup défait des européennes de 1994, le conquérant de 2007) – et puis, là, tout à coup, au bout de ces images qui glissent comme les pages d'un livre de vie, cet air de détermination nouveau dont je ne suis pas sûr qu'il soit un masque.

« C'est clair, fait-il enfin. C'est très clair. »

Puis, se tournant vers Puga, avec l'assurance de celui qui n'a plus de doute.

« Vous verrez tout cela demain. Vous allez vous voir entre professionnels, entre hommes de l'art. Et vous verrez ça dans le détail. Mais, sur le principe, c'est clair. »

Sur quoi il se lève, d'une démarche un peu incertaine, donnant à la compagnie le signal que la séance est terminée.

Le fils d'Abdelfattah à qui son père, dans l'avion, avait dit qu'il ressemblait à Sarkozy demande encore un petit instant pour avoir une photo avec lui : le

Président est d'accord et c'est al-Sharkassi qui, avec son téléphone portable, se précipite pour prendre le cliché.

La troupe s'agglutinant autour de l'écran du téléphone pour s'extasier de l'image historique et quelqu'un (peut-être Ali, ou Mansour, ou juste Abdelfattah, je ne sais plus) s'exclamant : « mais oui ! c'est incroyable ce que vous pouvez vous ressembler », le Président s'approche aussi, regarde et, peut-être parce qu'il veut détendre une atmosphère dont il sent, lui aussi, qu'elle s'est exagérément alourdie, répond : « vous n'êtes pas gentil avec ce garçon, il est beaucoup plus beau que moi ».

Le garçon, enhardi par tant de familiarité et regrettant peut-être de n'avoir pas pu prendre la parole, répète, alors que nous sommes déjà en train de franchir le seuil de la pièce, que le peuple libyen « n'oubliera jamais ce mouvement d'opinion qui traverse le peuple français et le rapproche du peuple libyen » ; blagueur à nouveau, et comme s'il voulait, décidément, couper court à la tonalité tragique qu'il a laissé s'installer, le Président répond : « l'opinion française, n'exagérons rien » ; puis me désignant : « il n'y a guère que lui, dans ce pays, pour me soutenir – le reste... ».

Mansour lui ayant répondu : « nous le savons, et c'est pour cela qu'il est si populaire à Benghazi », il éclate d'un bon rire qui le rajeunit, me donne une bourrade et répond : « eh bien prenez-le-nous ; il se présentera ; il sera élu ; et comme ça nous pourrons avoir, lui et moi, des relations diplomatiques normales ».

Nous nous quittons là-dessus.

Cette fois pour de bon, nous nous quittons.

Les voitures sont toujours là qui nous ramènent, au même train d'enfer, jusqu'au Raphael où il me reste à régler un problème de chambres pour les deux policiers, un homme et une femme, dont je n'avais pas compris qu'ils devaient, eux aussi, avec la délégation, dormir sur place.

Il est une heure du matin.

La réunion a duré presque une heure.

Jeudi 14 avril *(Panhard Intermezzo)*

Après la gravité, le cocasse. Et même la farce. A croire que, dans le rythme de cette guerre, c'est une alternance obligée. Il est midi. Nous sommes tous au Raphael. Les Libyens viennent de revenir de leur rendez-vous entre « hommes de l'art » et ont obtenu, dans le plus grand secret, confirmation de la décision française de les aider à ouvrir ce nouveau front, au sud de Tripoli. Ils sont contents. Des chauffeurs doivent les prendre à 17 heures pour les mener à Villacoublay où les attendra un Transall de l'armée de l'air qui, comme promis, les ramènera à Benghazi. Et il leur reste quelques heures, l'un pour découvrir Paris, l'autre pour la redécouvrir, le troisième pour aller, chez Hugo Boss, sur les Champs-Elysées, faire provision de chemises, le quatrième, Mustafa, pour recevoir, dans le hall de l'hôtel qui prend des airs de fête, ses lointains cousins d'Aubervilliers – et Abdelfattah Younès pour, tour à tour, comme au confessionnal, accueillir tel ancien ambassadeur à Paris ou à l'Unesco, tel ancien kadhafiste qui a, comme lui, fait défection, des amis de son fils, des hommes d'affaires.

Entre alors, et vient aussitôt vers moi, un Français, cinquantaine, chauve, une grosse sacoche en cuir sur l'épaule, faux air de Bernard Blier dans le rôle de l'inspecteur Morvandieu dans *Buffet froid*, une carte de visite à la main, bonne tête.

« Vous êtes Bernard-Henri Lévy ? Je m'appelle Christian Mons. Je suis le président de Panhard.

— Enchanté, dis-je, vraiment enchanté. »

Je suis un peu surpris qu'on fabrique toujours des Panhard. Mais, ne conduisant pas et ne connaissant rien aux voitures, je ne suis pas non plus surpris d'être surpris. Et c'est vrai, en outre, que je suis enchanté – le mot même, « Panhard », me rappelant, comme Aronde et Simca, les voitures de mon enfance.

« J'ai l'impression que ça s'est bien passé, dit l'homme, nuance de complicité dans la voix.

— Oh mieux que bien, fais-je, enthousiaste ! Tout le monde est très content.

— Et la réunion de ce matin, aussi bien que celle de cette nuit ?

— Naturellement. La mise en musique de ce qui avait été décidé. Rien de plus, mais rien de moins.

— Bien, bien. »

Il a, vraiment, l'air content. Cela fait plaisir à voir, comme cet homme est content. Je me dis que ce doit être un ami de Younès qui s'inquiétait mais qui se réjouit, du fond du cœur, du succès de la mission. A moins que Panhard n'ait des intérêts en Libye ? Une sous-marque ? Une usine ?

« Donc, tout est en ordre, répète-t-il, un peu lourd mais toujours content.

— Je crois, oui.

— Vous croyez, ou vous êtes certain ?

— Je suis certain, voyons. Je n'étais pas à la réunion de ce matin. Mais je n'ai pas de doute, non, sur le fait que tout soit en ordre.

— Et les détails ? »

Il a dit « les détails » avec un geste du bras qui semblait balayer le lobby et, au passage, la conciergerie et la caisse. Je comprends soudain que cet ami est aussi un bienfaiteur, soutien de la cause libyenne qu'il venait, en réalité, payer la note.

« Les détails aussi, dis-je, avec le geste, moi, que l'on a, au restaurant, quand on veut dire à un convive que l'addition est pour soi et que l'invitation n'est pas négociable.

— Depuis quand, insiste-t-il, tenace ?

— Depuis hier soir, je lui réponds, décidé à ne pas lâcher.

— Parce que c'est important, pour moi, n'est-ce pas, d'en être certain.

— Je comprends, bien sûr. Mais pour moi aussi. Ça me fait plaisir.

— Bon, répète-t-il, l'air tout de même embêté... Bon... »

Puis, carrément gêné, rosissant :

« Votre parole me suffit, naturellement.

— J'espère bien !

— On ne doute pas de la parole de Bernard-Henri Lévy. Mais peut-être pourriez-vous...

— Oui ?

— Je ne sais pas... M'obtenir confirmation de ça par écrit... »

Je commence à trouver ce type, et cette conversation, franchement étranges. Mais, comme je tarde à répondre, il prend mon silence pour un assentiment et enfonce le clou.

« Juste une signature. Une toute petite signature qu'il faudrait demander à qui de droit. Je dois avoir le formulaire ici, dans mon sac... »

Il pose sa sacoche de cuir sur le comptoir des concierges. J'aperçois, rangés dans le fond, quand il l'ouvre, des catalogues. Et, oubliant mon instant d'agacement, je n'ai d'yeux, tout à coup, que pour ces beaux catalogues où j'ai très envie de voir à quoi peuvent bien ressembler les Panhard d'aujourd'hui. Mais l'homme, comme s'il lisait dans mes pensées et voulait faire durer le plaisir, s'arrête à mi-geste et, lueur coquine dans le regard, murmure :

« C'est que nous avons des belles pièces, vous savez.

— Je n'en doute pas, fais-je, dévoré, maintenant, de curiosité.

— De très belles pièces.

— Oui. Je brûle que vous me les montriez.

— Parce qu'il faut que vous sachiez que, si j'ai le feu vert, les choses peuvent aller vite.

— Les choses ?

— Oui. Les commandes. Car je vais vous confier un secret...

— Allez-y. »

Il a l'air, là, carrément lubrique et c'est toute la situation qui commence à me sembler démente. Des commandes de Panhard pour Benghazi ? Cela n'a pas de sens. Il baisse la voix. Et, presque à l'oreille, me souffle :

« Le matériel est sur zone, en fait. C'est du très beau matériel. Et comme l'acheteur – vous voyez qui je veux dire – ne l'a jamais payé, nous pouvons livrer très vite... »

Je comprends, à cet instant, que nous nageons en plein malentendu ; que Panhard ne fabrique plus, depuis longtemps, les « Dyna X » de mes parents ; que le sosie de Bernard Blier vend, en réalité, du matériel militaire ; et que le papier qui lui manquait et dont il voulait, je suppose, que j'accélère la signature est l'accord d'exportation pour matériel sensible requis en ces matières... J'éclate de rire. Et refermant, d'autorité, sa sacoche comme si un diable allait en sortir, n'ayant plus la moindre, mais vraiment la moindre, envie de voir sa marchandise, je lui explique que je n'ai rien à voir avec tout ça, rien de rien – et l'amène, illico, au bout du lobby, là où Younès tient confessionnal et salon.

Younès, lui, comprend tout de suite. Il ne veut rien savoir pour aller s'enfermer, comme je le lui suggère, dans le salon jaune que j'ai bloqué, tout à l'heure, pour une interview de Souleiman Fortia avec le *Los Angeles Times* (je sens qu'il voit ce salon comme une punition qui le priverait de la joie de faire ses emplettes militaires en même temps qu'il voit entrer et sortir, salue, embrasse, ses amis libyens de Paris). Mais, pour comprendre, il comprend. Et c'est ainsi que le généralissime Abdelfattah Younès, ancien homme lige de Kadhafi et, désormais, commandant en chef de la défense de Benghazi et des forces libyennes libres se met, là, en plein passage, sous les yeux ahuris des concierges, des chasseurs et des clients japonais qui sortent déjeuner, à feuilleter un catalogue titré « Une gamme complète d'engins à roues pour le soutien, la sûreté et le combat de contact » et à y faire ses achats – comme Souleiman Fortia ou al-Sharkassi les leurs chez Hugo Boss.

De la conversation entre les deux hommes, je ne surprendrai, bien malgré moi, qu'un échange.

C'est le faux Bernard Blier qui, le catalogue ouvert sur une double page montrant deux modèles de chars apparemment identiques, explique au général que ce sont les roues blindées qui font la différence et qu'il lui en coûtera, s'il choisit cette option, je ne sais combien de dizaines de milliers de dollars supplémentaires par roue.

Et c'est Abdelfattah qui, grand seigneur, sur un ton très « allez, c'est ma tournée », répond qu'il opte pour l'option et est prêt, si cela peut rendre service et accélérer la livraison, à payer comme on voudra – virement, chèque, cash, aujourd'hui même, tout est possible.

Vendredi 15 avril *(Avec le chef des aviateurs français)*

Paris.

Général Jean-Paul Palomeros.

Chef d'état-major de l'armée de l'air.

C'est lui qui a demandé à me voir.

Pourquoi ? Je n'en sais rien. Car l'homme est sympathique mais réservé. Courtois mais peu bavard. Et je passe une heure avec lui, dans son bureau, porte de Versailles, sans qu'il me l'ait clairement exprimé.

Peut-être veut-il juste me remercier, comme il le dit, pour mes « prises de position » et le « rôle que j'ai joué ».

Peut-être l'idée est-elle de me passer un message prenant à revers l'argument de l'usure des appareils, de la rupture imminente des stocks de munitions, ou de l'épuisement des pilotes – « quelques pays, c'est vrai, ont ce type de problème et c'est, d'ailleurs, une bonne chose qu'ils aient une expérience grandeur nature qui leur permet de s'en aviser ; mais pas nous ; pas la France ; notre outil militaire est, nous le découvrons tous les jours, extrêmement performant ; et cela, nous le devons à la ténacité, depuis des décennies, de nos responsables politiques et de nos chefs ».

Ou peut-être avait-il juste envie de connaître ce bizarre civil qui n'a pas de tendresse particulière pour son institution, qui n'a même pas fait de service militaire, mais qui a plaidé pour l'intervention et qui, aujourd'hui, fulmine, comme lui, contre la légèreté, la désinvolture, le déficit de sens républicain, de celles et ceux qui hurlent à « l'enlisement » et voudraient tout stopper.

De mon côté, j'avais un premier but qui était de l'interroger sur Misrata où j'ai, depuis mon retour, la ferme intention d'aller.

Et un second : lui soumettre, à tout hasard, carte de Libye en mains, et maintenant que le plan Younès est passé, le « Plan Koufra » de Mustafa El-Sagezli.

Sur Misrata, il ne m'a pas donné, hélas, d'information que je n'eusse déjà.

Sur le second point, il m'a écouté ; il m'a, cela va de soi, posé les bonnes questions (à commencer par celles auxquelles je ne pouvais pas répondre) ; et nous nous sommes quittés sur l'idée que, Koufra ou pas, que l'on retienne ou non ce plan de cisaillage de la Libye, Kadhafi a perdu, de toutes façons perdu – et que nous arrivons au point de rupture, le vrai, celui où il sera contraint de se rendre ou d'abdiquer.

Samedi 16 avril *(Un tonton flingueur nommé Lanzmann)*

Article de Lanzmann, dans *Le Monde*.

Il m'avait prévenu, dans la nuit, par un e-mail étrange. « Mon cher Bernard, tu liras demain dans "Le Monde" (ou même aujourd'hui car il est 1 h 15 a.m.) un article signé de moi qui te causera du déplaisir. Malgré la signature qui m'a été arrachée, je n'approuve rien de ton action en Libye et du chantage que tu exerces sur des politiques impressionnables (impressionnés par toi, à coup sûr). Tu n'es pas le maître du monde et, si tu le crois, tu vas te casser la gueule, tu perds la boule et les pédales, cela m'attriste au plus haut point. Je t'ai vu dans le Charlie Rose show, ton anglais est sans faute, mais tu es fermé à tout argument contraire. Je n'oublie rien de ce que tu as fait pour moi, de ta générosité à mon endroit, je te garde mon amitié, je ne crois pas que tu me garderas la tienne. Je le déplorerai et le déplore déjà. Pense qu'il m'a fallu de très bonnes et très profondes raisons pour faire ce saut. Je t'embrasse. Claude. »

Quelles sont ces grandes et profondes raisons ? Une pression ? Une recommandation ? Sa vision, personnelle, mais vécue comme impérieuse, des intérêts d'Israël face à la vague des révolutions arabes ? Ou juste son caprice ? Cette jalousie maladive qui vise tous ses contemporains, sans exception, sur absolument tous les terrains, des plus sérieux aux plus absurdes (je n'ai jamais vu l'un de ses amis réussir un texte, un livre, accomplir une performance sportive, nager, plonger, s'honorer d'une tierce amitié, sans qu'il éprouve le besoin de dire qu'il est capable d'en faire autant et que, sur ce chapitre-ci, il n'est pas moins le premier que sur celui du cinéma) ? Ou bien, comme me le dit une de ses amies, le fait qu'il serait un homme d'un autre temps, juste d'un autre temps, et que le principe même de cette guerre des airs le révulserait ?

Je me rappelle, dans *Le fond de l'air est rouge*, la rage froide de Chris Marker face à ces avions américains aux arabesques gracieuses dont le ballet délicat faisait si bon ménage avec la napalmisation du Vietnam. C'est peut-être cela que pense Lanzmann. Peut-être est-ce là qu'il en est. Et en témoignerait son bizarre éloge, daté en effet, de la guerre de près, au corps à corps – la vieille idée, très Drieu, très Montherlant, très Barrès, que mieux vaut la guerre virile, au contact, que la guerre abstraite, et d'en haut. Je n'aime pas penser cela. J'ai trop d'amitié, de tendresse, de respect pour Claude pour le mettre, en l'espèce, dans ce sac-là. Mais qui sait ? En tout cas, la bagarre idéologique commence. Tout le prestige de l'auteur de *Shoah* jeté dans la bataille. Mais de l'autre côté, le mauvais, celui des souverainistes et des anti-ingérence. C'est embêtant.

Mardi 19 avril *(Lanzmann encore...)*

Mon article dans *Le Monde* d'hier où, rendant compte de mon deuxième séjour à Benghazi, je lance une première pique contre Claude. Mon bloc-notes qui ne va pas tarder. Et l'article de Gilles, « Tchao Lanzmann » que publie *Libération* ce matin. C'est trop. Je n'aime pas cela. Mais que faire d'autre ? D'autant que je viens de recevoir une nouvelle information qui m'a sidéré. Je suis en train de dîner. J'ai envoyé un message au Président lui disant que je serais heureux, s'il le souhaite, de parler avec lui de la visite à Paris, demain, du président Abdeljalil. Il me rappelle. Mais, avant d'en venir au sujet de la visite, il me raconte cette histoire qui, si ce n'était déjà fait, suffirait à me fâcher avec Claude. Samedi, après déjeuner, celui-ci commence à bombarder son secrétariat d'appels urgents. Le secrétariat, au bout de trois jours, de guerre lasse, finit par le rappeler et lui passer le Président. « Avez-vous lu mon article, demande Claude ? – Quel article, demande Sarkozy qui tombe des nues ? » Et lui, alors, Claude, de se lancer dans une diatribe contre moi, contre mes « méthodes », contre ma façon d'« instrumentaliser » les institutions de mon pays au bénéfice de mes objectifs et intérêts personnels qui laisse le Président pantois – et moi atterré par cette modalité inédite de l'affrontement intellectuel.

Mercredi 20 avril *(Un Libyen à Paris)*

Visite officielle, à Paris, de Mustafa Abdeljalil. Je n'aurais pas détesté assister à l'entretien. Mais Lévitte m'a appelé, hier soir, pour me proposer ce qu'il appelle notre « règle du jeu » pour les « épisodes » à venir : « quand c'est vous qui nous amenez les rebelles, vous êtes là ; quand c'est la République, vous vous effacez et laissez la place à ses représentants accrédités ». Rien à objecter. Et c'est donc, pour partie, à distance que je suis le déroulement de cette journée à tous égards mémorable. Je résume.

10 heures, Le Bourget. Je suis là, avec Ali Zeidan, pour accueillir le président libyen et lui donner, s'il le souhaite, deux ou trois éclairages. Il le souhaite ? Bien. L'événement ivoirien, déjà. L'importance, en France en général, et pour Nicolas Sarkozy en particulier, de la façon dont a été menée la destitution de Gbagbo. Le fait que Kadhafi est en train de se « Gbagboïser » et qu'il y a, forcément, pour la chute prochaine de Kadhafi, des leçons à tirer du scénario de la chute de Gbagbo. La question africaine en général. La question de ces chefs d'Etat d'Afrique, amis et alliés de la France, que Kadhafi a achetés, qu'il traite comme des larbins et qui lui font un glacis protecteur qu'il y a, selon moi, urgence à briser. Je lui conseille, naturellement, de rappeler à Nicolas Sarkozy l'invitation à venir à Benghazi ainsi que la promesse faite à Younès, le 13 avril, et qui tarde à se concrétiser, d'armer les Berbères de la montagne. Et je lui conseille, enfin, de demander trois cents forces spéciales, à partager avec la Grande-Bretagne, pour guider les frappes, entraîner les commandos d'élite libyens et, le moment venu, prendre Koufra. Mustafa Abdeljalil écoute. Il ne répond rien, ou presque, mais il écoute.

12 h 30. L'entretien terminé, appel du président français – heureux, me dit-il, de la façon dont les choses se sont passées. Il ne connaissait pas Abdeljalil. Il l'a trouvé fiable, mesuré, fin politique, désintéressé. Et il a pris, devant lui, un certain nombre d'engagements forts : intensification des frappes autour de Brega et de ses terminaux pétroliers ; opération spéciale sur Misrata, pour desserrer l'étau qui broie les populations civiles ; accentuation de la pression sur les pays africains amis, dont la France ne tolérera plus qu'ils se

conduisent en pourvoyeurs de mercenaires et dont elle aimerait, par ailleurs, que se fracture le bloc ; satisfaction partielle, enfin, des deux ou trois requêtes, y compris les commandos d'élite, que j'avais soufflées à Abdeljalil et qu'Abdeljalil a endossées. Une fois de plus, sa fermeté m'épate. Une fois de plus, je suis saisi par cette détermination que rien n'entame, par cette volonté d'aller au bout. Quel chemin depuis le temps – premiers mois de sa présidence – où ses gestes politiques semblaient être autant de gadgets dont il se lassait aussi vite qu'il s'en était emparé (appel aux mânes de Jaurès... célébration de la mémoire de Guy Môquet...). Quelle différence, même, avec l'époque – elle, pas si lointaine – où il s'entichait, mais pour l'oublier aussitôt, de l'idée de l'adoption des petits morts de la Shoah par les enfants des écoles françaises (j'avais détesté l'initiative ; je l'avais, comme beaucoup, combattue ; mais ce qui m'avait le plus surpris c'est l'aisance avec laquelle, devant la levée de boucliers qu'elle provoquait, il avait passé sa proposition à la trappe). Là, c'est le contraire. Zéro trappe. Absence, apparente au moins, de frivolité. Et un esprit de suite dont il faut bien dire qu'il force le respect. Que s'est-il passé ? A-t-il changé ?

13 heures. Je retrouve Abdeljalil et Essaoui dans leur suite de l'hôtel Meurice où ils me font, entrecoupé par la sonnerie des téléphones portables qu'ils n'ont pas perdu la manie de laisser ouverts, le récit-miroir de la rencontre. Nous avons un peu de temps. Abdeljalil est détendu. J'en profite pour l'interroger – c'est la première fois – sur l'affaire des infirmières bulgares. La bonne nouvelle c'est qu'il n'est devenu ministre de la Justice qu'en 2007, soit à la fin de l'affaire. La mauvaise

c'est qu'il a tout de même présidé la Haute Cour qui confirma en appel la condamnation des malheureuses. Et la très mauvaise c'est qu'il semble, d'après son récit, que la ville de Benghazi elle-même, ses citoyennes et citoyens, mes amis de la Corniche, mes chebabs insurgés et vaillants, aient été massivement convaincus de leur culpabilité. Eh oui. Je ne croyais pas si bien dire. La liberté a besoin de temps. Et l'on ne chassera pas, en un jour, le Kadhafi de la tête des Libyens.

20 heures. Sixième étage du Raphael. J'organise, pour lui, avec quelques journalistes (et, aussi, Lionel Jospin dont j'ai pensé, on n'est jamais trop prévoyant, qu'il pourra se montrer bien utile le jour, qui peut fort bien arriver, où certains socialistes entreraient en guerre contre cette guerre) un dîner du genre de ceux que je donnais, à chacun de ses passages à Paris, pour Izetbegovic. Le dîner, en fait, ne se passe pas si bien que je l'espérais – et beaucoup moins bien, en tout cas, qu'avec mon cher président bosniaque. Que s'est-il passé ? Rien de très notable, sinon qu'Abdeljalil a gardé quelques-uns des réflexes de sa période kadhafiste. Au moment où la conversation s'anime, au moment où Didier François, Etienne Gernelle, Marc Semo, Hervé Rouach de l'AFP ou Sylvie Kauffmann du *Monde*, entreprennent de l'interroger sur la teneur, en particulier, de sa conversation avec Sarkozy, au moment où les questions commencent à se faire trop pressantes, trop nombreuses, trop en rafale et trop précises, Monsieur le Président se braque, fait l'enfant boudeur, dit qu'il en a assez et passe la parole à Essaoui qui répondra, désormais, à sa place. Jospin, que j'ai placé au centre de la table, face à lui, sent le drame qui pointe, comprend tout, se marre et a le bon

réflexe. « Ils sont terribles, Monsieur le Président. J'ai une longue habitude, moi aussi, des méthodes de nos amis. Vous n'êtes pas obligé de leur répondre. Ne vous laissez pas intimider. » La tablée rit. Abdeljalil rit aussi. Mais c'est un rire forcé. Je sens bien qu'il est contrarié. Je sens, comme je ne l'avais jamais senti à Benghazi, que ces hommes, Abdeljalil *et* Essaoui, ont un rapport à la presse qui est encore loin de ce que requiert une culture démocratique aboutie. Et je sens surtout que le répit, ce soir, sera de courte durée et que, mes amis français n'ayant aucune intention de renoncer à faire leur métier et lui, Abdeljalil, n'ayant aucune raison de s'ouvrir et assouplir dans l'heure, nous allons droit dans le mur. Pire : à je ne sais quel signe, frémissement de l'air, mimique de l'un ou de l'autre, regard, je sens que ne vont pas tarder à être posées les deux questions les plus délicates, celles dont toute la petite assemblée parlait, tout à l'heure, avant l'arrivée du Président, dans l'antichambre, en rigolant – je sens que quelqu'un, peut-être Gernelle, ou Joffrin, ou Rousselin, va mettre les pieds dans le plat et les questionner primo sur la question d'Israël, secundo sur celle des infirmières bulgares – et je sens que la réponse pourrait bien être catastrophique. Je fais un signe à Gilles qui, me comprenant au quart de tour, pose une question bateau sur l'état de la discipline militaire dans les rangs des combattants du CNT. Pendant le temps de la réponse, je fais le tour de la table et vais vers Ali Zeidan à qui je souffle qu'il est déjà 21 h 30, que le Président n'aime pas le dessert, qu'il se lève tôt demain matin et que nul ne se formaliserait qu'il prenne congé. Ali a-t-il compris ? Toujours est-il qu'il se lève à son tour, va jusqu'au Président, lui murmure quelque chose à l'oreille et l'autre se lève à son tour – non sans un regard navré vers le dessert qui en train d'arriver. Exfiltration réussie. Le pire a été évité.

Jeudi 21 avril *(Kadhafi, faux-monnayeur)*

Appel, juste avant son départ, de Mustafa Abdeljalil. Pourriez-vous passer, de ma part, un message personnel à Nicolas Sarkozy ? Naturellement. Le voici, ce message, tel que je le transmets, aussitôt, au président français. « Message personnel du président du Conseil national de transition à Nicolas Sarkozy. Le Conseil national de transition vient de recevoir, et de vérifier, l'information suivante. Sont arrivés, en Tunisie : 1) des stocks de papier en grande quantité ; 2) une presse à billets d'origine incertaine ; le tout pour fabriquer, en Tunisie, à très bref délai, de l'argent libyen. L'information semble sérieuse. »
Courrier, officier de liaison, estafette – j'aurai tout fait.

Vendredi 22 avril *(Quand le fils de Kadhafi, Saïf, m'envoie un émissaire)*

Cela s'est passé comme dans un roman de John Le Carré. Je dîne à Saint-Paul, à la Colombe. Tard. Seul à la petite table, près de la cheminée, au fond de la salle à manger, où dînait autrefois Montand. Le serveur vient de prendre ma commande. Mais le voilà qui revient me dire qu'on me demande au téléphone. Qui sait que je suis là ? Qui peut bien m'appeler, à cette heure, sur ce numéro ? Au bout du fil, une voix inconnue, qui s'exprime dans un assez bon anglais. « Peu importe mon nom. Je suis à Monaco. J'aimerais vous voir. Vous parler. La Libye. Pouvez-vous venir ? » Je réponds qu'il est hors de question que je vienne, là, comme ça, à Monaco ; mais que, s'il veut venir, lui, ici, jusqu'à moi, pourquoi pas. « Qu'à cela ne tienne, rétorque la voix – j'arrive. » Et, quarante-cinq minutes plus tard, il est là. Epais. Trapu. Encombré de sa carrure. Sourcils très noirs et très fournis. Physique de traître de comédie, je suis désolé, c'est comme ça.

Nous sommes dans l'appartement de la famille Roux, à l'abri des regards et des oreilles. J'ai demandé à François, mon vieux copain, témoin de tant d'épisodes de ma vie depuis trente ans, de me rendre le service d'être présent à l'entretien. Je ne sais pas qui est ce type, lui ai-je dit. Je ne sais pas ce qu'il me veut ni ce qu'il vient me dire. Mais je sais, moi, ce que je lui dirai et n'entends pas que cela soit, un jour ou l'autre, déformé. J'ai vérifié, à son arrivée, qu'il n'avait pas d'enregistreur dans les poches. Puis je lui ai demandé son nom qu'il m'a écrit, à regret, sur un bloc que François a posé devant nous. Je l'ai invité à s'asseoir. J'ai commencé.

« Je ne vous offre pas à boire…

— Non, bien sûr. Vous êtes pressé. Moi aussi. Allons à l'essentiel. »

Il a une voix curieuse, tantôt hésitante, tantôt impérieuse, comme s'il ne savait sur quel rôle se caler.

« J'ai parlé à Saïf… »

Je sursaute.

« Quand ?

— Aujourd'hui. Avant de vous appeler.

— Bon. Et puis ?

— Il dit que le sang a trop coulé, que trop d'innocents sont victimes de cet affrontement fratricide…

— Quel affrontement fratricide ? Vous avez, d'un côté, un peuple qui ne veut pas mourir et, de l'autre, les Kadhafi qui tirent à l'arme lourde et qui…

— Il ne faut pas dire "les" Kadhafi. Le père et les fils, c'est deux choses différentes. Je vais vous raconter une histoire. J'en ai été le témoin oculaire. Il y a un an, dans une boîte de nuit d'une capitale européenne, un ami a dit à Saïf : ton père est fou… »

Il répète, en faisant, l'index sur la tempe droite, le geste désignant celui qui a perdu la boule :

« Crazy… Il lui a lancé, comme ça : ton père est crazy, complètement crazy. Et vous savez comment a réagi Saïf ? Si on avait dit ça d'un de ses frères, ou de sa sœur… »

Il fait le geste, cette fois, de sortir de sa poche un revolver et de viser.

« Mais là, non. Il n'a rien fait. Il n'a rien dit. Comme si ça ne le choquait pas. Il a juste ri.

— Peut-être, dis-je, sur mes gardes. Mais c'est quand même lui, le fils, qui a dit, et peut-être fait, les choses les plus terribles. Rappelez-vous, le 20 février, le discours où il menaçait de noyer Benghazi dans des rivières de sang. »

L'homme recule sa chaise, bruyamment, comme si j'avais dit *la* chose qu'il ne pouvait pas entendre et qu'il préférait s'en aller. Mais non. Il mime juste une conversation qu'il a eue, lui, avec Saïf.

« C'est exactement ce que je lui ai dit ! Ton discours est de la merde. Voilà le mot que j'ai employé... Shit... Shit... Tu t'es couvert de shit... Je le lui ai dit en face. »

Puis, s'adressant de nouveau à moi :

« Car je ne suis pas avec ce régime. Il faut que vous compreniez que je suis pour la démocratie, les droits de l'homme, la bonne vie. Donc je ne peux pas être avec ce régime qui verse le sang. Simplement, je pense qu'il ne faut pas être entêté. Sinon, c'est le peuple qui va payer.

— Donc ?

— Donc, Saïf a une proposition et je me dois de vous la transmettre.

— A moi ?

— Oui, à vous. Parce que vous avez accès, il le sait, et au président Sarkozy et au CNT.

— Admettons. Et c'est quoi sa... proposition ?

— Son père quitte le pouvoir. Irrévocable. Sans retour... »

Il répète plusieurs fois – mimant le geste de chasser quelque chose, sur la table, loin de soi, frénétiquement :

« Sans retour... Sans retour... »

Puis, longue et profonde inspiration, comme si son geste l'avait fatigué :

« Et, là, son père parti, Saïf est prêt à engager une vraie négociation, à fond, sans interdit. »

Il est content. Il a tout dit. Il attend ma réaction.

« Bon. Je vois. Je ne comprends toujours pas, je vous l'avoue, pourquoi c'est à moi que Saïf vous envoie... »

Il hausse les épaules, genre : la question est secondaire, ne nous attardons pas.

« Mais il y a une chose que vous devriez, déjà, lui dire de ma part : personne au CNT ne négociera quoi que ce soit avec quiconque tant qu'on ne sera pas d'accord sur un point : le départ, non seulement de Kadhafi, mais des fils Kadhafi, donc de lui. »

Il prend l'air contrarié du négociateur de bonne volonté qui tombe sur un mauvais coucheur.

« Saïf ne partira pas.

— Alors il n'y a rien à discuter. Car il n'a pas le choix. Soit il part aujourd'hui, pendant qu'il est encore temps et que la communauté internationale peut lui offrir un sauf-conduit. Soit il finira comme les Ceausescu ou... »

C'est lui qui, la mine navrée, termine ma phrase :

« ... ou comme Saddam Hussein.

— Voilà. Comme une bête traquée, forcée dans un dernier repaire. Est-ce cela qu'il veut ?

— Non. Mais il ne quittera pas son pays.

— Il quittera son pays. Evidemment. Forcément. Je ne connais pas cet homme. Mais...

— Lui vous connaît. Il m'a parlé de vous.

— Eh bien je suis sûr qu'il reste assez de raison en lui pour savoir que, quand on a fait ce qu'il a fait, quand on a sur la conscience les crimes qu'il a commis, on ne peut plus revenir en arrière, jamais.

— Non. Il ne le sait pas. C'est humain, mais il ne le sait pas. »

Ce type m'intrigue. Sa démarche aussi. Je décide de poursuivre un peu.

« Votre Saïf avait un projet de vie. Il voulait moderniser la Libye, la faire entrer dans le cercle des nations respectables.

— Il était sincère. Vous n'imaginez pas ce qu'il a fait pour restaurer l'image de son pays.

— Sincère ou pas, c'est fini, c'est ce que j'essaie de vous dire. Et, quand bien même il parviendrait, par un inconcevable retournement de l'Histoire, à vaincre la rébellion, ce serait pour faire quoi ? Passer le restant de sa vie dans un pays pestiféré ? Vivre interdit de séjour dans les grandes capitales, les juridictions internationales aux trousses, maudit ?

— Il préfère ça à quitter sa patrie.

— Quel âge a-t-il ? »

Il fait comme s'il comptait :

« Trente-neuf ans.

— Il finirait sa vie enfermé dans Tripoli comme Al-Bachir dans Khartoum ? S'il est l'homme que vous dites, si son ambition était d'être ce réformateur, ce moderniste, ça n'a pas de sens. »

L'homme réfléchit. Puis, écartant les bras, fataliste :

« Il n'a pas d'autre choix.

— Si. Il a encore quelques jours, peut-être quelques semaines, pour comprendre que la partie est terminée et négocier un départ pour un des derniers pays à n'avoir pas signé de convention d'extradition avec La Haye…

— Il ne peut pas demander un sauf-conduit juste pour lui. Saïf n'est pas comme ça. Il a six frères. Une sœur.

— Bon. Disons, alors : un sauf-conduit pour lui et sa famille. Où est le problème ?

— Le problème c'est que la communauté internationale n'est pas crédible.

— Quand elle s'engage, elle s'engage. Et tout le monde a intérêt à ce que cette guerre s'arrête.

278

— Mais non ! Regardez donc ! »

Il a crié. Il s'est levé, comme un fou, en renversant presque sa chaise. Et il me désigne l'écran de télévision où François, depuis le début de l'entretien, regarde un match de foot sans le son. En bas de l'écran, défile une dépêche, « urgente », annonçant que la détention d'Hosni Moubarak, en Egypte, est prolongée de quinze jours dans un hôpital-prison où on est en train de le transférer.

« Regardez ce qui arrive à Moubarak, fait-il, la voix tremblante d'indignation. Il avait la garantie de l'Amérique. Celle du monde. Plus celle de l'armée égyptienne. Il dort, ce soir, en prison.

— C'est vrai.

— Et encore ! Lui n'avait pas de sang sur les mains. Il avait accepté de quitter le pouvoir sans verser le sang... »

Je l'interromps :

« 352 morts, tout de même... »

Il me regarde d'un air stupide, comme s'il ne savait pas.

« Ok. Mais c'est sans comparaison avec Saïf qui a, lui, beaucoup, beaucoup, de sang sur les mains.

— Je ne vous le fais pas dire. »

L'homme réfléchit. Essaie de capter le regard de François qui ne quitte pas des yeux son écran mural. Il revient vers moi.

« Vous êtes prêt à rencontrer Saïf pour lui dire ce que vous me dites là ?

— Où ?

— A Tripoli. »

Je ris :

« J'aimerais mieux pas. Il peut sortir de Libye ? »

Ton de fanfaronnade :

« Oui, bien sûr ! Où il veut !

— Malte, par exemple ? »

Il se trouble.

« Pas Malte, tout de même. Il pourrait se faire kid-napper.

— Bon. Où, alors ?

— Tunisie.

— Bien. Mais, pour moi, il faut que la chose soit claire. Je n'accepterais de le voir qu'à deux conditions. Et même trois. »

L'homme, comme s'il allait noter mes conditions, prend la feuille de papier sur laquelle j'ai écrit son nom. En fait, il la déchire et met dans la poche de son blouson le morceau où son nom était écrit (sans savoir que, prévoyant le coup, je l'ai mémorisé). Sur le morceau restant, il fait le geste de noter.

« D'abord, bien entendu, que le président français et celui du CNT le souhaitent. »

Il note – hochant la tête comme pour dire que c'est, en effet, la moindre des choses.

« Mais, après, il y a deux points. Que lui soit claire-ment signifié, par vous, que tout le monde perd son temps s'il ne comprend pas que, pour les Français comme pour les Libyens, son départ est un préalable. Et qu'il comprenne ensuite que, pour moi cette fois, il y a un préalable à tous les préalables : l'arrêt, là, demain matin, des bombardements sur Misrata ; même informer mes amis de la conversation que nous sommes en train d'avoir, je ne le ferai, autrement dit, que si Tripoli observe un cessez-le-feu sur Misrata. »

Il fait comme s'il se ravisait et décidait, dans ce cas, de ne plus noter.

280

« Quand on fait un deal, il faut être souple. Il y a les positions de départ. Et, après, chacun fait un peu de chemin.

— Je ne fais pas de deal. Et je ne suis pas souple.

— Alors j'ai encore une idée. Je peux vous la proposer ? »

Là, il commence à me fatiguer. J'ai l'impression d'un dialogue de sourds. J'abrège.

« Proposez toujours.

— Kadhafi s'en va. On organise des élections libres, sous contrôle de l'ONU et de la Ligue arabe. Et Saïf part, avec un visa des Nations unies, mais *après* les élections. Est-ce que c'est mieux ? Est-ce que c'est plus acceptable ? »

Je lui redis que tout cela n'a pas de sens et que celui dont il est l'émissaire doit le comprendre.

Il se récrie qu'il n'est l'émissaire de personne, qu'il est juste venu tenter une chance qui sera celle du peuple libyen et que, s'il est là, face à moi, c'est qu'il me croit, comme lui, homme de dialogue.

Je lui réponds qu'on s'est tout dit, c'est-à-dire, finalement, pas grand-chose et que, même ce pas grand-chose, je n'en ferai pas état tant que les bombes tomberont sur Misrata.

Il fait le geste, fataliste, de l'honnête médiateur qui aura tout essayé, vraiment tout, mais qui, devant la mauvaise foi des deux parties et, tout particulièrement, la mienne, doit baisser les bras et s'en aller.

Il s'en va.

Quinze minutes après son départ, tandis que je commente, avec François, cette conversation étrange qu'il a, naturellement, suivie de bout en bout, le veilleur de nuit vient me dire que « mon ami » est parti

– étrangeté supplémentaire – en oubliant sa clef de voiture à la réception et qu'il a donc démarré sans clef.

Je vais faire un tour sur internet où je découvre qu'il est un gros trafiquant international, blacklisté par les agences de renseignement américaines, impliqué dans plusieurs affaires de détournement de l'embargo sur le pétrole de Saddam mais aussi, en effet, un proche de Saïf Al-Islam (et un très proche, aussi, de Mohammed Ismail, le patron des services secrets de Tripoli venu, la semaine dernière, à Londres, tenter de faire passer une proposition du même genre que celle qu'il m'a servie).

Je rentre me coucher – amusé, mais avec le sentiment que tout cela n'est pas sérieux et ne mérite pas que je dérange, demain, ni le président français ni le CNT.

Samedi 23 avril *(Cessez-le-feu sur Misrata ?)*

Il est 7 heures. Je branche LCI en attendant la presse. Et, en titre d'ouverture du Journal, cette nouvelle, présentée comme un « coup de théâtre » : les Libyens, les loyalistes libyens, ont décidé, cette nuit, et viennent, ce matin, d'annoncer… un cessez-le-feu à Misrata !

Je suis évidemment surpris.

Je suis même, pour être franc, un peu ému.

Et je décide, contrairement à ce que je pensais hier soir, d'appeler et Nicolas Sarkozy et Ali Zeidan.

Sarkozy, d'abord. Je lui demande si nous pouvons parler, s'il ne préfère pas que je rappelle sur un autre numéro. Mais je connais peu d'hommes aussi peu paranoïaques que lui. « Non, fait-il, de cette nouvelle voix onctueuse qu'il s'est faite pour contrarier sa tendance à la fièvre et à l'impatience. Non, non, je t'entends très bien. » Je lui fais donc le récit, assez détaillé, de ma curieuse fin de soirée d'hier. Je lui dis que j'avais décidé de ne pas l'embêter avec une histoire qui me semblait bien farfelue mais que m'a fait changer d'avis, ce matin, au réveil, la nouvelle que les Libyens se retiraient de Misrata. A ce moment-là, il explose : « quel culot ! sais-tu pourquoi ils se retirent ? parce qu'on a mis le paquet sur Misrata ! juste à cause de cela ! alors, qu'on ne vienne pas nous présenter une retraite comme un geste de bonne volonté ! Jean-David va t'appeler ; raconte-lui quand même tout ça, on ne sait jamais ». Trois minutes plus tard, j'ai Lévitte au téléphone, moins définitif que son patron. « C'est un signe, concède-t-il ; il corrobore d'autres signes que nous avons, mais c'est évidemment le plus fort ; nous allons vérifier cela ; c'est la preuve, en tout cas, que nous avons raison de frapper fort et qu'ils commencent d'être aux abois. » Quant à Ali Zeidan, il me tiendra, peu ou prou, le même langage. A cette nuance près qu'il connaît, lui, l'homme d'hier, ancien ministre du Pétrole du sultanat d'Oman. Et à cette autre nuance près qu'il m'annonce que, si les troupes de Kadhafi se retirent, c'est pour laisser la place à des civils, des militaires déguisés en civil, qui poursuivent le même travail de mort. Dont acte.

Dimanche 24 avril *(A quoi sert D'Annunzio ?)*

Mort des deux photoreporters à Misrata : le Britannique Tim Hetherington qui travaillait pour *Vanity Fair* et l'Américain Chris Hondros de Getty images. Et, tout de suite après, le numéro de *Marianne* que Maurice Szafran m'avait annoncé et qui me met en couverture, avec un article de Joseph Macé-Scaron : « BHL chef de guerre ». Est-ce l'énoncé qui me trouble ? Ce mot terrible, « guerre », que l'on accole à mon nom sans qu'il s'agisse, cette fois, d'une innocente guerre dans la philosophie ? Est-ce la coïncidence des deux informations ? L'idée que, pendant que l'on me pose en « chef de guerre », d'autres, les deux photographes, meurent, eux, mais pour de vrai, dans une guerre qui n'est pas du théâtre ? Est-ce le malentendu de la photo même que Maurice a choisie et qui me montre, dans le camp du 17 février, entouré d'un commando de soldats d'élite à l'entraînement que j'ai l'air, en effet, de conduire alors que nous sommes juste en train de rentrer vers leur baraquement ? Tout cela, sans doute. Toutes ces sources, à la fois, de malaise. Mais aussi – je suis ainsi fait – ce que la formule même, « chef de guerre », quand elle concerne les écrivains, évoque littérairement en moi.

Car, au fond, de quoi s'agit-il ? Et qui sont, dans l'histoire de la littérature, ceux auxquels elle s'est appliquée ? J'écarte les chefs de guerre de profession, dans l'Antiquité par exemple, qui, tels Thucydide ou Xénophon, se firent écrivains pour raconter les guerres qu'ils avaient faites. J'écarte le cas de Laclos qui, même si *Les Liaisons dangereuses* n'ont rien à voir avec les guerres réelles qu'il a menées, fut, lui aussi, comme Xénophon, un général professionnel. Je mets à part le cas, auquel on pense toujours, de Byron volant, en 1824, au secours de l'indépendance grecque car il fut, lui, pour le coup, et à l'inverse, moins « chef de guerre » qu'on ne l'a dit : mort à Missolonghi, certes, aux portes du Péloponnèse en révolte contre les Ottomans ; mais mort *avant* d'avoir pu mener au combat la petite armée de Souliotes qu'il avait recrutée, équipée, dotée de canons de campagne et d'uniformes, payée ; mort *sans* avoir eu le temps, autrement dit, d'exercer la chefferie dont il rêvait et pour laquelle il avait quitté l'Italie, forcé le blocus naval des Turcs et dilapidé une partie de sa fortune. Je mets également à part, même si l'auteur de l'article, qui lui a consacré un livre, y a nécessairement pensé, le cas de Michel de Montaigne : bretteur d'accord ; homme à cheval, c'est entendu ; le contraire de l'intellectuel cloîtré dans sa « librairie » qu'ont accrédité les légendes paresseuses, je le veux bien ; mais chef de guerre, commandant d'une armée, condottiere, c'est autre chose et je n'ai pas l'impression que ce fût là son histoire. J'écarte encore, et pour la même raison, les écrivains résistants, combattants, j'allais dire *juste* combattants – j'écarte les Claude Simon, les George Orwell, les Romain Gary, les Jean Prévost, les René Char, j'écarte tous ces hommes que j'ai tant admirés, qui sont, aujourd'hui encore, au sommet de mon Panthéon mais qui, s'ils furent des parangons de courage et d'héroïsme, ne furent toujours pas, au sens strict, des « chefs » de guerre car engagés seuls, en leur seul nom, sous leur seule et unique autorité, dans des unités combattantes dont ils n'étaient pas les commandants.

285

Non. Quand on dit chef de guerre, quand on cherche qui fut, à la fois, chef et écrivain, ou écrivain et chef, quand on se demande quels sont les vrais écrivains qui, sans cesser d'être ces écrivains, devinrent aussi, non pas juste des hommes faisant la guerre, participant à une guerre et défendant, les armes à la main, une cause qui leur était chère, mais des chefs de cette guerre, des capitaines de cette cause, des commandants investis de la responsabilité, ou d'un bout de la responsabilité, de mener la cause à la victoire, il n'y a pas tant d'exemples que cela qui viennent à l'esprit. Il y en a un, en fait. Ou, plutôt, deux. Mais le deuxième venant, de son propre aveu, après le premier et, littéralement, dans son sillage. Et c'est là que les choses se compliquent et deviennent, mon imaginaire étant ce qu'il est, embarrassantes.

Il y a l'exemple de Malraux, d'abord, auteur de *L'Espoir* mais aussi commandant de l'escadrille España, chef de guerre s'il en est, chef de guerre de plein droit, type et prototype du chef de guerre – et j'aime, naturellement, ce précédent. Mais il y a, avant Malraux, celui dont Malraux lui-même, dans sa jeunesse, a dit qu'il voulait être lui ou rien – il y a cet écrivain prémalrucien qui fut le vrai modèle de Malraux, son inspirateur secret et, d'ailleurs, pas si secret que cela ; il y a cet écrivain oublié mais qui a été, à la fin de la Première Guerre mondiale, indépendamment de ses poèmes, de son théâtre, de ses romans, ce prodigieux chef pilote dont la 87e escadrille de chasse sera clairement la source d'inspiration de l'escadrille España ; il y a Gabriele D'Annunzio, auteur de *L'Enfant de volupté*, puis du *Dit du sourd et du muet*, et qui, entre les deux, fut : a) l'aviateur héroïque qui, à la façon, justement, du Byron dont on disait qu'une conversation avait suffi, en une nuit, à le rendre définitivement célèbre, n'eut besoin, pour marquer les esprits de deux ou trois générations de jeunes gens, que d'un survol de Vienne, un seul, celui du fameux lancer de tracts expliquant aux Autrichiens que l'avion qu'il pilotait aurait pu leur jeter des bombes mais qu'il avait choisi, ce jour-là, de ne leur envoyer que des paroles de fraternité et de paix et b) le chef, oui, à proprement parler le chef de la petite armée personnelle qui, en 1919, prit la ville de Fiume, en Istrie, et la prit pour de vrai, contre des vrais soldats français et anglais, avec une vraie stratégie, une vraie tactique, des vrais morts, et qui, ensuite, pendant quinze mois, de septembre 1919 à décembre 1920, la gouverna contre le monde entier, la dota d'une Constitution et n'en sera chassé que, de nouveau, par la force, quand l'armée italienne finira par trouver que l'aventure faisait désordre.

Voilà. Le modèle du chef de guerre c'est Malraux. Mais le modèle de Malraux, son mètre étalon, son maître, c'est Gabriele D'Annunzio. Et c'est, évidemment, là que le bât blesse – c'est de là que viennent mon trouble, malaise, vertige, etc. D'abord, bien sûr, parce que tout cela n'est pas mon cas, c'est absurde, c'est idiot – je n'ai jamais ni investi de ville ni commandé d'armée. Mais surtout parce que j'en sais assez sur D'Annunzio, je l'ai assez lu et il m'a, dans mon adolescence, assez intéressé pour être conscient de tout ce qui, dans le modèle, est objectivement détestable. L'enflure du personnage. Son côté emphatique, trop sonore, ampoulé dans ses vers, affecté dans ses postures. Son idéologie de l'action pour l'action. Son culte années 1920 de l'énergie. Son goût du spectacle avant la lettre. Et puis, lié au reste, sa récupération par les fascistes et par Mussolini qui comprit le profit qu'il pourrait tirer d'une annexion politique du glorieux condottiere, prince de Montenevoso et régent de l'Etat libre de Fiume : que l'intéressé se soit moins compromis qu'on ne l'a dit, qu'il ait moins marché que le Duce ne l'aurait voulu dans la tentative d'annexion et dans les mises en scène qui allaient avec, n'empêche pas que son nom en ait été profondément, durablement, peut-être à jamais, entaché.

Mais en même temps…. Si j'y réfléchis bien… Je repense, oui, à ce lien avec Malraux qui, annexion pour annexion, n'est pas non plus sans importance. Je pense à cette double image du jeune Malraux disant à Clara, en Indochine, alors qu'elle est hospitalisée suite à l'affaire des statues, que rien ne lui semble plus enviable en ce monde que de se mesurer au chef de guerre de Fiume et, un jour, de l'égaler (et Clara d'ajouter, cinquante ans plus tard, dans une page merveilleuse de *Nos vingt ans* où elle qualifie, elle, de « clown indécent » l'aventurier au grand style que prétendait égaler son jeune mari : « et le plus drôle c'est qu'il l'est peut-être vraiment devenu », ce chef de guerre dont il rêvait) – et du vieux D'Annunzio qui, en retour, à l'instant de sa mort, paralysé, presque aveugle et sur le point d'être foudroyé, dans la solitude du Vittoriale de Gardone Riviera, par sa dernière attaque, lisait *La Sainte Face* d'Elie Faure mais aussi *La Condition humaine* de son brillant disciple (il entendait, j'imagine, dans le dialogue de Gisors et de Ferral un ultime écho, voire la formulation accomplie, de sa double postulation entre la sagesse et l'éclat, l'esprit et la volupté, la vertu et le cynisme nietzschéen).

Je pense à moi, à vingt ans, au moment de mon départ pour le Bangladesh et de mon engagement dans une colonne de Mukti Bahini qui, à défaut de Fiume, contribuerait à la prise de Jessore, Khulna, puis Dacca – je me revois, à Verrières, face à ce vieux Malraux, presque aussi vieux que le vieux D'Annunzio, qui venait de lancer l'appel à la constitution d'une brigade inter-nationale auquel je répondais et je le revois, Malraux, à bout de souffle, presque hagard, mais encore hanté, j'en aurais juré, par le panache du grand aventurier de 1919 qui, du coup, et par contamination, ne pouvait que me hanter aussi.

Je pense à Montherlant. Ce n'est pas une référence, d'accord, Montherlant. Mais je me souviens quand même de Montherlant, à la fin de sa propre vie, presque aveugle lui aussi, disant à ses derniers visiteurs l'effet que lui avait fait D'Annunzio et leur expliquant surtout (et c'est là que l'affaire devient, vraiment, intéressante) que c'est lui, D'Annunzio, qui lui aura, à la fin des fins, permis d'échapper à l'autre fascination, la pire, celle qui a failli le perdre à jamais, sa fascination pour Barrès. Et je me demande alors si, pour toute une géné-ration, celle de Montherlant donc, celle de Malraux, celle de ces autres écrivains aviateurs que sont Saint-Ex et Gary, l'héroïsme actif, vécu, donc poétique, de l'auteur borgne, plusieurs fois blessé, du *Martyre de Saint-Sébastien* et de *Nocturne* n'aura pas été une façon de conjurer un peu du sombre prestige de celui, Barrès donc, que l'on a complètement oublié lui aussi mais qui fut le chantre, en France, du pire nationalisme, l'intellectuel organique des anti-dreyfusards, l'inventeur, à partir de là, avec une poignée d'autres, du populisme et du national-socialisme à la française – pour toutes ces raisons, un danger autrement menaçant.

C'est toujours la même histoire. Toujours la même autre guerre, invisible celle-là, au cœur de la Bibliothèque. C'est le même type de raisonnement que celui que j'ai souvent fait, pour ma génération, à propos d'un althussérisme, puis d'un maoïsme, qui étaient ce qu'ils étaient, qui charrièrent leur part de folie, mais qui fonctionnèrent, tout de même, comme des paradoxales ruses de l'Histoire feintant le stalinisme, traitant son mal par un autre mal et servant de langue d'emprunt à ceux qui commençaient, mais sans trop savoir comment, de vouloir s'en dégager. Axiome : nul n'est responsable ni de son temps, ni de ses contemporains ni, encore moins, de ses aînés et de la façon qu'ils ont de lui léguer ce que mes maîtres de l'âge structural appelaient leur problématique et qui est, chaque fois, son théâtre d'opérations obligé. Théorème : il n'y a eu, pour les écrivains de la première moitié du XXe siècle, qu'une problématique sérieuse, celle du totalitarisme en général et du fascisme en particulier – et une question vitale : celle du plus court chemin vers ce fascisme et de la meilleure manière, à l'inverse, non pas seulement de lui barrer la route, mais de s'interdire d'y mettre le pied. Et scolie, alors : pour les plus romanesques des écrivains français de cette époque et de la suivante, pour les plus épris d'action, pour ceux qui ont rêvé de réconcilier la plume et l'épée, pour les nostalgiques, comme Cendrars, d'une littérature « nerfs tendus, muscles bandés, prête à bondir dans la réalité » et capable de braver « la torpille, le canon, les mines, le feu, les gaz, les mitrailleuses », pour les *aventuriers,* peut-être y a-t-il eu deux voies principales. La barrésienne, en effet, qui, ajoutant à l'actionnisme, au culte de l'énergie et au goût pour le show, sa religion de la terre et des morts, ses collines inspirées et son antisémitisme enragé, ne pouvait que conduire droit au pire. Et, en face, la d'annunzienne qui évitait l'antisémitisme, esquivait la tentation hitlérienne, s'y opposa d'ailleurs concrètement en militant, dans l'Italie des années 1920 et 1930, contre l'alignement sur l'Allemagne et fonctionna, de ce fait, comme antidote, vaccin, alternative, petite diversion. D'Annunzio, l'Althusser de Malraux et des malruciens ? L'allié paradoxal sur lequel il fallait s'appuyer pour que, faisant levier, il lève des hypothèques plus fétides ? Allez ! C'est bon ! Les loopings du pilote de Fiume versus les miasmes des campagnes de Nancy ! Les choses étant ce qu'elles sont, et la carte des idées nous imposant parfois sa loi, je veux bien prendre, à la fin, ce Gabriele D'Annunzio que l'on vient, ce matin, par voie de presse, de rappeler à mon souvenir. Puisque c'est la guerre... A la guerre comme à la guerre...

Lundi 25 avril *(Réponse à Claude Lanzmann)*

Lanzmann, encore.

Partout, on me parle de ce navrant article de Lanzmann.

Qu'est-ce qui a bien pu pousser mon ami à cette folle palinodie qui lui a fait condamner l'opération anti-Kadhafi qu'il avait, un mois plus tôt, appelée de ses vœux ?

Comment un homme de sa trempe a-t-il pu donner le spectacle d'une pareille versatilité : un jour signataire d'une pétition appelant la France à l'ingérence ; un autre, condamnant la même ingérence et trahissant sa signature ?

D'où vient que l'auteur de *Tsahal*, ce film sur une armée dont l'une des règles absolues est de ne reculer devant aucune prouesse technique pour économiser au maximum la vie de ses soldats, ait pu instruire, comme Brauman, comme d'autres qui lui ressemblent si peu, le procès de « l'option zéro mort » ?

Est-ce bien le compagnon de Sartre qui, tout à sa nouvelle fureur contre la guerre « à distance », a pu se lancer dans cet éloge très années 1930 du combat « d'homme à homme » et de son carrousel phallique ?

Quand on a été, depuis cinquante ans, de tous les combats contre les dictatures, a-t-on le droit d'écrire un plein article — et, aujourd'hui, un autre dans *Marianne* — où l'on n'a pas de mots assez durs pour moquer « l'inconscience » des jeunes résistants prenant « la poudre d'escampette » quand ils se retrouvent face aux chars — et ne pas en trouver un pour, au-delà d'une très curieuse incise (« nul, parmi nous, n'aime Kadhafi, n'a eu affaire à lui, n'a jamais négocié avec lui »), dénoncer la boucherie qu'opèrent des professionnels de la mort dont les obus sont tirés à 40 kilomètres de distance sur des civils le plus souvent désarmés ?

Il faudra élucider cela, un jour.

J'ai trop respecté cet homme, j'ai trop d'admiration pour *Shoah* et pour son *Lièvre de Patagonie*, pour ne pas tenter de comprendre d'où lui vient cette fascination soudaine pour un bouffon sanglant mais devenu, sous sa plume, comme Mohammed Atta, jadis, sous celle de Jean Baudrillard, un « diable jeteur de sorts » qui « frappe » nos frappes d'une « étrange faiblesse ».

Mais, pour l'heure, il faut répondre.

Il faut (parce que l'on m'en parle sans cesse, partout, et qu'elles sont un renfort inespéré pour la troupe des souverainistes qui en sont encore, six semaines après, à chercher les bonnes raisons que l'on avait de laisser mourir le peuple libyen) réagir à la série d'approximations, légèretés ou contre-vérités que son prestige pourrait faire prendre pour argent comptant ; et cela serait dramatique.

Contre-vérité – vénielle – le fait que ce soit sous ma « pression amicale » qu'il aurait signé l'appel qu'il renie, et dé-signe, aujourd'hui.

Contre-vérité – plus sérieuse – l'idée que les amis de la Libye libre auraient annoncé des frappes qui « ne devaient durer que quelques jours » : si elles avaient eu lieu plus tôt, lorsque le fils Kadhafi (et non Kadhafi lui-même, comme il l'écrit trop vite) promettait de noyer son peuple dans des « rivières de sang », peut-être, oui, « quelques jours » auraient-ils suffi ; mais certainement pas ensuite ; nul et, en tout cas, pas moi ne se risqua, le 19 mars, quand les aviateurs français arrêtèrent les premiers chars dans les faubourgs de Benghazi, à un calendrier aussi précis.

Légèreté, incroyable et incompréhensible légèreté, l'emploi du mot « kamikaze » pour qualifier la « technologie » des aviations alliées.

Contre-vérité, toujours, l'énoncé où il est dit que, dans les rangs des militaires et mercenaires kadhafistes, « les victimes n'ont ni nombre ni nom » – et ce dans un texte où l'on n'a pas une pensée, je le répète, pour les autres victimes, les vraies : civils de Zaouïa ou de Zintan visés à l'arme lourde ; blessés de l'hôpital de Misrata, bombardé sans vergogne ; derniers et héroïques habitants d'Ajdabiya réduits, comme à Sarajevo, à vivre dans les caves.

Contre-vérité encore, digne de propagandes qui nous ont, Lanzmann et moi, si souvent indignés ou fait rire, la dénonciation fulminante d'une opération en passe de « saccager la Libye » : allons, cher Claude ! viens donc, la prochaine fois ! tu verras de tes yeux, à Benghazi, Beïda, Tobrouk, que ce sont les hommes de Kadhafi, pas les aviateurs français, qui ont ruiné, cassé, saccagé, ce pays !

Puérile, au sujet de Kadhafi encore, et à l'heure où l'on semble, précisément, songer à lui négocier une porte de sortie, l'affirmation péremptoire : « c'est un non-dit, il doit mourir ».

Puérile la phrase où Lanzmann, tout à son désir de faire expert, regrette que l'état-major « impose un nombre excessif de sorties » à nos « appareils ».

Et je ne parle pas de la bonne vieille parade rhétorique – mais que l'on souffre de retrouver sous sa plume – où l'on argue des lâchetés passées (Mitterrand, Chirac, Sarkozy, faisant ami-ami avec le grand argentier du terrorisme international) pour justifier, aujourd'hui, la persévérance dans l'inaction.

Je crois, contrairement à Claude, que cette anti-guerre d'Irak (une opération limitée, autorisée par les Nations unies, demandée par les Libyens eux-mêmes et par la Ligue arabe, et destinée à stopper un carnage annoncé) est une première et fera date.

Je crois que cette anti-Bosnie (trois ans, alors, de non-intervention !) qui est aussi un anti-Rwanda (une communauté internationale restée les bras croisés à attendre que le massacre soit consommé !) est à l'honneur d'une époque qui a enfin compris que charbonnier n'est pas maître chez soi.

Je suis convaincu, enfin, que Kadhafi partira et laissera le peuple libyen décider, seul, de son destin.

Mais, pour l'heure, quel gâchis – et quel chagrin.

Mardi 26 avril *(Avec les aviateurs français)*

Etat-major de l'armée de l'air. Le général Palomeros, à nouveau. Mais autour de lui, cette fois, ses adjoints, ses chefs d'opération et trois jeunes officiers qui furent des premières missions – voire (même si je n'ai pas trop le droit de le dire) de la toute première, celle du samedi, quand fut détruite la colonne avancée de Kadhafi.

Je commence par leur rapporter la reconnaissance du peuple de Benghazi telle que je l'ai entendue s'exprimer. Je leur dis comment moi qui suis si peu « patriote », moi qui ne frissonne guère en entendant la *Marseillaise*, moi qui me suis parfois surpris, comme Jules Vallès, à y entendre « le tintement de la cloche au cou des bestiaux », je leur dis comment ce jour-là, à 17 h 30, quand le président de la République m'a appelé pour m'apprendre que l'aviation française avait détruit les quatre chars qui s'apprêtaient à entrer dans la capitale insurgée, j'ai été fier d'être français. Et je leur dis enfin, n'en déplaise à l'ami Lanzmann, mon admiration pour leur bravoure.

295

Cela tombe bien. Car ce qui les a le plus blessés, disent-ils, c'est cette idée de la guerre sans risque, confortablement installés dans un avion de chasse que sa technologie même rendrait inatteignable. « J'aurais voulu les y voir, souffle l'un des jeunes capitaines ; j'aurais aimé voir la tête de ces donneurs de leçon s'ils avaient été à ma place, dans le cockpit de mon Rafale, à l'instant où je me suis remémoré, comme tous mes camarades de l'escadrille, la voix de Kadhafi annonçant qu'il abattrait le premier avion étranger qui survolerait la Libye. » Ces hommes aiment leurs avions. Je me rends compte, au fil de la conversation, qu'ils les voient moins comme des engins de mort que comme d'extraordinaires machines faites pour défier ou épouser le ciel. Mais, là, ils font la guerre. La vraie guerre. Et ils détestent ces propos de café du commerce qu'ils entendent un peu partout.

Ce qui les tourmente aussi, c'est, de l'autre côté, c'est-à-dire au sol, le risque de faire des victimes. Il y a le risque des victimes collatérales, d'abord, qui est leur hantise. Il y a tout ce qu'ils savent des chars de Kadhafi cachés dans des écoles ou dans des cours d'hôpital, et ils ont cela, constamment, présent à l'esprit. Il y a cet art du leurre, le vrai, dans lequel le Guide est passé maître, plus fort que les leurres de leurs avions et, encore plus, que les anti-leurres dont ils se croyaient riches mais qui, face à tant de machiavélisme, font pâle figure – il y a cet art, donc, qui se paierait au prix fort, celui du sang des innocents, si eux, pilotes français, n'étaient doublement attentifs, scrupuleux, vigilants. Mais il y a, aussi, l'ennemi lui-même, les forces armées ennemies, l'armée du leurre et du crime, où je découvre qu'ils ont le souci de faire, tout autant, le moins de morts possibles. Le principe zéro mort, m'expliquent-ils, le souci de *tendre* vers le zéro mort, s'applique à nous, bien sûr ; aux populations civiles libyennes, par définition ; mais aux colonnes ennemies également, qui ne sont pas juste composées d'ennemis mais d'humains ; leur fierté quand ils évoquent les nombreux appels à rentrer dans les casernes (ou, mieux, à déserter) lancés, dès le début des opérations, sur les ondes kadhafistes... Les scrupules dont Thucydide nous dit qu'ils habitaient les guerriers athéniens, au temps de la guerre du Péloponnèse, quand ils arrivaient en face des populations des villes vaincues de Potidée et Mytilène, l'armée française les étend au cas des troufions de Tripolitaine jugés moyennement comptables des crimes de leurs dirigeants – on dira ce qu'on voudra mais il y a là un progrès, indéniable, dans l'air et l'art de la guerre.

Obsédés ils sont, en même temps, comme leurs camarades libyens libres, par la lourdeur de la machinerie otanienne et de sa « boucle de décision ». Au début, me dit un autre pilote, au tout début, dans ce temps encore tout proche mais dont il parle comme s'il s'agissait d'une époque déjà lointaine, où les frappes étaient nationales, décidées et gérées par les états-majors des Etats membres, on envoyait l'information à l'Awacs de commandement qui croisait au large de Syrte et qui répondait dans les dix minutes. Alors qu'aujourd'hui.... Il hésite. Semble se demander, comme le commandant au sac de couchage que nous avions réveillé au fond de la tranchée d'Ajdabiya, s'il peut parler librement devant un « civil ». Puis, s'y sentant tacitement autorisé, lâche : « aujourd'hui l'information descend à Naples, se perd dans les méandres de la bureaucratie, se fait traiter par douze instances de décision et, quand elle nous remonte, la cible s'est évaporée ». Alors, des règles d'engagement strictes quand il s'agit d'éviter les morts, bien sûr. Mais des règles dont on a l'impression qu'elles n'ont d'autre objet que de nourrir la Grosse Machine, d'alimenter son fonctionnement absurde et de lui donner une raison de vivre – là, en revanche, quel gâchis ! Le discours même de Younès. Celui d'El-Sagezli. Paris-Benghazi, même agenda.

Et puis, concernant les règles d'engagement, il y a leur combat du jour : cette arme qu'ils n'ont pas encore vraiment testée – cette bombe emplie de ciment, non, corrige un général, *d'aluminium*, dont ils sont à peu près certains que, correctement envoyée, bien à la verticale, elle transpercera la cible sans autre éclat que celui du blindage fracassé : ne pourrait-on obtenir que, pour cette arme-ci, la règle soit assouplie ? ne doit-on pas convaincre le Big Brother otanien de faire descendre à 30 mètres, dans ce cas, son périmètre de sécurité ? et pourquoi ne pas essayer, là aussi, de faire ce dernier effort pour devenir des armées vraiment sophistiquées ?

Hommage à ces hommes. Hommage à ces jeunes Français qui, un samedi de mars 2011, aux commandes de leurs machines volantes, sauvèrent une ville promise au carnage – et donnèrent le coup d'envoi d'une guerre qui reste une guerre, avec son cortège de larmes et de destructions, mais qui est une guerre *juste*.

Mercredi 27 avril *(L'Appel des tribus)*

Retour, via Mansour, de l'Appel des tribus de Libye.

Le 8 avril, lors de notre dîner des faubourgs de Benghazi, il avait été ratifié par les trente-deux chefs de tribus présents ou représentés – en gros, les tribus de Cyrénaïque et des villes martyres de l'Ouest.

Entre-temps, des contacts ont été pris, des messages ont été lancés, des émissaires ont été dépêchés en direction de toutes les autres tribus du pays – celles-là même qui sont supposées acquises à Kadhafi ou vivant sous la terreur de son armée.

Le résultat est là.

On s'y perd, je m'y perds, je me fais épeler dix fois les noms par Mansour – mais il est là.

Le texte a recueilli la signature de Mouftah Matouk Al Werfali, chef de la tribu des Warfala qui, située à Bani Walid, est l'une des plus grandes tribus de l'Ouest du pays.

Il a, moyennant un léger amendement, reçu la signature de Al Sharif Sayfal Nasr, membre de la tribu des Hrawa, dans le Fezzan, et lié à la tribu Oulad Souleiman, à l'est de Syrte, ville natale de Kadhafi et considérée comme l'une de ses bases.

Toutes les tribus de la ville de Sebha, dans la région du Sud, toutes les tribus Fazazouna que l'on croyait, elles aussi, acquises à Kadhafi ou n'osant le désavouer, sont représentées par Al Hajj Ali Al Fazani qui nous précise, dans un message d'accompagnement, que nombreux sont les chefs de sa région qui n'ont pu, pour des raisons de sécurité, joindre leur signature à la sienne mais qui sont avec lui par le cœur et la pensée.

De même, la tribu Megarha, dans le Sud : l'un de ses chefs, Abdallah Senoussi, est le beau-frère de Kadhafi et l'un des piliers de son régime ; mais la signature d'Al Hajj Moussa Al Magurahi, représentant de l'une des plus anciennes et influentes familles de la région, vaut démenti des prétentions de Tripoli à pouvoir compter sur son entier soutien.

La présence, parmi les signataires, d'Abd Al Kader Al Targi qui est l'un des chefs de la tribu Tawarik est, elle aussi, une indication majeure : la tribu Tawarik, qui a des liens avec les Touaregs du Niger, d'Algérie et du Mali, est réputée kadhafiste – à dater d'aujourd'hui, elle ne devrait plus l'être.

Il y a aussi la tribu côtière Sourman : elle est le berceau du général Kheildi Al Hamedi, compagnon de Kadhafi ; mais la voici qui, par l'intermédiaire de Al Hajj Mabrouk Al Soumani, affirme avec éclat qu'elle a choisi le camp de l'insurrection.

Mohammed Al Dhmani Al Agilé représente la tribu Agilat, à l'ouest de Tripoli.

Bou Krisse Ashour Al Wershefani représente la tribu Wershefanaa, qui est une autre tribu de l'ouest de la capitale, dans le secteur d'al-Azizia qui est considéré comme l'un des bastions les plus solides du « Guide ».

Il y a encore le cas de Khalifa Saleh Al Kadhafi, chef de la tribu Kadhafa, qui est la propre tribu de Kadhafi, sa tribu éponyme : Khalifa Saleh Al Kadhafi a pu signer ce texte car il se trouve, actuellement, à Benghazi, et sa signature en annonce d'autres, beaucoup d'autres, qui doivent encore rester secrètes.

Toutes les tribus sont ici.

Tous les noms de la Libye – car la Libye c'est aussi de très romanesques « noms de pays » – ont répondu à notre appel.

Normalement, après ce manifeste tel que le publie *La Règle du Jeu* et que le reprennent, dans la foulée, les agences de presse, il ne devrait plus rien rester du mythe de la Libye « coupée en deux ».

La coupure, plus exactement, n'est plus géographique, séparant les tribus de l'Est et celles de l'Ouest (sur lesquelles s'appuierait toujours le régime) : elle est devenue politique, intérieure aux tribus elles-mêmes qui, lorsqu'elles n'ont pas clairement fait allégeance au CNT, sont en voie de le faire ou ont des chefs éminents qui le font.

L'événement est considérable.

La victoire, spectaculaire.

Et l'un des premiers à s'en aviser est le président de la République qui, une heure après la mise en ligne, m'appelle.

« Toutes, vraiment ? Toutes les tribus du pays, sans exception ? Si c'est confirmé, c'est décisif. »

Et, comme je le lui confirme :

« C'est bien. Les choses vont dans le bon sens, alors. Elles progressent sur tous les fronts. Et ce front politique est aussi important que le militaire. »

Avant de raccrocher, cette remarque désabusée :

« L'extraordinaire, cela dit, c'est que ce sont les mêmes qui me reprochent d'être allé en Libye et de ne pas aller, maintenant, en Syrie. »

Il a raison et tort.

Et le fait est que cette question (pourquoi la Libye, pas la Syrie ?) est posée, de plus en plus souvent, par des gens de bonne foi et qui veulent juste comprendre.

A cet instant, je n'ai que des réponses faibles et conceptuellement insuffisantes.

La théorie de la « guerre juste », d'abord. Dans ce lacis de règles pragmatiques, presque empiriques, qu'est, selon Monique Canto-Sperber dans l'excellent petit livre qu'elle publie sur la question, la théorie de la guerre juste, il y a une autre condition que tout le monde a l'air d'oublier et qui est, pourtant, capitale : c'est la règle dite de « l'espoir raisonnable de succès » telle qu'énoncée, au XVIIe siècle, par Grotius ainsi que par quelques grands noms, aujourd'hui, de la pensée anglo-saxonne. Il est évident, cet espoir, en Libye. L'était-il, le serait-il, sous la même modalité, en Syrie ? Quel serait l'effet de frappes dans ce pays de villes, densément peuplé et où, plus encore que ne le fait Kadhafi, Bachar el-Assad transformerait en boucliers les populations urbanisées ?

Et puis l'idée que, dans un monde où tout le monde ne peut pas tout faire à tout moment et où le même pays, la France, ne peut pas livrer, au même instant, toutes les guerres qu'il devrait, en bonne morale géo-politique, livrer, il y a une autre façon de faire – moins immédiatement efficace sans doute, moins satisfaisante pour l'esprit, mais mieux que rien : universaliser, non sa pratique, mais sa maxime ; fixer, en fonction de ce que l'on fait, des règles du jeu nouvelles et qui valent, théoriquement déjà, pour tous ; faire comprendre, en l'espèce, à el-Assad que seul le hasard des calendriers, c'est-à-dire le fait qu'il ait commencé à massacrer quinze jours après Kadhafi, lui vaut cette impunité provisoire ; espérer, en d'autres termes, que la chute de Kadhafi puisse valoir avertissement pour lui.

J'ai bien conscience, encore une fois, de la faiblesse théorique de l'argument. Mais y en a-t-il tellement d'autres ?

Jeudi 28 avril *(Politique des écrivains)*

« C'est la faiblesse de presque tous les écrivains qu'ils donneraient le meilleur d'eux-mêmes et de ce qu'il ont écrit de plus propre, pour obtenir un emploi de cireur de bottes dans la politique. » Le mot est de Marcel Aymé dans un recueil d'*Ecrits sur la politique* édité par Les Belles Lettres et que je feuillette à la librairie de la Sorbonne, à Nice. La phrase pue, naturellement, comme souvent chez l'auteur d'*Uranus*. Mais elle est, surtout, idiote. Car quid de Malraux ? de Lawrence ? de l'Hemingway de la guerre d'Espagne ? d'*Hommage à la Catalogne* d'Orwell qui, avec le recueil de poèmes d'Aragon, ne m'a pas quitté à Benghazi ? tous ces livres nourris de politique comme d'autres les nourrissent de leur vie de tous les jours ? et Tocqueville ? et le Proust de *Jean Santeuil,* assistant au procès Zola et faisant parvenir à Picquart, dans sa prison, un exemplaire des *Plaisirs et les jours* ? et Chateaubriand enfin ? je disais, l'autre jour, que D'Annunzio fut le seul chef de guerre sérieux de l'histoire littéraire moderne ; eh bien Chateaubriand fut le seul diplomate sérieux, le seul ministre bis des Affaires étrangères, puis le seul ministre tout court, bien mieux que Malraux, de la littérature française — et, à l'arrivée, cela donne les *Mémoires d'outre-tombe.* Alors, d'accord, Marcel Aymé. Ou, mieux, et tant qu'à faire, Nabokov dans ce beau texte que m'avait cité Danilo Kis, avant de mourir : « je soutiendrai jusqu'à être fusillé que l'art, dès qu'il est mis en contact avec la politique, s'abaisse inévitablement au niveau de n'importe quelle pacotille idéologique ». Mais Kis sentait que les guerres en ex-Yougoslavie pointaient le nez. Il savait que, s'il vivait, elles lui poseraient un problème insurmontable. En face : ce souci du monde qui est l'honneur de la plupart des écrivains que j'admire.

Jeudi 28 avril, encore *(Aveu)*

Qu'est-ce qui peut bien unir trois hommes embarqués dans une aventure pareille ? Qu'est-ce qui, à demi-mot, scelle leur accord fondamental ? Nous sommes, Gilles, Marc et moi, dans le hall du Tibesti, à Benghazi, l'avant-dernier soir de notre dernier séjour. C'est l'heure du dernier verre, avant de monter se coucher, quand tout a été dit, absolument tout, fors les confidences essentielles. Et nous nous apercevons qu'une chose, oui, nous rassemble. Une chose dont nous ne nous sommes jamais parlé mais qui, soudain, saute aux yeux. Le souci de la Libye libre, d'accord. Le goût, au-delà de la Libye, de l'aventure et de l'action, bien sûr. Mais, en amont de tout cela, lui faisant pour ainsi dire socle, une passion plus secrète et dont nous découvrons, en l'évoquant, que c'est elle qui, à la fin des fins, a décidé de nos raisons d'être ici et scellé notre amitié. Cette passion, c'est l'Espagne. Je veux dire la guerre d'Espagne. Cette guerre dont je vais expliquer, dans quelques semaines, au musée du

304

Prado de Madrid, que Jorge Semprun l'appelait toujours « notre guerre » et que c'est ainsi que, moi aussi, une génération plus tard, et de façon encore plus imaginaire, je continue aussi de l'appeler.

Moi, donc, c'est normal : père oblige – le jeune André Lévy fuyant, à dix-huit ans, son Algérie natale pour aller, à Barcelone, rejoindre les Brigades internationales. Gilles idem – je le sais depuis toujours : l'histoire si belle, et dont il a fait un livre, de Paul Hertzog et Marcelle Cachin, ses parents, médecins sur France-Navigation, la compagnie qui, jusqu'au dernier jour ou presque, transporta d'URSS en Espagne des armes pour les Républicains puis, à l'été 1939, quand la défaite fut consommée, accompagna des milliers de Républicains au Chili. Mais la surprise c'est que Marc Roussel, que je connaissais à peine, nous apprend qu'il est dans le même cas, exactement le même : non pas fils mais petit-fils de Républicain – et, pour le reste, le même schéma, la même ombre portée, le même modèle héroïque qui, lui aussi, l'a façonné (son grand-père, Nicolas Campos, Espagnol exilé en France mais qui revient, fin 1936, lui aussi dans les Brigades – Barcelone encore ; défense de Madrid ; bataille de l'Ebre ; et incarcération, pour finir, dans l'un de ces camps à ciel ouvert où la belle République française, à l'hiver 1939, « concentra » les Rouges qu'elle avait laissés tomber et qui passaient maintenant les Pyrénées pour fuir les colonnes infernales de Franco). Et la surprise c'est que, lui aussi, fonctionne, comme nous deux, ni plus ni moins que nous deux, à la mémoire tutélaire et à l'imaginaire héroïque : est-il dans une tranchée d'Ajdabiya ? ce sont les récits de la bataille de l'Ebre qu'il a en tête et les premières pages d'*Hommage à la Catalogne* d'Orwell qui lui font prisme ; s'engage-t-il avec moi, avec nous, dans l'aventure d'un film sur la Libye libre ? lui vient, et ne le lâche plus, le modèle *Sierra de Teruel* de Malraux ou celui du groupe d'artistes qui, autour d'Hemingway et de Dos Passos, produisent *Terre d'Espagne* de Joris Ivens ; etc.

Deux amis de trente-cinq ans (Gilles et moi) qu'une même loi des pères a façonnés et, de la Bosnie à la Libye en passant par le Darfour, fait courir... Un troisième, nouveau venu, inconnu à notre bataillon fraternel, mais dont nous nous avisons que la culture politique, les références, les rêves, sont taillés dans la même étoffe que les nôtres (Marc)... Telle est la situation. Cela vaut bien un moment d'émerveillement. Puis une poignée de confidences et de secrets de famille chuchotés. Puis, dans ce hall de faux marbre immense et complètement désert, devant des cafés froids et des bouts de pizza qui se figent, un « quizz » improvisé, un peu enfantin, assez absurde, et qui s'emballe à mesure que la nuit avance. Date exacte du début de cette guerre d'Espagne ? Que fait Franco, à Gibraltar, en août ? Que se passe-t-il à Badajoz ? Lequel de nous trois sait, précisément, quand, comment et pourquoi la Colonne Durruti s'est appelée Durruti ? Combien de volontaires dans l'unité de Simone Weil à Madrid ? Composition de la brigade Abraham Lincoln ? De quel livre est inspiré le *Land and Freedom* de Ken Loach ? Où se passe l'action du film et, avant le film, du livre de George Orwell (front d'Aragon, bataille de l'Ebre, Teruel) ? Qui a dit, à son arrivée à Madrid : « je suis convaincu que les grandes manœuvres du monde contre la liberté viennent de commencer » ? Qui est l'auteur de l'*Ode à Franco* ? Combien de collaborateurs chacun de nous est-il capable de nommer pour *Authors Take Sides,* l'antho-logie républicaine confectionnée par Nancy Cunard ? Pourquoi, quand les Brigades battent en retraite à Malaga, Koestler reste-t-il dans la ville vaincue où il sera fait prisonnier par les franquistes ? De qui Heming-way a-t-il écrit : « on aurait dit qu'il faisait la guerre pour son compte propre » ? Il parlait d'Ehrenbourg, le Soviétique Ehrenbourg, qui est bien le seul de cette époque à n'avoir pas été « purgé » – pourquoi ?

Le jeu se poursuit tard. Les trois, communiants de la même mémoire, font assaut d'érudition ou, quand ils ne savent pas, de provocation et d'invention. On rit. On vote à deux contre un en cas de désaccord. Et on fait, à trois, la somme de ce qui, dans cette situation libyenne, dans ce que nous vivons, ici, maintenant, au jour le jour, ressort – et se voit mieux – à la lumière du paradigme espagnol. Tout est là. Le grand partage, le seul qui compte, entre ces deux sortes de contem-porains : ceux qui croient en l'Histoire et ceux qui n'y croient pas ; ceux qui croient en la littérature et ceux qui n'y croient pas non plus ; ceux qui résistent à cette leucémie de la mémoire qui est la grande maladie d'aujourd'hui et ceux qui, comme le mauvais prophète du Livre d'Isaïe, exhortent l'humanité à ne plus « se souvenir d'autrefois », ne plus « songer aux choses pas-sées » ; ceux qui, pour le dire encore autrement, ont la nostalgie de la grandeur et ceux qui l'ont perdue. *Bosna !* était un film lyrique – et je l'avais assumé. Si, des images que nous tournons, je fais un jour un autre film, il s'appellera *Libya Hora !* ; ce sera, aussi, un film lyrique – et j'aime cette idée.

Vendredi 29 avril *(Un bateau pour Misrata ?)*

Je m'ennuie à Paris. J'ai l'œil rivé sur les nouvelles, terribles, qui arrivent, tous les jours, de Misrata. Et j'ai une idée en tête, une seule – c'est presque une obsession : trouver une solution, vite, très vite, pour y aller. Il y a la solution via Benghazi qui est celle des quelques journalistes qui ont tenté le coup et que nous étions en train de mettre en œuvre le jour où nous avons dû rentrer, avec Younès et Mustafa, précipitamment, pour voir Sarkozy. Mais j'ai peut-être, depuis ce matin, à travers Bachir Sebbah, un armateur libyen, ami de Mansour, une seconde possibilité – un peu plus incertaine (car peu l'ont fait) mais qui aura l'avantage de ne me faire dépendre de personne, d'aucun groupe, d'aucune mission (et donc de gagner du temps) : affréter un bateau de pêche à Malte ; louer un équipage ; et filer direct, vers le sud, trente heures de navigation, jusqu'au port de Misrata.

Vendredi 29 avril, encore *(Un Juif au Maroc)*

André Azoulay chez lui, rue de la Faisanderie, à Paris. Son élégance. Son assurance un peu cassante. Cette voix blanche, impénétrable tant elle se veut lisse et parvient à l'être. Et puis, soudain, un sourire qui lui ramène un air de juvénilité ancienne : celui-là même qu'il avait à l'époque où je l'ai connu, il y a vingt ans, peut-être plus, un autre André, le même et pourtant un autre, banquier, establishment, sorte de

Disraeli français ou de Solal passé maître dans cet art de faire le Français – et puis le tournement, le Maroc, d'un marranisme l'autre, juif chez les musulmans comme il l'avait été chez les chrétiens. Je me souviens de lui en djellabah, plus juif que bien des Juifs en kippa. Je l'entends encore m'expliquer, la toute première fois, comment son vivre juif consistait, précisément, à devenir ce conseiller d'un des derniers rois arabes. Je le revois, même voix posée, presque inaudible, que les rois devaient se baisser pour entendre. S'il y a bien un Lawrence parmi nous – mais un Lawrence sans guerre, un Lawrence pour temps de paix et, de surcroît, un Lawrence juif, un double Lawrence en quelque sorte, un Lawrence au carré – c'est lui, André Azoulay.

Je suis venu lui demander ce que son gouvernement pense des trois Libyens qui viennent de se rendre à Rabat et quelle position le Maroc prendra dans cette affaire. A demi-mot – la langue d'André – je comprends que le Maroc bougera avec précaution. Proche par le cœur des rebelles, sans doute. Souhaitant la fin de Kadhafi, forcément. L'associant à l'ennemi algérien, c'est évident. Mais trop peur pour lui-même. Trop sur des charbons ardents, soi-même. Trop menacé, même si les situations n'ont rien à voir, par ses propres jeunes en colère. Et, donc, paralysé. Comment n'y ai-je pas pensé plus tôt ? C'est dommage. Car cet arc des pays arabes modérés qui irait du Maroc à la Libye en passant par la Jordanie, le Liban et le Qatar, c'est maintenant qu'il faudrait l'afficher. Et j'aurais tant aimé, avec Azoulay, avec d'autres, avec tant d'amis dans le monde arabe, aider à le baptiser. Un siècle après, en effet, l'autre version du pari – politique, militaire, littéraire – de Lawrence.

Ou, plus modestement, mon pari, tant de fois répété, sur l'islam des Lumières contre l'islam terroriste et sa moderne secte des Assassins.

Lundi 2 mai *(Je me souviens de Roger Stéphane)*

Roger Stéphane, aux premières pages de son *Portrait de l'aventurier,* consacré aux cas Malraux, Lawrence et Ernst von Salomon : « l'ère des aventures individuelles est close depuis que l'action des forces collectives s'est ouvertement substituée à la prise de l'individu ». Est-ce si sûr ? Et cette expédition pour Misrata, si je parviens à l'organiser ?

Mardi 3 mai *(Non, ce n'est décidément pas l'Irak)*

Comité de *La Règle du Jeu*. A la « gauche » du comité qui, avec Maria, s'inquiète un peu, je le sens bien, de me voir engagé sans mesure dans ce soutien à la guerre française, et sarkozyste, en Libye, je donne une raison *de plus* de distinguer cette guerre de celle des Américains en Irak. Eux parlaient de « justice infinie », admettant implicitement l'idée d'une guerre sans limites (ni dans le temps, ni dans les moyens mis en œuvre, ni, hélas, dans les méthodes). La France parle d'une guerre aux objectifs limités (doublement limités même, et par les règles d'engagement dont me parlaient, l'autre jour, les militaires et par le mandat des Nations unies qui enjoignait de sauver Benghazi et qui enjoint, aujourd'hui, d'arrêter le massacre à Misrata). La limite contre l'illimité. La mesure contre la justice infinie. De nouveau, on est dans Grotius. De nouveau, dans la théorie de la guerre juste telle qu'exposée par Canto dans son livre. Et, de nouveau, à l'opposé de l'idéologie « jacksonienne », de l'idéologie du cow-boy et de la guerre comme punition, de la doctrine du « in gun we trust » qui a régné à la Maison-Blanche sous Bush.

Mercredi 4 mai *(Arrière-pensée)*

Déjeuner avec Alexis Lacroix au café-tabac derrière *La Règle du Jeu*. Alexandre Adler, dit-il, trouve mon dernier bloc-notes sur Israël et le printemps arabe prématuré – et, plus que prématuré, risqué car s'exposant, si les choses tournent mal, à un cruel démenti. Je lui réponds qu'Alexandre a raison, bien sûr ; que les choses tourneront, forcément, plus mal que je ne le dis ; qu'il y aura, forcément, dans la Libye libre de demain, des poussées d'antisionisme, voire d'antisémitisme ; que nul, et en tout cas pas moi, n'a jamais prétendu que la démocratie serait la panacée et accoucherait, d'emblée, d'un monde miraculeux ; mieux, je suis convaincu que démocratie peut être aussi, par définition et, au moins, dans ses premiers temps, le nom d'une libre expression de la pulsion antidémocratique. Mais, à ce raisonnement que je comprends, entends et, un jour sur deux, partage, je réponds trois choses (que je répète, sur tous les tons, depuis le début de cette affaire).

D'abord, une règle de base. Que les choses tournent mal, c'est possible. Mais un démocrate ne peut pas tenir ce possible pour certain. Il ne peut pas ne pas donner au moins sa chance à « l'aube d'été ». Il doit être vigilant. Ne pas minimiser le risque. Mais arguer de ce risque, s'autoriser de cet écueil, pour interdire la navigation, cela n'est pas concevable.

Ensuite une question de bon sens. L'événement de toute façon advient. N'adviendrait-il pas que, Moubarak n'étant pas immortel, ni Ben Ali, ni Kadhafi, il serait un jour ou l'autre advenu. A quoi bon, dans ce cas, faire l'autruche ? Quel ordre du monde fomenterions-nous dont les piliers seraient de vieux dictateurs condamnés ? Peut-on bâtir une géopolitique, c'est-à-dire une vision du monde, sur la seule idée qu'il faut gagner du temps, retarder l'inéluctable ? Et la seule attitude raisonnable, je dis bien raisonnable, ne consiste-t-elle pas alors, comme je le disais à Lieberman, à accompagner un événement dont la venue ne dépend pas de nous — je ne dis pas l'épouser, mais le suivre, déjà le suivre, tenter de l'accompagner et, ce faisant, de peser sur son destin ? Lacan, jadis : « le sérieux, c'est la série ». C'est cela.

Et puis un problème de stratégie. Il faut être dedans pour peser. Il faut avoir encouragé pour être autorisé à contester. Et ne seront audibles, le moment venu, que ceux qui n'auront pas a priori boudé l'éclosion de ce printemps. Je sais que le moment viendra où les journaux titreront sur les pulsions islamistes, fondamentalistes, que ces révolutions arabes auront libérées. Je sais que, dans Tripoli libéré, on verra, comme en Bosnie, plus qu'en Bosnie, des islamistes qui auront pour eux d'avoir combattu, en première ligne, le tyran honni. Mais il faudra, ce jour-là, avoir été là, il faudra avoir été assez fraternels, solidaires, et avoir noué des liens de confiance assez solides, pour pouvoir dire à ces gens qu'il y a, lorsqu'on se veut démocrates, des choses qu'on ne dit pas, des actes qu'on ne commet pas. Ce sera le rôle, entre autres, de la France. Et c'est ce que, dès aujourd'hui, il faut modestement préparer. Ruse, si l'on veut. Mais ruse de la raison.

Jeudi 5 mai *(Pour en finir, vraiment, avec Huntington)*

La question, c'est Huntington. C'est-à-dire, une fois de plus, ces nombres premiers du débat idéologique auxquels on en revient toujours. Ou bien on croit que les espaces civilisationnels sont des blocs, qu'ils sont fermés sur eux-mêmes, cohérents, tout d'une pièce – et alors ce qui se passe dans le monde arabe ne concerne que les Arabes, nous n'avons pas notre mot à dire, ils sont chez eux. Ou bien nous refusons le préjugé huntingtonien ; nous pensons que les civilisations communiquent, s'interpénètrent, se contaminent, se parlent ; nous adhérons, autrement dit, à cet autre préjugé qu'est l'idée de l'unité de l'espèce humaine ou, pour le dire en termes plus prosaïques, aux énoncés de ce que l'on appelait, jadis, l'internationalisme ; nous estimons que le territoire arabo-musulman, par exemple, n'est pas à jamais perdu pour les idéaux de liberté – et, alors, l'affaire arabe est notre affaire, elle est aussi au-dedans de nous, et mon entrisme philosophique se justifie pleinement. Préjugé contre préjugé. Camp contre camp. Mais les camps de la pensée. Il faut choisir.

Vendredi 6 mai *(Copé et Michel Foucault)*

Déjeuner avec Jean-François Copé au siège de l'UMP. Terrasse. Beau temps. Un petit vent se lève et manque emporter le parasol que, du coup, nous replions fissa. Au menu, la Libye. Toujours et encore la Libye. Le secrétaire général du parti présidentiel me dit avoir contribué à calmer Juppé très en colère contre moi. Il me dit, aussi, que Sarkozy a un point commun avec lui : ne jamais reculer, ne jamais regretter – et que ce sera le cas, il en est sûr, dans cette affaire libyenne. Mais il me dit aussi qu'il est de ceux qui redoutent l'évolution des choses. Et, quand je lui présente ma thèse sur la nécessité de pénétrer en terrain instable afin d'être en mesure, le moment venu, si nécessaire, de peser sur des acteurs que l'on aura, au préalable, loyalement encouragés et aidés, il me fait cette réponse qui me laisse pantois et me fait mesurer, une nouvelle fois, chez l'un de ses meilleurs éléments, l'incompréhension de la droite française face à cette guerre : « et l'Iran ? que faites-vous de l'Iran ? les Iraniens nous ont-ils tant remerciés que cela d'avoir hébergé Khomeiny à Neauphle-le-Château ? et Foucault ? nous leur avons envoyé Michel Foucault, qui était le Bernard-Henri Lévy du moment – vous souvenez-vous que, de cela aussi, ils nous aient remerciés ? »

Ma réponse tient en trois points.

1. Abdeljalil est un musulman pieux – ce n'est pas le fou dangereux qu'était l'imam Khomeiny.

2. Les Libyens d'aujourd'hui, la France se bat à leurs côtés, les aide à se libérer – n'est-ce pas, tout de même, autre chose qu'un hébergement à Neauphle-le-Château ?

3. Quant à Foucault... Je trouve que l'on est trop sévère, d'abord, avec la série de reportages de Foucault que publia, à l'époque, le *Corriere della Sera* et qui, relus avec le recul, sont moins délirants qu'on ne l'a dit. Mais ce qui est sûr, c'est que c'étaient des reportages, seulement des reportages et que je prétends, moi, faire davantage, en Libye, que rapporter ce qui advient : quand je corédige le premier texte public de Jibril, la première déclaration d'Abdeljalil, le Manifeste des tribus, quand je travaille à la reconnaissance du CNT ou à la venue de Younès à Paris, je suis dans un rôle où il ne s'agit plus ni de commenter, ni de célébrer, ni, encore moins, de s'extasier, mais *d'influer*.

Copé m'écoute. Mais je vois que je ne le convaincs pas. Qu'est-ce que ce doit être, plus bas dans l'état-major, voire à la base, du « Parti du Président » ! Si l'on en est là chez lui, qui est l'un des plus brillants caciques du parti, qu'est-ce que peut bien penser l'électeur de droite lambda ? Et que cette guerre ait été conçue, puis décidée puis, jusqu'à nouvel ordre, menée ne relève-t-il pas, une fois de plus, du miracle politique ?

Une droite hostile... Une opinion (au mieux) indifférente... Des milieux d'affaires égaux à eux-mêmes, c'est-à-dire un brin pétainistes... Un parti souverainiste puissant, bruyant, comptant des nouveaux venus de poids... Un appareil d'Etat, Quai d'Orsay en tête, qui n'a toujours pas compris dans quelle aventure insensée on l'entraînait... Qu'est-ce qui reste ? Un Président atypique. Une chef de l'opposition, Aubry, qui rame aussi contre les siens mais tient bon. Une

315

poignée d'intellectuels, d'humanitaires, de journalistes qui, comme en Bosnie et souvent, d'ailleurs, les mêmes qu'à l'époque de la Bosnie, résistent à la désinformation généralisée et plaident. C'est beaucoup et c'est peu. C'est, surtout, inédit. Il aura fallu cette coalition hétéroclite et improbable.

Samedi 7 mai *(Et l'Afrique ?)*

A propos d'influence, un projet qui me trotte dans la tête depuis ma harangue ridicule, le jour de l'arrivée de la délégation des « médiateurs » africains, aux manifestants de l'hôtel Tibesti : trouver le moyen de casser ce « front » africain que s'est construit Kadhafi à coup de dollars et de promesses ; trouver le levier, ou la brèche, qui briserait cette unanimité scandaleuse et, dans le monde dit émergent, trop flatteuse ; j'ai, peut-être, le début d'une idée.

Dimanche 8 mai *(Oui, bien sûr, la Syrie)*

Mon fils, Antonin, me parle d'un Appel de François Heisbourg fustigeant le silence des intellectuels sur la Syrie. Je n'y réagirais pas s'il ne me mettait, avec Sarkozy, nommément en cause. Car enfin ! Pourquoi moi ? Si ce silence le gênait tant, que ne l'a-t-il rompu plus tôt ? Au nom de quelle étrange loi serais-je l'unique préposé à la rupture du silence sur les révolutions arabes ? La vérité c'est que ce que j'ai fait pour

316

la Libye, on attend, nous attendons, j'attends, moi, en tout cas, qu'un autre, et pourquoi pas Heisbourg lui-même, le fasse pour la Syrie. Et plus important encore : ce que Sarkozy a fait, cette façon qu'il a eu d'emporter les résistances et réticences de ses partenaires, le talent avec lequel il a désarmé les oppositions au Conseil de sécurité des Nations unies, on s'étonne qu'il ne se trouve pas quelqu'un d'autre, une Merkel, un Zapatero, un Obama, un membre petit ou grand du Conseil de sécurité (il faudrait que je trouve la liste exacte, chacun est concerné, en conscience concerné, trop facile de prendre cet air de tarentule clignant du mauvais œil pour répéter, en boucle, « tiens, tiens, bizarre... vous ne trouvez pas bizarre, vous, que ce qu'ils ont fait en Libye ils ne le fassent pas, pareil, en Syrie... vous ne le trouvez pas suspect, troublant, hautement douteux, chargé de sens – mais lequel ? – ce deux poids et deux mesures ? ») on s'étonne, dis-je, qu'il ne se trouve pas quelqu'un d'autre pour faire montre de la même énergie afin d'imposer une résolution condamnant Bachar el-Assad. En attendant, et au passage, j'étais tout à l'heure, à Canal+, pour m'étonner que la seule mesure concrète qui ait été adoptée (saisie des avoirs syriens à l'étranger) ne concerne ni lui, Bachar, ni son ministre de la Défense.

Mardi 10 mai *(Lénine et l'Afrique)*

Toujours mon obsession africaine. J'ai deux obsessions, en ce moment : Misrata et l'Afrique. Alors, sur l'Afrique, ce mot de Lénine que l'on se répétait dans ma jeunesse et dont je ne sais plus bien ni le contexte ni le sens : « qui met la main sur l'Afrique met la main sur l'Europe ». Je joue avec. Je le tourne et le retourne. Le détourne et le renverse. L'Europe et l'Afrique... L'Afrique et l'Europe... Kadhafi, quand il a mis la main sur l'Afrique... Bas les pattes, en Afrique, dit l'Europe à Kadhafi... Qui met la main sur l'Europe met la main sur l'Afrique... Mettre la main, en Europe, sur le pays d'Afrique qui lèvera la main sur Kadhafi... Je suis sûr, en tout cas, qu'une clef est en Afrique.

Jeudi 12 mai *(De la guerre dans la pensée)*

Alors, évidemment, tout cela pose encore une question – qui peut s'énoncer : quand je fais tout cela, quand j'interviens de ces manières, quand, non content d'observer et d'écrire, je gamberge sur l'Afrique, échafaude des plans de destruction du bouclier africain de Kadhafi, quand je fais l'écrivain public pour Jibril et Abdeljalil, quand je convaincs le président français de s'engager avec le CNT, quand j'amène un général chercheur d'armes à Paris, suis-je encore dans mon rôle – et, puisque je parlais, l'autre jour, de ces « camps de la pensée » entre lesquels il faut choisir, s'agit-il même, et toujours, de pensée ?

Mieux : ces histoires de « dehors » et de « dedans », de « territoires gagnés » et « perdus », cette tactique, cet entrisme, ces coups de main et ces coups de force, cette façon de forcer la main et de prendre date, d'être là pour peser un jour, cette « stratégie d'ensemble » comme disaient le Sollers de *Tel Quel* ou le Mao du premier Benny Lévy, cette bataille pied à pied avec une situation dont on ne sait jamais dans quel sens elle va aller, cette façon de composer, de dire les choses à moitié (et encore ! si c'était la moitié ! parfois, c'est beaucoup moins ; un lambeau ; une guenille ; l'ombre d'une vérité), tout cela n'est-il pas l'exact contraire de ce travail de la pensée pour lequel, en principe, je suis fait ?

Mieux : le lieu même de la politique, ce lieu de contingence et de rencontre, d'intérêts et de passions en bataille, ce lieu obscur, opaque, ce lieu qui n'est pas un monde et dont on essaie désespérément de faire un monde (mais peut-être est-ce une autre ruse, la ruse même de la politique, la promesse par laquelle elle nous tient, son mirage par excellence, un autre leurre), n'est-il pas, en tant que tel, un lieu hostile à la pensée où les intellectuels s'épuisent et se perdent ? que vais-je faire dans cette galère, la vraie, la seule, bien plus périlleuse que les autres, dont j'ai parlé dans mes reportages de guerre ?

Pascal Bacqué m'a envoyé, l'autre jour, ce verset des Proverbes de Salomon énonçant : « Lev mêlekh be-yad Hashem » – littéralement « le cœur du roi est dans la main de Dieu ». Un verset dont je lui réponds aussitôt qu'il figure, en propres termes, dans Tolstoï, *Guerre et Paix,* un passage sur lequel je suis tombé, l'autre nuit, à propos de Napoléon (et avec, chez lui, Tolstoï, ce corollaire : les rois sont les esclaves de l'Histoire – ils croient régner, la dominer, la pétrir à leur main, mais non, c'est eux qui sont pétris, Napoléon n'est *rien*). Hasard, alors ? Transmission ? Si transmission, par quel canal ? Quel mystère de transfusion et de circulation ? Je n'en sais rien, mais c'est un fait. Et le plus étrange est qu'il veut dire, ce mot, la même chose dans Tolstoï que dans le Talmud – être roi, être de cette scène-ci, c'est être dans l'obscur et c'est, dans l'agitation même que l'on déploie pour tenter d'y voir un peu clair, ajouter encore, paradoxalement, à cette obscurité du monde. La politique est toujours de l'ordre de l'opacité, de l'impénétrable. Elle est défaite obligée, pour partie, de l'intelligence. Et tenter de la penser – ce que l'on appelle *penser* – est une entreprise vouée à l'échec.

Et Bacqué d'assortir son envoi de gentilles considérations sur la fatigue où il me suppose (fatigue du corps et de l'esprit, découragement, lassitude) quand il m'imagine aux prises avec cette intrigue, celle de cette autre scène – et sur le soupçon qu'il a, comme Benny quand il me voyait revenir de mes guerres oubliées, ou m'agiter pour Massoud, ou plaider pour les jeunes des banlieues en France, que je ne suis pas dupe, que je ne peux pas l'être – lui, en tout cas, ne peut pas croire que je me satisfasse de cette demi-pensée, de cette pensée au rabais, de cette pensée compromise, coupée comme on dit d'un mauvais alcool : comment quelqu'un qui, comme moi, n'a pas fait son deuil de l'Étude ni, encore moins, de la Vérité, comment un levinassien qui sait de quelle hauteur anhistorique se manifeste, quand elle le veut, cette Vérité cachée, comment le Juif en moi, instruit, et il le sait, du fait que la Loi, quoique immanente à nos actes, les surplombe infiniment, peut-il croire à ce jeu, ce cache-cache, ce cache-misère, cette misère ?

Sur l'épuisement, il a peut-être raison. Il y a des jours où je n'en peux plus. J'ai l'impression d'être dans un monde insaisissable, à double ou triple fond, où je

320

ne sais plus qui dit la vérité, qui ment. On croit le comprendre et on n'y arrive pas. On pense avoir avancé et on a, en réalité, reculé. Et cela sur la scène française autant que sur la scène libyenne. Et cela quand j'écoute Juppé ou Clinton comme quand je parle avec Mahmoud Jibril. Et si c'était le réel même, ce réel, le réel au sens de Lacan et, donc, du Politique, qui se dérobait à ma prise ?

Sur le politique et mon rapport à lui, il n'a pas complètement tort non plus. N'ai-je pas écrit, dès mon premier livre, il y a plus de trente ans maintenant, que la place de l'écrivain, du philosophe, de l'intellectuel, était le plus loin possible du Roi ? Et la sagesse juive, dont je n'avais pas la moindre idée à l'époque, n'a-t-elle pas tout dit, absolument tout, sur l'énigme de cette distance : Abraham, avec les cinq rois, négociant et tirant sa révérence ; Jacob bénissant Pharaon puis se sauvant ; les Patriarches, ces marginaux, sachant que la scène des rois est une prison et qu'il faut être fou, quand on a un monde et qu'on voit clair dans l'opaque, pour le quitter et se mettre en prison ? « Méfie-toi du pouvoir » – Pirke Avot...

Pire, il m'arrive, c'est vrai, d'avoir peur, vraiment peur, et d'une peur qui n'a plus rien à voir avec celle que j'ai pu ressentir à Brega, Ajdabiya, jadis dans la forêt de Tenga, aux abords de Bujumbura, dans le Panshir avec Massoud, sous les bombes à Sarajevo. Non. L'autre peur. Celle de l'âme. Foucault disait que le vrai courage n'est pas le courage physique mais le courage de l'esprit (à la fin de sa vie, à l'agonie, son dernier mot : « appelez Canguilhem, lui sait mourir »...). Eh bien c'est la même chose pour la peur. Les peurs de l'âme sont les pires. La peur des risques que l'on prend quand on compose avec la Vérité. La peur de ce qui vous attend, Don Juan, quand vous prétendez, avec elle, jouer au plus malin. La peur de m'être trompé et que cette erreur se paie du sang des autres. Et puis la peur, bien sûr, pour le nom que je porte, pas le mien, non, pas mon nom de personne, ni même mon nom secret, mais l'autre, mon nom commun, mon nom sacré, le nom qui fut acclamé, le dernier soir, sur la Corniche de Benghazi – mais qu'ont-ils vraiment compris ? et pensé ? qui sait ? Je ne me vois pas, comme le disait Lanzmann, « maître du monde » exerçant « un chantage » sur « des politiques impressionnables ». Je ne perds ni « la boule » ni « les pédales ». Je crois juste que j'ai vu, jusqu'ici, un peu plus clair que d'autres. Et je me sens fort et fragile à la fois. Assez loin pour être fort. Mais trop dedans pour n'être pas saisi, comme le vif par le mort, par la fragilité féroce des politiques. Plus fragile que fort ? Plus fort que fragile ? Dépend des jours.

Mais Bacqué a tort, en revanche, sur trois points essentiels – ou peut-être quatre.

1. D'abord la Vérité. Je sais, bien sûr. J'ai compris. Elle vient, ou viendra, c'est parfaitement clair, de Haut. Mais pour l'instant… En ces temps nihilistes et, en tout cas, non messianiques… Est-ce lui faire injure, à la Vérité, que de se souvenir d'elle, de ne pas céder sur cette mémoire, mais de savoir qu'elle ne se dit pas toute, qu'elle ne se révèle pas en majesté et qu'il faut faire avec ce que l'on a : un bout par-ci, un pan par-là, un jeu de chaque instant, retarder l'erreur, la modifier, l'altérer, ruser avec elle ? Ce n'est pas un péché de composer avec l'inéluctable – c'est un devoir.

2. J'ai écrit un livre qui s'appelle *De la guerre en philosophie* et qui dit bien ce qu'il veut dire. Je suis toujours philosophe, donc platonicien, donc convaincu de la transcendance du Vrai. Mais je la vois, cette Vérité, en guerrier, c'est-à-dire en nietzschéen, c'est-à-dire en sujet sachant que, d'ici à ce qu'elle surgisse, tout armée, sans composer, il y a ce très long temps qui est notre temps et où elle se dit sur un théâtre où va se jouer la guerre d'appropriation, la dispute, le déchirement, dont elle sera l'objet. Nietzsche dans Platon. Nietzsche en attendant Platon. Toujours été ma position. Un seul ennemi, Hegel.

3. Mon intervention dans cette guerre – mon travail sur ce jeu, ces facettes, ce miroitement du vrai et du non vrai. Pas dupe, qu'on se rassure. Nul n'est, je crois, moins dupe que moi de ce peu de vérité. Et, réserve faite de mon inconscient qui me joue, sûrement, ses tours, bonne maîtrise, je crois, de ce que je tente en ce moment. Fatigue, oui. Peur, je viens de le dire aussi. Mais baladé, abusé, trompé par plus malin que moi (un ancien kadhafiste, un islamiste, un anti-sémite impénitent...), ça, non, je ne crois pas – on verra bien, mais je ne crois pas.

4. Le nom juif, enfin. Inutile, je suppose, de dire que je n'y renonce à aucun instant : témoin, entre autres, l'épisode de la caricature antisémite sur la Corniche ; témoin, plus encore, l'ouverture de mon discours aux chebabs le dernier soir du deuxième séjour à Benghazi. Mais j'affirme – et ceci, peut-être, est moins clair – que je ne l'occulte pas davantage. Il est l'un des objets de ma bataille. Elle a aussi, cette bataille, la défense du « nom juif » pour objet.

Dimanche 15 mai *(Première conversation avec Abdoulaye Wade, président du Sénégal)*

Oui, j'ai trouvé l'idée.

Et je crois que cela va marcher.

Si je raconte, un jour, cette histoire, il faudra tout dire, vraiment tout et lui donner, si j'ose dire, toute sa profondeur biographique.

Ce déjeuner avec Françoise Verny, il y a dix ans, peut-être plus, avant qu'elle ne sombre. Je m'étais appliqué à lui parler de mon *Sartre*, comme si elle était encore mon éditrice. Elle m'avait parlé d'un nouveau livre sur le commandement d'amour, juif et chrétien, qu'elle disait avoir en projet. Nous avions évoqué nos souvenirs de son époque Grasset et, au fil de la conversation, avait surgi la figure de Jacques-Francis Rolland, cet ex-stalinien qu'elle avait connu dans sa propre période stalinienne et que j'avais rencontré, chez elle, rue de Naples, lors d'un de ces dîners tristement légendaires qu'elle quittait au moment du hors-d'œuvre, ivre morte, le visage chu dans l'immonde macédoine de légumes mayonnaise qu'elle faisait, tous les soirs, invariablement livrer par le même mauvais traiteur officiant en bas de chez elle. Son fils, généralement aidé du plus jeune de ses invités, souvent moi, la portait alors dans son lit. Et ses convives du jour étaient condamnés à faire connaissance sans elle : j'ai vu, dans ces dîners, Giscard d'Estaing et Mitterrand, Modiano et Robbe-Grillet, le directeur du *Monde* et celui du *Figaro*, des académiciens, des cardinaux — ce jour-là, c'était Rolland et moi.

J'avais compris, ou cru comprendre, que la brillante scénariste qu'elle était aussi rêvait – son dernier rêve ? – d'adapter pour la télévision *Le Grand Capitaine*, étonnant roman que nous avait, sur le tard, donné Rolland et qui racontait l'histoire de la colonne Voulet-Chanoine, cette unité de soldats perdus partis, en 1900, à la conquête du Tchad mais devenus fous, échappant au contrôle de Paris et finissant leur aventure dans l'horreur et le sang. Et attendu que, premièrement, j'aimais ma Françoise et que deuxièmement, je n'ai jamais réussi à penser que les gens que j'aime vieillissent et deviennent moins capables de donner corps à leur rêve, j'avais décidé d'aider à ce que ce film voie le jour et étais allé, au culot, voir Abdoulaye Wade, le président du Sénégal, pour explorer les possibilités de le tourner dans son pays.

Le film ne s'est jamais fait. Ou plutôt si, il s'est fait. Mais Françoise s'étant, entre-temps, bel et bien abîmée dans le grand âge, il s'est fait sans elle et, donc, sans moi (mais, en revanche, et c'est une ironie de cette histoire, avec mon gendre, Patrick Mille, mis en scène par Serge Moati, dans le rôle d'un des officiers félons). Mais il m'est resté de cet épisode un lien avec Wade, ce Président hors normes que je soupçonne d'être devenu chef d'Etat faute d'avoir pu être grand économiste et qui m'a, depuis cette première rencontre, il y a dix ans, proposé, pêle-mêle, de venir faire des conférences à Dakar, de réfléchir à la constitution d'une Académie sénégalaise, de concevoir un théâtre national ou de venir discuter avec lui du *Discours à la nation africaine* qu'il a en projet sur le modèle du *Discours à la nation européenne* de Julien Benda – toutes choses pour lesquelles j'avoue, à ma courte honte, n'avoir jamais trouvé le temps.

Il faudra raconter tout cela, donc. Détailler. Et bien faire comprendre que c'est adossé à ce passé que j'ai pris la décision, ce matin, à Tanger où je suis depuis hier soir, de téléphoner à cet homme pour lui demander, sans autre détour, pourquoi il ne serait pas le premier chef d'Etat africain à recevoir mes amis du Conseil national de transition.

« Pourquoi pas ? m'a-t-il aussitôt répondu. C'est possible. Je reçois toujours les opposants. J'ai été moi-même un opposant et...

— Ce ne sont plus des opposants, Monsieur le Président.

— Bon. Peu importe le nom que vous leur donnez. Je veux dire que je suis disposé, si c'est à cela que vous songez, à une mission de médiation.

— Je crains que l'on n'en soit plus, non plus, au stade de la médiation – j'étais à Benghazi le fameux matin où la délégation de l'Union africaine est arrivée de Tripoli pour offrir son plan de....

— Disons facilitation, alors. Si vous n'aimez pas médiation, dites facilitation. On a toujours besoin, pour sortir d'un conflit, de facilitateurs.

— On n'en est plus là non plus, Monsieur le Président. La position de mes amis est sans ambiguïté : il n'y a pas de discussion possible, pas de facilitation, sans le préalable absolu du départ de celui qu'ils n'appellent plus Kadhafi mais seulement le dictateur... »

Le Président se tait. Pendant de longues, très longues, secondes, il ne dit plus rien. Puis reprend :

« Je ne dois rien à Kadhafi, notez bien. Rien.

« — Je le sais, Monsieur le Président ; j'ai eu, par Marie-Luce Skraburski, la transcription de cette incroyable conversation téléphonique du 9 mars que vous avez eue avec lui et où vous lui avez dit ses quatre vérités ; je suis sûr que vous ne lui devez rien ; en sorte que...

— Ah vous avez eu ce document... »

Je sens que l'idée lui plaît. Et, d'une certaine manière, l'enhardit.

« Je ne lui dois rien, mais je suis en contact avec lui. Je suis l'un des rares, peut-être le seul, à être encore en contact avec lui.

— Lui, personnellement ? Ou à travers des intermédiaires ? »

Il prend le temps de répondre, là aussi. Peut-être se demande-t-il s'il peut, s'il doit, me dire la vérité.

« Lui, naturellement, finit-il par dire. Mais aussi à travers un émissaire. Monsieur Afi Anan. Il a été ambassadeur à Paris et à Londres. Je l'aime bien. C'est toujours lui qu'il m'envoie quand il a un problème à régler avec moi.

— Bon. Et vous vous êtes parlé récemment ?

— Ce matin.

— Ce matin ! »

Je n'ai pu réprimer ce mouvement d'incrédulité et de surprise.

« Il y a quelques heures, oui. Je le connais bien, vous savez. Il m'a dit que le Guide souhaitait me parler, qu'il compte sur moi pour dénouer cette crise.

— Il n'y a qu'un dénouement possible : son départ. »

Il fait comme s'il n'avait pas entendu.

« Il a aussi dans l'idée de convoquer un sommet extraordinaire de l'Union africaine sur la Libye.

— C'est la catastrophe à éviter, Monsieur le Président.

— J'ai dit à Anan que c'était trop tard, que Kadhafi se faisait des illusions, que les Africains n'étaient plus prêts à le soutenir comme avant. »

Puis, comme s'il se parlait à lui-même.

« J'ai l'impression qu'il a des problèmes pour appeler, maintenant. Il doit être très surveillé. »

Je répète, je martèle :

« Il ne peut y avoir qu'un dénouement : son départ et celui de sa famille. »

Il m'a entendu, cette fois :

« Vous êtes sûr ?

— Ce n'est pas moi qui suis sûr. C'est le peuple libyen. C'est son vœu.

— Pas tout le peuple libyen. Le pays est coupé en deux – vous ne croyez pas ?

— Non, je ne le crois pas. Kadhafi semble régner, en effet, dans la partie ouest. Mais c'est par la peur. Même dans sa propre tribu... »

Il me coupe :

« Pourquoi, dans ce cas, les opposants n'avancent-ils pas plus vite ? Pourquoi cet enlisement ?

— Il y a deux problèmes. Les chebabs, en effet, qui sont inexpérimentés et encore mal organisés. Et la coalition qui pourrait aller plus vite, bien sûr – mais à quel prix ?

— Oui... »

Son « oui » est dubitatif. Je reprends.

« Si, bien sûr. Tout est fait pour éviter les victimes civiles.

— Kadhafi est très malin, vous savez. Très. Je le connais bien. Et depuis longtemps.

— Je n'en doute pas. Je suis juste en train de vous dire que la coalition prend son temps. Elle ne veut pas de dégâts collatéraux. Elle ne veut pas heurter l'Opinion mondiale et, en particulier, arabe. Vous savez ce que m'a dit, un jour, Sarkozy ?

— Allez-y.

— Qu'il était dans la situation d'un démineur qui sait qu'il y a une bombe enterrée et qui doit la désamorcer. Il a deux solutions. Arroser le bled et faire tout exploser. Ou y aller doucement, à la petite cuillère, en retenant son souffle, même si cela prend des heures. C'est ce que fait la France.

— Je comprends... »

Il ne semble pas complètement convaincu. Mais l'image lui plaît. Il répète, plusieurs fois, « à la petite cuillère ». Répète, aussi, qu'il est le seul à pouvoir « parler à Kadhafi ». Je sens que, comme à l'époque de Clotilde Reiss, la jeune Française détenue à Téhéran, comme à l'époque de Sakineh où il s'était personnellement entretenu avec Ahmadinejad, il ne détesterait pas jouer un rôle, servir. Il me demande où je suis ; où sont mes amis ; combien de temps il leur faudrait, puisque je lui réponds qu'ils sont à Benghazi, pour arriver à Paris puis à Dakar. Il me demande, également, quel serait le « niveau » de la délégation s'il recevait une délégation. Et si, dans le cas où Abdeljalil serait dans l'incapacité de quitter le champ de bataille, je peux répondre, moi, du fait que ladite délégation serait porteuse d'un message de lui. Et, alors, brusquement, comme si les réponses que je lui donne balayaient ses réticences :

« Bon. Bernard, tout cela ne me semble pas mal ficelé. Et puis je serai content de vous revoir. Venez, avec vos amis, après-demain, à Dakar. »

C'est peu de dire que je suis, en raccrochant, heureux : j'exulte ; je déborde d'enthousiasme ; je suis convaincu qu'à dater d'aujourd'hui... Mais n'anticipons pas. J'appelle, pour l'instant, Ali et Mansour qui sont, dans mon esprit, *la délégation même*.

Mardi 17 mai *(Deuxième conversation téléphonique avec Abdoulaye Wade)*

C'est lui, cette fois, qui m'appelle.

« C'est toujours bon pour après-demain ?

— Naturellement. Mes amis sont déjà en route. Ils sont sortis de Benghazi et seront à Paris cet après-midi.

— Bon... Bon... »

Il semble hésitant, de nouveau. Ou perplexe.

« J'ai encore une question à vous poser.

— Oui ?

— Est-ce le désir de Sarkozy ?

— Pardon ?

— Est-ce, vraiment, le désir de Sarkozy que Kadhafi quitte le pays ?

— Ses actes vous répondent. Il a reconnu le Conseil national de transition comme seul représentant légitime du peuple libyen. Il a mobilisé... »

Il m'interrompt. Sec, tout à coup.

« Je sais cela. Je sais que c'est sa position. Mais je ne vous parle pas de sa position. Je vous parle de son désir... Son désir profond...

— Son désir, dis-je, interloqué, je ne sais pas... Je ne peux pas savoir ce qu'est son désir profond... Je sais juste ce que je vois et ce que...

— Oui, oui… »

Il semble songeur. Il répète :

« Oui, oui, je comprends… »

Puis, comme s'il pensait, maintenant, à toute vitesse :

« Je peux vous demander de vérifier ce point ?

— Je ne crois pas, Monsieur le Président. Je n'ai pas ce type de relation avec Nicolas Sarkozy. Mais vous… Vous le connaissez bien… Il vous respecte… Pourquoi ne l'appelez-vous pas, pour lui poser directement la question ?

— Peut-être… Je ne sais pas… Je réfléchis et vous rappelle dans l'heure. »

Sachant qu'il va, selon toute vraisemblance, appeler Sarkozy, j'envoie au secrétariat de celui-ci l'e-mail suivant : « Après-demain, jeudi, j'amène nos amis du Conseil national de transition libyen, à Dakar, rencontrer le président Wade. C'est une initiative personnelle. Mais peut-être débouchera-t-elle sur une reconnaissance. Donc sur une brèche dans le bouclier africain de Kadhafi. Je souhaitais juste informer le Président de cette démarche. » Puis, à lui, sur le téléphone personnel qu'il m'a autorisé à utiliser en cas d'urgence, ce SMS : « Abdulaye Wade va sans doute appeler ; il est prêt à rompre avec Kadhafi ; peut-être faut-il, un peu, l'y encourager. » Deux heures passent. Wade rappelle.

« J'ai eu Lévitte. Sarkozy était occupé et n'a pas pu me prendre. Mais j'ai eu Lévitte. Il n'est pas question de tuer Kadhafi.

— Naturellement ! Je ne vous ai jamais dit le contraire !

— Non, je sais. Mais je crois que vous avez raison et qu'il n'a plus tellement le choix… »

Puis, une pause ; je l'entends qui halète dans l'appareil.
« Quel format suggérez-vous ?

— Pardon ?

— Pensez-vous que je doive faire une reconnaissance officielle, comme Sarkozy ? Ou une reconnaissance de fait, juste en les recevant ?

— Le plus sera le mieux. Il faut que votre geste ait le plus de retentissement possible. D'autant qu'on parle moins de la Libye. L'actualité tourne... Elle est volage... Il faudra faire fort pour qu'on vous entende.

— Je comprends... Je vais voir... Je vous attends, en tout cas, après-demain. Essayez d'être là pour déjeuner. Nous mettrons les derniers détails au point. Je recevrai vos amis dans la foulée. »

Jeudi 19 mai (*La Libye libre à Dakar*)

L'événement passera peut-être inaperçu dans la presse européenne. Mais c'est, après la reconnaissance du CNT par la France, la deuxième vraie victoire.

Je suis arrivé, de Tanger, un peu avant midi. J'ai eu une petite heure pour profiter, sur la plage de l'hôtel Sofitel, de ces odeurs de mer africaine que j'ai toujours aimées. Ali et Mansour étant arrivés, un peu plus tôt, par le vol de Paris, se reposent dans un autre hôtel de la ville. Un chauffeur vient me chercher pour m'amener à la présidence.

Je sens, dès l'apéritif, que Wade est rassuré. Karim, son fils, est là et me semble, lui aussi, acquis. Je leur raconte le dîner des tribus de Benghazi. Je leur explique le cas d'Hassan Droé, le Warfala acclamé par les gens d'Ajdabiya. J'insiste – parce qu'ils ne me semblent pas, de cela, être au courant – sur l'engagement peu ordinaire qu'ont pris les membres du CNT de ne pas concourir, une fois Kadhafi tombé et la transition menée à bien, aux grandes fonctions électives. « C'est bien, reconnaît Wade... Cela prouve, au moins, que ce ne sont pas des ambitieux, prêts à tout pour le pouvoir... » Puis, quand même, un rien narquois, vieux routier de la politique à qui on ne la fait pas : « il ne faudrait juste pas qu'on en conclue qu'ils ne croient pas eux-mêmes en leur propre révolution ! »

A-t-il décidé, demandé-je, du format qu'il donnera à cette reconnaissance ? Un format « médian », répond-il. Car il veut, dans le propre « intérêt de nos amis », se garder une « marge de manœuvre » et faire que Kadhafi puisse encore, s'il le veut, avoir « accès » à lui. Il a fait préparer, d'ailleurs, un projet de communiqué. Est-ce que je veux y jeter un œil ? Oui, bien sûr, dis-je ! Et le communiqué, de fait, n'est pas mal. A quelques exceptions près, que je conseille de corriger avant l'arrivée d'Ali et Mansour, il est même plutôt audacieux. Le texte repart à la frappe. Revient. Le Président, pendant ce temps, m'explique qu'il a réfléchi, pour les Libyens, à un calendrier de passage à la démocratie inspiré d'expériences qu'il a vécues, ou suivies de près, et dont les grandes étapes seraient : convocation, sous l'égide du CNT, d'une « Conférence nationale » très large, représentative des forces vives de la société civile libyenne ; dissolution du CNT ; convocation d'une Assemblée constituante suivie de la mise en place, par ladite Assemblée, d'un « programme d'action » en vue de la création d'institutions républicaines ; enregistrement sur les listes électorales de tous les Libyens en âge de voter ; fixation de la date des élections présidentielles et législatives ; mise en place d'un gouvernement d'Union nationale…

Il est 15 heures. Ali et Mansour sont arrivés. Et une négociation va commencer qui ne devait pas durer plus d'une heure mais qui va se prolonger jusqu'à la nuit, les Libyens ne lâchant rien, Wade non plus, le texte repartant, revenant, la secrétaire finissant par se joindre à nous pour aller plus vite et le Président prenant lui-même, à un moment, l'ordinateur de travail pour intégrer une longue et complexe modification qu'Ali et Mansour, lors d'une suspension de séance, sont allés concocter, avec moi, à l'autre bout de la pièce.

A 19 heures nous touchons au but. Ali a obtenu que soit retirée du texte toute allusion à une possible « médiation » entre « les parties » mais a accepté la phrase sur la « disponibilité » de Wade pour « contribuer à la recherche de la paix et de la réconciliation nationale ». Il a tenu à ce que le texte prenne « bonne note du fait que, pour le CNT, toute solution d'avenir passe par le départ de M. Mouammar Kadhafi » et Wade a demandé que soit ajouté, dans ce cas, un membre de phrase indiquant que ce départ est ce qu'il « a déjà, lui-même, conseillé à ce dernier, considérant que le processus engagé était irréversible ». Wade a tenu à conserver un passage étrange disant qu'il était « depuis le 9 mars 2011 en contact avec M. Mouammar Kadhafi à qui il n'a cessé de prodiguer des conseils » mais Ali a tenu à ce que soit retiré le terme « opposants » pour qualifier le CNT. La négociation la plus longue a porté sur la phrase de reconnaissance proprement dite : le président Wade reconnaît-il « M. Mustafa Abdeljalil et les forces politiques qu'il représente » comme « constitutifs de l'opposition historique et légitime » ou comme la force d'avenir « naturellement chargée de préparer la mise en place d'institutions républicaines en Libye » ? Les deux ! Ma contribution personnelle à cette étrange discussion aura été de laisser les deux membres dans la même phrase !

Il est 19 heures. Les journalistes sont là. Le porte-parole de la présidence lit en trois langues (français, arabe, wolof) la déclaration que viennent de cosigner, au nom de « son Excellence Maître Abdoulaye Wade », le ministre d'Etat, directeur de cabinet du Président, Habib Sy et, au nom de la « délégation de haut niveau » que j'ai amenée, M. Ali Zeidan. Le Sénégal est le premier pays d'Afrique à avoir rompu avec Kadhafi.

Vendredi 20 mai *(Le Sarkozy nouveau est arrivé)*

C'est moi qui ai demandé ce rendez-vous pour le tenir informé de la rencontre de Dakar. Grand soleil. Chaleur d'été. Terrasse de l'Elysée, sur le parc. Une table de jardin, en bois blanc, nous sépare.

« Tu peux garder tes lunettes, la lumière est forte.

— De combien de temps disposons-nous ?

— Une heure. Cameron doit m'appeler un peu avant 13 heures. »

Je lui parle d'abord, très vite, de mon déjeuner, l'autre semaine, avec les pilotes (« les quatre pilotes ») responsables des premières frappes. « Oh ! Ils étaient bien plus nombreux que ça, me répond-il ! – La Légion d'honneur, dis-je alors ; s'il y a bien, en France, des hommes qui méritent la Légion d'honneur, est-ce que ce n'est pas eux ? »

Je lui parle de l'idée que nous avons eue, l'autre jour, avec Francis Bueb, de créer à Benghazi ou, mieux, à Misrata, l'équivalent du centre André Malraux de Sarajevo. Et cette idée, il me semble, lui plaît. Il griffonne un mot sur un morceau de papier.

Puis, donc, je lui raconte Dakar. Les deux phrases importantes du communiqué. Celle sur la quasi-reconnaissance du CNT par le Sénégal. Et celle où Wade prend note qu'il n'y a pas de solution, en Libye, sans le départ de Kadhafi. Il hoche la tête. Convient qu'il y a peut-être là, si Wade tient bon, un tournant politique sérieux. « Pourquoi ne tiendrait-il pas ? – Non, je n'ai pas dit ça… Wade est quelqu'un de bien… Très sérieux… Mais… » Il semble rêveur, mais se reprend : « non ; il n'y a pas de mais ; il tiendra ; bravo ».

Et puis c'est son tour de prendre la parole et de me donner, comme il dit toujours, et en y prenant, manifestement, un certain plaisir, des « nouvelles du front ». La flotte de Kadhafi, coulée. Les frappes qui continuent. Le passage imminent aux hélicoptères de combat Gazelle et Tigre, équipés de missiles antichar HOT, les mêmes que ceux qui ont servi, à Abidjan, pour neutraliser les dernières forces favorables à Gbagbo. « Il ne faut pas en parler, prévient-il. Secret total. Car l'effet de surprise doit être absolu. Cela va changer le visage de cette guerre… »

J'ai déjà noté, plusieurs fois, cette ténacité, cet esprit de suite et de sérieux, ce désir d'aller au bout, qui ne lui ressemblent guère et qui apparaissent en lui à l'occasion de cette guerre.

J'ai noté, plusieurs fois aussi, cette compétence, ce côté « versé dans la chose militaire », que peu lui soupçonnaient et qui le font me parler aujourd'hui de ces histoires de frappes, de Gazelle, de Tigre, de missiles antichar, avec une précision que je ne parviens pas à imputer à la seule découverte, classique chez tous les présidents, du hochet guerrier.

Aujourd'hui, me saute aux yeux une autre nouveauté, la troisième, à verser au dossier de la métamorphose libyenne de Sarkozy. C'est, à propos des missiles HOT, cette invitation au secret. Cette *exhortation* à la discrétion. L'autre Sarkozy, l'ancien, était-il capable de cela ? Celui dont j'avais écrit, dans le portrait que m'avait demandé, juste après l'élection, le *New York Times*, qu'il était le seul homme que je connaisse à n'avoir pas de for intérieur (pas de surmoi, d'abord – mais, surtout, pas de for intérieur, pas de réserve d'intériorité, l'exact prototype du sujet sartrien réduit à un faisceau d'intentionnalités, à un point), aurait-il même su s'imposer, à soi-même, cette règle de silence ? Pas sûr.

Dimanche 22 mai *(Kadhafi perd l'Afrique)*

Coup de téléphone de Dakar. Abdeljalil vient d'appeler le président Wade. Il l'a remercié d'avoir reçu ses émissaires. Il lui a répété que la Libye de demain aurait le souci de réinventer ses relations avec l'Afrique et de les baser sur les principes d'égalité, de non-ingérence dans les affaires d'autrui, de développement partagé. Il lui a aussi dit – manière de répondre, je suppose, aux accusations de ratonnade contre les immigrés africains dont la presse, aux Etats-Unis et en Europe, se fait l'écho grandissant – qu'elle sera ouverte aux « Frères africains » qui souhaiteraient venir y travailler de manière régulière. Et Wade, en retour, a promis d'être son avocat au sommet de l'Union africaine que Kadhafi a, quand même, réussi à faire convoquer et qui doit se réunir dans huit jours. Je crois que c'est gagné. La ligne africaine de Kadhafi est bel et bien coupée. La guerre, à partir de là, devrait être de courte durée. Si je veux aller à Misrata (et je le veux plus que jamais), il faut faire vite.

Troisième partie

« L'ENLISEMENT »

Mercredi 25 mai *(Troisième départ pour la Libye)*

Malte.
Un peu après midi.
Départ, tout à l'heure, dans la nuit, pour Misrata, la ville martyre, encerclée par les chiens de guerre de Kadhafi, coupée du monde.
J'ai l'impression de me retrouver il y a dix-neuf ans, à Séville, début juin 1992, préparant mon premier grand départ pour Sarajevo.
La différence c'est que, trois ans après, à Sarajevo, nous y étions encore. Alors que là... Misrata... D'un côté, bien sûr, quand je revois, cet après-midi, dans le dossier de presse que Gilles a rassemblé, le paquet d'atrocités qu'ont commises et que commettent toujours les troupes de Kadhafi, le découragement me gagne. Mais, de l'autre, je ne peux pas ne pas me dire que ce n'est pas non plus la même chose ; que les leçons de la Bosnie ont, tout de même, un peu porté ; et qu'à condition d'agir vite et, déjà, de témoigner fort, à condition que la communauté internationale et, déjà, la France tiennent bon et se souviennent du

désastre bosniaque, on évitera peut-être, à Misrata, l'interminable calvaire de Sarajevo.

Souleiman est arrivé hier soir.

Souleiman Fortia, l'homme de Misrata, son représentant au sein du Conseil national de transition, que je n'avais plus revu depuis notre retour nocturne de Benghazi, direction l'Elysée, avec Abdelfattah Younès et Mustafa El-Sagezli, est arrivé, de Doha, pour m'accompagner à Misrata.

Ensemble, nous sommes allés voir Delanoë, dans le grand bureau de la Mairie de Paris où j'étais, il y a dix ans, au moment de la guerre de Tchétchénie, déjà venu lui rendre visite.

Ensemble, nous sommes allés demander un jumelage de la capitale de la France et de la capitale mondiale de la douleur : pas de jumelage a répondu, en substance, Delanoë car accord d'exclusivité de Paris avec Rome ; mais fera le maximum ; aidera tant qu'il pourra ; participera, le moment venu, à la reconstruction ; et, déjà, un message du conseil municipal que je dois recevoir d'un instant à l'autre et qui s'ajoutera à ceux, déjà reçus, des villes de Strasbourg, Toulouse, Lyon et Lille qui, elles, proposent un jumelage en bonne et due forme (Martine Aubry, bien sûr ; mobilisation générale des villes aubrystes ; la première secrétaire du Parti socialiste a été parfaite, cohérente avec elle-même, sans calcul, droite).

Et, ensemble, nous sommes ici, à Malte, quai de La Valette, sur le port, à la terrasse d'un café – attendant l'heure d'embarquer.

Avec nous, Ali et Mansour qui ont décidé, une nouvelle fois, de m'accompagner.

Bachir Sebbah, l'armateur, qui a monté, pour nous, cette petite expédition.

Le fils de Souleiman, Abdelhamid, vingt-deux ans, étudiant à Coventry, qui n'est pas retourné dans sa ville depuis le début de la guerre.

Deux amis de Bachir, Libyens exilés, l'un dans le Missouri, Atef El Gassier, l'autre à Dundee, en Ecosse, Mohammed Hamza : tous deux sont médecins ; et tous deux profitent de la circonstance pour revoir leur ville adorée.

Gilles bien sûr.

Marc bien sûr.

Franck.

Un nouveau cameraman, très jeune, presque un gamin, Thomas Lebon, car l'idée nous travaille, de plus en plus, de faire un film de tout cela – ces images, ces personnages, ces moments qui nous sont tombés dessus autant que nous les avons cherchés, ces scènes uniques.

Temps suspendu.

Vendredi 27 mai (*Un bateau pour Misrata*)

Le départ n'a pas été aussi évident que me l'avaient assuré les amis libyens avec leur éternel et adorable « no problem ».

D'abord parce que notre bateau, le seul que l'on ait trouvé, à Malte, pour accepter de faire cette traversée compliquée, a les cales bourrées de cigarettes, destinées aux combattants, mais qui nous ont valu de longues palabres avec les douaniers maltais.

343

Mais, surtout, parce que, le capitaine pressenti s'étant dégonflé hier, à la dernière minute, ce n'est que quelques heures avant l'embarquement, à 17 heures, que Bachir Sebbah a trouvé un capitaine de remplacement, Ian Pace, grand gaillard maltais, blond paille, cinquante ans, profil d'oiseau, haute silhouette concave flottant dans un T-shirt bleu délavé presque blanc, élégance sèche – et que ce nouveau capitaine ne connaît, lui, pour le coup, ni la route ni le bateau dont il passe les deux premières heures de traversée à tenter d'inventorier, comprendre et faire fonctionner les instruments de bord et les manettes.

« Ça ne doit pas être sorcier », a-t-il commencé par dire, tandis que, peu après minuit, nous quittions enfin le quai de La Valette.

C'est un petit bateau tout simple, en effet, qui servit, dans une autre vie, à transporter de la main-d'œuvre et du ravitaillement vers les plates-formes pétrolières de Bahreïn.

C'est un bateau banal, à fond plat, vingt-cinq mètres, cales insalubres, chaloupe de sauvetage aux boudins à demi dégonflés, deux moteurs qui font un boucan d'enfer mais, nous a-t-on expliqué, très solides.

Il y a bien cette coque repeinte en orange vif dont on se dit qu'elle ne sera pas idéale pour échapper, le moment venu, aux embarcations kadhafistes écumant les abords des côtes libyennes – mais pas plus ça que le reste ne l'inquiète outre mesure et il est convaincu, l'un dans l'autre, de se débrouiller.

Le problème c'est qu'il a, ce bateau, un mauvais GPS ; pas de pilote automatique ; la barre, légèrement détraquée, oblige à corriger en permanence, au jugé, la trajectoire ; l'écran supposé indiquer, en continu, notre position ainsi que la distance restant à parcourir est erratique ; et nous nous apercevons, une fois partis (mais cela, en revanche, n'étonne personne car c'était, apparemment, la règle sous Kadhafi), que les cartes de mer qui sont à bord sont, non seulement grossières, incomplètes, avec de vastes zones qui semblent des mers inconnues, mais qu'elles donnent des informations et, en particulier, des distances (délibérément ?) inexactes ou fantaisistes.

Tout cela pour dire qu'il a fallu à Ian Pace et à Daniel Attard, son très jeune « chief officer », maltais aussi, vingt-cinq ans, tout petit, silhouette d'enfant, deux heures de navigation au ralenti, à l'affût du moindre obstacle, rocher, banc de sable, récif, autre bâtiment que nous verrions ou qui nous verrait trop tard, et boum ! la catastrophe ! il leur a fallu deux interminables heures pour, les yeux rivés sur les flots, et parfois, mais plus rarement, sur le clou de lumière des étoiles, sortir de la zone portuaire, respirer, se détendre enfin – et nous avec.

Les uns vont, dans le coin cuisine installé près des cales, partager un sandwich au thon avec les trois autres membres d'équipage (deux Noirs, dont un taillé en Hercule, les mécaniciens ; un grand type, maltais également, regard bleu très pâle, vêtu d'une salopette orange, assortie à la couleur du bateau, dont je ne comprends pas le rôle). Les autres se glissent dans leurs sacs de couchage se partageant les deux cabines, l'une sur le pont supérieur, l'autre au niveau des cales, toutes deux dotées de six rangées de sièges d'autocar. Le fils de Souleiman garde son manteau et va s'étendre, lui, sur le pont arrière, dans la chaloupe de sauvetage. Et Gilles et moi, avant d'aller, nous aussi, nous recroqueviller, tout habillés, dans nos sacs, sur les dernières banquettes du pont supérieur, les plus proches du pont, passons le commandant Ian Pace à la machine à questions.

Il est, dans la vie réelle, le patron d'une PME d'importation de denrées alimentaires sur l'île.

S'il a accepté cette mission, c'est que les temps sont durs, qu'il a perdu au jeu et qu'il lui manque 10 000 dollars pour boucler le budget de la noce de sa fille, jeudi prochain.

Mais, surtout, nous découvrons qu'il connaît les Kadhafi, qu'il les connaît même assez bien, vu que, pas plus tard qu'il y a trois ans, il accompagnait Saïf, le fils, l'homme qui m'a envoyé son émissaire à Saint-Paul, dans une croisière le long des plages magnifiques de la partie est de la Libye.

« Le type était bizarre, nous confie-t-il, l'air de celui qui accepte de parler parce qu'on est en train de le cuisiner mais dont ce n'est pas l'habitude. Il était bizarre en tous les sens du mot. Il passait sa vie nu. Le bateau, un beau yacht de quarante mètres, était bourré de filles et il se baladait, devant elles, complètement nu, et tout le temps. Je comprends qu'on soit nu quand on prend le soleil ou qu'on se baigne. Mais là ce n'était pas ça. C'était tout le temps. Dans toutes les circonstances. Il y avait là des filles et des garçons. Les filles étaient belles. Peut-être des top models. Il s'enfermait dans la cabine deux à trois fois par jour, chaque fois avec une fille différente. Et quand il en ressortait c'était encore et toujours nu, tout à fait le style fantaisiste de son père. Notez qu'il était athlétique. Capable de sauter du bateau pour nager jusqu'à la plage, un kilomètre, deux, aucun essoufflement. Je ne comprends toujours pas comment un type comme ça, un tel athlète, a pu se mettre dans une sale affaire pareille. »

Nous avons fini par sortir du port de Malte. Nous avons vaguement dîné. Pris un peu de repos. Nous nous sommes réveillés, quelques heures plus tard, au bruit des eaux froissées, dans la lumière du soleil matinal, brillant dans un ciel métallique, sur une mer magnifique. Et c'est alors que, vers midi, la mer se levant et une houle traversière commençant de nous porter, nous avons tenu conseil, dans la cabine avant, sur un dilemme que personne n'avait vu venir.

Les Maltais nous ont formellement recommandé de fermer, avant d'arriver à Misrata, notre AIS (Universal Automated Identification Service), qui permet à quiconque, ami mais aussi ennemi, de repérer notre position.

Or le commandant vient de recevoir, sur le canal 16 qui est la fréquence réservée aux communications maritimes, l'information selon laquelle quiconque entre dans les eaux sous contrôle de l'OTAN est censé, sous peine d'être arraisonné, décliner son identité, sa position et l'objet de la traversée.

Nous n'y sommes certes pas. Nous en avons encore, avant que le problème se pose vraiment, pour une bonne dizaine d'heures de navigation. Mais tout de même. Ce type d'injonction contradictoire, mieux vaut le régler à froid que dans l'urgence. Et mieux vaut prendre le temps de délibérer sur le risque que l'on préfère : un tir kadhafiste ou se mettre en contravention avec les régulations de l'OTAN nous tenant alors,

347

et à l'inverse, pour un navire interdit, appartenant à Kadhafi, brisant le blocus.

Je résous la question en faisant ce que j'aurais dû faire beaucoup plus tôt, depuis Paris : appeler, du seul de nos Thuraya qui fonctionne, le général Puga, chef d'état-major particulier de Sarkozy. Puga commence par me recommander de passer la nuit à bord, à la limite des eaux de l'OTAN et d'arriver, de jour, demain matin, tranquillement, à Misrata. Puis, comprenant que je préférerais ne pas avoir à repasser une nouvelle nuit dans cette cabine imbibée de vapeurs d'essence et de bruits de moteur, sur cette mer maintenant chahutée et où deux d'entre nous sont sujets à un très violent mal de mer (yeux clos, livides, sueurs froides, juste la force de se traîner jusqu'aux toilettes qui puent la chiasse et la vomissure), il me demande le nom du bateau (*Sea Tiger*), sa couleur (orange, fluorescent – visible, mon général, même en pleine nuit...) ainsi que notre heure probable d'arrivée (entre 22 heures et minuit, d'après les évaluations très incertaines de Pace et Attard qui n'ont, je le répète, jamais fait cette traversée et ne connaissent personne qui l'ait faite) – avant de conclure, moyennant une brève discussion, avec quelqu'un d'autre, sur une autre ligne, dont je ne perçois que des bribes, qu'il va arranger cela, c'est un peu tard, mais il va tout faire pour arranger.

Je passe la journée, sur le pont arrière lavé de soleil, à rédiger ces lignes. Je dors un peu. Je grignote des biscuits. Parfois, je me faufile jusqu'à la proue, en passant par les francs-bords, en évitant le contact avec les rambardes brûlantes. Et nous voilà, avec une ou deux heures d'avance sur l'horaire, sous un soleil encore vif, à 40 miles de Misrata – où nous avons rendez-vous avec l'un de ces épisodes cocasses dont l'apparition régulière semble être une des lois, pour moi, de ce temps libyen.

Vendredi 27 mai, suite *(« NATO Helicopter speaking... »)*

Il est 19 heures, donc. Sur notre droite, à l'horizon, paraît une frégate de guerre. Puis un avion, au-dessus de nous, volant bas. Puis, un quart d'heure plus tard, encore plus bas, un hélicoptère de combat. Puis un autre qui se positionne, lui, sur notre droite, puis sur notre gauche, puis, enfin, devant nous, faisant des cercles pour ne pas nous distancer. Et, soudain, dans la radio de la cabine de pilotage où je suis venu demander ce qui se passait, en partie couverte par le bourdonnement des appareils maintenant très proches mais, néanmoins, distincte, une voix grésille.

« *Sea Tiger* ? NATO Helicopter speaking... »

Ian Pace, le commandant de bord, est dans la cabine inférieure, en train de prendre un peu de repos.

« *Sea Tiger*, insiste la voix ! NATO Helicopter speaking... »

Daniel Attard, le second, qui tient le quart pendant le temps de repos de son capitaine, dévale l'échelle de coupée pour aller le réveiller.

« Ici *Sea Tiger*, répond le capitaine, remonté en hâte, essoufflé.

— Ici NATO Helicopter. Pourquoi ne répondiez-vous pas ?

— Ici *Sea Tiger*. Nous vous répondons, Monsieur !
Voilà, nous vous répondons.

— Non, *Sea Tiger*. Nous essayons depuis quinze
minutes. Votre radio était coupée. Pourquoi ?

— Elle n'était pas coupée, Monsieur.

— Elle était coupée, *Sea Tiger*. Ici NATO Helicopter. Votre radio était coupée. »

Le commandant et son second se regardent, interdits – et échangent quelques mots en maltais. C'est
Attard qui reprend le combiné.

« Ici *Sea Tiger*. La radio devait être trop basse,
Monsieur. Nous ne vous avons pas entendus. »

La voix semble se satisfaire de la réponse. Elle poursuit.

« Votre AIS, *Sea Tiger*. Pourquoi votre AIS est-il
coupé ? »

Pace et Attard respirent. Ils sont en terrain connu.
Ils ont l'air de deux élèves à qui l'on vient de poser
une question qu'ils ont révisée.

« Raisons de sécurité, NATO Helicopter. D'accord
avec les autorités du port de Misrata.

— Quelles sortes de raisons ? »

Souleiman nous a rejoints dans la cabine. Il coupe
le combiné et souffle :

« N'en dites pas plus. Répétez juste raisons de sécurité.

— Raisons de sécurité, répète Attard. *Sea Tiger* à
NATO Helicopter : raisons de sécurité. »

Nouveau silence. La voix semble, de nouveau, satis-
faite de la réponse. Mais, en fait, non. Elle reprend.

« Ici NATO Helicopter. Pouvez-vous, *Sea Tiger*, me
donner le numéro d'immatriculation de votre bâtiment ? »

350

Branle-bas de combat dans la cabine. Pace et Attard avaient déjà du mal, hier soir, à trouver les instruments de bord. Alors, maintenant, le numéro d'immatriculation...

« Allô, reprend la voix, de nouveau s'impatientant, de nouveau grondeuse. Allô ? Ici NATO Helicopter. Votre immatriculation, s'il vous plaît ! »

Pace prend, derrière lui, dans un placard, une liasse de papiers. La compulse. La passe à Attard. La reprend, laissant la barre qu'il cale sous sa ceinture. Trouve un numéro. Répond.

« Ici *Sea Tiger*. Notre numéro est le 249858000.

— Non, *Sea Tiger* », reprend la voix.

Pace sursaute, reprend son papier – et, lentement, lit à nouveau :

« 249858000, NATO Helicopter. Je répète : 249-858000.

— Vous me donnez votre MMSI, reprend la voix où je crois distinguer (mais sans doute est-ce une idée que je me fais) une nuance d'ironie... Je vous ai demandé votre immatriculation. Vous m'entendez, *Sea Tiger* ? Je vous demande votre Call Sign, pas votre Maritime Mobile Service Identity... A vous. »

Les deux marins se regardent. Recommencent de chercher, fébrilement. Soudain, Pace se retourne et avise un bout de papier plastifié qui était là, dans son dos, punaisé sur la paroi, depuis le début.

« Le voici, s'écrie-t-il ! »

Puis, dans la radio, voix brève, tenant la liasse serrée contre lui :

« Allô, NATO Helicopter ? Allô ?

— Oui, *Sea Tiger*. NATO Helicopter vous écoute.

351

— Notre Call Sign est 9H 95 11. Je répète 9H, comme Malte. Puis 9511, notre spécification.

— C'est cela, répond la voix, légèrement radoucie. Le propriétaire du navire, maintenant. »

Nouvelle recherche. Nouvel affolement.

« Cassar Ship Repair.

— Nom du courtier ? »

On court, au pont inférieur, réveiller Bachir qui est le seul à connaître le nom du courtier. Nous sommes huit, maintenant, dans la minuscule cabine – face à la Voix. Je me demande qui elle est, quelle nationalité, quel accent. Par moments, on dirait une voix espagnole ou italienne. A d'autres moments (peut-être sont-ils deux...) on est tenté de dire norvégienne. J'essaie d'imaginer, là-haut, dans sa carlingue, la tête de Big Brother, son âge, son état d'esprit. Pour me rassurer, je m'exerce à le voir sous les traits de l'un des jeunes pilotes français avec qui le chef d'état-major Palomeros m'avait invité à déjeuner.

« Peter Sullivan, dit Bachir qui vient d'arriver, échevelé, mal réveillé, un jogging enfilé à la hâte, le visage chiffonné : c'est le nom du courtier.

— Peter Sullivan, répète Pace.

— Bien, dit la voix. Très bien. Nom de l'assureur, maintenant ? Quel est votre assureur, *Sea Tiger* ? »

Bachir a son agenda électronique dans la cabine en dessous. Il redescend très vite le chercher. On l'entend trébucher sur l'échelle. Il manque se casser la figure. Remonte. Il a l'appareil dont il fait défiler les noms. Il ne sait plus à quelle entrée il l'a mis. Croit trouver. Se trompe. Trouve enfin.

« Merci, *Sea Tiger*... Votre cargo ? »

Là, le commandant de bord n'a pas de problème. Il sait.

« Passagers.

— Répétez. »

La voix s'est faite à nouveau autoritaire. Et l'hélicoptère, comme pour appuyer son impatience, se rapproche et fait des boucles, dans le ciel, plus serrées.

« Passagers, répète Pace. Je répète : aucun chargement autre que des passagers.

— Changez de canal, *Sea Tiger*. Passez sur 069. »

Et, encore plus proche, encore plus menaçante, sur le canal nouveau, la voix précise :

« Nationalité des passagers ? Nous avons besoin de la nationalité de vos passagers...

— Six Français, Monsieur ; trois Anglais ; trois Américains... »

Il se tourne vers Bachir qui lui confirme, à voix basse, que l'un de ses deux amis n'a qu'un passeport libyen.

« ... et un Libyen, Monsieur. Je répète, un Libyen.

— But de leur voyage ? »

Pace se tourne, cette fois, vers moi. De nouveau incertain. Et inquiet, manifestement, de la tournure que prennent les choses. La voix répète :

« But du voyage de vos passagers ? »

Je souffle :

« Journalisme. »

Pace répète :

« Journalisme. »

La voix insiste :

« 72 heures, pour douze journalistes ? »

Je fais oui de la tête.

« Affirmatif, répond Pace, d'une voix de plus en plus mal assurée. Douze journalistes, 72 heures. »

Deux minutes de silence. Le fils de Souleiman, alerté par l'agitation, nous a rejoints. Et les deux médecins. Et Ali Zeidan, flegmatique. Et Marc et Thomas, qui essaient de filmer. A part Mansour, tout le monde est là, maintenant. Nous sommes douze dans la cabine trop petite et confinée, retenant notre souffle. La voix revient.

« Ici NATO Helicopter. Quels journaux, pour les douze journalistes ? »

Pace et Attard me regardent, de nouveau interdits.

« Presse internationale, je dis.

— Presse internationale, ils répètent.

— Non, *Sea Tiger* ; nous avons d'autres informations. »

Le commandant lève les yeux vers le ciel, comme s'il cherchait le contact direct et, d'une voix faible, reprend :

« Quelles informations, NATO Helicopter ?

— Nous avons le nom de Mohammed Hamza. Je répète, *Sea Tiger* : Mohammed Hamza. Il n'est pas journaliste. »

A mon tour d'empoigner le combiné.

« Ici *Sea Tiger*. Je suis français. Monsieur Hamza est médecin. Il m'accompagne à Misrata. En mission.

— Quelle sorte de mission, *Sea Tiger* ?

— Des messages, NATO Helicopter. Nous apportons à la ville de Misrata des messages de grandes villes françaises.

— Répétez, *Sea Tiger*. Nous n'avons pas compris. »

Souleiman me prend le téléphone des mains, le coupe un instant, et me dit :

« Ne compliquez pas les choses. Journalisme suffit. »

Puis, dans l'appareil :

« Mission de journalisme, NATO Helicopter. Villes françaises et journalisme. »

L'hélicoptère reprend de la hauteur. Semble nous lâcher. Mais revient.

« Nous avons une autre question, *Sea Tiger*.

— Oui, dit Pace, qui a repris le combiné, voix mourante.

— Pourquoi dites-vous que vous venez de Malte alors que vous venez de Bahreïn ? »

Tout le monde, là, se regarde.

« Je répète, *Sea Tiger*. Pourquoi avoir caché que vous veniez de Bahreïn ? »

C'est Bachir qui comprend. Il se souvient que c'est de Bahreïn, en effet, que, chargé sur un autre bateau, il y a trois semaines, notre bateau est arrivé. On a dû oublier de signaler ce mouvement aux autorités maltaises et donc otaniennes.

« C'est une erreur, NATO Helicopter. Le bateau vient bien de Malte.

— Nous sommes formels, *Sea Tiger*. Les documents indiquent, non Malte, mais Bahreïn.

— Oui, Monsieur. Le bateau n'a pas eu le temps de se désimmatriculer. Mais il vient bien de Malte. Bat pavillon maltais. Est bien inscrit sur les registres maritimes de l'île. Vous pouvez vérifier. »

Long silence.

Impression, je ne saurais dire pourquoi, que l'homme, dans l'hélicoptère, s'est lassé.

Et la voix qui, en effet, grésille une dernière fois :

« Ok you can proceed. »

Il nous reste trois heures de navigation avant d'arriver aux abords de Misrata. Puis, encore deux pendant lesquelles, la nuit tombée, les membres d'équipage sont à l'avant du bateau, penchés sur le bastingage, scrutant l'obscurité, comme au départ, mais à la recherche d'une éventuelle mine flottante. Un peu avant minuit, surgit, très proche, la ligne des côtes. Un vent humide se lève, inattendu. Le commandant ayant hésité, quelques minutes, entre les deux ports dont on lui a parlé et qu'il devine vaguement (le port de l'aciérie et le port général), il finit, au hasard, par se décider pour le second et voici qu'apparaît, devant nous, un quai désert où l'on distingue des entrepôts abandonnés. Nous accostons. Deux des membres d'équipage sautent sur la terre ferme pour nous ancrer à une bitte d'amarrage. Et, là, dernière surprise.

Des tirs de kalachnikov retentissent, dans notre direction. Tout le monde, à commencer par les deux membres d'équipage, se plaque au sol. Franck se jette sur moi. Souleiman, les mains en porte-voix, couché, hurle quelque chose en arabe. Et, les tirs s'arrêtant, des hommes apparaissent dans les rayons de phares qui s'allument soudain. Le bas du corps, d'abord. Puis, à mesure qu'ils avancent, l'entière silhouette, poings dans les poches de leurs anoraks ou de leurs gabardines. Et, enfin, des visages hâves, mangés par la barbe, épuisés, mais souriants. C'est le conseil municipal de la ville, plus ses défenseurs militaires, plus un peloton de débarquement – notre comité d'accueil au grand complet, les nôtres.

Que s'est-il passé ? Qui a tiré ? D'où ? Et, si c'est un sniper, l'a-t-on neutralisé ? Je pose la question. Plusieurs fois. Mais personne ne me répond. On est trop occupé à s'embrasser, se retrouver, se demander des nouvelles, en donner, présenter les invités français, se congratuler. Et je dois avouer que, moi-même, je suis trop heureux, aussi, de pouvoir enfin bouger, m'ébrouer, chauffer mes muscles raidis par ces 26 heures de navigation, pour demander mon reste et insister. On verra bien.

Dimanche 29 mai *(Quarante jours en enfer)*

Misrata. Une nuit, puis une journée, puis encore une nuit, passées dans le centre de Misrata, à sillonner les ruines. Deux nuits, et un jour, dormant dans un ancien hôtel que l'on a fait rouvrir pour nous, ne mangeant rien, ou presque rien – s'il n'y a pas d'électricité il y a encore moins de gaz, plus personne ne cuisine, les gens ont faim. Avec nous, un général en civil, le général Ramadan Zarmouh, sympathique, low profile, physique de boutiquier sans histoire ou, peut-être, de paysan – on sent le Cincinnatus libyen n'attendant que le moment de revenir à sa charrue. Il a, avec lui, deux colonels. Je résume.

Ce qui frappe c'est, d'abord, l'énormité des destructions. Leur ampleur apocalyptique. L'avenue de Tripoli, artère principale de la ville, réduite à un amoncellement de ruines et de gravats. L'Hôtel de Ville pulvérisé. Tous ces immeubles soufflés, écroulés sur eux-mêmes, inhabités. Quand ils sont encore debout, leur façade est criblée d'éclats de bombes dont des témoins m'assurent que c'étaient des bombes à fragmentation. Ou bien, parfois, comme ici, dans l'un des rares bâtiments du centre à n'avoir pas été totalement évacué, il y a ce trou géant dans le mur, à la hauteur du dernier étage, le cinquième : on a tiré au canon de char, me dit-on ; on a ciblé la famille qui vivait là ; il a fallu le vouloir pour le faire ; il a fallu des prouesses de technicité et donc de volonté ; il a fallu calculer l'angle, prendre le recul nécessaire, dresser le canon et se tordre le cou, pour, sans aucune raison (oui, d'accord, il y avait un chebab qui avait lancé un cocktail Molotov depuis le toit, mais même sans cela ils l'auraient fait, c'était un acte gratuit, un geste de sadisme pur), viser ainsi, à la tête, cet immeuble où Fatimah vivait avec ses cinq enfants, l'aîné était déjà mort, abattu, la veille, à bout portant, au pied de l'immeuble d'en face par un sniper qui le guettait depuis des jours et on a voulu, là, clairement, finir l'éradication de la famille. Ou bien cet autre immeuble encore, à l'angle des deux artères de la ville, les avenues de Tripoli et de Benghazi : j'ai mis du temps à le trouver, celui-là ; je l'ai cherché longtemps et j'ai mis du temps à être sûr que c'était lui ; c'est l'immeuble au pied duquel Tim Hetherington et Chris Hondros, les deux photographes Courage, ont été tués le 20 avril, jour de mon rendez-vous rocambolesque avec l'ancien ministre du Pétrole d'Oman, envoyé par le fils de Kadhafi – un accident ? pas si sûr, me dit Mohsin, le voisin, qui a tenté de réanimer Tim, sous la pluie d'obus qui continuait, avant qu'on ne l'emmène à l'hôpital ! pas sûr du tout, insiste-t-il, l'air entendu, en me montrant le trou, dans le bas de la façade, où Tim allait se glisser quand l'éclat de la roquette l'a rattrapé ; pas sûr que, pour lui aussi, comme pour nos martyrs, une volonté maligne n'ait pas présidé à la mise à mort.

Il a fallu, plus loin, un déchaînement de cruauté inouï pour anéantir, chaises et tables calcinées, métal tordu, plastique fondu, juke-box et distributeur de Coca-Cola explosés, le grand café central, ce lieu de convivialité et de joie, cet espace de liberté, l'un des rares, peut-être le seul, nous dit le fils de Souleiman, où les jeunes de la ville pouvaient se réunir, blaguer, rêver à un avenir meilleur, sans Kadhafi, et c'est ce qu'on ne leur a pas pardonné, et maintenant ce monument funèbre, tombeau pour une jeunesse défunte, ode à ses rêves massacrés, requiem pour ses songes interdits.

Et la centrale électrique de la ville, son poumon : cassée elle aussi, bombardée jusqu'à ce que mort s'ensuive, incendie des cuves à pétrole qui servaient à l'alimentation des générateurs – elles ont brûlé huit jours durant ; rien ne pouvait arrêter ni le feu ni les explosions en chaîne que le feu provoquait ; d'épais nuages de fumée ont stagné pendant des jours et des nuits, au point, par endroits, de cacher le soleil ; et, la nuit où ça s'est arrêté, les dernières lumières de la ville se sont éteintes et les habitants de Misrata, tous les habitants de Misrata, se sont retrouvés dans le noir, la ville plongée dans la ténèbre et, en lieu et place de cette usine magnifique et dont ils étaient aussi fiers que les Parisiens de la tour Eiffel, un éboulis de ferrailles tordues, de poutres d'acier fondues et suspendues à un fil, de tôles calcinées et froissées, de tubulures crevées, de plaques immenses et chiffonnées, de rideaux métalliques que l'on a retrouvés, quand les flammes se sont éteintes, transformés en accordéons, de fils qui pendaient dans le vide semblables à des girandoles ou emmêlés comme des spaghettis géants et, tout en haut, un bout du toit qui est resté mais que les flammes ont tellement roussi qu'on dirait la frise d'or au sommet d'un temple aztèque.

J'ai vu des villes détruites. J'ai vu Huambo en Angola. Abyei au Sud-Soudan. J'ai vécu le lent naufrage de Sarajevo. Je suis passé à Vukovar en mai 1992, quelques mois après que les milices serbes l'avaient vidée rue par rue, immeuble après immeuble, de la totalité de ses habitants – il n'y restait plus que des chiens. J'ai vu toutes ces villes, et d'autres encore, et, chaque fois, je me suis dit : « voilà c'est le sommet, jamais les incendiaires n'étaient allés si loin dans la volonté de dévastation et la rage destructrice, jamais cet autre crime qu'est le crime d'urbicide, l'atteinte à l'esprit et au génie des villes, n'avait connu pareille ampleur. » Eh bien non. Le pire était à venir. Il est là, aujourd'hui, sous mes yeux. Et, marchant dans la rue perpendiculaire à l'avenue de Tripoli, voyant dans le halo des phares des quatre voitures d'escorte qui éclairent la scène comme un décor de mauvais théâtre, cette autre série d'immeubles brûlés, réduits à rien ou revenus au stade « tas de briques », observant cette maison soufflée et comme compressée, cette autre dont il ne reste que l'escalier (tout le reste, autour, s'est effondré), ou cette autre, face à elle, toujours debout, mais dont la façade est criblée de traces de balles probablement tirées par un sniper à qui il a dû falloir des jours, et des nuits, et encore des jours, et encore des nuits, d'attente et d'acharnement pour tuer un à un, méthodiquement, ses morts sur ordonnance (cinq, me dit, Abdullah, le gardien du musée improvisé où il montre, au pied de sa maison détruite, les munitions de tout calibre, depuis de la banale 12,7 jusqu'à d'énormes obus de char qui, pour certains, n'ont pas explosé) et qui, quand il a eu fini sa besogne, a dû continuer à tirer (on ne pouvait plus l'arrêter, dit Khalifa Azwawi, président du Conseil de la ville venu nous rejoindre en milieu de journée, on aurait dit un serial sniper, un maniaque, peut-être était-il devenu fou, juste fou, ils ont bien failli devenir fous, eux, dans l'immeuble sur lequel il s'acharnait, pourquoi la folie ambiante ne l'aurait-elle pas gagné lui aussi ?) – observant tout cela, considérant cette pure jouissance de tirer, ce pur plaisir de casser, je me dis que c'est là, à Misrata, qu'a été atteint le sommet de l'horreur urbicide.

Eh oui, urbicide. Ce mot inventé, lors de la guerre de Bosnie, par Bogdan Bogdanovic, l'ancien maire de Belgrade. Ce concept qui, comme l'autre, comme géno-cide, suppose intention, préméditation, programme. C'est bien cela qui a dû se produire pour que l'on ouvre ainsi la ville en deux, qu'on la cisaille, qu'on l'éventre et qu'on projette, une fois éventrée, de lui vider méthodiquement les entrailles. Ce n'est pas ici, à Misrata, qu'il a pu être conçu, ce plan d'éventre-ment, d'anéantissement d'une ville rebelle, d'étripage, mais plus haut, beaucoup plus haut, dans la ville même dont cette avenue osait s'approprier le nom, peut-être sous la tente de ce « Guide » qui, comme les Serbes à Sarajevo, comme Radovan Karadzic tirant sur sa propre maison et sur la clinique où il avait été médecin-psychiatre, a fait tirer sur l'école même où il a été élève ou sur le Palais des Congrès où il venait pérorer. Me resterait-il un doute sur cet urbicide orchestré qu'il aurait été levé quand, dans une pièce de l'Hôtel de Ville en ruines que les bombardements ont miraculeusement épargné mais où l'on ne peut entrer, et marcher, sans déclencher une pluie de débris et de poussière, un employé municipal craintif, le dernier fidèle au poste, me montre l'espèce de musée où il a scotché aux murs, tels des trésors : les photos des martyrs du quartier, y compris les deux photographes anglo-saxons assassinés du 20 avril ; la centaine de passeports des Nigériens, Maliens, Tchadiens, que les insurgés ont tués ou faits prisonniers ; les faux billets de cent dollars, ou euros, avec lesquels Kadhafi les payait ; et, au milieu de tout cela, une feuille de papier jauni, style officiel, quoique dessinée et écrite à la main, où l'on découvre le plan d'entrée puis d'investissement de la ville à travers Tripoli Street – quel aveu !

Dimanche 29 mai, suite (*Comment ils ont tué les chars*)

La deuxième chose qu'il fallait que je voie pour la croire c'est, en regard, l'incroyable bravoure, l'esprit de résistance de la ville.

Là où il y a du pouvoir, il y a de la résistance, disait-on dans ma jeunesse après Michel Foucault et quelques autres. Eh bien je dirai aujourd'hui que, là où il y a un comble de pouvoir, il y a un comble de résistance – et, mieux même que de la résistance, puisque les habitants de Misrata, non contents de résister, de ne pas abandonner leur ville, de tenir, ont su repousser l'assaillant, faire reculer ses chars et les chasser du cœur de leur cité. Où ? Je ne sais pas bien. Mais ce que je sais c'est que nous pouvons, cette nuit, la deuxième nuit, dans la compagnie de la petite escorte que le Conseil municipal de transition a mise à notre disposition en nous disant à la fois que la ville était « nettoyée » mais que tout pouvait arriver et que notre sécurité leur incombait, nous pouvons déambuler, sans nous faire tirer dessus, dans la plupart des rues de la ville quasi déserte : pas âme qui vive, juste des chats, parfois des rats et, sur certains murs, les mêmes éclaboussures de sang séché qu'en mars, après Beïda, près de l'aéroport de Labraq où les villageois avaient reconstitué leur bataille contre les mercenaires – sauf qu'ici, dans la lumière de nos phares, ces taches prennent une teinte vive et saumonée.

Varsovie a résisté, mais a fini par succomber.

Les villes espagnoles ont résisté, certaines très long-temps, mais l'heure est également venue où elles ont dû, de guerre lasse, rendre les armes.

Sarajevo a tenu, et même jusqu'au bout, mais les chars n'étaient pas dans la ville, ils étaient à Lukavica, avec les snipers, sur les hauteurs, d'où ils la tenaient sous le feu.

Paris s'est battue, et avec héroïsme, contre les chars allemands qui étaient, eux, dans les murs – mais il a fallu une force extérieure, Leclerc, la deuxième DB, pour venir à la rescousse des Parisiens et déloger l'occupant.

Là, à Misrata, les chars de Kadhafi étaient au cœur de la ville. Ils étaient au pied des immeubles. A portée des points d'eau où les habitants venaient s'approvi-sionner et où l'on attendait qu'ils soient assez nom-breux pour tirer. Or ce sont les citoyens qui les ont affrontés. Ce sont eux qui, un à un, à mains presque nues, les ont fait reculer. Ce sont eux qui, à coups de grenades lancées sur les tourelles comme ici, sur ce tank qui tenait en enfilade la rue parallèle à Benghazi Street et où nous apercevons, avec horreur, un tibia humain fraîchement brûlé, peut-être deux, restes calcinés d'une existence, ont réussi à les détruire.

L'OTAN a aidé, bien entendu. Il a eu son compte de machines de mort mises à mort. Ce sont ses avions qui ont détruit, sous une dalle de béton, dans le grand marché de la ville, les quatre énormes blindés qui s'y cachaient. Mais les chars que les kadhafistes avaient installés près des mosquées, ceux qu'ils avaient mis à la porte de l'hôpital et même à l'intérieur, les plus difficiles à atteindre et qui étaient les plus menaçants, ce sont les citoyens qui, par leur vaillance, par leurs cocktails Molotov jetés dans la gueule des canons, par leurs obus de RPG7 tirés à bout portant, presque au contact, corps à corps avec la machine, danse avec le monstre d'acier, grâce à leur malice aussi, leurs ruses incroyables, les ont eus.

Merveille d'ingéniosité de l'étudiant, de l'ingénieur ou du militaire en retraite, je ne sais, car ce trait de génie-ci restera, à jamais, sans auteur, qui a trouvé ceci : les tapis imbibés d'huile que l'on vient, nuitamment, profitant de l'obscurité et trompant les sentinelles, disposer devant les chenilles afin que, lorsque le tankiste s'ébrouera, sa machine patine, ne réponde plus, devienne folle et soit une cible pour les tueurs de chars.

Cet autre, tant que j'y suis, cet autre trait de génie dont il y a toutes chances que nul ne sache jamais, lui non plus, de quel cerveau fertile il est sorti : il consiste, quand les insurgés ont besoin d'une couverture aérienne mais que l'OTAN n'est pas là pour la leur offrir, ou quand leurs forces sont trop maigres pour tenir un front et que Kadhafi va en profiter pour avancer, à envoyer dans les haut-parleurs des mosquées, à la place des appels à la prière, des bruits d'avions préenregistrés, des tapis de leurres en relais des tapis d'huile, des nuages sonores qui vont faire croire que les avions alliés arrivent et qui, parfois, feront gagner un temps précieux.

Et puis, dans la zone ouest de la ville, j'ai découvert ces vastes hangars où ont été installés, à la lumière d'ampoules nourries Dieu sait comment et sous-alimentées, ou bien à celle, trop vive au contraire, des forges improvisées, les ateliers de fabrication, il faudrait dire de récupération, et presque de bricolage, des armes des insurgés. Armes prises à l'ennemi et transformées. Vieux fusils à plomb sur lesquels on monte des canons de 12 millimètres. Bouquets d'obus arrachés à un tank ou à un avion et que l'on désolidarise pour, sur des machines graisseuses, à l'aide de fers à souder géants que l'on manie sans lunettes et dont les trépidations font trembler le sol sous nos pas, les adapter à des mitrailleuses elles-mêmes montées sur des pick-up. Et le travail sur les pick-up ! Ces minuscules pick-up dont on a blindé l'avant avec des doubles plaques de fonte entre lesquelles on a mis du sable ou du ciment et qui en font de redoutables béliers... Ou bien, au contraire, l'arrière : la plaque demi-circulaire ayant été soudée de manière à ce que des combattants puissent se tenir sur un marchepied blindé, le véhicule ressemblant alors à un char à la Ben-Hur... Ou bien encore les côtés, les plaques d'acier trempé soudées, cette fois, sur les ailes, comme si on avait doté le véhicule d'énormes boucliers à l'abri desquels deux, trois, parfois quatre tireurs vont pouvoir se tenir accroupis et, lorsqu'on sera à portée de l'objectif, jaillir comme des diables et sortir à découvert, mais à la toute dernière seconde, juste le temps nécessaire pour assaillir le char visé ou investir la position ennemie... Ou encore cette camionnette bleue que j'ai prise, d'abord, pour le camion du petit livreur de légumes qui, lors de notre toute première arrivée en Libye, nous a embarqués à la frontière égyptienne et conduits jusqu'à Tobrouk : blindée des quatre côtés, transformée en une forteresse roulante doublée d'un redoutable char d'assaut – je fais une photo pour le président de Panhard !

J'avais vu, avec Gilles, une usine sauvage de ce genre en Bosnie centrale, à Konic, et je me souviens avoir daté de ce moment, pas de celui où je l'ai vue, non, mais de celui où elle a été conçue par un Izetbegovic devenu, au fil des mois, un excellent chef de guerre, le retournement qui fit d'un peuple de victimes une armée de combattants vaillants et équipés. Eh bien j'ai le même sentiment à Misrata. Sauf que, de cette victoire sur un ennemi qui était, je le répète, dans les murs, de cette reconquête, pas à pas, rue par rue, sur une division aguerrie et qui a mis quarante jours à reculer, de cette marche triomphale mais modeste qui faisait, à chaque carrefour reconquis, consolider les gains en dressant l'une de ces gigantesques murailles de camions renversés, de bulldozers ou d'autobus remplis de sable et de détritus en tous genres, qui verrouillent la dernière avancée et sont comme les remparts intérieurs de la ville, je ne connais pas d'exemple. Et sauf que j'en tire une conclusion qui crève les yeux : ces hommes qui ont vécu l'épreuve du feu et qui l'ont surmontée, ces combattants émaciés, les yeux luisants d'épuisement, mais qui ont tenu tête à l'ennemi et, avec leurs armes bricolées, l'ont repoussé, ces combattants qui ont fini par constituer une véritable troupe, disciplinée, rompue aux combats de rue, ce sont les meilleurs guerriers de la Libye libre et ce sont ceux sur lesquels, le jour venu, il faudra compter.

Sur les fronts de Cyrénaïque, j'ai vu des braves. J'ai admiré des chebabs intrépides, prêts à prendre tous les risques pour défendre l'esprit, et les vivants, de Benghazi. Mais ce sont les avions qui, juste avant que les chars ne l'investissent, ont sauvé la ville de Benghazi. Ce sont eux qui, venus de France et d'Angleterre, ont empêché le bain de sang. Alors qu'ici, à Misrata, les chars étaient déjà entrés et ce sont les citoyens qui ont fait le travail des avions et, au corps à corps, les ont fait reculer.

Qui, le jour venu, marchera sur Tripoli ? Qui, lorsque les hélicoptères français auront ouvert la voie, donnera le coup final au régime honni ? Voilà. C'est clair. Les libérateurs de Misrata.

Dimanche 29 mai, fin *(Sur le front d'Abdul Raouf)*

« Où sont les hélicoptères ? »

L'homme qui me pose cette question est un des commandants de première ligne de la zone d'Abdul Raouf, à 15 kilomètres de Misrata, non loin des positions kadhafistes.

« Où sont les hélicoptères, répète-t-il, sous la tente de commandement, faite d'une bâche tendue sur quatre bâtons, où il nous accueille, en plein désert, tel un jeune sultan, la barbe noire, les cheveux drus et fournis, tout en nerfs, les yeux gris. Nous sommes reconnaissants à Sarkozy. Nous n'oublierons jamais ce que lui et la France ont fait pour nous. Mais il a promis des hélicos. Et c'est la question que tous, ici, se posent : où sont les hélicos ? »

Puis, comme je lui explique qu'ils sont en route, que les Tigre français arrivent, et les Apache, mais qu'il faut leur laisser le temps, que tout ça représente une machinerie lourde et qu'il faut, de surcroît, bien préparer les choses, car imaginez que l'on se précipite, supposez que l'on en perde un, supposez qu'un appareil, un seul, se crashe et, avec lui, son équipage, les opinions publiques sont implacables, je veux dire implacablement changeantes, elles basculeraient aussi sec, elles se retourneraient comme un seul homme contre le principe de l'intervention – il abrège et nous entraîne dehors :

« Je crois que vous n'avez pas compris. »

Un brancard passe, une toile de tente portée par trois chebabs, deux derrière, un devant, avec un blessé recroquevillé, gémissant, et dont j'entrevois la tête ceinte d'un énorme bandage, le visage tuméfié.

« Rien que ce matin, nous avons eu un mort et évacué onze blessés. Avec celui que vous voyez là on en est à douze. Or nous manquons de tout... »

Arrivent, dans la foulée du brancard, deux très jeunes garçons, hirsutes, du sable dans les cheveux, le T-shirt plein de terre et la kalache à bout de bras – ils restent en retrait, regards de chiens battus, défaits, n'osant interrompre l'homme aux yeux gris.

« Nous n'avons ni armes lourdes ni semi-lourdes, poursuit celui-ci en les regardant à peine. Et ce blessé qui vient de passer... Vous me direz que ça n'a rien à voir et qu'il aurait été touché de toute façon... Mais sa mitrailleuse s'est enrayée... C'est normal, ça, vous trouvez ? »

Il se tourne vers les deux garçons qu'il n'a pas encore regardés et répète, comme à leur intention, un ton en dessous :

« C'est normal, ça, vous trouvez ? »

Les garçons, qui ne comprennent pas l'anglais, ne répondent rien. Ils ont toujours le même regard absent, un peu fixe. Seule marque d'émotion, chez le plus jeune : la pomme d'Adam, exagérément saillante, monte et descend, à toute vitesse.

« La vérité, reprend-il, en s'adressant de nouveau à nous, c'est que les troupes de Kadhafi peuvent attaquer quand elles le décident et nous prendre par surprise car nous n'avons, surtout la nuit, aucun moyen de vision à distance. Venez voir... »

Il s'interrompt dans son mouvement pour s'enquérir tout de même, en arabe – Mansour, comme d'habitude, me traduisant –, de ce qui amène les deux garçons. Ils arrivent du front où l'un de leurs camarades, parti en reconnaissance, n'est pas revenu. Prisonnier ? Blessé et coincé entre les lignes ? Mort ? Il est 9 heures. Le chef ordonne qu'on attende le milieu de l'après-midi pour aviser et, éventuellement, aller le chercher. Il nous entraîne vers une butte de sable, 100 mètres plus loin, après le mur de béton qui est censé faire barrage à une attaque de chars. Nous y rejoignons une compagnie d'une dizaine d'hommes qui semblent se relayer, au sommet, autour d'une jumelle montée sur pied – concentrés, silencieux, tout entiers tendus vers un point invisible à l'horizon et prêtant à peine attention à l'arrivée de leur chef.

« Prenez, m'ordonne-t-il, même geste qu'El-Sagezli, à Ajdabiya, écartant le soldat qui est en train de fixer l'horizon. Que voyez-vous ?

— Je ne sais pas… Des dunes… Des arbres…

— Eh bien voilà, triomphe-t-il ! La preuve est là ! Vous avez des éléments avancés de l'armée de Kadhafi. Ils sont à quelques kilomètres. Nous sommes en plein jour, et vous ne les voyez pas. Vous imaginez, alors, de nuit ? Ils pourraient être à 500 mètres et nous ne les verrions pas approcher. Où sont les hélicos ? Où sont les lunettes de vision nocturne, à infrarouge, que la France a promises ? »

Il s'est tourné vers Souleiman qui se prépare à répondre et, sans doute, à renchérir. Mais une détonation se fait entendre. Puis une deuxième, lointaine mais forte, qui fait se lever, sur le ressaut d'une autre colline, visible dans les jumelles, une gerbe en forme d'éventail.

« Laissez-moi voir, dit-il, en m'écartant et en se mettant, à son tour, derrière la lunette. »

Puis, à l'attention du groupe, rendant les jumelles au soldat qui me les avait données et dont je remarque, alors seulement, les yeux rouges d'avoir trop fixé :

« Quatre kilos. L'ennemi a frappé à moins de quatre kilomètres. Il ne faut pas bouger. Mais Abdul avait raison. »

Puis, à moi, pédagogue, tandis que les hommes reprennent leur position antérieure, trois d'entre eux derrière le pied de la lunette, les autres assis dans le sable.

« Abdul est un fermier du village d'à côté. Sa ferme a été réquisitionnée, hier matin, par une unité de mercenaires kadhafistes. Sa femme et ses trois fils ont eu le temps de fuir, grâce à Dieu. Mais lui est resté parce qu'il n'a pas voulu laisser ses bêtes aux soudards. Ça ne lui a servi à rien car ils les ont tuées quand même. Tacatac... Tacatac... »

Il fait le geste d'arroser à la mitraillette.

« Ils ont tiré dans les ventres, dans les têtes, il paraît que ça giclait de partout, que même les bêtes les plus grosses sautaient en l'air... »

Il esquisse une moue de dégoût.

« Il a été retenu la nuit. Puis le matin. Mais il a profité, le lendemain, d'un moment où ils s'acharnaient sur une vache qu'ils n'avaient pas trouvée la veille. Il s'est caché. Enfui. Et il a couru jusqu'à notre poste avancé. »

Il montre, 200 mètres plus loin, sur notre droite, une autre dune et, sur la dune, un toit de bois, comme une paillotte, que je n'avais pas remarqué.

« Et là, il a expliqué aux nôtres ce qu'il a vu. C'étaient des Tchadiens. Des Nigériens. Un chef algérien. Des professionnels de la guerre qui ont expliqué, en arabe, devant lui, qu'ils attendaient l'ordre d'attaquer. Peut-être ce soir. Peut-être demain. C'est-à-dire aujourd'hui. »

Nouvel air dégoûté. Il crache au sol, mélange de mépris et de superstition.

« Ce que je veux vous dire c'est que, s'ils attaquent, nous n'avons aucun moyen de répliquer. Nous avons, à un kilomètre d'ici, un peu d'antichar. Des mines posées là où il faut. Des trous que nous avons creusés et qui retarderont l'avance des blindés. Mais supposons que Kadhafi décide une vraie offensive. Nous lui ferons mal. Mais nous ne sommes pas équipés pour le faire reculer. »

Un troisième obus retentit, plus faible, et dont le bruit nous arrive comme celui d'un lointain battement d'ailes. Les hommes sont toujours assis. Aux aguets. Observant l'homme aux yeux gris. Mais on sent qu'ils ne bougeront pas, ne s'agiteront pas, ne pétaraderont pas, tant qu'ils n'en recevront pas l'ordre. Le contraire du joyeux désordre de Brega en mars ou même d'Ajdabiya le mois dernier.

« Maintenant, j'ai une question pour vous, Monsieur Bernard...

— Oui, lui dis-je, l'oreille tendue vers les dunes, la plus proche cette fois, celle de la paillotte, où il m'a semblé entendre un départ.

— Puisque vous êtes l'ambassadeur de Sarkozy...

— Je ne suis pas l'ambassadeur de Sarkozy. Je suis écrivain. »

Il secoue la tête, comme si je l'embêtais avec mes distinguos hors de propos.

« Je veux vous confier un message pour lui. »

Je renonce à entrer dans le détail.

« Je peux, s'il me reçoit, essayer de le lui faire passer.

— Eh bien voici... »

Il ramasse, dans le sable, devant lui, une douille vide, toute petite, un demi-centimètre de diamètre, trois centimètres de longueur.

« Voici le message, dit-il. C'est ça que je voudrais que vous lui remettiez. Une douille tombée de la kalache d'un chebab de la révolution libyenne. Mais il faudra que vous ajoutiez... »

372

Il fait comme s'il calculait. Puis écarte les bras, en croix, vers le ciel – le visage tendu dans la même direction, théâtralement, en une expression de supplique et de colère.

« Il faudra que vous ajoutiez que les armes qu'on utilise contre nous sont grosses comme ça... Mille fois la taille de ce que je viens de vous donner... Et que c'est la raison pour laquelle seuls les hélicos peuvent nous sauver... »

Deux heures passent, que nous mettons à profit pour l'interviewer et interviewer deux de ses lieutenants. Le front est calme, maintenant, et un second groupe s'est formé en haut d'une autre butte, derrière nous, à découvert. C'est une vingtaine de combattants qui chantent à tue-tête en agitant deux drapeaux – un libyen et, troué en plusieurs endroits, un drapeau français.

« Ça tombe bien, dit le commandant aux yeux gris. Venez. Il faut que vous fassiez une photo pour Monsieur Sarkozy. »

Nous grimpons sur cette deuxième butte, toujours avec lui, toujours avec Ali, Souleiman et, grimpant avec difficulté, essoufflé, Mansour. Les gamins crient de plus en plus fort « Libya Hora » et « Merci la France ».

« Voici la photo, me dit-il, en me mettant le drapeau français entre les mains et en prenant du recul pour s'assurer de l'effet.

— Non, dis-je. Le drapeau français pour eux, le libyen pour moi. C'est mieux.

— Ok. Mais, s'il vous plaît, racontez à Monsieur Sarkozy ce que vous avez vu ici. Et posez-lui ma question : où sont les hélicos ? où sont les hélicos ? eux seuls, les hélicos, peuvent dissuader Kadhafi d'avancer

373

et lui faire ouvrir la main qu'il a mise à la gorge de Misrata. »

La photo faite, nous redescendons. Il nous invite à un méchoui, que nous devons, hélas, décliner. Ce n'est pas l'envie qui nous en manque. Mais tant de choses à voir encore, et à faire. Nous déjeunerons, à l'hôtel, d'un bouillon où flottent des lambeaux de viande, d'un bol de riz, d'une pomme. Et nous repartirons faire de nouvelles images des rues obstruées de gravats.

Lundi 30 mai *(Panne sèche au large de la Libye)*

Retour. Lever du jour. Le même bateau qu'à l'aller. Et, comme il se doit, retour à la case loufoque. Nous avons navigué toute la nuit. Et nous venons, là, en pleine mer, à égale distance des côtes libyennes et maltaises, de tomber en panne.

Branle-bas de combat à bord. Tout le monde, non sur le pont, mais dans la cale pour tenter de trouver l'origine du problème. Le capitaine et son second. Le technicien en combinaison orange, flegmatique, l'œil battu, qui m'avait semblé dormir pendant le voyage aller au point que je me demandais à quoi il pouvait bien servir. Le Noir herculéen qui lui sert de second. L'autre Noir qui semblait affecté aux tâches de ménage mais qui est le premier à descendre, par la trappe de fonte ouverte, dans les entrailles du bateau. Ils sont tous là, maintenant. Tous, essayant de comprendre. Tous, à tour de rôle, repoussant la trappe et descendant comme le deuxième Noir, qui pour reconnecter un fil, qui pour nettoyer un filtre, qui pour trafiquer une valve. Tous, suant quand ils remontent, les mains, le visage et les cheveux également barbouillés de cambouis. Et tous, chaque fois que l'on croit avoir trouvé, se relayant encore pour, à la bouche, dans un tuyau de plastique sale, pomper l'essence et tenter de faire repartir l'un des moteurs. Fraternité de bord. Egalité face à la panne. Il n'y a plus ni Noir herculéen, ni homme à la combinaison orange, juste des camarades flottant, de conserve, sur un bateau qui, à l'arrêt sur les vagues, ballotté par les courants, porté par leur force inquiète et qu'aucune force mécanique ne vient plus contrarier, et des nuées d'oiseaux blancs tourbillonnant au-dessus des têtes, semble plus frêle encore, plus piteux.

« On dérive vers Tripoli », lance, pour blaguer, celui que je prenais pour l'homme de ménage.

Et Pace, le capitaine, de renchérir en lui tapant familièrement sur l'épaule :

« Mais c'est que tu as raison ! »

Et, à notre intention, la voix déchirée par le bruit du roulis :

« Encore une heure de ce régime et on aura deux solutions : lancer un SOS pour qu'un remorqueur vienne nous chercher de Malte ou se dérouter jusqu'à Tripoli où votre ami, le colonel Kadhafi, nous préparera un comité d'accueil canon. »

Bachir apprécie modérément. Les deux amis libyens, différents de ceux de l'aller, qu'il a accepté d'embarquer mais dont on s'est aperçu, une fois à bord, qu'ils n'avaient pas de documents de voyage en règle, blêmissent, eux, carrément.

Mais bon. Au terme prescrit, au bout d'une heure pile, après que le Noir herculéen est descendu une dernière fois dans les profondeurs du bateau et en est remonté avec une tête d'aruspice qui, enfin, ramènerait le bon augure, on commence d'entendre un toussotement qui monte de la cale. Puis un crachotement qui semble vouloir mourir. Mais non, il tient, s'installe, devient régulier, couvre presque le bruit de la mer.

Tout le monde, sur le pont, retient son souffle. Tous, autour du capitaine, tendent l'oreille vers le bruit de chaudron. Eh oui ! C'est bien cela ! C'est l'un des deux moteurs, dont le Noir herculéen a réussi à bricoler la valve. Un seul moteur, d'accord. Petite vitesse, c'est vrai. Et cette terrible odeur de fuel qui balaie le pont quand le vent tombe. Mais c'est toujours mieux que le retour à Tripoli. Et nous voilà repartis, cahin-caha, 7 nœuds, pas assez pour amortir le roulis, mais au moins voguons-nous, Attard et le Noir herculéen repartis, à fond de cale, dormir du sommeil des justes, l'autre Noir resté à la proue pour surveiller la mer et Pace dans sa cabine, les yeux mi-clos, semblant dormir, mais c'est sûrement une ruse. Je suis sur le pont, assis sur la chaloupe de sauvetage du pont arrière, mon ordinateur sur les genoux, profitant des derniers rayons de soleil et essayant de fixer, avant qu'elles ne s'effacent, mes autres impressions de Misrata.

Lundi 30 mai, suite (*Images de Misrata*)

Ne pas oublier la petite peur que nous a fait le big brother otanien quand, hier soir, un peu après minuit, alors que nous étions encore en zone de guerre, il nous a demandé, sur le canal VHF général, si nous pouvions confirmer la présence d'un bateau, derrière nous, sur notre droite, se rapprochant à grande vitesse. Le capitaine a dit que oui, en effet, il voyait une tache lumineuse sur son écran. Le « NATO Warship » a lancé alors, sur la même ligne générale, un appel à tout bâtiment voguant sur zone et sommé de s'identifier. Le bâtiment, soit qu'il n'ait pas de radio, soit qu'il fût résolu à braver la sommation, n'a pas répondu et a continué de se rapprocher. « Ici NATO Warship, a répété la voix ; ici navire de guerre de l'OTAN ; réitérons appel à cible non identifiée. » Nous nous sommes tous retrouvés, une nouvelle fois, comme à l'aller, dans la cabine de pilotage, moins inquiets, plus intrigués, Ian Pace ne quittant plus des yeux son écran de bord où la tache lumineuse s'est installée.

« Ici NATO Warship, a insisté la voix ; ici NATO Warship ; ceci est un dernier appel ; hélicoptère de guerre en route. » Toujours pas de réponse. La voix alors, une dernière fois : « cible non identifiée ! cible non identifiée ! ici NATO Warship ! c'était notre dernière sommation ! dans deux minutes, nous tirons ! » Deux minutes passent. Exactement deux minutes. Comme un lampion qui s'éteint, la tache disparaît de l'écran. Et la voix, enfin, se tait. Le bâtiment non identifié a-t-il cédé ? rebroussé chemin ? ou le NATO Warship a-t-il mis sa menace à exécution et l'a-t-il coulé ? Personne n'en saura rien. « Mais tout est possible, dit Pace tandis qu'il reprend la barre. Chaque soir, vous avez des bateaux rapides, en général des Zodiacs, qui partent des plages, dans la zone de Misrata, et prennent en chasse, soit les bateaux comme le nôtre, soit, depuis qu'il existe, le ferry. Je ne sais pas ce qu'ils deviennent. Personne ne le sait. »

Ne pas oublier, non plus, la grosse peur rétrospective que nous a faite, en veine de confidence, le capitaine Ian Pace. « Vous vous souvenez quand, à notre arrivée, l'hélicoptère de l'OTAN a dit que nous avions éteint notre radio de bord et que ce n'était pas normal ? » Et comment, si nous nous en souvenons ! « Je suis allé, hier, à la capitainerie du port, chercher une pièce détachée et faire le plein de carburant. Et on m'a dit, là, que cette histoire de radio éteinte a failli, effectivement, très mal tourner. Le pilote de l'hélicoptère, quand il a vu que nous ne répondions pas, puis que, répondant, nous disions venir de Malte alors qu'il avait, lui, des documents attestant que nous venions de Bahreïn, a fini par appeler Misrata. Vous attendez un bateau en provenance de Bahreïn, leur a-t-il demandé ? Non, a répondu Misrata, aucun bateau en provenance de Bahreïn n'est attendu à Misrata. Souhaitez-vous, a-t-il alors demandé, que nous neutralisions, avant son entrée au port, ce bateau qui arrive de Bahreïn et qui prétend arriver de Malte ? Et l'inspiration du fonctionnaire de veille, cette nuit-là, à Misrata, qui, hésitant peut-être, pesant le pour et le contre, saisi d'un doute ou décidant, tout simplement, que les chebabs du port régleraient l'affaire tout seuls, a dû dire : « non, merci, on s'en occupe » et nous a ainsi, sans le savoir, tiré d'un mauvais pas (d'où les tirs, à notre arrivée, dont je comprends maintenant qu'ils venaient de notre camp et qu'il a fallu les mots de Souleiman, hurlant qu'il était Souleiman et que nous étions un bateau ami, pour qu'ils cessent…).

Noter, avant que je ne l'oublie, le désordre qui régnait, sur le port, au moment de notre réembarquement. Et noter, aux grilles du port, là où, l'avant-veille, lors de notre arrivée, régnait une atmosphère de film noir (zéro lumières, ombres furtives, les tirs de kalachnikovs indistincts, la menace impalpable…), l'embouteillage monstre qui s'est formé et qui nous aurait bloqués des heures, peut-être la nuit, si Bachir et Souleiman n'avaient pris la situation en main — l'un courant à la capitainerie expliquer qui ils étaient ; l'autre s'emparant du volant pour, fort de son autorité de membre du CNT, tenter de se frayer un passage ; jusqu'à Khalifa Azwawi, le président du Conseil local de transition, qui est descendu de voiture pour, avec le général Ramadan Zarmouh, bloquer la circulation et nous ménager un couloir. Arrivés au dernier quai, là où nous attendait notre bateau, nous trouvons, bord à bord avec lui, et le faisant paraître plus petit encore, un navire immense, cent mètres de long, triple pont. C'est jour de ferry. C'est le jour, deux fois par semaine depuis deux semaines, où le ferry que Bachir a fait venir de Turquie pour assurer la navette avec Benghazi va appareiller pour la capitale insurgée. Et les gens qui se pressaient aux grilles du port, ces hommes et ces femmes qui sont déjà là, douze heures avant le départ, dans le vent humide et froid, pour avoir une petite chance de trouver une place sur ce qui est, pour eux, une minuscule ligne de vie, un poumon pour la ville assiégée, une liberté, sont juste des enragés, des désespérés et des enragés, qui sont prêts à tout pour sortir de la ville. D'un seul coup, j'ai eu honte. Très honte. Comme le jour, à Sarajevo, où Gilles croyait avoir perdu son passeport et où tous les amis bosniaques, enfermés, eux, comme des animaux dans une réserve, n'avaient, passeport ou pas, aucune espèce de chance d'échapper au piège qu'était devenue la ville, se sont mis à le chercher, avec nous, sous les tables du restaurant où nous prenions notre dernier déjeuner, j'ai trouvé rétrospectivement peu glorieux notre empressement à resquiller. Adieux à nos amis. Embrassades. Courage à eux. Nous embarquons, le cœur gros.

Noter la « conférence de presse », juste avant, dans ce théâtre de Misrata où se pressaient cent, peut-être deux cents journalistes locaux, intellectuels et personnalités de la ville. Prévenus comment, dans une ville sans téléphone, sans internet, et où les rares familles qui sont restées vivent terrées dans les caves ? Mystère. Mais ils sont là. Attentifs. Recueillis. Heureux, il me semble, chaque fois que je rappelle ma thèse : que c'est seule, sans presque d'aide extérieure, que la ville a desserré l'étau et que, demain, elle se libérera et libérera, après elle, la Libye. Applaudissant quand je dis qu'elle est là, à Misrata, aguerrie par cette victoire immense, l'armée de la Libye libre que cherchent en vain les coalisés à Benghazi et qui, le moment venu, marchera sur Tripoli. Et bizarrement perplexes, presque incrédules, quand j'essaie de leur expliquer que la France qui a sauvé Benghazi, cette France qu'ils ne cessent, ici aussi, de saluer de tonitruants « Merci Sarkozy », ne se résume pas, pour autant, à Sarkozy puisqu'elle compte un grand parti d'opposition, au pouvoir dans nombre de villes et que dirige une femme dont j'ai, quelques heures plus tôt, apporté au Conseil local de transition, réuni en séance extraordinaire, un beau message de solidarité et de soutien.

Noter l'incrédulité des membres du Conseil lorsqu'un peu plus tôt dans la journée, dans les locaux de la banque où ils se sont repliés depuis que le City Hall a brûlé et dont ils ont replâtré à la hâte la grande salle

380

de réunion, je leur ai lu les cinq messages de Roland Ries, maire de Strasbourg, du Toulousain Pierre Cohen, de Gérard Collomb, maire de Lyon, de Bertrand Delanoë et, enfin de Martine Aubry – concluant, pour couper court à leurs remerciements, que c'était un honneur, un devoir et un honneur, de se porter au secours de Misrata quand on est une ville d'Europe, prospère et heureuse.

Et, à propos d'honneur, bien fixer l'émotion qui m'a submergé quand, après une délibération en arabe que j'ai failli mal prendre tant elle semblait m'exclure, le Président m'a annoncé que le Conseil venait de m'élire, à l'unanimité, citoyen d'honneur de la ville de Misrata. « Je vais pouvoir voter », lui ai-je répondu, retrouvant, sans le vouloir, les mots de Mitterrand sur ce fameux bout d'archive, que nous avions monté dans *Bosna !,* et où on le voyait réagir (mais sur un ton qui m'a toujours semblé grondeur et étrangement lourd de menace) à la décision qui venait de le faire citoyen d'honneur de la ville de Sarajevo. « Pas seulement voter, m'a répondu le Président, me prenant au mot. Vous pourrez également vous présenter et entamer une carrière politique – Impossible, ai-je à mon tour répondu ; I should compete with you ; je devrais vous affronter ; et je ne ferai jamais cela. » Tout le monde a ri.

Noter notre passage par l'hôpital de la ville. La noria des ambulances. Les familles qui essaient d'entrer. La bousculade dans les escaliers. Et, dans la salle des urgences, soudain, un calme de mort, pas un mot, pas un mouvement, juste le bruit des roulettes des civières et, venu du lit du fond, un cri déchirant et bref, suivi d'un sanglot, c'est un homme au bras arraché, la poitrine entièrement emmaillotée, la tête aussi, seul son cri semble vivant. Marc fait des photos. Je ne sais pas comment il fait. Comme à Ajdabiya, je sors pour ne pas vomir. Le docteur Khalid Abuflaga, débordé, manquant de tout, et d'abord, d'analgésiques et d'anesthésiants, compte qu'on en est déjà, ce lundi 30 mai, 18 heures, à 60 blessés graves ramenés du front et s'ajoutant aux 6 000 autres, et aux 1 600 morts, des semaines passées. « Blessés graves », à Misrata, cela veut dire têtes à demi arrachées, visages en bouillie, corps démembrés, torses enfoncés, hurlements.

Et puis noter, enfin, ma joie sans mélange quand, au milieu de la nuit, je retrouve la pierre sèche de Malte, son air moite et comme trempé de bonne sueur.

Mardi 31 mai *(Le parti pris des visages)*

Je relis mes notes de Misrata. Pas assez de visages. Trop de ruines, pas assez d'humains. C'est le jeu, donc je laisse comme c'est. Mais je m'en veux. Ah Levinas ! Et Auden ! Le mot si juste, et qui est un programme, de sa *Lettre à Lord Byron* : « landscape but a background to a torso » – le paysage, juste un décor pour les corps… Et l'autre, cet autre mot, dans le même quatrain, je cite de mémoire, et en français – il m'a toujours été, lui aussi, une devise : « tout Cézanne, je donnerais tout Cézanne, et toutes ses natures mortes, pour un Daumier ou un Goya ». J'ai failli à ma devise.

Mardi 31 mai, suite *(Un message pour Israël)*

Cela a commencé par un coup de téléphone bizarre et bizarrement cérémonieux.

Puis un rendez-vous, non moins étrange et solennel, au bar d'un grand hôtel – amical, naturellement ; adorable ; mais emprunté, presque guindé, très visite académique en gants blancs et en chapeau.

« C'est une chose que nous voulons vous dire depuis longtemps, a commencé mon interlocuteur. Ça ne s'est pas encore trouvé. Alors voilà. Nous créons l'occasion. Il s'agit de vos amis israéliens. Nous aimerions leur faire passer un message. Oh pas un message politique ! Un message général. Humain. Un message qui leur dirait, en gros, que la Libye nouvelle ne leur sera pas hostile. Nous ne lâcherons rien, naturellement, sur le dossier palestinien. Nous serons très attachés à ce que soient enfin respectés les droits inaliénables de nos frères palestiniens. Mais nous entretiendrons des rapports civilisés, normaux, avec nos voisins, tous nos voisins, et donc, aussi, les Israéliens. C'est important, pour nous, qu'ils le sachent. Et c'est important, aussi, que vous le sachiez, vous, Monsieur Bernard, qui êtes juif et avez tant fait pour la défense de notre cause – encore, ces jours derniers, à Misrata… »

La démarche me surprend, naturellement.

Je me demande, d'abord, si c'est lié à mon dernier bloc-notes où je pose la question, justement, du rapport d'Israël aux printemps arabes et des printemps arabes à Israël : mon interlocuteur n'a pas lu ce bloc-notes ; il n'en a pas entendu parler ; il ne semble pas que ce soit cela.

Je me dis ensuite que c'est peut-être une manière, à la fois maladroite et charmante, de m'exprimer sa reconnaissance, et celle du CNT, pour ce que j'ai pu faire pour, comme il dit, la défense de la cause libyenne : pourquoi pas ? la démarche ne manquerait pas d'allure ; elle serait belle ; émouvante ; mais je ne crois pas que ce soit non plus cela ; pour lui, je suis français avant toute chose, ami de Sarkozy, coresponsable du tremblement de terre du 10 mars – mon lien à Israël ne lui est pas inconnu mais il vient après.

L'idée, à un moment, m'effleure que mes amis sont peut-être à la recherche d'aide et, en particulier, d'aide militaire : je lui pose, là, carrément la question – car où serait le mal ? Mais il me répond, non moins carrément, qu'ils ont déjà beaucoup d'aide en provenance, d'une part, de la France et, d'autre part, des pays arabes entrés dans la coalition. Le problème, dès lors, ce n'est pas une nouvelle source d'aide, c'est de faire en sorte que l'aide déjà prête à venir arrive, par exemple, à Misrata, Zaouïa, Gharyane, les villes assiégées et martyres.

Non.

Je crois que cette démarche veut juste dire que la Libye, une fois libérée, sera un pays normal.

Le message est qu'elle sera un pays modéré, rejoignant l'arc des autres pays arabes modérés qui luttent contre toutes les formes de terrorisme et d'extrémisme.

Et, s'il y a un message sous le message, c'est celui-ci : qu'il ne faut pas écouter ce que l'on raconte, et que raconte surtout Kadhafi, sur la tentation islamiste en Cyrénaïque.

Je demande au messager quel est le degré d'urgence du message.

384

Je lui demande si c'est à moi de le délivrer ou s'il souhaiterait le faire avec moi.

Et, si je suffis, pense-t-il que cela mérite que je fasse un voyage spécial ou puis-je profiter de telle ou telle occasion ?

« Je ne sais pas, me dit-il en substance. Je laisse cela à votre entière discrétion. »

Et quand je lui dis que je dois être en Israël, de toute façon, demain pour un débat avec la chef de l'opposition, Tzipi Livni, et que, le thème du débat étant, justement, « Israël doit-il avoir peur des révolutions arabes », je peux en profiter pour aller voir, dans la foulée, les dirigeants du pays, il me répond : « cela tombe on ne peut mieux, en effet ; faites comme vous l'entendez ».

Je ferai cela. Je profiterai de ce débat Livni pour aller voir Barak et, s'il est à Jérusalem, Netanyahu.

Je quitte cet homme, ému de ce geste qui me touche au plus profond : moi qui, depuis trente ans, n'ai cessé de rêver à cette paix des cœurs entre fils d'Abraham, me voilà, pour la première fois, mandaté par un dirigeant arabe pour aller dire que, là-bas non plus, la haine n'est pas tenue pour un destin.

Mercredi 1er juin *(Un appel de Nicolas Sarkozy)*

Départ pour Tel-Aviv.

Sur le chemin de Roissy, appel du Président. Comme toujours, l'instant d'appréhension. Comme à l'accoutumée, la crainte qu'il ne m'appelle pour m'annoncer, ou me laisser entendre, que c'est trop long, trop cher, trop enlisé, trop de problèmes – il est temps, non pas exactement de reculer, encore moins de battre en retraite, mais de trouver une porte de sortie, de sauver la face, etc.

Mais non. Peut-être a-t-il juste eu vent de mon intervention, hier soir, chez Ruth Elkrief, sur BFM – et, à la fin, de la question que je lui adressais, à lui, Nicolas Sarkozy, de la part du commandant-sultan du front d'Abdul Raouf : « où sont les hélicoptères ? » Car, sans préambule, il me lance :

« Ces hélicoptères dont nous avons parlé quand nous nous sommes vus, la dernière fois, ça y est, ils sont sur place...

— A la bonne heure ! Mais pourquoi tout ce temps ? Les gens, à Misrata, ne comprennent pas. Sur le front les combattants n'ont qu'une phrase à la bouche... »

Il ne me laisse pas finir.

« Il a fallu attendre les Anglais. Leurs appareils ont eu des problèmes techniques. Nous n'avons pas voulu commencer sans eux.

— Allons bon ! J'imaginais, au contraire, une saine concurrence faisant que la France les prendrait de vitesse. Pour le plus grand bien des Libyens, s'entend.

— Je ne ferai certainement pas cela. On est main dans la main, avec Cameron. Depuis le début, main dans la main. Ce n'est pas aujourd'hui que je vais changer. Et puis... »

Je ne jurerais pas, à cet instant, qu'il est sincère.

« ... et puis ces fuites dans la presse... Elles ne nous ont pas aidés, il faut bien le dire. »

J'ai vu, il y a quelques jours, en effet, un gros article, dans *Le Figaro,* très précis, très renseigné. Insinue-t-il que je pourrais être à l'origine de l'indiscrétion ?

« J'ai vu cela, oui. Mais c'est de l'Elysée qu'elles sont venues, ces fuites ! Je me suis dit... »

Et lui, très vite, m'arrêtant net :

« Non, la Défense. C'est de la Défense que c'est sorti.

— Cela ne m'étonne qu'à demi. Longuet est contre, depuis le début. »

Il ne répond rien. Comme le premier lundi, quand je lui parlais de Juppé, il fait la sourde oreille. Je répète :

« C'est embêtant pour un ministre. Mais je suis convaincu qu'il était contre. »

Il change de sujet, me demandant quand je peux venir lui raconter ce que j'ai vu à Misrata. Et, comme je lui dis que là, ça tombe mal, je suis en partance pour Tel-Aviv où je vais tenter de convaincre les Israéliens de se montrer moins timorés face aux événements de Libye, il se moque.

« Voilà une bonne initiative. Mais...

— Oui ?

— ... il faut juste que tu saches que Juppé y sera en même temps que toi. Appelle-moi à ton retour. »

Décidément !

Jeudi 2 juin *(Tempête à Jérusalem)*

Comment ai-je pu commettre pareille erreur ?

Et, d'ailleurs, est-ce bien une erreur ?

Je reprends.

1. 7 h 30. En voiture. Monter de Tel-Aviv à Jérusalem où j'ai rendez-vous, dans une heure, avec

Benjamin Netanyahu. Lumière vive et déjà dorée. Ces petits matins, sur les monts de Judée, où j'ai toujours eu l'impression que, fatigués de la nuit, les paysages s'ébrouent et commencent d'exulter. Annette Lévy-Willard m'accompagne. Je lui ai demandé d'oublier, l'espace de quelques heures, qu'elle est conseillère culturelle à l'ambassade de France et d'être juste attentive, avec moi, à l'incroyable et belle histoire de ces révolutionnaires arabes rompant avec les démons du passé et, en l'occurrence, l'antisémitisme. Pour être bien sûr de mon affaire, j'appelle, devant elle, mon visiteur de l'autre jour. Mon haut-parleur est actionné afin que je puisse, en même temps qu'il me le répète, taper le message sur mon téléphone. Ce message comprend trois points principaux que je note, ici, fidèlement. Le premier : « Israël n'a rien à craindre de ce qui se passe, actuellement, en Libye ». Le deuxième : « le régime qui succédera au régime de Kadhafi sera un régime modéré, basé sur le respect des droits de l'homme, la lutte contre le terrorisme et la violence ». Le troisième : « il reconnaîtra le droit de chacun à vivre dans la paix et la sécurité ; les frères palestiniens, d'abord, dont le droit à un Etat ne sera pas négociable ; mais aussi les voisins, tous les voisins sans exception ». C'est simple, mais c'est net. C'est modeste, mais c'est clair. Et je suis heureux, vraiment, d'être le messager de cela. Non, les Libyens libres ne sont pas ces islamistes que l'on nous décrit ici ou là. Oui, on a eu raison de faire, depuis le premier jour, confiance à ces nouveaux démocrates.

2. Kaplan Street. Quartiers du Premier ministre. Ballet de femmes soldates qui s'affairent dans les pièces voisines. Le « PM », comme on dit ici, est, contraire-

ment à son habitude, à l'heure. Je le trouve aminci. Le teint frais. Un reste d'épaisseur qui s'est, non pas résorbé, mais réparti dans le visage et qui donne à penser qu'il a, enfin, trouvé sa gueule. Et puis l'euphorie de l'homme qui rentre de Washington et ne se remet pas des vingt-six ovations debout que lui a, paraît-il, réservées la Chambre des Représentants. Nous parlons, d'abord, de la paix. Terrible impression d'avoir la même conversation, exactement la même, avec, en tout cas, les mêmes paramètres, les mêmes données, les mêmes objections de part et d'autre, depuis plus de quarante ans. Enième proposition, de ma part, d'un grand discours « historique » où le PM israélien (aujourd'hui Netanyahu, mais hier Begin, Shamir, Rabin, Barak, Olmert – c'est un Premier ministre au nom multiple, un hétéronyme politique, auquel j'ai, à cet instant, l'impression de m'adresser) formulerait enfin, de façon non seulement claire mais positive, son offre de paix aux Palestiniens. Même intérêt du PM et, à côté de lui, du même éternel sherpa qu'il invite discrètement, et comme toujours, à noter (il est jeune, pas quarante ans – mais carambolage, ici aussi, de toutes les silhouettes de tous les sherpas que j'ai vus prendre les mêmes notes qu'ils ont, tous, de la même façon, et comme va le faire celui-ci, mises directement aux archives sitôt que nous nous sommes séparés). Même certitude, hélas, que tout cela ne sert à rien, rigoureusement à rien (car Netanyahu, comme les autres, passera à côté de son destin, il ne trouvera ni les mots ni les gestes, il continuera, sans états d'âme, à annoncer ses programmes de « settlements », à conserver ses « checkpoints » dans les « territoires » et à répéter, comme si c'était le problème,

que la « West Bank » connaît une croissance écono-
mique exponentielle). Et puis, enfin, le message, que
j'ai eu le temps de traduire en anglais et que je lis sur
mon téléphone, lentement, posément, en vérifiant
bien, à la fin de chacun des trois points, que le PM
m'a bien compris — et le fait est qu'il écoute, sourire
de circonstance au début, puis curiosité, puis surprise
du vieux pro de la conversation préenregistrée et aux
enchaînements préfabriqués, qui se trouve confronté à
une problématique bizarre, inédite même, dont
l'énoncé semble flotter, pour une fois sans retomber,
entre nous deux.

« Ce message, dit-il après un long silence, n'a pas
vocation, j'imagine, à être rendu public ? – Pas spécialement, non… » J'ai dû marquer une hésitation
avant de dire « pas spécialement ». Car il insiste :
« non, il ne faut pas ; pour eux, il ne le faut pas ; nous
pouvons les aider, bien sûr ; mais le dire les compro-
mettrait ». Pour être honnête, j'ai même dû, à cet instant, ressentir, et marquer, une légère impatience à
l'idée de ce théorème, admis par tout le monde, à
commencer par les intéressés eux-mêmes, qui veut que
la voix, le soutien, l'amitié des Israéliens soient chose
honteuse, inavouable, et qu'il faudrait cacher. J'ai
pensé : c'est comme à la douane, quand on arrive à
l'aéroport de Tel-Aviv et que la méchante policière qui
vous a posé, sans ménagement, mille et une questions
indiscrètes (pourquoi ce voyage ? avez-vous de la
famille en Israël ? des amis ? des amours ? avez-vous
fait votre bagage seul ? personne ne vous a rien remis ?)
baisse d'un ton et, humble, pathétique, vous en pose
une toute dernière : « puis-je tamponner votre passeport ? » – et j'ai toujours trouvé cela si triste ! si sym-

bolique de tant de choses, et si triste ! Mais bon. J'ai ravalé ma possible tristesse. Et j'ai répondu à Netanyahu : « les Libyens, en effet, n'attendent rien ; mais c'est le monde qui, en la circonstance, attend quelque chose d'Israël ; vous ne pouvez pas rester dans cette position crispée, apeurée ; vous ne pouvez pas juste dire, ou laisser dire, que le monde d'hier avait du bon et que vous regrettez le temps de Moubarak ; vous avez là des peuples, et pas n'importe quels peuples puisque ce sont vos voisins, qui frappent à la porte d'une démocratie dont vous avez donné l'exemple – vous ne pouvez pas la leur fermer, vous devez saisir la main qui vous est tendue. » Netanyahu écoute. Il semble embarrassé. Contrarié. Est-ce ainsi qu'une intelligence réagit face à une information nouvelle, et qui appelle des réflexes qui ne sont plus ceux des débats paramétrés ? « Je reçois Juppé tout à l'heure, finit-il par dire comme s'il se raccrochait à un terrain solide. – Je sais. – Est-ce que ce ne serait pas l'occasion de dire quelque chose ? – C'est une occasion, en effet ; félicitez-vous de la position française et de l'initiative de Sarkozy ; vous démentirez, par le fait même, l'idée qu'Israël aurait peur de cette révolution. – Je vois, fait-il enfin... Je vois... » Sur quoi il met la conversation – comme, plus tard, le feront Barak, Livni, tous mes interlocuteurs israéliens sans exception – sur l'affaire Dominique Strauss-Kahn qui le sidère tout autant mais le passionne bien davantage. L'entretien s'achève. Il me raccompagne, courtoisement, dans l'antichambre. Le sherpa, à qui il a glissé quelques mots, en hébreu, me retient dix minutes, dans son propre bureau, adjacent à celui de son chef, pour explorer des « pistes » pour le communiqué qui sera rendu public, ce soir, à 18 heures, après la visite d'Alain Juppé.

3. 11 heures. Terrasse du King David avec l'ambassadeur de France, Christophe Bigot. E-mail du sherpa qui ne sait pas encore si communiqué commun il y aura, ou israélien seulement, ni même si le déroulé de la rencontre ne fera pas partir tout le monde vers d'autres pistes – mais qui, dans le doute, m'adresse néanmoins, pour avis, un projet. Ce projet (qui sera bien, finalement, celui rendu public, tout à l'heure, à 18 heures, après que se sera tenue la rencontre) comprend quatre points parfaitement fidèles et à l'esprit de notre rencontre et à ce que nous nous sommes dit, ensuite, dans les dix dernières minutes. « 1. Le PM a félicité le ministre Alain Juppé pour la décision du président français Sarkozy d'agir en Libye. 2. Cette initiative a permis d'éviter le massacre d'innocents et a envoyé un message fort au monde. 3. Kadhafi a un long passé de soutien au terrorisme international et de violence contre son propre peuple ; il n'a jamais été amical, ni envers Israël ni envers le peuple juif ; Israël ne regrettera en aucune manière (Israel will certainly not be sorry) de voir partir Kadhafi. 4. Israël espère que, dans la Libye d'après Kadhafi, le nouveau gouvernement libyen s'emploiera à faire avancer la paix et la sécurité pour tous les peuples de la région. » Puis, on « background », le post-scriptum suivant : « le PM a rencontré, ce matin, Bernard-Henri Lévy qui est venu en Israël depuis la ville libyenne assiégée de Misrata. » Je me serais passé du post-scriptum. Mais le reste me convient. Je dirais même qu'il me ravit. Enfin un dirigeant israélien (et peu importe que ce soit Benjamin Netanyahu) qui prend acte, pour s'en réjouir,

des bouleversements dans le monde arabe ! Et enfin se voit démentie, officiellement démentie, la vilaine rumeur qui traîne et que j'ai entendue, pour la première fois, de la bouche de Mahmoud Jibril, à Paris, le soir de sa rencontre avec Clinton, sur les liens occultes entre Kadhafi et Israël ! Au moins ce voyage aura-t-il servi à cela. Au moins aura-t-il levé ce malentendu infect. Je suis si content qu'au mépris de toute prudence, avec une ingénuité qui, rétrospectivement, me sidère, je lis à l'ambassadeur Bigot, en confiance, l'e-mail que je viens de recevoir.

4. 11 h 30. Toujours le King David. Toujours l'ambassadeur Bigot. Et toujours la même atmosphère – propre, pour moi, à ce lieu – de soleil et de vacances. Que s'est-il passé ? Et d'où a bien pu venir la fuite ? Il y avait trois sources possibles. Sarkozy, prévenu depuis hier, par moi, au téléphone, depuis Charles-de-Gaulle : mais je vois mal l'Elysée me faire cette mauvaise manière. Netanyahu, forcément : mais syndrome de la douanière, complexe du passeport non tamponné – je le vois mal, lui aussi, trahir le secret qu'il m'a recommandé. Juppé, enfin, qui a forcément appris que je l'ai précédé chez Netanyahu et que je vais encore le précéder, tout à l'heure, chez Ehud Barak, à la Défense : lui non plus, je ne le vois pas faire cela... trop fier pour cela... trop orgueilleux... mais est-il inconcevable que quelqu'un de chez lui, dans la « délégation », se soit dit que trop c'est trop, que le Quai ne peut pas passer son temps à se faire doubler par un franc-tireur – et est-il inimaginable qu'une confidence chuchotée, dans le désordre d'un cortège officiel, à l'oreille d'un journaliste, ait mis le feu aux poudres ? Toujours est-il que mon téléphone sonne. Au bout du

393

fil, un journaliste qui me cueille à froid et ne me laisse pas le temps de prendre mes précautions habituelles (on... off... je vous parle mais on ne s'est pas parlé... information oui, citation non...). « Monsieur, pouvez-vous confirmer que vous avez vu Netanyahu ? – Oui, bien sûr, c'est exact. – Et que vous étiez porteur d'un message du Conseil national de transition libyen ? – Du Conseil national de transition, comme tel, certainement non ; et un message, n'exagérons rien non plus ; juste un message verbal. – Mais où les Libyens se seraient engagés, une fois arrivés au pouvoir, à reconnaître Israël ? – Comme vous y allez ! C'est juste un petit message, vous dis-je, où il est d'abord précisé que la cause palestinienne n'est pas négociable mais où il est dit, ensuite, que ce légitime attachement à une cause sœur ne devrait pas empêcher d'avoir, le moment venu, avec tous les pays démocratiques et donc, aussi, avec Israël des relations normales. – Merci, Monsieur ; au revoir, Monsieur. » Moyennant quoi, trente minutes plus tard, tombe une dépêche littéralement fidèle à ce que j'ai dit mais dont l'information essentielle est l'existence même de ce message transmis à un Netanyahu par l'écrivain français qui etc.

5. Sur l'instant, d'ailleurs, tout va bien. Pas ou peu de reprises. Ne me vient pas à l'esprit que j'aie pu commettre un impair. Je passe mon débat avec Livni, à l'université de Tel-Aviv, sans y penser plus que cela (elle-même, d'ailleurs, ne pense qu'à une chose : déblayer l'objection que lui auraient faite, paraît-il, les féministes israéliennes – l'affaire Strauss-Kahn... comment peut-elle, elle, l'honneur des femmes d'Israël, débattre avec un écrivain qui vient, dans *Haaretz*, de défendre Strauss-Kahn ?). Je passe une heure avec

Barak, dans son beau nouveau bureau du ministère de la Défense, à lui commenter le message, à lui égrener la liste d'armes que les Libyens ne demandent pas expressément mais qu'Israël, à mon avis, pourrait leur fournir ; puis (ça a l'air d'un gag, mais c'est ainsi) à réévoquer la vraie affaire à laquelle je sens bien qu'il brûle, lui aussi, et dès le premier instant, de venir et qui est... l'affaire Strauss-Kahn. Et ce n'est que là, il y a une heure, qu'un coup de téléphone de mon visiteur de l'autre jour, depuis Londres, me fait prendre la mesure des dégâts. Il a reçu, lui, des dizaines d'appels. Des centaines de mails et de SMS. La presse arabe grogne. La blogosphère s'échauffe. La rue, à Benghazi, demande des éclaircissements. Jusqu'aux jeunes femmes avec qui j'avais débattu, le 9 avril, au Tibesti qui sont venues, en délégation, voir les gens du CNT : « notre père qui êtes en France... prenez contact, nous vous en supplions, avec notre père qui est en France... — Comment cela ? qui est ce notre père, dis-je ? — Vous, voyons ; vous, Bernard ; ces filles vous voient comme l'un des nôtres, donc un peu comme leur père, et elles ne peuvent pas imaginer que vous ayez pu faire cela, dire cela... — Mais cela, quoi ? Ce geste de paix ? Ces mots de réconciliation ? Cette preuve, enfin, que vous n'êtes pas ces islamistes, vendus à Al-Qaïda, que dépeignent les salauds ? » La vérité est que je renonce, vite, à discuter. Je sens que mon messager lui-même est dépassé par l'événement. Je n'ai pas d'autre choix que de subir l'autre communiqué, celui que Gogha va être obligé de rendre public et qui niera l'existence d'un message du CNT. Gogha... Le tout premier que j'ai rencontré à Benghazi... Celui qui a rendu possible ma rencontre avec Abdeljalil...

L'homme du premier coup de fil à Sarkozy et de l'organisation de la visite, à Paris, des trois premiers délégués du CNT... Quel gâchis !

6. Il est minuit. Je suis dans ma chambre du Hilton. Et, si je fais le bilan de l'affaire, je vois deux leçons. Ou même trois. Ma naïveté, d'abord : il fallait bien qu'il m'en reste un peu ; la stratégie ne peut pas être, toujours, partout, au poste de commande ; eh bien voilà ; ma part de candeur ; c'est idiot, mais c'est comme ça ; qu'y puis-je ? Le fait, deuxièmement, qu'on a beau dire, faire, croire, et vouloir croire – on a beau parier sur l'intelligence des hommes, leur lucidité, leur raison : ce nom même, Israël, continue d'être le même synonyme d'infamie, le même opérateur de scandale en terre arabe : vous dites Israël ; vous appuyez sur le bouton Netanyahu (mais Netanyahu ça ne veut rien dire, c'est un autre nom d'Israël), vous pressez le bouton magique ou, plus exactement, diabolique et vous êtes instantanément du côté du démon, vous êtes le démon personnifié, c'est un tsunami moral, un désastre, le mal absolu – là non plus, rien à faire. Et puis une information, enfin, sur ces amis que je me suis choisis, ce peuple que je me suis donné – une information sur ces Libyens dont j'ai embrassé la cause avec tant d'enthousiasme : héroïques, bien sûr ; éclairés, sans doute ; mais autant que je le voudrais ? n'ai-je pas, une fois n'est pas coutume, pris mes désirs pour des réalités ? n'ai-je pas sous-estimé le reste, dans les têtes, des décennies de bourrage de crâne kadhafiste ? ou aurais-je (mais cela revient au même) surestimé ma propre capacité de forçage, de défi à l'ordre des choses – cette ubris que me reprochait Lanzmann et qui, après m'avoir conduit à forcer les chan-

celleries, précéder les états-majors, défier les lois de la gravité politique et géopolitique aurait nourri l'illusion de forcer les inconscients ? Il est tard. Je suis accablé. Malraux, sur Lawrence, dans *Le Démon de l'Absolu* : « il y avait, dans son effort de Sisyphe pour se lier aux Arabes, l'inquiétante part de Sisyphe en quoi s'unissent les destins tragiques. » Et, ceci encore – que je détourne à peine : s'être cru « un agent du destin » et être perçu, par ses propres amis, comme « un agent du sionisme » (Malraux ne dit pas « agent du sionisme », mais « agent du Foreign Office »...) – quelle dérision, quelle tristesse.

Samedi 4 juin *(Un Président chagrin)*

Appel du Président. A-t-il eu vent de l'incident israélien ? Apparemment non. Veut juste me dire que les hélicoptères sont enfin entrés en action, cette nuit, mais à Brega, pas à Misrata, visant des positions retranchées, des dépôts militaires et un centre de commandement, peut-être celui que j'avais vu, en mars, lors de mon premier passage à Brega. Me dit aussi que les choses commencent d'avancer « un peu » dans le dialogue avec un Kadhafi qui semble finir par comprendre qu'il ne peut pas continuer de se moquer, impunément et éternellement, de la communauté internationale. Et ajoute, en passant, mais d'un ton las, qu'il va gagner cette guerre, qu'il le doit, mais que les Français, au fond, s'en moquent – obsédés qu'ils sont par les seules questions de chômage et de pouvoir d'achat.

« Je ne suis pas d'accord, me récrié-je, voyant clignoter, de nouveau, les alertes sur mon petit radar d'expert en humeur sarkozienne à propos de la guerre en Libye. Les peuples marchent aussi à la grandeur ou, tout au moins, à l'estime de soi.

— Oui, fait-il, dubitatif ?

— Je crois, oui. Le soutien de la France à une authentique révolution. La première fois, au fond, depuis l'aide à la révolution américaine. Et une victoire qui aura un effet extraordinaire sur l'humeur, le moral, l'image de soi de la France. »

Même « oui » dubitatif.

« Il faut imaginer les festivités du 14 Juillet sur fond de guerre gagnée. Ce fameux défilé, dont beaucoup se moquent, imaginons-le avec, à l'honneur, des aviateurs français couverts de gloire. »

Toujours un « oui » maussade. Peut-être le fait-il exprès.

« Mahmoud Jibril, à la tribune d'honneur ! Et Mustafa Abdeljalil ! Et Abdelfattah Younès ! »

Je ne sais plus quoi invoquer pour remonter le moral du Président. Je me fais l'effet de mon oncle Charlot, de Béni-Saf, dont la folie consistait, dans toutes les réunions de famille, à se croire comptable, responsable, de l'humeur de l'assemblée. Sauf que, là, cela semble marcher et que, soudain, au bout du fil, le ton change en effet – c'est à peine perceptible mais j'ai l'impression qu'il y a changement et que la conversation se termine moins morose qu'elle n'a commencé.

« Passe me voir en début de semaine. Je voudrais, de toute façon, que tu me racontes Misrata. Lundi par exemple ? Ma secrétaire t'appelle. »

Dimanche 5 juin (*Et la Syrie ?*)

Lama Atassi vient me voir avec Bernard Schalscha. Elle arrive d'un grand rassemblement d'opposants syriens qui s'est tenu à Antalya en Turquie. Elle me raconte les forces en présence : les Kurdes qui ne rêvent que d'en découdre ; les tribus, armées par les Saoudiens ; les grands financiers du pays qui constitueraient un parti à eux tout seuls ; et puis ceux qu'elle appelle les révolutionnaires, c'est-à-dire les libéraux et démocrates qu'il faut, plus que jamais, renforcer. A ses yeux, je suis Monsieur Libye, l'homme qui a aidé à ce que son pays, puis le monde, bouge sur la Libye et elle rêve de me voir rééditer la chose à propos de la Syrie. Beaucoup de mal à lui dire que l'Histoire se répète rarement et qu'il est peu probable que se retrouve la même constellation de caractères, de circonstances, de malentendus, de nécessités. Mais enfin. On ne sait pas.

Lundi 6 juin (*Suggestion au Président : armer Misrata*)

Elysée. 12 h 30. Haie de motards, sur le trottoir, prêts à partir. Garde républicaine. Voitures noires dans la cour d'honneur, en grand nombre, et que l'on sent, elles aussi, sur le point de démarrer. « C'est la remise des lettres de créance des ambassadeurs », m'explique le planton qui m'accompagne jusqu'au perron. Jean-David Lévitte m'attend. Le Président a dix minutes de retard. Et, comme toujours dans ces cas-là, s'excuse avec une courtoisie légèrement exagérée.

« J'ai apporté ceci, dis-je, sans préambule, en lui tendant quelques photos de Misrata que Marc Roussel a tirées exprès pour lui.

— Non, fait-il drôlement, en prenant les tirages mais en faisant, en même temps, le geste de m'écarter comme s'il pensait que j'allais m'asseoir près de lui, sur sa banquette. Non, je vais les regarder tranquillement. »

Et il s'abîme, en effet, dans une assez longue contemplation des clichés, cinq au total, la plupart montrant la cité dévastée et le dernier, celui qui l'intéresse le plus, montrant le groupe de combattants, sur le front d'Abdul Raouf, en haut de la dune, agitant un drapeau français tandis que je brandis, moi, un drapeau libyen.

« C'est extraordinaire », fait-il...

Un téléphone sonne sur son bureau. Il va répondre. Mais, quand il revient, il reprend la même photo et, sur le même ton, comme s'il n'en revenait pas de cette image de Libyens libres se reconnaissant dans un drapeau qui, en France, est rarement à pareil honneur, répète :

« C'est extraordinaire... Proprement extraordinaire... »

Puis, nuance de reproche dans la voix, levant les yeux, alternativement, vers moi et vers Lévitte qui est entré en même temps que moi et prend des notes :

« Vous ne trouvez pas ? »

J'hésite à lui dire que cela me fait, c'est vrai, un peu moins d'effet qu'à lui. Mais il enchaîne déjà, le cliché toujours dans la main, l'oubliant.

« On est passés à la vitesse supérieure. On a bombardé Brega.

— J'ai vu, bien sûr.

— La plupart des sorties se font de nuit. Pour augmenter l'effet de sidération. »

Il se rappelle le cliché, le regarde à nouveau.

« Je ne sais pas ce qu'on en pense, là-bas. Mais ces frappes des derniers jours devraient avoir une conséquence au moins... »

Il lève le doigt, la photo toujours dans l'autre main, et sourit – comme s'il nous posait une colle.

« Encore un petit effort et nos amis seront aux portes de Ras Lanouf. Or qui dit Ras Lanouf dit terminaux pétroliers. Qui dit terminaux pétroliers dit récupération de la richesse nationale par ses légitimes propriétaires. Et donc... »

Il repose la photo, à regret.

« ... les Libyens pourront enfin commencer, ce qui est leur désir profond, de financer leur propre effort de guerre. Car on leur a tout de même livré, à ce jour... »

Il se tourne à nouveau vers Lévitte qui doit lui faire un signe que je ne capte pas, car il semble se reprendre.

« Rien que pour les Berbères du Djebel Nafoussa, après la visite de Younès à Paris, 40 tonnes d'armes ont été livrées par les pays arabes amis. Oui, 40 tonnes rien que ces dernières semaines. C'est énorme. »

Je ne suis pas dupe des « pays arabes amis ». Mais je ne relève pas. D'autant qu'il poursuit – ton de l'homme qui n'a rien fait d'extraordinaire, qui est juste content d'être en règle avec lui-même :

« C'est ce qu'on avait toujours dit, en même temps. On a tenu notre promesse. Sauf... »

401

Il fronce le sourcil.

« Sauf que promettre est une chose. Et on a été beaucoup à promettre. Mais, quand il s'agit de tenir, comme par hasard il n'y a plus grand monde. Oui, c'est un vrai problème. On est seuls. Kadhafi le sait. Et… »

L'idée me traverse, comme chaque fois, qu'il va me dire qu'il est trop seul, que c'est trop lourd, que la France est arrivée aux limites de ce qu'elle peut faire seule, patati, patata – il faut que je fasse attention, cette Libye me monte à la tête, je suis en train de devenir obsessionnel.

« … il devrait quand même, à ce régime, finir par comprendre que nous sommes sérieux.

— Parce qu'il ne l'a pas encore compris, fais-je, soulagé ?

— Pas sûr, non. Il pensait que le temps jouait pour lui, que nous allions nous lasser, que la coalition se fissurerait.

— Et ce n'est pas le cas ? »

C'est lui, cette fois, qui sursaute.

« Bien sûr que non ! »

Puis, comme si j'avais dit une énormité :

« J'ai reçu, il y a quelques heures, son directeur de cabinet.

— Ici ?

— Ici, oui. Enfin, à Paris.

— Secrètement ?

— Bien sûr. Ça a duré dix minutes, montre en main. Je lui ai dit : rappelez-vous Gbagbo ; on lui avait proposé une villa à Abidjan, la restitution de ses biens non volés et pas d'inculpation par le TPI ; il n'a pas voulu comprendre ; regardez où il en est aujourd'hui… »

L'idée me traverse qu'il est finalement étrange que tout le monde, à commencer par moi, se fasse si aisément à l'idée d'un criminel contre l'humanité, d'un boucher, qui, pour peu qu'il coopère, échappe à la justice et soit exfiltré. Ferait-on cela avec un criminel de droit commun ? Accepterait-on d'offrir un exil doré à un tueur en série dès lors qu'il s'engagerait à ne plus tuer ? Bien sûr que non...

« Donc Bachir Saleh ?

— J'espère qu'il a compris. Et qu'il osera, une fois rentré, faire état de ce qu'il a compris. »

C'est son portable, cette fois, qui sonne. Il répond, à voix très basse, en mettant la main devant ses lèvres. Cela dure très peu de temps. Mais je profite de l'interruption pour en venir au vrai objet de ma visite.

« Je pense qu'il y a un élément, malgré tout, qui ne va pas dans la stratégie.

— Comment cela ? »

Il m'écoute distraitement – peut-être a-t-il encore la tête à sa conversation téléphonique.

« Il y a des choses... On a beau les savoir : les voir change tout...

— Oui...

— Là par exemple, ce voyage à Misrata... Il a eu, pour moi, un effet de révélation. Cela fait deux mois, n'est-ce pas, que tout le monde s'inquiète de savoir pourquoi le CNT n'avance pas plus ? »

Il a repris la photo sur la table basse et la considère, à nouveau, intensément. Lévitte a cessé de noter.

« La réponse, pour moi, est simple. A Benghazi, Brega, Ras Lanouf, les combattants sont vaillants, mais inexpérimentés, indisciplinés, pas très bons. Ils avancent de 10 kilomètres un jour... »

Comme en écho, machinalement, et ne s'intéressant qu'à la photo, il fait :

« Et les reperdent le lendemain.

— Voilà. Et cela peut continuer longtemps comme ça, et même jusqu'à la fin des temps. Alors que… »

Je ne suis pas certain qu'il m'écoute.

« … à Misrata, il y a des gens qui se sont battus, qui ont bouté les chars hors de la ville, qui l'ont fait presque seuls. »

Si, il m'écoute. Et, même, il me corrige – toujours plongé dans la contemplation de la photo.

« Inexact. On les a aidés.

— C'est vrai. Au marché par exemple.

— Ou à l'aéroport ; c'est nous qui avons neutralisé l'aéroport. »

J'ai failli oublier qu'il connaît son dossier. Je reprends donc, plus en finesse.

« Globalement, je dis bien globalement, c'est quand même eux qui ont repris leur ville.

— Admettons.

— Et cette victoire les a aguerris, disciplinés et leur a donné, en même temps, courage, confiance en soi, envie de poursuivre. »

Il lève enfin le nez de la photo, la repose, me regarde.

« J'ajoute qu'ils sont tout près. 200 kilomètres à peine. A comparer aux 1 000 kilomètres qui séparent Benghazi de Tripoli.

— C'est vrai.

— Pour ces deux raisons, parce qu'ils sont les meilleurs et parce qu'ils sont aux premières loges, je pense qu'elle est là, pas à Benghazi, l'armée de libération qui, le moment venu, marchera sur la capitale.

— Et chez les Berbères, me coupe-t-il, avec l'air d'incompréhension de celui à qui on est déjà venu, il y a un mois, vendre la même histoire, tenir le même raisonnement et qui, du coup, ne s'y retrouve plus ! Chez les Berbères du Djebel Nafoussa !

— Naturellement. Mais imaginons que l'équivalent de l'aide apportée au Djebel Nafoussa soit livré, maintenant, à ces gens de Misrata que nous nous sommes contentés, pour l'instant, d'aider à survivre… »

Je fais, avec les mains, le geste de la prise en tenaille.

« Tripoli, alors, sera menacée et par le Sud et par l'Est, sur deux fronts… »

Il semble rassuré que je ne sois pas en train de désavouer la stratégie validée, et mise en œuvre, dans le Djebel.

« J'ai compris. Comment faire, alors ? Et comment faire, si on le fait, pour ne pas donner le sentiment à nos amis du Conseil national de transition qu'on leur passe par-dessus la tête ?

— On ne *peut pas* donner ce sentiment. Car ce serait fait avec eux, bien sûr. En coopération avec eux. A leur demande explicite, formelle. Il y a des membres du CNT qui sont de Misrata. Par exemple Fortia, Souleiman Fortia qui… »

Lévitte intervient.

« Vous l'aviez reçu, Monsieur le Président. Avec Abdelfattah Younès. Il était très émouvant. »

Il fait, de la main, le geste de Mitterrand quand il était agacé : pas le geste de se caresser la main gauche avec la main droite ; non, l'autre, celui qui chasse l'air devant soi et qui veut dire : « je sais que je l'ai reçu ; inutile de me rappeler qu'il était émouvant… » Et, le regard dur, concentré, il demande :

405

« Concrètement ? »

Concrètement, je lui propose un plan simple : j'aide à sortir de la ville assiégée les commandants de l'armée de Misrata ; je les amène jusqu'à Paris ; il les reçoit à l'Elysée ; il les écoute ; il décide.

C'est d'accord, fait-il. D'accord, vraiment ? D'accord, vraiment.

Mardi 7 juin *(Exfiltrer les libérateurs de Misrata)*

J'appelle, pour le prévenir, Bachir Sebbah, l'armateur. Puis, Mansour et Ali. Gilles, bien sûr. Marc. Ian Pace, mon capitaine maltais, qui a fini par marier sa fille mais qui a l'avantage de connaître le chemin. Je mets en route l'opération.

Mercredi 8 juin *(Clausewitz)*

Clausewitz, dans *De la guerre,* à propos de Napoléon : « l'on regarde souvent comme une témérité ce qui est la seule voie de salut et, par conséquent, la plus haute prudence. »

Jeudi 9 juin *(Vive Clausewitz !)*

Le projet circule déjà. Forcément. Nos amis du Quai, en particulier, crient au feu et allument leurs contre-feux. Clausewitz, toujours : « le plus grand risque correspond à la plus grande sagesse. » Je ne pense plus que le Président me lâchera. Je suis confiant. D'autant que, dans le même temps, un événement historique s'est produit : Abdoulaye Wade, président du Sénégal, s'est posé à Benghazi – il est le premier chef d'Etat à s'être rendu dans le fief des insurgés ; c'est vraiment, cette fois, pour Kadhafi, le commencement de la fin.

Vendredi 10 juin *(Mon pari sur Misrata)*

Gilles a trouvé des lunettes de vision nocturne infra-rouge : 4 000 euros pièce. Il a également mis en contact avec Ali celui que, depuis la guerre de Bosnie, nous n'appelons jamais, entre nous, que « le Turc » et qui avait, déjà, fait atterrir clandestinement des armes dans les enclaves de Bosnie centrale. Je le laisse faire. Je ne pense, moi, qu'à ce « coup de Misrata » qui, j'en suis de plus en plus sûr, peut changer le visage de cette guerre.

Lundi 13 juin *(Quand le Président dit sa hâte de pouvoir armer Misrata)*

Paris vide. Premières grosses chaleurs. Ian Pace ne peut pas, en fin de compte, rééditer l'opération. Je passe ma journée à batailler avec la capitainerie du port de Malte, les brokers, les armateurs locaux, pour essayer de trouver un nouveau capitaine. Le téléphone sonne.

« Allô ? Ici le secrétariat particulier du président de la République. Je vous passe le Président. »

Quelques secondes d'attente. L'habituelle *Symphonie fantastique* de Berlioz. Puis, la voix désormais familière. C'est la première fois, il me semble, que je n'ai pas la petite appréhension coutumière.

« Allô ? Tu as vu ? Les choses bougent.

— Non...

— Si. Et c'est, d'ailleurs, dans l'Ouest que cela va le mieux.

— Misrata ?

— Non, les montagnes. Le Djebel Nafoussa. Ils ont reçu 40 tonnes d'armes. Et, cette fois, les Emiratis.

— D'autres armes ? Livrées en plus des 40 tonnes dont nous avons déjà parlé et, cette fois, par les Emiratis ?

— Non. Les mêmes. Mais avec, maintenant, en plus, des hommes, émiratis, pour les former, leur apprendre à s'en servir, les encadrer.

— Je reste sur mon analyse. C'est l'armée de Misrata qui marchera sur Tripoli et délogera Kadhafi.

— Je sais. J'ai bien noté. Et je les attends. On a commencé, de notre côté, à bouger. On a envoyé les hélicoptères.

— J'ai vu. Et eux, surtout, ont vu. Et vouent à la France, plus que jamais, une gratitude éternelle.

— On va changer de stratégie. Kadhafi s'est habitué. Donc il se protège. Il faut retrouver l'effet de surprise.

— Quelles sont les variables ? Le système d'approche des appareils ? l'heure des bombardements ? la hauteur ?

— On est en train d'y réfléchir... L'altitude, sans doute... Les Anglais se servent de leurs hélicoptères comme si c'était des avions... On va, nous, se rapprocher du sol... Je pense qu'on peut descendre jusqu'à 50 mètres... Cela suppose juste de ne sortir que de nuit, dans des conditions d'obscurité maximale...

— J'ai vu cela en Afghanistan... Des appareils qui volent au ras du terrain, épousent le relief des vallées, on a l'impression qu'ils vont s'écraser... Mais non... Les pilotes sont exceptionnels...

— Voilà. C'est eux qu'on a mis sur le *Mistral*. Eux qui pilotent nos appareils. »

Silence, puis :

« Et Misrata, donc ?

— C'est en cours.

— Car j'ai réfléchi : je serais content, vraiment, de les voir.

— Je fais tout pour. Tout le monde fait tout.

— Je les attends. »

On peut reprocher à cet homme bien des choses. Pas de manquer de suite dans les idées.

Mardi 14 juin *(Comment Kadhafi m'adresse un nouvel envoyé)*

Retour à la case cocasse.

Hôtel Raphael, encore.

Salon jaune, au rez-de-chaussée, juste derrière la réception, là même où j'avais tenté d'enfermer Abdelfattah Younès et le président de Panhard pour qu'ils discutent plus discrètement des livraisons d'auto-mitrailleuses à l'insurrection.

C'est Renaud Girard, le normalien reporter de guerre, qui a organisé la rencontre. L'homme qu'il m'amène est jeune. Elégant. Il parle un anglais parfait. Il a une façon bizarre de m'appeler « Excellence » à tout bout de champ. Mais il a le regard plutôt franc. Il a une tête de bon garçon, un peu puceau. Il est le directeur de cabinet du Premier ministre libyen Baghdadi Mahmoudi et arrive de Tunisie.

« Donc, vous vous appelez ?

— Mohammed Elgiloushi. »

Il prend le bloc de papier posé, devant moi, sur la table. Y écrit son nom d'une belle écriture appliquée. Me le tend.

« Vous êtes arrivé il y a longtemps ?

— Hier.

— Comment ?

— Par la route », s'exclame-t-il, nuance d'offuscation dans la voix.

No-fly zone, bien sûr. Destruction par l'OTAN de la flotte kadhafiste. Ma question était absurde.

« La route, insiste-t-il, d'une voix restée courtoise, mais où l'on sent encore la pointe d'indignation. La route jusqu'à la frontière. Djerba. Un petit avion jusqu'à Tunis. Paris. »

Quelques questions encore, à peu près aussi absurdes (première fois à Paris ? quel hôtel ? jusqu'à quand ?) mais qui me permettent d'« accommoder » face à cette situation peu ordinaire (là, face à moi, sirotant un verre de Perrier, chair et os, humain, sympathique, l'un des représentants autorisés de ce régime criminel, honni du monde, qui, lui aussi, je suppose, me voue une franche animosité) – et j'entre dans le vif.

« Alors ? Quelle est la situation ?

— Quelle est la situation, vous, Excellence, me répond-il, voix suave de qui ne veut pas se découvrir le premier ? Vous arrivez de Libye, vous aussi…

— Oui, j'arrive de Misrata.

— Le 28, précise-t-il, comme si l'information avait son importance ; vous y étiez le 28.

— Exact. Mais cette rencontre, aujourd'hui… C'est vous qui l'avez demandée à mon ami Renaud Girard. Pourquoi ? »

Il semble réfléchir, le regard incertain ou, peut-être, faussement incertain, je n'exclus pas que le bon garçon soit un redoutable comédien.

« Vous avez raison, dit-il, comme si ces secondes d'hésitation lui avaient permis de prendre un parti. J'ai voulu vous voir car il est temps de se parler. De se mettre autour d'une table et de parler. »

Renaud Girard l'interrompt. Ce prince des reporters de guerre est aussi l'une des plumes du *Figaro*. Et, sur un ton très *Figaro*, un rien solennel, il explique :

« La guerre finira bien par finir. Alors, il est très important de se parler afin de commencer, par-delà les combats, de préparer l'avenir. »

Puis, à l'attention d'Elgiloushi, cette comparaison étrange :

« En France aussi, dans les derniers mois de la guerre, les gaullistes et ceux qui ne l'étaient pas mais n'avaient pas trempé dans la collaboration ont commencé de se parler.

— Exactement, répond Elgiloushi. Il y a un Etat à Tripoli. Il y a une administration, les fonctionnaires

411

fonctionnent, les gens gèrent, les matchs de football ont lieu, il y a de l'eau – c'est de ça qu'il faut parler. Est-ce que Monsieur Lévy est d'accord ? »

Cet homme me fait rire. Je ne sais pas encore bien pourquoi j'ai accepté de le voir mais, tout à coup, il me fait rire. Il ne faut pas qu'il s'en aperçoive, bien sûr. Et, pour qu'il ne s'en aperçoive pas, je plonge le nez dans mon bloc et, sur la première feuille, là où il a écrit son nom, je me mets à dessiner, comme je faisais, à l'école, quand je m'embêtais, des gros galets ovales, bien empilés, certains énormes, d'autres tout petits qui s'emboîtent dans les espaces entre les gros et qui cernent, à eux tous, le nom d'Elgiloushi – lequel regarde, interloqué, son nom disparaître, peu à peu, dans mon empilement de dessins d'enfant.

« Oui, finis-je par dire. Mais parler de quoi ? Les matchs de foot, c'est bien gentil. Mais, pour le moment, votre armée tue à Misrata, à Zliten, à Zaouïa…

— C'est vrai, fait-il, air du parfait tartuffe confit en émotion. Vous avez raison, le sang a trop coulé. »

Les mêmes mots que le type d'Oman, à Saint-Paul, le mois dernier. Ces types ont un culot d'enfer.

« Nous sommes d'accord. C'est de cela qu'il faut parler. Et, avant cela, du sujet que vous savez et qui est le préalable absolu avant que quiconque parle avec quiconque.

— Je ne sais pas, non, fait-il, de plus en plus faux-cul ; à quel sujet pensez-vous ?

— Le départ de Kadhafi. Et, non seulement de Kadhafi, mais de sa famille.

— Oui, Excellence. »

Il a dit « oui, Excellence » d'une voix assurée mais sans parvenir à réprimer (à moins qu'il ne l'ait, elle aussi, jouée) une grimace douloureuse.

« Et vous êtes d'accord là-dessus », dis-je, avec le pénible sentiment, là aussi, d'une scène qui se répète ?

Son tour de plonger le nez dans son bloc, son stylo tournant au-dessus de la page comme un hélicoptère qui chercherait, sans le trouver, le point où se poser. À voix plus basse, le stylo en l'air, il finit par répondre :

« Ne mettons pas de mots sur les choses, s'il vous plaît. Nous nous comprenons à demi-mot.

— Je ne sais pas si nous comprenons tant que cela. Qui, déjà, est au courant de votre visite à Paris ? Et qui de votre démarche, aujourd'hui ?

— Mon Premier ministre.

— Et puis ?

— Juste mon Premier ministre.

— Faut-il comprendre que Kadhafi n'est pas informé ? »

De nouveau le nez dans le bloc. De nouveau le doigt qui fait l'hélico. Et, après un nouveau silence et un trouble qui, cette fois, ne me paraît pas feint, ceci – à voix encore plus basse :

« Je crois qu'il faut parler en mettant entre parenthèses le problème du Guide.

— Soit. Mais entre parenthèses comment ? Parce que vous le ressortirez le moment venu ? Ou parce que vous avez compris que l'avenir du peuple libyen se construira sans lui ?

— Ne mettons pas de mots sur les choses, répète-t-il. Je dis juste ceci : une nouvelle page d'Histoire s'est ouverte pour la Libye. »

Nouvelle intervention de Girard, à mon attention cette fois, très pro, très diplomate.

« Il faut que tu comprennes que Monsieur risque sa vie en étant ici dans ce salon, avec toi. »

Monsieur mordille, maintenant, son doigt. Il opine.

« Et il faut donc, il a raison, laisser certains sujets dans le flou. La question, aujourd'hui, c'est : quid du jour d'après ? Tu es à l'origine de cette guerre ; à toi d'aider à réfléchir à ce qui se passera au moment de la paix ; c'est pour ça que Monsieur a voulu te voir. »

L'homme opine encore. Et c'est lui qui, cette fois, enhardi par les mots de Girard, me pose sa question – voix complètement différente ; petite autorité retrouvée.

« Croyez-vous, car c'est quand même la première question, que ceux d'en face soient prêts à une rencontre ?

— Je ne sais pas. Ils sont en train de gagner la guerre. Il n'est pas certain, du tout, qu'ils aient intérêt à se couper dans leur élan. »

Il se penche au-dessus de la table, ses deux petites mains tendues vers moi et jointes, mimant la supplique.

« Gagner la guerre, d'accord. Mais à quel prix ? La destruction du pays ?

— C'est vrai qu'il y a un prix, et des destructions inévitables. Mais moins que celles qu'a faites Kadhafi pendant ses quarante-deux ans de dictature. »

Retour à l'impatience. Il ramène ses mains vers lui, très vite, comme un boxeur qui se met en garde. Je sens, derrière la courtoisie, l'adversaire prêt à se découvrir :

« On a dit qu'on ne parlait pas des sujets chauds !

414

« — Admettons.

— Mais j'ai une question, moi, à vous poser.

— Allez-y.

— Vous connaissez Abdeljalil, n'est-ce pas ?

— Naturellement. Je connais le *président* Abdeljalil.

— Comment va-t-il ? Cela fait des mois que je ne l'ai vu.

— Bien. Mais il a une lourde charge.

— Il s'est acheté de nouveaux costumes ? Il mène la grande vie ?

— C'est ça, votre question ?

— Oui. Imaginez que Monsieur Abdeljalil l'emporte. »

Il a dit « Monsieur Abdeljalil » comme s'il crachait, avec un mépris qu'il n'a pas cherché à contenir.

« Imaginez que Monsieur Abdeljalil prenne le pouvoir avec ses amis d'Al-Qaïda. Comment envisagez-vous la suite ? »

Je ne vois pas, tout de suite, le sens de la question. Il le sent et précise.

« Personne, en Libye, ne voudra d'eux pour gouverner.

— Ce n'est pas mon impression.

— C'est mon pays. Je connais mon pays.

— Là-dessus non plus, on ne va pas discuter. D'autant que ça tombe bien : Mustafa Abdeljalil et les gens du Conseil national de transition n'ont, vous le savez sans doute, pas d'ambition personnelle, pas d'intention de gouverner eux-mêmes. Ils l'ont annoncé : ils assureront la transition, amèneront le pays au seuil de la démocratie, puis s'effaceront devant des dirigeants élus. »

415

S'affiche sur son visage un air d'incrédulité et, pour le naïf que je semble être à ses yeux, de pitié navrée. Je fais semblant de ne pas le voir et poursuis.

« Prenez, non seulement Abdeljalil, mais Abdelfattah Younès... »

Là, il ne peut pas se retenir. Et je ne peux pas, moi, ne pas l'entendre.

« On le connaît, Abdelfattah ! On les connaît, ces gens qui ont été avec nous pendant des années – et qui ont trahi.

— Pourquoi trahi ? Vous ne pouvez pas imaginer que des hommes jugent, à un moment donné, en conscience, que trop c'est trop et qu'ils ne peuvent plus continuer de cautionner un régime devenu fou ? »

Il hausse les épaules, comme si ma question ne méritait même pas de réponse.

« Prenez Abdelfattah Younès. Il rejoint la rébellion à un moment très précis, quand Kadhafi lui donne un ordre non moins précis, celui de tirer sur la foule des manifestants désarmés.

— J'étais à Benghazi à ce moment-là, me coupe-t-il.

— Le 17 février ? Vous étiez à Benghazi le jour où Abdelfattah a fait son choix ? »

Il bondit, comme si je l'avais piqué, et rectifie – sans que je perçoive, je l'avoue, l'importance de la nuance.

« Le 15 ! J'y étais dès le 15 ! Je venais souvent à Benghazi pour régler les problèmes, les investissements, l'administration. Et on était vingt, ce jour-là, et encore vingt le lendemain, dans le bureau d'Abdelfattah.

— Et alors ?

— Et alors, c'était le jour de l'arrestation de Fathi Tirbil. Il y avait des manifestations énormes, pour

demander sa libération. On l'a libéré. Mais les manifestations ont continué de plus belle. On ne savait plus
ce qu'ils voulaient. C'était le désordre. »

Je me souviens de Fathi Tirbil. Cet avocat héroïque,
défenseur des familles des massacrés de la prison de
Tripoli, et devenu une icône du mouvement démocratique.

Je poursuis.

« Et vous êtes rentré à Tripoli ?

— Exact.

— Et Abdelfattah a rejoint la rébellion.

— Exact.

— Et vous ne comprenez pas ça – qu'un officier
puisse, en conscience, désobéir ?

— Non, Monsieur.

— Il y a des précédents, pourtant. Des précédents
illustres. De Gaulle, par exemple... »

De nouveau le regard de haine, qu'accentue paradoxalement la suavité surfaite de la voix :

« De Gaulle vous croyez ? Vous comparez, vraiment, Abdelfattah à de Gaulle ?

— Je vous parle des réflexes de soldats qui, à un
moment donné, trouvent qu'un ordre, une situation,
vont contre leurs principes... »

Il m'adresse un sourire qui se veut indulgent.
J'insiste.

« Ça ne vous est jamais arrivé, vous ? Vous n'avez
jamais eu la tentation, comme lui, comme Moussa
Koussa, comme d'autres, de rompre avec un régime
qui tirait sur son propre... »

Nouveau changement de registre. Le nez, de nouveau dans son bloc, il baisse d'un ton.

« Non, Monsieur. Jamais.

— Pourquoi ?

— Parce que c'est contraire à mes valeurs.

— Tirer sur son propre peuple, ce sont vos valeurs.

— Je suis né en 1979. La première chose que mes yeux ont vue, c'est un portrait de Kadhafi. Parmi les premiers mots que j'ai entendus, il y avait le nom de Kadhafi. Je ne peux pas trahir cela.

— En revanche, si je vous ai bien compris, vous pouvez envisager une Libye dont le maître ne serait plus Kadhafi. »

Il garde la tête baissée. J'ai l'impression qu'il rougit un peu. Sa voix redevient faible, un souffle.

« Si c'est la volonté du peuple libyen, oui. »

Insensée, tout de même, la façon qu'a cet homme de ne pouvoir ni prononcer ni entendre le nom de son maître. Sidérante, cette intériorisation de la personne du tyran, de son image – cette impossibilité d'imaginer un monde sans lui. Chasser le flic de sa tête, disaient les révoltés de Mai 1968. Ces Libyens en sont loin. Je reprends.

« Je vous disais, avant que vous ne m'interrompiez, que les gens comme Abdeljalil, ou comme Abdelfattah, n'ont pas d'ambition personnelle et ne sont pas en train de se préparer à prendre le pouvoir... »

Il tend à nouveau les mains, mais paumes vers le ciel, en un geste d'impuissance surjouée, comme pour dire : et après ? c'est bien joli de ne pas vouloir le pouvoir, mais on fait quoi ? concrètement ?

« Le schéma est simple, dis-je. Conférence nationale réunissant les forces vives de la nation, les tribus, la société civile et les gens, dans l'administration, qui, comme vous, n'ont pas de sang sur les mains. Elections ensuite, sous le contrôle de la communauté internationale qui n'aura pas fait tout cela pour laisser le pays, au milieu du gué, se débrouiller.

— Espérons que ce soit possible, fait-il, dubitatif.

— Ce sera possible. La Libye est un petit pays... »

Il sursaute. Je corrige :

« C'est un pays grand par l'histoire ; mais petit par le nombre de ses habitants. »

Il semble soulagé.

« C'est un pays vaste, riche, mais qui n'a que six millions de citoyens – encadrés, de surcroît, par des tribus puissantes et bien structurées.

— C'est un avantage et un inconvénient, Excellence.

— C'est surtout un avantage. Regardez les gens du CNT. Voyez la façon dont leurs noms, à partir des assemblées de tribus, ont surgi, se sont dégagés et se sont imposés.

— Ils ne sont pas élus.

— Naturellement. Mais ils ne sont pas contestés pour autant.

— C'est vrai.

— Mon raisonnement est simple. Quand vous avez un tel sentiment de légitimité pour des gens issus des seules tribus, vous imaginez ce que ce sera quand une autre légitimité, électorale celle-là, viendra s'ajouter à la première ? »

Il me coupe. Brutal, tout à coup. Comme si nous n'étions qu'aux préliminaires et qu'ils n'avaient que trop duré.

« Etes-vous prêt, oui ou non, à parrainer une rencontre entre gens de mon bord et du leur ?

— Si mes amis me le demandent, oui, bien sûr.

— Où ? »

Girard reprend la parole.

« Il faut un endroit secret. Une maison. Ta maison, peut-être. »

Puis, au Libyen :

« Car le secret est important pour vous, n'est-ce pas ?

— Naturellement.

— Qui est au courant de votre présence à Paris, aujourd'hui, par exemple ?

— Je l'ai dit à Monsieur Lévy : à part mon Premier ministre, personne.

— Oui. Mais côté français ?

— Personne non plus.

— Ce n'est pas possible. Les officiels sont forcément au courant... »

Il secoue la tête, comme s'il ne savait pas.

« Les Services... Le Quai... Rien que pour avoir un visa Schengen...

— Mais je l'ai, s'insurge-t-il, piqué ! J'ai le visa Schengen depuis longtemps ! »

Je reprends.

« Calmons-nous. Il faut que vous sachiez, en tout cas, que je ne ferai pas un pas sans informer le président Sarkozy.

— Bien sûr, fait-il, calmé, et comme si, à l'énoncé du nom du président de la République, il se mettait au garde-à-vous.

— Et de votre côté... Qui viendrait de votre côté ?

— Le Premier ministre.

— En personne ?

— Naturellement en personne.

— Et sans que Kadhafi le sache ? »

De nouveau, il ne répond pas. De nouveau, il s'abîme dans la contemplation de son bloc. Girard grommelle :

« N'insiste pas. Tu as ta réponse. »

Mais c'est Mohammed Elgiloushi qui enchaîne.

« Et de votre côté, qui ?

— Je ne sais pas... Je n'y ai pas réfléchi... Ali Zeidan, j'imagine... »

Il note le nom.

« Vous ne le connaissez pas ?

— Pas personnellement. Je dois en référer.

— Bien sûr. Et, outre Zeidan, je ne sais pas : quelqu'un comme Essaoui... »

Là il éclate de rire. Et apparemment de bon cœur.

« Le Hallal ? Car vous savez, n'est-ce pas, que c'est un Hallal ? »

Je me tourne vers Girard, qui traduit :

« Un Frère musulman. »

A mon tour de m'esclaffer :

« Attendez. On est entre gens sérieux. Pourquoi pas Al-Qaïda tant que vous y êtes ?

— Et pourtant si », fait-il, du ton de celui qui estime que les preuves, en l'espèce, fatiguent la vérité.

Puis, feignant d'hésiter et, après réflexion, de se jeter à l'eau.

« Vous êtes allé à Derna ?

— Naturellement.

— Eh bien vous avez là l'imam Achour Choukri Assi ; vous devriez quand même le voir.

— Je ne l'ai pas vu ; ou du moins pas encore ; mais j'ai traîné dans la ville, interrogé des gens, dit qui j'étais ; et jamais je n'ai senti...

421

— Ces gens sont malins. Ils ne se découvrent pas tout de suite. Ils le font à leur heure, quand ils sentent que le moment est venu.

— A Benghazi j'ai parlé devant des milliers de jeunes ; n'y aurait-il eu qu'un salafiste parmi eux, que...

— Que quoi ? Il ne vous aurait rien fait ; ce n'était pas leur intérêt. En revanche... »

Il semble attendre que je l'invite à poursuivre. Déçu que je ne dise rien, il continue.

« En revanche, on s'est inquiété pour vous à Tripoli. On vous surveillait de loin. Car on a eu peur qu'il ne vous arrive la même mésaventure qu'à ce journaliste américain... Comment s'appelait-il, déjà ?

— Daniel Pearl ?

— Oui, c'est cela, Daniel Pearl. Vous le connaissiez ?

— Non. Mais j'ai écrit un livre sur lui. Je connais l'histoire.

— Notre crainte était que ces suppôts d'Al-Qaïda vous décapitent comme ils ont décapité l'Américain Daniel Pearl. »

Je m'esclaffe.

« Pourquoi riez-vous ?

— Ce serait trop long à vous expliquer. Mais j'ai une question.

— Oui ?

— Vous semblez être informé que j'étais à Misrata les 28 et 29...

— Oui. Ma femme est de Misrata.

— Pourquoi n'avez-vous pas essayé, vous, ce jour-là, de me bombarder ? »

Il cherche sa réponse. Longuement. Le nez, de nouveau, dans le bloc. Puis relève enfin les yeux, un large sourire aux lèvres.

« Peut-être parce que je n'étais pas là.

— Vous voulez dire que si vous aviez été sur place, sur le terrain…

— C'est une blague. On ne vous a pas tué parce que vous êtes un philosophe et que la place d'un philosophe est autour d'une table comme celle-ci, à évoquer des sujets de fond, pas sur les champs de bataille. À propos… »

Il fait comme s'il avait oublié une question essentielle.

« La table !

— Oui ?

— Il faut une table ronde.

— Comment cela ? »

Il fait le geste de dessiner une table ronde.

« Il est très important que la table où nous discuterons soit ronde. C'est tout.

— D'accord, fais-je, interloqué.

— Et qu'on ne soit pas plus de six. Deux ou trois par délégation. Plus vous, Excellence, si vous nous faites l'honneur de présider.

— Parfait.

— Du côté de vos amis, qui accompagnerait Monsieur… »

Il cherche le nom sur son papier.

« … Zeidan ?

— Je ne sais pas. Fortia, par exemple.

— Pardon ?

— Souleiman Fortia, le représentant de Misrata au CNT.

423

— Ah For-ti-a, fait-il en détachant bien les syllabes.

— Oui, For-ti-a... »

Il ne semble pas emballé.

« A cause de Misrata. Vous m'avez dit que vous aviez des liens avec Misrata.

— Ma femme, oui.

— C'est pourquoi je vous proposais Fortia...

— Il faut des politiques, fait-il en grimaçant encore... Fortia n'est pas un politique...

— Ok. Jibril ? »

Là, son visage s'éclaire.

« On se connaît, avec Jibril. On a travaillé ensemble. Il était en charge, dans les dernières années, des projets de modernisation. C'est comme ça qu'on se connaît. »

A mon tour de noter.

« Jibril, répète-t-il, comme un gosse. Je le sens bien, Jibril.

— Tant mieux. Tant mieux. Mais j'ai une question, encore, avant que nous nous quittions.

— Oui ?

— Une demande, plutôt. Ce sera ma seule demande. »

Il semble intrigué. Girard aussi.

« Vous m'avez dit que Misrata est chère à votre cœur.

— A ma femme, oui. Donc à mon cœur.

— Ma demande est simple. Je voudrais que vous alliez voir, sur le net, les photos que j'ai rapportées de la ville qui vous est chère et que vous ou, plus exactement, votre Premier ministre ou, en tout cas, l'armée qu'il dirige, avez réduite à l'état de décom-bres.

— Bon.

424

— C'est important pour moi. C'est à l'homme que, cette fois, je m'adresse. A sa conscience et à son cœur. Si nous nous revoyons un jour, je veux que vous me disiez ce que vous avez pensé de ces images. »

Il semble surpris, mais pas trop. Et conclut, en se levant – avant que Girard ne le raccompagne :

« Vous avez ma parole. J'irai voir. »

Mercredi 15 juin *(Quand Ali Zeidan et moi renvoyons l'envoyé à ses maîtres)*

Hôtel Raphael encore.

Les choses se sont précipitées.

J'ai appelé Ali, à Munich ; je lui ai raconté toute l'histoire ; il m'a dit qu'il ne fallait négliger aucune piste, aucune occasion de dialogue et qu'il était prêt, si l'homme était encore là, à le rencontrer.

Et nous voici, Girard encore, moi, Ali donc, Mohammed Elgiloushi, dans le même salon jaune qu'hier, portes fermées – nous n'avons pas attendu longtemps, finalement, pour nous revoir...

Les deux Libyens commencent, comme nous l'avons fait hier, par des propos badins.

Ali pose à Elgiloushi une batterie de questions que l'on sent moins destinées à briser la glace qu'à montrer qu'il sait exactement, déjà, à qui il a affaire (d'où venez-vous ? quelle ville ? quelle tribu ? ne venez-vous pas, en fait, de telle sous-tribu de telle tribu ? et votre père ? c'est bien votre père qui était ambassadeur en Chine ? on me dit qu'il est à la retraite et qu'il est

425

toujours à Tripoli... oui ? non ? de cela, en revanche, je n'étais pas certain...).

L'autre répond sagement, poliment, comme à un interrogatoire, essayant bien de rendre la pareille à son aîné et de prendre à son tour l'avantage, mais il n'y arrive pas et le fait est que c'est Ali qui garde l'ascendant (la chose se passe tout en finesse ; mais j'observe, chez mon ami, un sens de la dérobade, une habileté dans l'art de ne pas entendre la question ou de l'écarter avec un sourire désarmant, une intelligence du rapport de forces et de la guerre des ascendants, que je ne lui soupçonnais pas).

La scène, pour la petite histoire, s'augmente d'une dimension légèrement burlesque car ce commencement d'échange a lieu en présence du barman venu installer la table ronde autour de laquelle nos fauteuils ont été disposés et du fait que la table est si ridiculement petite, presque une table de nuit, qu'il est impossible d'y faire tenir toutes nos boissons, que l'opération dure donc plusieurs minutes et que, pendant ces longues minutes où il lui faut déployer des trésors d'ingéniosité pour placer, déplacer, faire tenir ensemble les Coca-Colas, les thés, les raviers de noix de cajou, le sucrier, le barman se tient pile entre les deux hommes, les cachant l'un à l'autre et les faisant se parler comme à travers un paravent de comédie : il faut hausser le ton, faire répéter, on multiplie les « pardon ? », les « je ne vous entends pas », tandis que le barman, comme s'il le faisait exprès (mais peut-être le fait-il exprès, peut-être a-t-il compris qu'il est en train de parasiter une rencontre de troisième type entre gens de mauvaise compagnie et l'idée le réjouit-elle), retire un verre, le remet, pose un cendrier en

426

équilibre sur un coin d'assiette, loge une bouteille sur le cendrier, considère le travail accompli, s'attarde encore, cherche une solution, se ravise, et ainsi de suite.

Le garçon enfin parti, c'est moi qui prends la parole.

Je rappelle qu'exception faite du président Sarkozy, personne n'est informé de cette rencontre et que c'est bien ainsi.

Girard renchérit, non sans une certaine emphase, sur la nécessité absolue de ce secret vu, répète-t-il, comme hier, que l'un d'entre nous au moins, Mohammed Elgiloushi, risque sa vie.

Et Ali enchaîne alors pour, sur le ton du « pro » trouvant que les ronds de jambe ont trop duré, poser une première question, toute simple, la plus simple qui puisse être, mais dont la simplicité même finit de désorienter l'homme qu'il a, maintenant, face à lui.

« Qui êtes-vous ?

— Comment cela qui je suis ?

— Oui : qui êtes-vous ?

— Je suis Mohammed Elgiloushi.

— Oui. Je sais, merci. Ma question est : qui parle, aujourd'hui ? vous ? le Premier ministre Mahmoudi dont vous êtes le directeur de cabinet ? Kadhafi ? »

Comme l'autre se trouble, s'embrouille, passe à l'arabe, revient à l'anglais, répond à côté, il lui pose cette deuxième question :

« Je vais être plus direct : est-ce que Mouammar est au courant ?

— Ce n'est pas le sujet, répond le directeur de cabinet en se tortillant de plus belle sur sa chaise et avec, dans l'œil, une légère lueur d'effroi. Nous avions dit (il se tourne vers moi) que nous ne parlerions pas de Mouammar…

— J'ai bien compris cela aussi, martèle Ali sans me laisser le temps de répondre et en gardant, lui, les yeux fixés au sol. Mais ça ne m'empêche pas de vous demander, en préliminaire à ce dont nous allons parler et dont il est bien clair que ce ne sera pas le sort de Mouammar, si Mouammar est au courant.

— On avait dit (toujours se tournant vers moi, suppliant, cherchant un renfort) qu'on laissait la question Mouammar hors de la discussion.

— C'est clair, répète encore Ali, ne me laissant pas le temps de répondre. Mais il n'empêche que la discussion n'aura pas le même ton, ni le même sens, selon que vous me dites que Mouammar est, ou non, informé du fait que nous la tenons.

— Bon, répond alors Elgiloushi, un air de désarroi remplaçant l'effroi de tout à l'heure. Bon… Il est au courant, oui, bien sûr… »

Et Ali, me prenant à témoin, première victoire :

« Eh bien voilà. Pour moi, cela allait sans dire. Mais cela va encore mieux en le disant. »

Puis, au directeur de cabinet :

« Je ne vois même pas, d'ailleurs, comment c'eût été possible autrement.

— Si, proteste l'autre, un ton en dessous… C'était possible…

— Mais non, insiste Ali. Bien sûr que non. We know the game very well. Nous connaissons les règles de ce jeu. Vous ne pourriez pas être là sans l'accord de Mouammar. En sorte que… »

Il lève enfin les yeux, mais pour se tourner vers Girard.

« Personne, ici, ne risque sa vie. »

Puis, vers lui, le directeur, Elgiloushi, mais sur un ton devenu presque paternel :

« Mais ne perdons pas de temps, s'il vous plaît. De quoi voulez-vous discuter ? »

Elgiloushi tente de se refaire une contenance. Il a l'air du type qui, défait en rase campagne, ayant battu en retraite, trouve enfin, dans sa déroute, une résistance naturelle, une butée, une bouée, à quoi il se raccroche.

« La question de Tripoli est : aimez-vous assez votre pays pour discuter avec nous les questions administratives qui se poseront après la guerre ?

— Naturellement, répond Ali.

— Et vous en discuteriez avec Mahmoudi ?

— Sans problème, oui ; avec Mahmoudi si Mahmoudi vient jusqu'à moi.

— Sans préalable ?

— Sans préalable.

— Et sans aborder la question Mouammar, vous êtes sûr ? »

Là, Ali éclate de rire.

« Décidément, c'est une manie !

— Non. C'est important pour nous. Je dois assurer à Mahmoudi que le sujet ne sera pas abordé. »

Ali rit de plus belle.

« Vous pouvez le rassurer, oui. Car je vous le répète, c'est évident. Je connais Mahmoudi, vous savez ?

— Non, je ne sais pas.

— Je le connais depuis ses années d'étudiant au Caire. Je connaissais son frère, qui vient de mourir. Je connais sa famille.

— Bon.

— Je connais sa position. Ses pensées profondes. Je connais même la façon qu'il a de se raidir, de se mettre

429

au garde-à-vous, quand, même seul, même chez lui, il entend, à la télé, le nom de Mouammar... »

Elgiloushi perd sa nouvelle contenance. Et, de nouveau affolé, lance :

« Comment sauriez-vous cela ?

— Intelligence, répond Ali, riant toujours, et de bon cœur ! Mes services d'intelligence personnels. Vous croyez qu'il n'y a que vous qui ayez des informations ?

— Non, murmure Elgiloushi, toujours sur la défensive, quoique peut-être un peu moins, car se sentant, avec cette blague sur les Services, en terrain mieux connu.

— Et je connais Mouammar, renchérit Ali ! Eh oui, jeune homme, je connais Mouammar depuis toujours ! Vous n'étiez pas né que je le connaissais déjà ! C'est pourquoi, je vous le répète : on connaît tous les règles du jeu.

— Bon, fait le directeur, définitivement vaincu. Je comprends.

— Merci. Vous décidez quoi, alors ? Vous voulez que nous procédions comment ?

— Je vais faire un rapport. Si mon patron vient à Paris, qui verra-t-il ?

— Moi, sans doute. Ou un autre. Peu importe.

— Vous, ce serait mieux. Car vous savez ce que dit mon patron ? »

Elgiloushi se dandine. Ali reste moqueur.

« Non, je ne sais pas.

— Il dit : Ali Zeidan est différent ; Ali Zeidan n'est pas comme les autres.

— A la bonne heure, s'exclame Ali, saisi d'une quinte de toux, puis d'une série de reniflements, dont je ne sais s'ils sont l'effet du rhume, du fou rire, ou d'une nouvelle tactique.

430

— Donc, résumons, fait Girard, reprenant les choses en main… »

Mahmoudi viendra à Paris, résume en substance Elgiloushi. Il rencontrera Ali Zeidan. Il ne prononcera pas le nom du Guide. Mais l'on évoquera, entre bons patriotes, la Libye de l'après-guerre.

Une chose n'est pas négociable, résume Ali, soudain sérieux. Le départ de Kadhafi et de sa famille. Je dis bien son départ. Car nous pouvons parler de ce que vous voudrez. Mais Monsieur Mahmoudi doit savoir que le départ de Kadhafi et de sa famille est un point sur lequel le peuple libyen ne transigera pas.

Une chose encore, dis-je à mon tour. Un dernier point avant que nous ne nous séparions. C'est un message à votre intention personnelle, dis-je à Elgiloushi. Vous êtes jeune. Vous avez la vie devant vous. Il faut que vous sachiez : 1. que le Président français ira au bout de cette guerre ; 2. que la coalition qui s'est formée, à son initiative, est une coalition solide et qui n'est pas près de se défaire ; 3. que Kadhafi et les siens ont encore une toute petite fenêtre pour le comprendre et se rendre – après il sera trop tard.

Elgiloushi écoute. Prend quelques notes, il me semble à contretemps. Il a retrouvé le regard impénétrable de fonctionnaire modèle qu'il avait, hier, lorsqu'il m'est apparu. Girard parle à son tour pour dire qu'il est bon que cette rencontre ait eu lieu car au moins aurons-nous essayé. Puis lui encore, Elgiloushi, pour nous infliger trois minutes d'une déclaration, manifestement préparée, sur le peuple libyen qui n'aspire qu'à l'unité. Et, soudain, changement de ton pour, d'une voix absurdement douce, ajouter – dans ma direction, puis dans celle d'Ali :

« Je peux dire encore une chose ? »

Et, Ali faisant oui de la tête, il sort de sa poche la feuille, pliée en deux, où j'ai écrit, hier, l'adresse des sites internet où il pouvait trouver nos photos de Misrata détruite.

« Ah, dis-je... Vous avez donc vu... Dites-nous, oui, bien sûr...

— Non, répond-il... Pas comme ça... En tête à tête... Si Monsieur Ali le veut bien. »

Et, comme Ali fait à nouveau oui de la tête, il se lève, salue et sort, avec moi, dans le couloir – là même où ont pris place, avant lui, dans les deux grands fauteuils où je lui fais signe de s'asseoir, Abdelfattah Younès et Mustafa El-Sagezli, le lendemain de leur réception à l'Elysée ; Ali et Mansour le jour où nous avons fait connaissance ; le président Abdeljalil le soir du dîner de presse qui avait failli mal tourner ; tant d'autres ; tant de Libyens libres.

« Non. Ne restons pas là, fait-il, comme s'il lisait dans mes pensées et qu'il jugeait que ces fauteuils avaient déjà trop servi. Marchons. »

Puis, parvenus à la hauteur de la conciergerie, au bout du couloir, et alors que la logique voudrait que nous repartions en sens inverse :

« Ne restons pas là non plus. Sortons. »

Et, dehors, ayant obliqué dans l'avenue des Portugais, plus ombragée, cette conversation surréaliste dont je me demande, en y songeant, si ce n'était pas le vrai but de toute cette comédie.

« Cela me fait mal de vous voir avec des gens comme ça.

— Pardon ?

— Vous avez vu ce qu'Ali Zeidan faisait pendant que vous parliez ?

— Non.

— Il reniflait.

— Je ne comprends pas... »

Il singe le reniflement d'Ali.

« Comme ça... Je l'ai bien observé... Il reniflait exactement comme ça... Et je vais vous dire quelque chose, Excellence. Ce n'est pas correct de renifler pendant que Bernard-Henri Lévy parle... »

C'est plus fort que moi. J'éclate de rire. Mais il poursuit, les yeux levés vers le ciel.

« Sinon, vous habitez là ?

— On ne peut rien vous cacher.

— Le sixième étage... Le meilleur... Avec vue sur Paris... La plus belle ville du monde... Je vous envie... »

Menace ? Sans me laisser le temps de répondre et, cette fois, les yeux dans les yeux – une dureté dans le regard qu'il n'avait pas, dans le salon jaune, face aux autres.

« Je veux quand même vous dire une chose.

— Oui ?

— Il faut que vous rencontriez Monsieur Mahmoudi.

— Je serai là quand il viendra puisque c'est sous mes auspices que doit se faire, si elle se fait, cette réunion que vous proposez.

— Ce n'est pas ce que je vous dis. Il faut que vous le voyiez, oui – mais seul, en tête à tête.

— Ça, en revanche, c'est impossible, dis-je, en haussant le ton, à la fois parce que son toupet me sidère et parce que l'idée me traverse, tout à coup, que je n'ai pas pensé à vérifier, comme avec l'homme de Saint-Paul, s'il n'avait pas un enregistreur sur lui ; je

433

ne fais pas un pas dans cette affaire, vous m'entendez, pas un, sans mes amis du Conseil national de transition et sans, en particulier, Ali Zeidan.

— Alors, appelons.

— Comment cela ?

— Mahmoudi, le Premier ministre. Appelons-le, là, tout de suite, au téléphone.

— Je viens de vous dire que je ne ferai pas un pas sans…

— Juste allô… Je l'appelle. »

Il ouvre le capot de son téléphone, un portable Nokia ancien modèle, et fait le geste d'appeler.

« Je l'appelle et vous lui dites juste allô, un tout petit allô, et qui n'engage à rien. »

Il a retrouvé l'air enfantin qu'il avait face à Zeidan. On croirait que son sort, sa vie, dépendent, à cet instant, de cet allô qu'il me quémande.

« Il n'en est pas question, dis-je, toujours de la même voix un rien trop forte, en refermant d'autorité le boîtier de son téléphone. Je ne vais certainement pas appeler, là, avec vous, un homme qui a sur les mains le sang de…

— Ne parlez pas sans savoir, Monsieur, supplie-t-il avec le même air terrible et pathétique. Je vous en prie, ne parlez pas sans savoir. »

Puis :

« Ce que vous avez fait, vous seul pouvez le défaire. »

Puis encore, suppliant, lamentable.

« Vous pouvez arrêter ce carnage. Ce serait un geste historique. Le peuple libyen vous en serait éternellement reconnaissant. »

Et comme je lui répète que seul Kadhafi, en s'en allant, a le pouvoir d'arrêter le « carnage », il ajoute une dernière chose, comme on abat sa carte maîtresse :

« Ceci encore... »

Il danse d'un pied sur l'autre, fait durer le plaisir, m'adresse un sourire enjôleur :

« Nous sommes prêts, à travers vous, à nouer des relations avec certains de vos amis – vous voyez ce que je veux dire ? »

Là, évidemment, c'est trop. Cette allusion grossière à Israël, dans la bouche du représentant d'un des Etats à l'avoir combattu avec le plus de constance, me donne la nausée. Je le plante là. Et rentre raconter à Ali le dernier acte de cette comédie. M'avisant, au passage, que l'homme, ce prétendu négociateur, ce Rudolf Hess libyen au petit pied ne m'a, évidemment, pas dit un mot de Misrata.

Mercredi 15 juin, suite *(Et Misrata ?)*

Brève conversation avec le Président. Je lui raconte Elgiloushi. Il s'inquiète de l'arrivée des officiers de Misrata.

Jeudi 16 juin *(Une fuite à Tripoli)*

Branle-bas de combat. L'émissaire russe pour la Libye vient de déclarer, à Tripoli, que des contacts se seraient noués, hier, mercredi, à Paris, entre la rébellion et un

435

envoyé de Kadhafi. L'AFP m'appelle. Et les agences étrangères. Et les quelques radios qui s'intéressent encore, un peu, à ma pauvre Libye. Et, bien entendu, Ali qui a parlé à Abdeljalil, lequel nous demande de ne faire aucun commentaire « on » et de tout démentir « off » (ce que j'avais, d'ailleurs, et spontanément, commencé à faire). Que s'est-il passé, au juste ? Le directeur de cabinet Elgiloushi a-t-il, sciemment, rompu le pacte de confidentialité ? Est-ce le début d'une manœuvre dont je ne vois pas bien la suite mais qui viserait à mettre en difficulté soit moi soit le Conseil national de transition ? Veut-on montrer que les gens de Tripoli sont moins aux abois qu'on ne le croit ? Qu'ils continuent d'être diplomatiquement à l'offensive ? Vérification faite, les choses semblent s'être passées comme suit. C'est l'émissaire russe qui, alors que le directeur de cabinet était encore dans l'avion du retour, a lancé, auprès du Premier ministre Mahmoudi, son patron, l'idée d'une rencontre dont il serait le gentil organisateur. Comme l'Italien Frattini, comme d'autres, il a compris que, dans le grand mercato du Spectacle planétaire, la « médiation libyenne » est le produit qui monte, la denrée rare et *bankable*, et il a donc, très logiquement, offert ses services de médiateur. Et Mahmoudi lui aurait répondu non, merci, pas pour le moment, car une initiative du même genre est en cours à Paris. Plausible.

Dimanche 19 juin *(Misrata tarde)*

Mansour au téléphone. Puis Souleiman. Puis Bachir Sebbah. Quinze jours, demain, que l'invitation aux officiers libres de Misrata a été lancée ! On ne lâche pas le général Ramadan Zarmouh. On maintient la pression. Pas un jour, j'en suis presque gêné mais c'est la seule solution, sans que l'on cherche et trouve un moyen de lui faire passer un message rappelant que le président de la République l'attend, que c'est important, que cela peut tout changer pour Misrata et, au-delà de Misrata, pour la Libye. Mais les combats, là-bas, ont repris de plus belle. Ils sont très durs. Kadhafi semble avoir massé de nouvelles forces sur le front est. Zarmouh dit qu'il ne peut pas, pour le moment, quitter le front.

Lundi 20 juin *(La tendance est à la négo)*

Un article du *Figaro* qui cite, sans me nommer, dans le cadre d'un développement général sur l'humeur diplomateuse de Tripoli, les contacts noués à Paris avec Ali Zeidan. Ma vraie inquiétude, touchant à cette affaire, ce n'est pas l'information (n'insiste-t-elle pas – et c'est l'essentiel – sur le fait que Zeidan n'a pas transigé sur la ligne rouge qu'est, pour le Conseil national de transition, le départ de la famille Kadhafi ?). Ce n'est même pas l'éventuelle apparition de mon nom (après tout, quelle importance ? ne suis-je pas exagérément traumatisé par l'épisode Jérusalem ?). Non, mon vrai souci c'est la nouvelle tendance que je sens un peu partout et dont ce mini-épisode n'est qu'un exemple. Frattini, en Italie qui annonce une conférence Théodule. Ban Ki-moon dont j'apprends qu'il a eu, avec Mahmoudi, depuis Le Caire, une conversation téléphonique. Ces articles, en France, qui, comme dans *Le Parisien* de ce matin, insistent de nouveau, de plus belle, sur le coût exorbitant de cette guerre, son fardeau, etc. Tout cela ne me plaît guère et, si la démarche du directeur de cabinet kadhafiste a un sens, c'est celui-là : s'inscrire dans ce cours nouveau, le renforcer, montrer qu'il s'étend jusqu'à Paris, indiquer qu'il inclut les gens qui, comme Zeidan ou moi, sont les plus clairement hostiles à un compromis avec Kadhafi — bref vendre subliminalement l'idée que la guerre s'est enlisée, que la solution militaire est une impasse et que toutes les bonnes volontés, partout, sont à la recherche d'une solution non militaire.

Mardi 21 juin *(Israël et le printemps libyen)*

De nouveau, Jérusalem. « Conférence du Président ». Shimon Pérès, plus alerte que jamais. Tony Blair s'extasiant sur les vertus du modèle israélien. Oz, mon ami Amos Oz, qui fait un discours fort sur la paix et sur la grandeur du compromis. Et moi qui reviens sur les printemps arabes en général et la Libye en particulier pour expliquer aux 1 500 participants pourquoi Israël ne doit pas avoir peur du monde qui naît sous ses yeux.

Bien sûr, dis-je, il faut être vigilant.

Ces révolutions, je ne l'ai, depuis le tout premier jour, jamais perdu de vue, sont comme toutes les révolutions, porteuses de grandes incertitudes.

Et, l'existence d'Israël, sa survie, sa sécurité sont des impératifs trop catégoriques pour que l'on prenne, en jouant avec eux, ou en les prenant à la légère, le moindre risque.

Mais il y a cinq raisons, au moins, d'aborder l'Evénement avec un optimisme relatif.

Des raisons de principe, d'abord. Que serait un sionisme, mouvement de libération réussi du peuple juif, qui, au moment où d'autres peuples se libèrent ou tentent, à leur tour, de se libérer, ne leur tendrait pas la main ? Que vaudrait une démocratie qui, pendant des décennies, s'est enorgueillie d'être la seule démocratie de la région et qui, au moment où d'autres la rejoignent, ou tentent de la rejoindre, ne ferait pas le geste de les accueillir ? Et puis le commandement « tu ne tueras point », ce commandement saint entre tous, ce commandement que les juifs ont apporté au monde : y a-t-il eu tant de lieux au monde où il ait été plus malmené que dans cette pauvre Libye où, en février, Kadhafi envoyait ses avions mitrailler des manifestants pacifiques ? Sur ce plan des principes, la question ne se pose pas. Israël ne peut pas tourner le dos à ce qui se passe à Benghazi et Tripoli.

Après, il y a la politique. Et, sur le plan politique, il y a des réalités que l'État d'Israël ne peut pas non plus ignorer. Je sais, dis-je, qu'il y a, dans la salle où je m'exprime, des gens qui pensent que leur pays pouvait, ou aurait pu, ou pourrait encore, s'arranger avec Kadhafi. Grand bien leur fasse. Car faut-il avoir la mémoire courte pour avoir oublié que la Libye de Kadhafi n'a pas cessé, pendant quarante ans, d'appeler à la destruction d'Israël ? qu'elle a servi de base arrière, de refuge, de banque centrale, pour les pires ennemis

439

d'Israël ? qu'elle a donné, systématiquement, une tribune aux négationnistes de la Shoah les plus enragés ? qu'elle a, en août dernier encore, tenté de lancer une nouvelle « flottille pour Gaza » censée venger l'échec de celle partie de Turquie ? et qu'au début des années 1980, elle a tellement vécu comme une trahison le voyage de Sadate à Jérusalem (et le traité de paix qui en est sorti) qu'elle a expulsé, en rétorsion, du jour au lendemain, 200 000 travailleurs immigrés égyptiens ? Peut-être les Libyens libres n'inventeront-ils, ni du premier coup ni jamais, une démocratie churchillienne. Peut-être des islamistes radicaux apparaîtront-ils aux marges ou même au cœur du nouveau pouvoir. Mais, pour Israël, ce qui viendra aura beaucoup, beaucoup de mal à être pire que ce qui a été.

D'autant qu'il y a un autre événement, énorme, qui s'est produit dans le sillage de l'Evénement et qui touche de près Israël et ses intérêts vitaux. Au peuple libyen, on disait et répétait, depuis des décennies, qu'il avait un ennemi et un seul et que c'était Israël. On serinait qu'il y avait une source à ses maux, et une seule, et que c'était Israël. On avait fini par le convaincre, du coup, qu'il n'aurait d'autre tâche, jusqu'à la fin des temps, que de combattre cette entité, Israël, cause de toutes ses misères et de ses échecs. Eh bien l'événement c'est qu'ils ont vérifié, dans la lutte, puis dans la répression féroce qui a suivi, qu'ils avaient un tout autre ennemi, une tout autre source à leurs tourments et que cette autre source n'avait rien à voir avec Israël. Je ne dis pas, naturellement, que l'on va passer de l'ombre à la lumière. Ni que ne demeureront pas, dans le régime futur, des séquelles de ces décennies de propagande et de leur terrible venin. Mais c'est un coup de tonnerre qui s'est produit. A Tobrouk, Ajdabiya, Brega, Ras Lanouf, Benghazi, Misrata, dans toutes ces villes où je me suis rendu comme Français et où l'on savait que j'étais juif, c'est un tremblement de terre idéologique, spirituel, dont j'ai été le témoin. C'est un retour au monde réel. Un adieu aux chimères. Un voile d'illusions et de mensonges qui, du jour au lendemain, s'est déchiré. Dans la nouvelle Libye, dans cette Libye qui aura à affronter le défi concret qu'est la reconstruction d'un Etat et d'une société détruits par la tyrannie, il sera beaucoup plus difficile de faire avaler la théorie d'un Israël coupable de tous les péchés, bouc-émissairisé.

J'ajoute que la politique a des lois. J'ai presque envie de dire des théorèmes. Et je commence, déjà, par un de ces théorèmes. Il dit quoi, ce théorème ? Qu'une démocratie ne fait jamais la guerre à une autre démocratie. Eh oui. Il peut toujours y avoir des exceptions, naturellement. Mais il serait tout de même extraordinaire que cela arrive, comme par hasard, et pour la première fois, ici, dans la région. Et, pour l'instant, le théorème est sans réplique. On connaît des tyrannies qui font la guerre à d'autres tyrannies. Des tyrannies à des démocraties. Des démocraties à des tyrannies. Mais des démocraties en guerre contre d'autres démocraties, je n'en vois pas. Il n'y en a pas. Il y a des explications empiriques à cette loi. Il y a des explications philosophiques que l'on trouve chez Montesquieu, ou Tocqueville, ou même Alexandre Kojève. Mais le fait est là. C'est une constante de l'Histoire ancienne, moderne, contemporaine. Peut-être la Libye d'après Kadhafi ne sera-t-elle pas une démocratie. Mais, si elle l'est, le moment viendra, très vite, où l'on découvrira qu'elle est moins menaçante, pour Israël, que la dictature.

Autre théorème. Quand le « modérateur » de la soirée m'a présenté, j'ai capté qu'il disait des tyrannies en train de disparaître et, donc, de la tyrannie en Libye que c'est « le diable que l'on connaît » et qu'on l'aime bien, ce diable-là – on l'aime parce qu'il offre, c'est un autre mot que j'ai capté, une forme de « stabilité ». Ah ! la stabilité des tyrannies… Quelle foutaise ! Quelle idée reçue ! Les tyrannies ne sont jamais stables. Tyrannie et stabilité sont deux mots contradictoires. Et ils le sont pour une raison au moins : parce qu'arrive toujours le moment où, pour une raison ou pour une autre, c'est encore une loi de l'Histoire, les tyrannies sont renversées. Prenez le cas d'un pays – Israël – qui a un traité avec une tyrannie. C'est mieux que rien, naturellement. Mais un traité qui repose sur un tyran et, particulièrement, sur un tyran vieillissant, affaibli, est un traité qui ne vaut pas grand-chose ; un traité de paix avec ce tyran, un traité dont le tyran se veut, face à un peuple présenté comme une horde de bêtes enragées qui ne pensent qu'à le déchirer, le seul garant, le rempart, c'est le plus faible, le plus fragile, le plus instable des traités. Ou bien le tyran cède – et alors, oui, la horde peut déferler. Ou bien il tient – mais jusqu'à quand ? La seule paix à peu près stable c'est celle que l'on signe avec un pays dont le peuple ou, en tout cas, la majorité du peuple, l'a discutée puis ratifiée. Le traité d'Israël avec l'Egypte va être contesté, dis-je encore. Chahuté. Des forces vont apparaître qui vont regretter qu'il ait été signé. Mais je pense que, cette période de turbulence passée, il peut s'imposer avec une autorité renouvelée. La tyrannie n'est pas une garantie pour la paix. La démocratie est une bien meilleure garantie que la tyrannie. C'est une autre loi.

De toute façon quel est le risque ? De deux choses l'une. Ou bien les choses marchent. Non pas, encore une fois, une démocratie parlementaire impeccable sortant toute armée des cerveaux d'Abdelfattah Younès et de Mustafa Abdeljalil. Mais enfin les choses vont dans le bon sens. Les révolutionnaires libyens reviennent dans le monde réel. Et Israël, comme l'Occident, a tout à gagner à un état de choses qu'il aura encouragé, voire accompagné – et tout à perdre à laisser dire qu'il s'est imposé, cet état de choses, sans lui, voire contre lui, car il aura, jusqu'à la fin, mené le combat d'arrière-garde pour les anciens régimes défunts. Ou bien cela ne marche pas. Aux régimes dictatoriaux succèdent, via la démocratie, des dictatures islamistes. Sera-t-il si utile, si important, de pouvoir dire « nous l'avions bien dit » ? Quel intérêt, sinon d'auto-satisfaction, à empocher les dividendes de cette lucidité précoce ? Et pourquoi s'exposer au grand soupçon paranoïaque de ceux qui, forcément, murmureront : « ils le disaient parce qu'ils y œuvraient » ou « cela n'a pas marché parce qu'eux, les Occidentaux, les démocrates, les juifs, Israël, ne l'ont pas voulu, n'y ont pas cru, ont savonné la planche, saboté ». Beaucoup à gagner dans un cas. Peu à perdre dans l'autre. C'est ma version, ce matin, du pari. Un pari de Pascal géopolitique.

Mercredi 22 juin *(De Frantz Fanon à Kadhafi –*
pitié pour l'Afrique...)

Retour de Jérusalem. Questions de Marwane Ben
Yahmed, le rédacteur en chef de *Jeune Afrique*. Je vais
réécrire ce qui suit. Le mettre en forme. Et j'espère
terminer à temps pour que mes réponses paraissent dans
le numéro du magazine qui précédera le grand sommet
de l'Union africaine du 30 juin – où devrait, en principe, s'imposer la ligne sénégalaise. Mais, en gros,
j'aimerais faire passer deux idées-forces.

1. Si cette guerre dure, si elle semble, aux yeux de
certains, s'enliser, c'est aussi que tout est fait pour
éviter le scénario irakien, c'est-à-dire une victoire éclair
survenant sur un terrain où rien n'a été préparé pour
la relève. Je n'irai pas jusqu'à dire que cette guerre
dure exprès. Ni qu'elle joue les prolongations à des-
sein. Mais ce qui est sûr c'est que l'affaire pourrait être
réglée depuis longtemps. Et que les aviations coalisées
pourraient, demain matin, si elles le voulaient, donner
le coup de grâce aux dernières forces fidèles à Kadhafi.
Sauf que cela irait contre un choix stratégique fondamental que Sarkozy a formulé dès le premier jour et
dont il n'est pas sûr que la portée soit, même chez lui,
tout à fait consciente. En gros, on ne vole pas à un
peuple sa victoire. On ne fait pas, à sa place, la révolution à laquelle il aspire. On lui donne le temps
nécessaire pour se constituer en peuple souverain, doté
d'une volonté générale et d'une puissance qui lui soit
propre. Bush aurait dit, comme en Irak : « on tape
dans le tas, et on en finit ». Sarkozy y va plus doucement avec, consciente ou inconsciente, l'arrière-pensée

444

que ce « retard » laisse aux Libyens le temps d'une maturation qui, rétroactivement, apparaîtra comme une bénédiction. Un météorologue dirait : dégel trop brusque, égale printemps avorté.

2. Kadhafi humilie l'Afrique. Il bafoue ses valeurs, les déshonore, les ridiculise. On croit, en le défendant, défendre les valeurs d'un continent en butte aux vilenies d'un néocolonialisme inguérissable – eh bien non, c'est le contraire, c'est un piège et c'est l'Afrique qui, ce faisant, se déprécie elle-même. Dit autrement : qu'est-ce que c'est que ce culot, cet abus de pouvoir, qui permettraient à cet homme de s'arroger le droit de déclarer « je suis l'Afrique » ? Avez-vous bien conscience, amis africains, du miroir que vous tend ce personnage et dans lequel il vous somme de vous reconnaître ? Et comment, vous qui êtes les héritiers de Fanon, les enfants d'Houphouët et de Senghor, comment vous qui avez, dans vos bagages, des mouvements de libération nationale qui ont marqué l'histoire de l'humanité, pouvez-vous vous laisser réduire à cette caricature qu'impose, à chaque sommet africain, cet individu fantasque, capricieux, qui ne pense qu'à lui et méprise, au fond de lui, l'Afrique ? Rappeler à l'Afrique sa part de grandeur. La rappeler à l'ordre de cette grandeur que le meilleur de l'Europe a voulu avec elle. Lui rappeler, en outre, la place qu'ont ses enfants au panthéon d'une autre mémoire encore, celle de la libération de la France, donc de la lutte antinazie proprement dite. Ce ne sont pas propos tactiques. Je les pense.

Toujours pas de nouvelles de Misrata. Je viens d'apprendre, de surcroît, que le bateau que nous pensions avoir trouvé, et sur lequel je comptais, n'est pas capable d'assurer la traversée.

445

Jeudi 23 juin *(Ma sœur est catholique…)*

Radio Notre-Dame. Eternelle interview sur les printemps arabes et la Libye avec, cette fois, l'idée de remplir la salle pour le débat qu'organise *La Règle du Jeu*, dimanche, au cinéma Saint-Germain-des-Prés, sur la persécution des chrétiens d'Orient. Comme souvent, pour les interviews par téléphone, j'aime bien avoir un peu d'avance, entendre les dix minutes précédant mon intervention et, ainsi, prendre la température de l'antenne. Et je le souhaite, là, d'autant plus que c'est la première fois, il me semble, que je parle à cette radio dont je ne sais rien. Je suis chez moi. Assis à mon bureau. Naviguant mollement sur internet à la recherche des nouvelles libyennes du jour, quand une voix me fait dresser l'oreille. C'est celle d'une catéchumène à la voix de petite fille qui lit, apparemment, un psaume. Elle n'est pas nommée. On ne nous dit rien d'elle sinon, entre deux psaumes, qu'elle est en chemin, au bord du baptême, beauté de la conversion, vous voyez que le catholicisme ne se porte finalement pas si mal. Au deuxième psaume, lorsqu'elle reprend sa lecture, je comprends soudain que cette voix étrange, cette voix d'ange, c'est celle d'une poétesse au talent secret, ignoré d'à peu près tous mais pas de moi — je comprends que c'est celle, non d'une enfant, mais d'une jeune femme que j'ai un peu perdue de vue ; je comprends que cette catéchumène c'est… ma sœur.

Vendredi 24 juin *(Dans la tête de Kadhafi)*

Croisé Delon, hier soir, dans le restaurant chinois où nous avons nos habitudes. « Soixante-seize ans, maestro ! Pouvez-vous imaginer que je vais avoir soixante-seize ans ! » Puis, plus grave, nuance d'inquiétude dans son œil mauve, il retrouve la voix qu'il avait, jadis, au Mexique, les jours où nous nous étions disputés et où il voulait, la journée finie, le dernier plan tourné, se réconcilier avec moi (la même force intense, oui, qu'en ces temps maintenant lointains mais qui font si profondément partie de mon existence, où il rappelait le chef opérateur, lui faisait signe de rallumer son matériel puis se tournait vers moi en me lançant un dramatique « c'est pour vous maestro » ; et alors, face caméra cette fois, les yeux vrillés dans l'objectif, tous les dragons qui, d'habitude, sommeillent au creux de ses prunelles lâchés sur le plateau désert, il m'offrait un regard, juste un regard, un regard pour rien, un regard pas prévu au scénario, un regard pour moi et pour la collection de regards d'Alain Delon dont il ne doutait pas que je la constituais pieusement). Et, de cette deuxième voix, de cette voix sourde et qui est une voix de silencieux, il me dit : « je suis inquiet maestro… ne m'en demandez pas plus… ce sont des dingues, protégez-vous… je suis inquiet. » Et puis encore, moins sûr de lui, plus hésitant, les dragons rentrés dans la marne du regard mais, dans la voix, une tonalité encore plus blanche et qui m'inquiète presque davantage : « et puis où en est-on, Maestro ? ce type, Kadhafi, est un salaud… mais je n'aime pas la façon dont les choses tournent… j'entends…

447

j'écoute... ils sont en train d'en faire une victime... encore un peu, et ce sera un martyr... ou, pire, un résistant... je sens les choses, maestro – et les choses, là, ne sentent pas bon... »

Je sais qu'il sent les choses. Et je sens, moi aussi, cette frivolité d'une Opinion prête à oublier le terroriste, le massacreur, les avions de chasse descendant en piqué sur la foule, le despote, les charniers, pour ne plus voir que le personnage qui tient tête à l'Occident, le hors-la-loi insaisissable, le réprouvé déjouant, dans son Tripoli bunkérisé, les puissances coalisées. Je sens ce début de nouvelle aura. Ce principe de mystère qui s'attache à quiconque se dresse, seul contre tous et, donc, aussi à lui. Je sens cette rumeur qui monte et qui fait de ce type finalement si commun, de ce dictateur ordinaire, de cet Ubu marionnettisé, un être énigmatique, un peu diabolique mais pas trop, créature de chair mais déjà de légende, dictateur bien sûr mais un peu Robin des bois, renard ou rat du désert selon que l'on pense « Rommel » ou « les Anglais » mais, dans les deux cas, c'est trop flatteur, anguille allant de cache en cache narguer les grands du monde, furet, pirate sans style. Je vois sa métamorphose en réprouvé. J'observe son talent d'alchimiste de son propre destin transmuant l'horreur qu'il inspirait en une curiosité presque sacrée. Et je me dis, oui, qu'il y a là un début de retournement qui, s'il se confirmait, serait terrible.

Moi-même, d'ailleurs... Moi-même, si je suis vraiment honnête, je suis obligé de convenir que je guette, comme tout le monde, les rares images de lui qui sortent de Tripoli ; que je suis à l'affût, comme tout le monde, de ses apparitions démentes et pathétiques ;

je les scrute ; je les dissèque ; je les interprète et les surinterprète. Que fait-il ? Que pense-t-il ? Que peut-on bien avoir en tête quand on a cru être le roi des rois de l'Afrique, Malik al-Muluk, son nouveau Négus, et que l'on se retrouve dans la peau de cet excommunié général, de ce hors-la-loi planétaire, de ce nouveau M le maudit ? Dort-il la nuit ? Fait-il la sieste l'après-midi ? Prie-t-il ? Aime-t-il ? Rêve-t-il ? Si oui, à quoi ? Quelqu'un m'a dit que son fils préféré, Saïf, va, chaque matin, sur une plage tenue secrète, nager. Est-ce son cas ? Prend-il, lui aussi, ce risque ? Est-il toujours, d'ailleurs, à Tripoli ? Est-il Hitler à Berlin ou Idi Amin Dada à Djeddah ? Néron à la veille de l'incendie de Rome ou Tibère à Capri ? Comprend-il même ce qui lui arrive ? Sait-il ce qui lui est, au juste, reproché ? Ou bien s'est-il muré dans cet autisme qui est la règle chez les dictateurs aux abois et qui ne veulent pas voir ? Je pense à ces lunettes noires qu'il porte en permanence et qui sont la métaphore de ce refus de voir. Je pense au sourire bizarre qu'il arborait, il y a trois mois, dans son fameux discours sur les remparts de la place Verte de Tripoli. C'était un sourire trop long. C'était un sourire trop insistant et qui s'attardait sans raison. C'était un vrai sourire de fou ou d'homme qui a perdu contact avec le réel.

La solitude de Kadhafi m'intéresse. M'intéresse, aussi, la haine qu'il doit nourrir, forcément, de Sarkozy et de la France, de l'Occident en général et, de proche en proche, du genre humain. J'imagine ses colères et ses prostrations. Son aversion nouvelle pour les visages et sa méfiance de tout ce qui l'approche. Les traîtres autour de lui. Les complots qu'il faut déjouer tous les jours. La hantise du poison. Le bruit

449

des bombes sur ses palais. Résister comme un renard, peut-être – mais vivre comme un rat, ça c'est sûr. Une vie d'ermite incrédule et, peut-être, à l'agonie. Ben Laden l'avait cherché. Il était dans son rôle et son destin. Mais lui ?

Samedi 25 juin (*J'ai trouvé le bateau*)

Toujours pas de date, de la part du général Zarmouh. Mais au moins avons-nous trouvé un bateau. Et, cette fois, je crois que c'est le bon. Il est à Malte. Mieux équipé en instruments de bord que celui qui s'est annulé la semaine dernière et mieux, même, que celui sur lequel j'avais fait ma propre traversée. Nous avons aussi, en principe, un équipage. Je donne l'information à l'Elysée, bureau du général Puga, qui, pour gagner du temps, transmet déjà à l'OTAN.

Jeudi 30 juin (*Quand le Président rêve à voix haute*)

Elysée.
C'est lui qui m'a demandé de venir.
Et il ne me l'a demandé, je vais m'en apercevoir très vite, que pour me faire passer un message simple : quoi qu'en disent la presse et les sondages, quoi qu'on commence de raconter, ici ou là, sur le prix faramineux que coûteraient les opérations, quoi qu'en pensent les diplomates, certains militaires, l'Opinion, l'opposition, les maniaques de la médiation, il y en a

un qui ne variera pas d'un iota sur cette affaire de guerre en Libye – et c'est lui Nicolas Sarkozy.

Je le trouve calme.

Loin de cette agitation que dépeignent, à nouveau, ces temps-ci, ses adversaires.

Avec ce quelque chose d'affûté dans le bas du visage que j'ai souvent observé chez les grands désintoxiqués.

« J'ai bien reçu ton message. »

Je lui avais laissé un message où je lui disais avoir été recontacté par Mahmoudi et les gens de Kadhafi.

« Le problème de ces gens c'est qu'on ne sait jamais ce qu'ils représentent ni quelle est leur marge de manœuvre.

— C'est vrai, dis-je. Mais est-ce que ça ne vaut pas, quand même, la peine d'être essayé ? Ne serait-ce que pour ne pas avoir de regrets ? »

Je ne pense pas complètement ce que je suis en train de lui dire. Je le fais par esprit républicain, par loyauté – parce que, comme pour le type de La Colombe d'Or, comme pour les deux rendez-vous avec le directeur de cabinet kadhafiste, comme pour tout le reste dans cette affaire, je ne veux rien garder par-devers moi.

« Oh des regrets… Ce n'est pas moi, ça, les regrets. Pour l'instant, je suis dans l'action. Donc dans la guerre. Et il n'est pas question, pour moi, de distraire une fraction de seconde du temps que je peux y consacrer.

— Sans doute. Mais ça aussi, c'est la guerre. L'après-guerre, donc la guerre. Que se passera-t-il le jour d'après la victoire ? Et quelle garantie la France a-t-elle que ne vienne pas à se reproduire un scénario de type irakien ? C'est de cela que ces gens semblent vouloir parler. »

451

Carrément, cette fois, l'avocat du diable. Mon souci de la mesure me surprend moi-même. Et, d'ailleurs, il le surprend aussi.

« C'est drôle. Tu parles comme mes conseillers (il adresse un sourire affectueux à Lévitte). Ils sont tous à me dire : "Président le jour d'après... Président le jour d'après..." Que puis-je répondre ? On ne se refait pas. C'est vrai que j'ai un côté monotâche. Tout entier dans l'action du moment.

— Même si d'autres, pendant ce temps, pensent au moment suivant ? Et même s'ils se mettent en position de voler à la France, le moment venu, sa victoire ?

— Oh... Ça veut dire quoi voler la victoire ? Il y aura une telle dynamique de toute façon, un tel effet de souffle...

— Je pense à ce que préparent les Américains par exemple. Dieu sait si je ne suis pas antiaméricain, mais...

— Moi non plus ! »

Il se ravise :

« Encore que... Ils ont quand même une façon bizarre de porter des chaussures taille 48, de vous écraser le pied sous leur énorme godasse et, quand on crie "eh là, vous venez de me marcher sur le pied", de répondre : "c'est ta faute, mon gars ! qu'est-ce que tu faisais sous mon soulier ?"

— Voilà. Je sais que l'on travaille dur, à l'heure même où nous parlons, au Département d'Etat ; et qu'il y a là des gens très forts, très brillants, qui sortiront du bois à la dernière minute et proposeront au monde, donc aux Libyens, un plan de paix clefs en main. »

Il hausse les épaules.

« Tant mieux.

— Arriver comme les carabiniers et imposer un plan made in USA...

— Godard, dans les deux cas, fait-il, le sourcil levé, et comme s'il soulignait une coïncidence riche de sens. Jean-Luc Godard. »

Je vois que l'intérêt nouveau du Président pour le cinéma n'est pas une invention de journalistes. Je poursuis.

« Je ne suis pas un de tes partisans et notre compagnonnage, tu le sais, cessera à la minute où la France aura gagné cette guerre. Mais je ne vois pas pourquoi les Français se laisseraient enfermer dans le rôle des faiseurs de guerre quand d'autres prendraient celui de faiseurs de paix.

— Pas un de mes partisans... C'est intéressant, ça ! Tu crois qu'elle aurait fait ce que j'ai fait, Madame Royal ? Et que tu serais là, avec Madame Royal, à discuter de la meilleure manière, pour une démocratie, de protéger les civils ?

— Je ne sais pas... Et je te rappelle qu'il y a, aujourd'hui, à la tête de l'opposition parlementaire, une personne de caractère, Martine Aubry, qui a pris position, avant tout le monde, sur la nécessité d'intervenir et qui n'a jamais changé d'avis sous prétexte que c'est aussi l'avis du président de la République.

— C'est vrai.

— Un jour on saura le rôle qui a été le sien pour faire taire les pacifistes du PS et leur faire comprendre que le Parti est bien assez divisé pour ne pas s'imposer, sur la Libye, une division de plus. Cette femme se conduit bien.

— Soit.

453

— Mais restons sur le point. Il faut se souvenir de la Bosnie. J'ai été hostile aux accords de Dayton.

— Moi aussi.

— Je sais. Mais n'empêche. Bill Clinton a réussi, à l'époque, à enchaîner les deux rôles et à tresser, ensemble, les deux gerbes de ses lauriers : lauriers du chef de guerre, d'un côté ; lauriers de l'homme de paix, presque en même temps.

— C'est vrai. Mais, pour l'instant, il faut gagner. Ma volonté est tout entière tendue vers cela : gagner. »

Le téléphone sonne. C'est son plus jeune fils, Louis. Son visage s'éclaire. Il a le réflexe de se cacher la bouche derrière la main. J'entends juste des mots tendres – il lui promet de le rappeler.

« Où en étions-nous ? Oui, cette guerre. Je disais qu'on va la gagner. »

Il se reprend.

« Enfin, on... C'est vite dit, on. Car il y aura eu qui, finalement ? »

Il fait le geste de compter.

« Les Américains, nous sommes d'accord là-dessus, ne sont pas vraiment là. »

Deuxième doigt :

« Les Italiens, ça aurait pu. Mais Berlusconi, c'est à se demander s'il a encore un cerveau. »

Troisième doigt.

« L'Union africaine. Tu as fait du bon travail avec Wade. Mais sans Zuma... »

Il agite son troisième doigt, avec une insistance spéciale.

« Il faudra bien se souvenir de cela ! Jacob Zuma est toujours là. Il était là au moment de la résolution 1973. Et il aura été de nouveau là pour le sommet de cette semaine. Je l'ai appelé. Je lui ai dit : Jacob, on a besoin de toi, il ne faut pas laisser Wade se faire atomiser. Eh bien, comme pour la résolution, Jacob a répondu présent. »

Il reprend le fil du raisonnement. Et, repliant son troisième doigt, dresse maintenant le quatrième :

« Alors, bien sûr, il y a les Anglais. Ah les Anglais ! »

Air de celui qui aurait beaucoup à dire sur les Anglais.

« Ils sont bien, les Anglais. Ce sont des alliés formidables. Et je sais que, sans eux, sans Cameron, nous n'y serions sans doute pas arrivés. Il y a un seul problème c'est qu'ils ont toujours besoin, avant de lâcher une bombe, de demander l'avis de trois cabinets d'avocats. »

Et comme il voit que je ne comprends pas :

« Si. Moi je demande à mon chef d'état-major. Et, si mon chef d'état-major me dit que je peux y aller, j'y vais. Eux... »

Il fait, l'annulaire toujours en l'air, des moulinets avec son bras censés mimer la grande agitation.

« Ils ont cinq hélicoptères. Cinq ! Contre quinze pour nous ! Enfin, entre dix et quinze selon les moments ! Sans compter les appareils qui viennent en appui et les protègent, car les nôtres descendent extraordinairement bas ! Et ce sont, chez eux, les Anglais, des discussions interminables pour savoir s'ils sont, ou non, dans l'épure de la résolution. Moyennant quoi, en bas, les cibles n'attendent pas le rapport d'avocat pour aller se mettre à l'abri. Non... »

Il lève, maintenant, le petit doigt, le dernier, et, l'air de celui qui est arrivé au terme d'une énumération fastidieuse, conclut :

« Si on gagne cette guerre… »

Il se reprend :

« Non. Pas si, quand. Quand on aura gagné cette guerre, le monde verra que ç'aura été nous et les Libyens, point barre. Au fait… »

Il fait comme si un souvenir lui revenait.

« Tu sais que j'ai revu Jibril ? »

Il montre le fauteuil où je suis assis, face à son canapé.

« Il était là. Avant-hier. Avec des militaires. Très bon, Jibril. Très sérieux. Ils sont venus me dire qu'ils étaient à court d'argent et d'armes. »

Il se tourne vers Lévitte.

« Enfin, des armes, ils en ont déjà eu beaucoup. N'est-ce pas, Jean-David ?

— Oui, Monsieur le Président, répond Lévitte qui n'a pas parlé depuis le début de l'entretien.

— Combien ? »

Et comme Lévitte, prudent, hésite à répondre :

« Je ne sais pas comment cela s'est passé, cela dit. Une bonne partie n'a pas pu être déballée. Il y aurait, sur les quais de Benghazi, d'énormes containers qui n'ont même pas été ouverts. Donc, ils en demandent encore. Mais en échange… »

Il s'interrompt. Comme s'il se délectait, d'avance, de la nouvelle et faisait durer le plaisir.

« En échange, ils promettent une offensive. Une grosse et vraie poussée tactique. Sans doute sur Brega. Ou dans le Djebel Nafoussa, on verra. Et puis, bien sûr, la deuxième chose, la principale, qu'ils m'annoncent mais à laquelle je ne crois pas trop : le soulèvement de Tripoli avant le 14 juillet. »

Il prend l'air de celui qui ne croit vraiment pas, hélas, à la deuxième chose. Puis, rêveur, un air d'enfance dans le regard :

« Jibril dans la tribune d'honneur, ça aurait quand même eu du panache. »

Et, comme s'il lisait dans mes pensées :

« Je sais que c'était ton idée. Tu m'avais dit : Jibril dans la tribune d'honneur et des aviateurs français couverts de gloire. On aura les aviateurs. Mais pas encore, je le crains, à la tribune d'honneur. »

Il me fixe une dernière fois. Je sens que l'entretien touche à sa fin et qu'il teste la solidité de… quoi ? je ne sais trop.

« Tout ça, ce sont des péripéties. La seule chose qui n'est pas une péripétie, c'est qu'on a eu raison d'engager cette guerre et qu'on est en train de la terminer. »

Quelques considérations, encore, sur les otages français d'Afghanistan qu'il est allé chercher la veille à Villacoublay.

Un léger sursaut, mais sans commentaire autre que : « parles-en à Puga », quand je lui dis mon désir d'embarquer dans un Awacs français.

Des questions enfin sur la visite des combattants de Misrata dont il ne comprend pas qu'elle soit si difficile à organiser : si j'ai besoin d'aide ? non, je ne crois pas ; juste s'assurer que Rondeau fera bien ce qu'il faut faire quand, enfin, ils seront à Malte ; pour le reste, j'y suis presque ; j'ai enfin trouvé le bateau ; l'équipage ; et j'ai reçu, ce matin, l'information : ils devraient parvenir à sortir de Misrata la semaine prochaine.

Nous nous quittons pour de bon.

Lundi 4 juillet *(Premier meeting pour la Syrie)*

Meeting syrien de Paris au cinéma Saint-Germain. Les choses, au départ, étaient simples. Les Syriens d'Antalya sont venus me voir et m'ont dit : « pourquoi ce deux poids et deux mesures ? cette iniquité mystérieuse ? cette injustice ? » Je leur ai dit : « vous avez raison ; c'est injustifiable en effet ; seules des raisons contingentes, donc des mauvaises raisons, expliquent ce privilège ; tentons quelque chose ; faisons ce que nous pouvons, ce sera déjà cela de fait. » Gilles et Schalscha se sont mis en mouvement avec les équipes de *La Règle du Jeu* et du Cinéma et ils ont monté un beau meeting qui avait sûrement des tas de défauts mais qui avait au moins trois vertus.

1. Il serait le premier. Cela paraît fou, dit comme ça. Mais c'est pourtant la vérité. Il n'y a rien eu de tel, jusqu'à présent. En sorte que l'on peut dire, oui, que ce meeting devait être et, de fait, a été une première. Nous avons été les premiers à bouger.

2. Il y aurait la gauche et la droite. Fabius et Copé. Il y aurait les écolos, les centristes, des intellectuels indépendants, des anciens ministres comme Kouchner ou Amara, toutes les sensibilités françaises coalisées et hissées au-dessus d'elles-mêmes pour faire de la Syrie la grande cause nationale qu'elle devrait être.

3. Les Syriens. L'idée a tout de suite été de voir des Syriens, à la tribune, s'adressant au peuple de Paris. Des Syriens de toutes obédiences. Des Syriens de toutes sensibilités. Des qui croient au ciel et des qui n'y croient pas. Des anciens Baasistes et des qui ne l'ont jamais été. Des révolutionnaires, des réformistes,

des conservateurs bon teint, des sans opinion autre que la nécessité de faire partir Assad. Nous avons veillé – détail capital s'agissant de révolutions arabes – à ce qu'il y ait aussi des femmes. Et toutes et tous devaient venir, comme dans toutes les Résistances, dire la nécessité de s'unir pour renverser le tyran.

Tout cela est bon ? Tout cela est beau ? C'était sans doute trop beau pour certains puisque l'on a vu, depuis trois ou quatre jours, un drôle de mouvement se mettre en branle, qui n'avait d'autre objet que de saboter le meeting. L'argument était simple : BHL. Quoi, BHL ? Rien. Juste BHL. Il est juste insupportable que BHL se mêle de sauver les Syriens. Il est juste intolérable que les Syriens doivent quoi que ce soit à BHL. Crèvent les Syriens, eh oui, c'est terrible à dire mais il faut se résoudre à le dire, crèvent les Syriens plutôt que d'être sauvés par ce juif, pardon ce sioniste, de BHL. Au début, j'ai cru que la chose venait des milieux pro-Assad et c'est d'ailleurs ce que j'ai dit, tout à l'heure, avant le début du meeting, sur une télévision. Mais en réalité non. Ce raisonnement étrange et, il faut bien le dire, un peu monstrueux, il semble qu'il ait été, aussi, tenu par des opposants. Avec, à partir de là, une double opération d'intimidation dirigée sur les participants, et Français, et Syriens, du meeting.

Je passe sur les Français car l'affaire me semble surtout pathétique. Pour un Copé qui ne s'est pas laissé démonter, pour un Fabius qui a envoyé promener le flic islamo-gauchiste venu lui expliquer que le soutien d'un juif est compromettant pour les Syriens, pour un Kouchner qui est venu, et un Axel Poniatowski, et un François Bayrou, combien d'autres qui se sont inventé des excuses plus baroques les unes que les autres – la palme revenant à Rama Yade qui m'a appelé, deux heures avant le meeting, pour me raconter une histoire de « maladie » (sic) ; d'« opération urgente » (re-sic) ; « j'ai tout fait pour me libérer, Monsieur Lévy ! tout ! mais j'ai un train, Monsieur Lévy ; à l'heure même de votre meeting, Monsieur Lévy ! s'il n'y a pas un train plus tard ? ou demain ? mais puisque je me fais opérer, vous dis-je ! o-pé-rer, vous comprenez ! où ? mais à Paris, bien sûr ; ah oui, le train… c'est vrai, j'ai un train… je n'avais pas compris votre question… mais le train ce n'est pas ce soir, c'est demain… et ce n'est pas pour l'opération, mais pour le repos après l'opération… quoi ? si je peux, dans ce cas, passer trois minutes aujourd'hui ? ah non, Monsieur Lévy ! comment pourrais-je passer, même trois minutes, puisque je serai sur le billard ! pardon ? non, c'est vrai, je ne suis pas opérée cette nuit… mais c'est vous qui m'embrouillez, Monsieur Lévy… la veille, c'est-à-dire aujourd'hui, c'est repos d'avant l'anesthésie et j'ai besoin, Monsieur Lévy, de repos – car vous savez ce que c'est, Monsieur Lévy, une anesthésie ? c'est demain, à l'heure même de votre meeting, que j'entre en clinique voilà ce que je peux vous dire… quoi ? votre meeting est aujourd'hui ? ah oui ; vous avez raison… vous m'embrouillez, à la fin… vous me faites dire ce que je ne dis pas… vous me faites confondre train et clinique, lundi et mardi… vous voulez ma mort, ou quoi, Monsieur Lévy ? vous n'avez aucun cœur, Monsieur Lévy ? je vais me faire opérer, est-ce que c'est clair ? et je dois me reposer, c'est tout ce que vous devriez comprendre ; ah, un message… c'est vrai que je pourrais vous envoyer un message… c'est vous qui le liriez ? vous êtes même prêt à me le préparer ? ah... c'est gentil... mais le médecin me déconseille aussi les messages... » Sur quoi Rama Yade raccroche.

Le cas des Syriens me semble plus embêtant. D'abord parce que l'on m'a parlé de pressions sur les familles restées à Damas – ce qui suppose des liens entre le régime et les saboteurs parisiens. Ensuite parce que l'on m'a parlé d'intimidations directes, physiques, sur les onze personnes invitées et qui, d'ailleurs, plus qu'invitées, sont les initiatrices de l'événement. Et troisièmement parce qu'a déferlé sur la Toile arabe, contre moi, un torrent d'injures, de pures désinformations, de montages d'images indignes, me montrant faisant l'apologie, à Gaza, du meurtre des enfants. J'ai dû finir, exaspéré, par prendre le taureau par les cornes, par appeler Alexandre Goldfarb, le chef de la délégation et par débouler, en pleine nuit, à leur hôtel, expliquer aux onze intervenants prévus qui, au début, craignaient même de se montrer, dans le lobby, avec moi : 1. que je suis, en effet, juif ; 2. que le lien avec Israël est constitutif de mon être juif ; 3. qu'il n'y a pas un juif au monde qui, du Bangladesh à la Bosnie, de l'Afghanistan au Darfour et, maintenant, à la Libye, de la fondation de SOS Racisme en France à la lutte contre l'islamisme radical sur l'ensemble de la planète, aura autant fait pour les musulmans du monde ; 4. que si ce cirque continue, si ce climat de suspicion s'installe, j'annulerai purement et simplement le meeting ou, en tout cas, n'y viendrai pas. Les choses, à la fin, rentrent dans l'ordre. Le meeting se tient. Il connaît quelques moments forts (Laurent Fabius). Alexis Lacroix, modérateur sous avis de tempête, se révèle expert dans l'art de tenir une salle

461

difficile. Mais nous avons eu droit, à l'entrée du cinéma, à des hurlements, banderoles, insultes antisémites, tentatives de passages à l'acte. Et surtout, surtout, j'ai vu se mettre en place, avec l'appui diligent de quelques incendiaires des âmes parisiens, une équation que j'hésite même à formuler tant elle me paraît monstrueuse : « mieux vaut avoir tort avec Assad que raison avec Lévy ». Voire : « mieux vaut souffrir sous le premier que s'allier avec le second ». Bref : « plutôt mourir qu'être sauvé par un sioniste ». Démenti à ma thèse de Jérusalem ? Première preuve, concrète, que je me suis trompé en disant que les peuples arabes, une fois déchiré le voile de chimères qui les abrutissait, reviendront à la réalité et à la juste appréciation des justes rapports de forces ? Je parlais des Libyens, naturellement. Mais en même temps... Pour la première fois, j'ai peur.

Mardi 5 juillet *(Les deux islam)*

Le problème est simple. J'ai toujours dit qu'il fallait être implacable avec l'islamofascisme. Et j'ai toujours dit que la seule guerre des civilisations qui tienne c'est celle qui, au sein de l'Islam, oppose les islamofascistes et les modérés, les ennemis de la démocratie et ses amis. C'est cette guerre que je poursuis.

Mercredi 6 juillet *(Comme un juif en Libye)*

Le problème est simple – et ce n'est *pas* un problème. J'ai toujours milité pour un judaïsme ouvert, universaliste, ce judaïsme de l'Autre que m'a transmis Levinas et qui n'est jamais tant lui-même que lorsqu'il tend la main, affronte le regard de l'autre et fait face à son visage. C'est ce combat que je poursuis. Ce « génie du judaïsme » que j'essaie, à nouveau, d'illustrer. L'autre refuse la main que je lui tends ? Peut-être. On verra bien. Au moins l'aurai-je fait. Au moins aurai-je tout fait.

Mercredi 6 juillet, suite *(Israël encore)*

Le problème Israël. Il n'y a pas de problème Israël. Car quel serait le problème ? Que me reprocherait-on ? De soutenir la révolution libyenne sans oublier, pour autant, ma fidélité à Israël ? Pire : d'avoir en ligne de mire une Libye libre rompant avec les fanatismes antérieurs et nouant des relations normales avec Israël ? Mais oui, j'assume. Je suis un militant de la paix. Et ne me lasserai pas, en toute circonstance, de le rappeler. Voilà la vérité.

Mercredi 6 juillet, fin *(Last exit for Kadhafi)*

Déjeuner avec Peter Westmacott, ambassadeur de Grande-Bretagne en France. Il me dit une chose que je n'ai lue nulle part. A Bab al-Azizia, la ville-bunker de Kadhafi, il y a un site, un seul, que les forces coalisées ont soigneusement, jusqu'ici, évité de bombarder : c'est la piste d'aviation privée du Colonel ; celle où stationne son avion personnel qu'aucun missile, non plus, n'a frappé ; et celle d'où, par conséquent, il est prévu qu'il fuie le moment venu. Le message est double, me dit Westmacott en riant. D'abord : vous avez une porte de sortie ; elle est là ; elle vous attend ; un mot ou, plus exactement, un geste de vous et les combats s'arrêtent. Ensuite : attention à vous ; le raisonnement, qui vaut dans un sens, vaut évidemment dans le sens inverse ; si vous vous réveillez un beau matin en apprenant qu'une bombe anglaise ou française a endommagé votre piste privée, alors oui cela voudra dire que vous êtes fait, que le piège s'est refermé et que le compte à rebours est commencé.

Jeudi 7 juillet *(Un émissaire à Tripoli ?)*

Beaucoup repensé, depuis hier, à ma conversation avec Westmacott. Message à Nicolas Sarkozy pour lui suggérer de désigner un envoyé spécial chargé de tenir deux discours à Kadhafi. 1. La partie est finie. Quoi qu'il imagine ou quoi que, plus exactement, s'emploient à lui faire imaginer les agences de désinformation qu'il

464

paie à prix d'or pour leur faire dire ce qu'il souhaite entendre, la coalition est solide, elle ne se démantèlera pas et tant Cameron que Sarkozy sont, eux aussi, le dos au mur – condamnés à l'emporter. 2. Voici, en revanche, une offre ferme. Voici un pays, et un lieu dans ce pays, prêts à vous accueillir, vous et votre famille. Cette offre est valable x jours. Vous me connaissez, Monsieur le Guide. Vous savez que je ne bluffe pas. Cette offre est ferme, indiscutable, à vous de jouer. Cet envoyé spécial chargé, en somme, d'arriver chez Kadhafi la vérité dans une main et la solution dans l'autre ne pourra évidemment pas être français. Ni anglais. Ni, bien entendu, allemand car on ne voit pas pourquoi on ferait ce cadeau à l'Allemagne. Que dire, alors, d'un Espagnol ? Et, parmi les Espagnols, d'Aznar qui connaît bien Kadhafi, en qui celui-ci a, me dit-on, une certaine confiance et que j'ai fait tâter par mon ami Miguel Angel Cortés. Réponse de Sarkozy : « l'idée est bonne ; mais nous l'avions déjà ; ne bouge pas ; n'en parle surtout à personne ».

Vendredi 8 juillet *(Victoire !)*

Les combattants de Misrata embarquent dimanche. Souleiman ira, personnellement, les chercher. Enfin ! Ce sera quand même autre chose que toutes ces « négociations » lamentables !

Samedi 9 juillet *(Vers un* Bosna ! *libyen)*

C'est décidé. Film il y aura. C'est Véronique Cayla qui m'a convaincu. Et j'ai trouvé – il le fallait ! – le producteur idéal. Ce sera François Margolin. Vieux copain. Rencontré il y a trente ans, il me semble que c'est à travers Laurent Dispot. Il avait à peine vingt ans. Il revenait d'Ethiopie et préparait son grand film sur l'odyssée des Falashas. On ne s'est jamais perdus de vue depuis. Il a fait deux documentaires, l'un sur les enfants soldats, l'autre sur les Talibans, que j'aurais aimé réaliser. On a produit ensemble, à la fin des années 1980, un film à sketches contre Le Pen. J'aime bien son côté pince-sans-rire, sa façade de dandy un peu lunaire, piéton de Paris, blond éteint, mystérieux. J'aime – nous en aurons besoin – son courage, son cran. Et puis il y a cette coïncidence, de nouveau, extraordinaire. Je lui parle du projet tel que je le vois. J'évoque le rôle des uns et des autres. Je lui raconte le « fil espagnol » qui nous relie, Gilles, Marc Roussel et moi. Et il me répond, sur le ton très en arrière de la main qu'il prend toujours pour dire les choses importantes : « c'est drôle… est-ce que tu sais que mon grand-père, Robert Lantz, a été l'un des argentiers des livraisons d'armes à l'Espagne républicaine ? il était lié à Blum… il avait été témoin de son désarroi quand il a été contraint, ou s'est contraint, à la non-intervention… et, Blum fermant les yeux, il a mis en place toute une filière de livraisons à partir de contrats passés avec la Lituanie qui, ensuite, réacheminait par bateaux jusqu'à Barcelone… il y avait des fusils… des canons… je n'ai jamais su, avec précision, s'il y avait, ou non, des avions en pièces détachées, mais je crois bien

466

que si… est-ce que ça ne ressemble pas furieusement aux livraisons françaises, aujourd'hui, via le Qatar ? ». Croyez-vous en Dieu, demandait au narrateur le prêtre de *L'Adieu aux armes*. Parfois la nuit, répondait-il. Parfois le jour, aussi, dans des circonstances comme celle-ci.

Dimanche 10 juillet *(Les hommes de Misrata)*

Nicolas Sarkozy au téléphone. Fort de Brégançon. 10 heures. Conversation brève. Il m'annonce une offensive, une grosse offensive, les Libyens disent un « big push », pour le milieu de la semaine, sans doute jeudi. Je lui dis, moi, que les gens de Misrata sont, à l'heure qu'il est, enfin dans le bateau. Il me confirme qu'il les recevra, oui, non pas mardi car il sera en Afghanistan, mais mercredi. La délégation sera composée du général Ramadan Ali Zarmouh, l'homme qui nous avait pilotés à Misrata et nous avait ouvert la voie, au port, au moment du départ ; de son adjoint, le colonel Ahmed Hashem, dont Ali me dit qu'il était là aussi, que je ne connais que lui, que je le reconnaîtrai dès que je le verrai ; de Khalifa Azwawi, l'homme qui m'a fait citoyen d'honneur, le président du Conseil de la ville ; et, bien sûr, de Souleiman Fortia qui est allé, en personne, les chercher.

Dimanche 10 juillet, suite *(Le bateau était vide)*

11 juillet plutôt. Car déjà 2 heures du matin. Tout était prêt. Le bateau, parti de Malte, était arrivé hier,

samedi, à l'embarcadère que je connais, sur le port de Misrata, là où nous avions été accueillis par le tir de kalache. Daniel Rondeau, mon vieux copain Daniel Rondeau, l'ex-mao devenu ambassadeur à Malte, avait reçu toutes les photocopies des passeports et réglé tous les problèmes liés à l'entrée dans l'espace Schengen. Puga leur avait fixé rendez-vous demain, lundi, à 17 heures, à l'Elysée. Le Président devait, comme prévu, les recevoir le surlendemain. Je devais, moi-même, tout à l'heure, aux aurores, partir les accueillir à Malte pour, de là, les ramener à Paris. Et, à 1 heure du matin, je reçois un e-mail du fils de Souleiman m'apprenant qu'il vient de recevoir un appel du capitaine du bateau qui, sitôt arrivé dans les eaux territoriales maltaises, l'a informé qu'il a attendu, attendu, mais que ni le général Zarmouh ni le colonel ni personne ne s'est présenté au lieu dit et qu'il a dû finir par appareiller, sans eux, ce matin. Ce qui s'est passé ? Personne n'en sait rien. Personne n'a aucun moyen de le savoir, vu qu'il n'y a pas de téléphones à Misrata. Sans doute une reprise des combats. Peut-être cette offensive des hommes de Kadhafi sur le front d'Abdul Raouf qu'annonçait, tout à l'heure, le site de *Libération*. Et nos amis retenus sur le front. Je ne sais pas. Mais je suis, évidemment, catastrophé. Tout est à reprendre. Tout.

Lundi 11 juillet *(Haute stratégie)*

Nouveau message du fils de Souleiman m'annonçant qu'un nouveau bateau, affrété, celui-ci, par Bachir Sebbah, quitte Misrata demain, mardi, mais

468

pour Tunis. Puis-je récupérer nos amis à Tunis, où ils arriveront mercredi soir ? Et les rencontres prévues, avec le Président, puis avec les militaires, ou l'inverse, pourront-elles se tenir à ce moment-là ? Oui, bien sûr ! Je n'hésite pas une seconde à lui dire oui ! Mais c'est du côté de l'Elysée que, cette fois, va venir le problème. J'appelle, en effet, Puga. Je lui annonce, fou de joie, la bonne nouvelle. Mais voilà... Le « big push » que m'avait annoncé Sarkozy pour jeudi soir... Il se précise... Et, avec ce « big push », l'arrivée de nos amis entrerait en collision, compétition, contre-production... J'objecte. Je plaide. Je dis que je ne comprends pas ; qu'il n'y a pas de collision qui tienne ; que c'est trop bête ; que cela n'a pas de sens ; que tout marche ensemble au contraire ; que c'est ce qui était convenu ; etc. Mais il est inflexible. Je sens qu'il ne me dit pas tout. Peut-être des considérations militaires, en effet. Peut-être une attaque de diversion sur le front est, dont la visite des gens de Misrata réduirait la visibilité. C'est cela, oui. C'est, à cet instant, le plus plausible. Supposons en effet que l'attaque annoncée sur le front de Brega soit un piège dans lequel on tenterait d'attirer Kadhafi en l'amenant à masser là un maximum de forces : est-ce que la visite de combat-tants dont il est prévu qu'ils ouvriront un autre front, décisif, aux portes de Tripoli, ne va pas brouiller le message et tout compliquer ? C'est moi qui, cette fois, dois annuler. La mort dans l'âme, mais annuler. Je suis trop découragé pour m'étendre davantage.

Mercredi 13 juillet *(Pour en finir avec le souverainisme)*

Emission, hier soir, sur La Chaîne Parlementaire, en marge du débat sur la prolongation de la guerre, entre le député UMP Philippe Vitel et trois adversaires de l'intervention dont Rony Brauman.

Ces gens peuvent dire ce qu'ils veulent.

Ils peuvent jurer leurs grands dieux que leur problème ce n'est pas le principe de l'intervention mais sa faisabilité et, disent-ils, son échec annoncé.

Ils peuvent répéter, main sur le cœur, que, s'ils avaient pensé, une seule seconde, qu'elle pouvait marcher et hâter l'avènement d'une démocratie, ils auraient été les premiers à s'en faire les avocats.

Ils peuvent nous saouler de leurs considérations prétendument expertes sur la division tribale de la Libye et de leurs comptes d'apothicaires sur les « 6 000 morts », ou non, de la répression kadhafiste lors des journées de février et ensuite.

Le fond du problème est simple.

Soit un peuple sous la botte. Soit un despote dont tous s'accordent à dire, comme on répète un mot de passe ou un mantra, qu'ils ne sont pas-suspects-de-sympathie-ni-d'indulgence-à-son-endroit. Une démocratie a-t-elle le droit, oui ou non, d'avoir une opinion sur la question ? Si oui, a-t-elle le droit de contribuer, si elle le peut, à la protection, voire, s'il le demande, à la libération du peuple concerné ? Ou bien cette libération doit-elle être l'affaire des seuls membres du peuple en question — le reste des humains assistant, bras croisés, au spectacle de ses efforts, de ses morts et, éventuellement, de sa destruction ?

D'un côté le « de quel droit ! » que Brauman lance, à plusieurs reprises, la rage aux lèvres, au député ; cette façon de répéter « de quel droit, mais oui, de quel droit nous arrogerions-nous, nous, les anciens coloniaux, le pouvoir de décider qui, à l'intérieur des frontières de la Libye, doit gouverner et qui ne le peut plus » ; l'idée, en d'autres termes, que si le sort vous a fait naître dans l'espace délimité par telle ou telle frontière, c'est triste, c'est injuste, mais c'est ainsi et cet espace sera votre destin.

De l'autre, l'idée que les frontières ne sont pas tout ; que l'espace n'est ni le premier ni le dernier mot de l'espèce humaine ; que les Etats sont une source de souveraineté, bien sûr, mais que ce n'est pas la seule ; qu'ils sont les garants du droit, d'accord, mais que les individus ont d'autres droits – on les appellera « naturels » ou « transnationaux » – que ceux qui leur sont reconnus par les Etats ; l'idée, en d'autres termes, que si une fraction de l'humanité est massacrée, humiliée, tuée, le reste de l'humanité a le droit, oui, de s'en mêler.

La première théorie s'appelle le souverainisme. C'est la théorie dont un certain Goebbels, avec son « charbonnier est maître chez soi », a frappé, à jamais, la devise. Et sa conséquence logique est que les Etats ont un pouvoir sans limite ; que la seule limite qui les limite est leur limite géographique ; et que les individus, à l'intérieur de cette limite, ne peuvent réclamer que des droits garantis par un Etat.

La seconde théorie s'appelle l'internationalisme ; elle est le meilleur de l'héritage, conjoint, de l'humanisme des Lumières et du marxisme d'autrefois ; elle puise, également, dans l'héritage d'un judéo-christianisme postulant, contre tous les paganismes, l'unité du genre humain et compatible, naturellement, avec le message universaliste que porte, aussi, l'islam ; elle est la seule qui, concluant à ce devoir moral de solidarité avec tous les peuples asservis de la planète, continue de vouloir donner un sens au beau mot de fraternité.

Mercredi 13 juillet, suite *(Quatrième voyage en Libye)*

Plein été.

Douceur du Sud.

Cette lecture publique d'Althusser que je me réjouissais de donner, ce soir, en Avignon, avec Sami Frey.

Je voulais le faire en mémoire d'Althusser qui est celui qui, au fond, m'a enseigné cette vertu de l'internationalisme.

Je voulais le faire pour Corpet, Olivier Corpet, mon compagnon dans cette aventure, l'éditeur de ces *Lettres à Hélène*, il s'en faisait lui-même une telle joie.

Et puis ce duo avec Frey m'amusait : depuis le temps que j'entends parler de ce vague air de famille que nous aurions ! il y a eu ce dîner, à Porto, avec Schuhl, Caven et Arielle, sur le tournage du film de Daniel Schmid ; il y a eu Delphine Seyrig croisée, avec lui, dans les mêmes années, ou peut-être un peu plus tôt ; il y a eu, de son côté, ce type qui lui a mis son poing dans la figure, un soir, chez Lipp, parce qu'il l'avait pris pour moi.

Mais voilà.

J'ai changé d'avis.

D'abord, je n'en peux plus d'espérer les commandants de Misrata ; ces retards me minent ; ces rendez-vous manqués me dévastent ; l'idée d'être ici, dans mon village plein de soleil tandis qu'agonise Misrata, mon autre ville, celle qui m'a honoré et, en m'honorant, m'a choisi, m'est devenue insupportable ; et, attente pour attente, je préfère encore attendre en Libye.

Et puis ensuite, ça a l'air bizarre mais c'est comme ça : j'ai encore lu, ce matin, un énième article sur les opérations qui s'enlisent, la sale guerre de l'OTAN, le pétrin où nous ont mis les Bernard-Henri Lévy, Kadhafi imbattable, la loi des tribus indépassable ; et ça m'a tellement agacé, tellement contrarié, j'en ai eu tellement marre, tout à coup, d'entendre répéter les mêmes sornettes que j'ai décidé de tout annuler, de tout envoyer promener pour retourner en Libye et, en Libye, non plus à Misrata où j'ai repris, ce matin, tout à zéro (et il ne reste, de nouveau, qu'à attendre) mais dans cette autre région que je ne connais pas, dont Abdelfattah Younès et Mustafa El-Sagezli étaient venus parler à Sarkozy et où je sais que tout, aussi, se joue — au nord-ouest du pays, à une heure de voiture de Tripoli, le haut plateau montagneux du Djebel Nafoussa.

Coup de téléphone à Mansour qui me répond par son éternel : « ok, d'accord, pas de problème ».

Puis à Ali qui se trouve quelque part entre Bruxelles et je ne sais quelle capitale africaine, je ne parviens plus à le suivre, je m'y perds, il m'arrive même de me demander comment il fait, comment il tient, un Etat à lui tout seul, au moins un Quai d'Orsay, une sorte de spoutnik diplomatique en orbite permanente autour

473

de la planète et tournant de capitale en capitale pour négocier, ici une reconnaissance, là une représentation, là encore une livraison d'armes : et toujours cette bonne humeur, cet enthousiasme contagieux, ces rires d'adolescent – juste, là, une légère hésitation ; une pointe d'inquiétude ; peut-être a-t-il, pour une fois, moins de contacts qu'il ne le dit ; peut-être ne connaît-il pas la région, lui non plus ; ou peut-être ces combattants de la montagne, mi-arabes mi-berbères, ne sont-ils pas encore, tout à fait, dans l'orbite politique du Conseil national de transition. Qu'à cela ne tienne, lui dis-je. Sers-toi de moi. Sers-toi de ce voyage. Et allons, de conserve, planter le drapeau du CNT.

Coup de fil, encore, à tous ceux de l'équipe habituelle : Gilles, bien sûr, que je cueille à l'instant où il va disparaître sur son bateau ; Franck, déjà parti dans une mission où il va se faire remplacer ; Marc qui fait rentrer Thomas Lebon de vacances ainsi que Camille Lotteau, l'un des ingénieurs du son fétiches de Raoul Ruiz ; et, puisque film il y a désormais, François Margolin.

Et départ décidé pour après-demain. Djerba d'abord. Puis la route jusqu'à la frontière tunisienne. Et puis la montagne libyenne. Ce sera mon quatrième séjour en Libye.

Quatrième partie

LA VICTOIRE

Vendredi 15 juillet (*Le démon du voyage*)

Djerba.

Aéroport vide.

Pas, ou peu, de touristes.

Des policiers tunisiens désœuvrés.

Un maximum d'embêtements, et de paperasseries, avant que ne soit dédouanée l'arme de Franck.

Des types bizarres qui rôdent, comme nous, dans la salle d'embarquement déserte et nous observent sans aménité.

Des Libyens, je pense.

Oui, des Libyens, confirme Ali.

Mais pas précisément des amis de la Libye libre.

Je réalise que, s'il y a cette route, que nous allons prendre, pour le Djebel Nafoussa, il y en a une autre, pas très loin, la côtière, qui fonctionne dans l'autre sens.

Je réalise, plus exactement, que, de même que Kadhafi a toujours cette piste d'aviation dont me parlait, l'autre jour, l'ambassadeur de Grande-Bretagne, de même il lui reste cette voie terrestre que l'OTAN n'a

477

jamais bombardée et qui permet à ses gens : 1) de venir, comme le petit Mohammed Elgiloushi, « négocier » à Paris ou ailleurs ; 2) de partir, comme ces gens que nous croisons, passer un week-end loin des vapeurs de la guerre.

Pourquoi ne la bombarde-t-on pas ?

Pourquoi une offensive conjointe des insurgés et de l'OTAN n'en prend-elle pas le contrôle ?

Parce qu'on ne le veut pas.

Parce qu'on laisse, une fois de plus, cette porte de sortie à Kadhafi.

Il a toujours le choix, Kadhafi, entre continuer la guerre, prolonger les souffrances de son peuple – et se rendre.

Inversement, il faudrait, en bonne logique, dans les jours ou les semaines qui viennent, ne pas perdre de vue cette route : car le signe que la coalition aura perdu patience, l'indication la plus sûre de l'offensive finale, la preuve qu'on ne négociera plus et qu'on mettra, sur Kadhafi, la pression définitive, ce sera la fermeture, et de la piste (d'aviation), et de cette route (terrestre).

Quatre voitures nous attendent.

Un 4 × 4 conduit par un homme que tout le monde appelle « le Docteur » : un médecin qui a fait sa carrière à Dublin mais a tenu à revenir, comme tant d'autres, quand la guerre a éclaté – c'est avec lui que je monte, en compagnie de Gilles et Franck.

Deux grosses cylindrées conduites, l'une par le jeune frère du Docteur, l'autre par un humanitaire libyen, en charge de la rotation des médecins dans les camps de réfugiés en Tunisie : c'est là que prend place le reste de l'équipe.

Et puis, en tête de convoi, une voiture dite « de sécurité » même si les hommes qui y prennent place ne sont pas armés : les Tunisiens semblent interdire les armes ; et, à en juger par le nombre des checkpoints, par l'humeur pour le moins maussade des hommes qui les tiennent ainsi que, chaque fois, par leur façon d'examiner sous toutes les coutures le permis de port d'arme de Franck, de s'isoler de longues minutes dans un poste fermé pour en référer à Dieu sait qui et de nous compliquer la vie, je vois bien qu'ils prennent cette interdiction très au sérieux.

Nous arrivons au bout d'une heure à Tataouine, la dernière ville avant la Libye, où viennent souffler les rares journalistes qui s'aventurent dans le Djebel Nafoussa et où nous allons dîner et dormir quelques heures.

Samedi 16 juillet *(On the road, again)*

Nous avons repris la route à 4 h 30 du matin, bagages restés dans les coffres, pour ne pas perdre de temps.

Une heure plus tard, encore à moitié endormis, nous sommes arrivés à la frontière, que nous trouvons, à notre grande surprise, infiniment plus paisible que l'autre, l'égyptienne, telle que nous l'avons vue lors de nos deux passages.

Peu ou pas de réfugiés (parce qu'ils sont installés dans les camps dont parlait, hier, le frère du Docteur de Dublin ? parce que, les combattants du Djebel ayant repris la plupart de leurs villes, ils ont commencé de revenir ?).

Peu ou pas de voitures ni dans notre sens (ce qui ne me surprend guère car peu de journalistes, encore une fois, dans le Djebel, et pas ou guère d'humanitaires) ni dans l'autre (ce qui, pour le coup, confirme que le flux des réfugiés a été stoppé et que la vie, de l'autre côté, revient à la normale).

Tout de suite, en revanche, des traces de combats.

Dès Wazen-Dhiba, première ville libyenne que nous traversons, des squelettes de maisons brûlées, des impacts de tirs à la 12,7 sur celles qui sont encore debout, des cratères de bombes.

Et, avant même cela, sur la frontière, juste derrière le joli bâtiment passé à la chaux où est écrit, en français, « Bienvenue en Lybia (sic) libre » et où s'affiche un portrait géant de Khalifa Askar, le héros de la guerre contre les Italiens, ce trou en pleine route que l'on a comblé de pierres et de gravillons et celui, cinquante mètres plus loin, à l'écart de la route, en plein désert, qu'ont provoqués deux Grad tombées il y a deux jours.

Les Libyens, de ce côté-ci non plus, n'ont pas prévu d'escorte : mais Franck est conduit derrière un tas de pierres éboulées qui a dû être une maison et dont il ne reste, debout, qu'un pan de façade où est écrit : « mon frère n'est pas le fils de mon père et de ma mère, c'est celui qui porte les armes avec moi » ; il en revient, quelques minutes plus tard, avec un fusil d'assaut qu'il considère d'un air sceptique ; l'arme ne lui convenant décidément pas – elle intègre un lance-grenades automatique qui la rend à la fois trop lourde et peu maniable – nous nous arrêtons, 100 mètres plus

480

loin, dans une ferme abandonnée où il y a plus de choix et où on lui donne une kalachnikov.

Il nous faut une heure pour, sur une route droite, dominant la plaine, sorte de lointain balcon sur Tripoli semé de postes bien fortifiés, arriver à Kabaw, en pays berbère.

Une autre pour arriver à Temzin.

A 50 kilomètres de la frontière, mi-chemin de la ville arabe de Zintan et de la ville berbère de Nalout, nous tombons, à la caserne de Jweibya, sur le spectacle de deux cents chars qu'a laissés, dans sa déroute, la soldatesque de Kadhafi.

Plus extraordinaire encore, ils présentent, ces chars, une particularité qui, lorsqu'ils en ont pris possession, a plongé les insurgés dans la perplexité : à tous, manque le même « percuteur » qui permet de tirer ; que s'est-il passé, demandons-nous au chef insurgé qui tient la place ? sabotage de la part d'une troupe adepte, comme partout dans le Djebel, de la politique de la terre brûlée et qui aurait trouvé le temps, avant de se replier, de démonter les deux cents percuteurs (on nous en montre vingt, qui ont été repêchés dans un bassin et qui plaident pour cette hypothèse) ? ou bien les tanks ont-ils toujours été comme cela, Kadhafi se méfiant de ses propres soldats et accumulant les armes sophistiquées comme autant de jouets merveilleux mais cassés (ou comme autant de leurres, d'armes fantômes, absurdement trafiquées et, d'emblée, hors d'usage) ?

Au passage, nous vérifions, une fois de plus, comme partout dans cet Ubuland, que nos cartes sont fausses, toutes, celle que nous avons apportée de Paris comme celles que Margolin a trouvées à Londres : distances absurdes ; altitudes pas crédibles ; pistes indiquées mais fondues dans la rocaille ou dans les sables ; en gros caractères, les noms de hameaux ou de villes qui n'existent pas ; les villes, les vraies, en tout petit, ou en italiques, comme si c'étaient des lieux-dits.

C'est autour de 10 heures, après nous être trompés deux fois et avoir failli, la deuxième fois, induits en erreur par une des fantaisies de la carte, descendre pile, dans la vallée, sur les premières lignes kadhafistes, que nous arrivons à Zintan, capitale du Djebel Nafoussa et QG de ses forces de défense.

A-t-on été prévenu de notre arrivée ?

Ali m'avait assuré que non (sécurité, etc.).

Mais le fait est que nous sommes aussitôt reçus, au siège de la municipalité, par un général modèle Abdelfattah Younès (même chevelure gris argenté, même gueule de baroudeur, même uniforme kaki de l'ancienne armée libyenne et même côté bravache et blagueur).

Au bout d'une demi-heure d'échanges formels, survient un homme en chasuble et pantalon bouffant blancs, gilet noir, coiffé d'un tarbouche d'un blanc immaculé, qui vient s'asseoir, près du général, sur un tabouret bas, un Coran dans une main et un colt dans l'autre — qu'il pose, tous deux, sur le gros bureau de bois verni devant lui. Il s'appelle Mokhtar Khalifa. Il est, lui aussi, malgré son habit civil, officier. Mais, à une série de menus signes (le respect que semble lui témoigner le général ; son changement de ton, plus blagueur du tout, dès qu'il apparaît ; l'œil noir et sans aménité avec lequel lui, l'officier nouveau venu, nous considère ; sa façon, pendant de longues minutes, de ne rien dire, absolument rien, c'est moi qui parle, il ne fait que me scruter, et nous détailler tous, de son œil d'épervier qui prend son temps ; le colt, en évidence ; le tabouret, presque le strapontin, dont il s'accommode comme on fait quand on est sûr de son autorité), à ces menus signes, on voit bien que c'est lui qui, alors qu'il est d'un grade inférieur, probablement colonel, a, comme, à Benghazi, El-Sagezli sur Younès, l'ascendant sur le premier ; et ce n'est qu'une fois l'examen achevé, quand lui, le colonel, le décide et, d'un imperceptible mouvement de menton, le signifie au général que celui-ci se détend et s'autorise, de nouveau, à sourire.

Pour l'heure, c'est moi qui parle.

Je dis ma joie d'être venu jusqu'ici, avec Ali Zeidan, représentant du Conseil national de transition, seule autorité légitime de la nouvelle Libye mais dont je sais qu'aucun représentant d'aussi haut rang n'avait encore, jusqu'aujourd'hui, trouvé l'occasion de faire le voyage – tant mieux si cette mission permet ce contact ; tant mieux si elle fait que soit rappelée « l'éminente autorité » du CNT.

Je dis la renommée internationale d'Ali, son aura en France et en Europe – j'insiste lourdement sur le fait que c'est à lui, à la France bien sûr mais aussi à lui, que le Djebel doit d'avoir reçu les quarante tonnes de bonnes armes qui ont déjà permis de bouter Kadhafi hors de la région et qui, le moment venu, en bonne synchronisation avec les combattants de Misrata, permettront de marcher sur Tripoli.

J'explique aussi que ce privilège d'avoir reçu plus d'armes et de matériels que toutes les autres régions de la Libye libre crée des obligations : quid de vos geôles, par exemple ? comment traitez-vous vos prisonniers

483

de guerre ? une armée de libération se jugeant aussi à sa façon de traiter ses ennemis vaincus, nous serait-il possible d'interroger, hors de votre présence, librement, certains d'entre eux ?

Et les accusations que vient de lancer contre vous l'organisation humanitaire Human Rights Watch ? ajoute Gilles. Il sort un numéro de *Libération* où un article en faisait état. L'officier en civil fait le geste de chasser une mouche, très vite, comme un réflexe, une moue de dégoût appuyant le mouvement de la main. Puis, réalisant que ce n'est pas l'attitude requise chez un officier en civil d'une armée à vocation démocratique, il reprend son geste, l'inverse pour ainsi dire — en faisant le mouvement, non plus de chasser, mais d'attraper la mouche puis, comme s'il écrasait une *vraie* mouche, en tapant sur la table, très fort, ce qui a pour effet de faire sursauter l'officier genre Younès. Human Rights Watch, insiste Gilles, vous reproche des saccages, des exactions, apparemment pas d'exécutions sommaires, mais des passages à tabac, des pillages d'hôpitaux, des mesures discriminatoires à l'endroit de civils membres de la tribu, réputée proche de Kadhafi, des Michachya. Votre réaction à ces accusations ? Et, si vous démentez, pouvez-vous nous donner des éléments, des contre-preuves — pouvez-vous prouver que l'ONG s'est trompée ?

Et puis le front, enfin. Nous souhaitons monter au front, enchaînent François Margolin et Marc Roussel. D'abord parce que nous réalisons un film sur l'épopée de la Libye libre et que nous avons besoin d'images de vos Braves. Mais aussi parce qu'il y a une autre question, encore, que l'on se pose en France et à laquelle nous n'aurons de réponse qu'en allant voir vos combattants : les relations des Berbères et des Arabes – cette rivalité ancestrale sur laquelle a joué Kadhafi et dont nous voulons savoir si la rébellion, la lutte anti-Kadhafi, la fraternité d'armes, la résorbent ou non. Qui se bat à Goualich, par exemple ? Arabes ou Berbères ? Etes-vous prêt à nous y amener afin de nous donner la preuve, là aussi, que la coalition, en livrant des armes, n'est pas en train de jeter de l'huile sur le feu d'une future guerre tribale ?

Nous avons tout dit, tout déballé, joué le tout pour le tout.

Et, à partir de là, de deux choses l'une : ou bien le méchant colonel persévère dans sa mauvaise humeur – ou bien...

C'est la deuxième option qui est la bonne.

J'ignore pourquoi mais son visage s'est légèrement déridé et, aimable soudain, il accède à nos demandes – et propose, pour le moment, de nous accompagner lui-même sur le front, à Goualich, dernier hameau tenu par les insurgés et où ils font face aux kadhafistes.

Samedi 16 juillet, suite *(Sur le front de Goualich)*

Route du Nord.

Un pick-up, monté d'une mitrailleuse pointée vers le ciel, pour nous ouvrir la route.

Un autre, chargé d'hommes, une mitrailleuse aussi, que nous attrapons au deuxième checkpoint après Zintan et qui fermera le convoi.

Le colonel, dans son propre pick-up, sans autre arme, semble-t-il, que son colt, sans mitrailleuse non plus sur le toit, le général blagueur lui faisant office de chauffeur, colle au premier pick-up et je colle, moi, à son pick-up, les deux autres voitures, celle d'Ali et Mansour, puis celle de Marc et de son équipe, encore après. De là où je suis, derrière lui donc, je ne me lasse pas de l'observer : étrangement immobile ; sa nuque tressaillant à peine dans les cahots ; vitre baissée et coude posé sur le bord de la portière comme dans un film sur la Dolce Vita ; fumant, de l'autre main, cigarette sur cigarette et c'est bien le seul geste qui brise son immobilité, farouche ou rêveuse je ne sais — un instant, je songe à Massoud, immobile lui aussi, perdu dans ses pensées, à l'avant du gros hélicoptère de l'âge soviétique, son dernier lien avec le monde extérieur, que nous avions pris, avec lui, à Douchanbe, pour rallier le Panshir.

Nous passons par des villages dévastés.

Des paysages de terre brûlée, à la lettre brûlée.

Nous voyons les restes des troupeaux qu'ont brûlés vifs, dans leur recul, les hommes de Kadhafi.

Au bout de 60 kilomètres, nous arrivons enfin sur la langue de terre, tout en longueur, un kilomètre et demi, qui constitue la ligne de front et où se succèdent, comme autant de fortins, une enfilade de maisons de bois, de torchis ou de briques de béton.

Nous allons à la dernière.

Très vite, zigzaguant dans le sable car nous sommes à découvert, nous franchissons la distance qui nous en sépare.

Et nous arrivons, ainsi, à l'ultime casemate, celle-là même qu'ont tenue, toute la nuit dernière, face à une brigade kadhafiste repliée, désormais, sur Al-Assabah, les villageois de Goualich.

Il y a là une cinquantaine d'hommes.

La plupart sont, comme d'habitude, des civils qui n'avaient, avant cette guerre, jamais touché une arme de leur vie.

Ils ont été formés au camp voisin de Jadu et, outre les trois pièces d'artillerie que nous apercevons, en sûreté, dans la partie bunkérisée du fortin, ils ont chacun un fusil d'assaut et, parfois, une ou deux grenades à la ceinture.

On les sent épuisés par les combats de la nuit.

Leurs uniformes couleur sable, récupérés sur des kadhafistes faits prisonniers, sont couverts de sueur et de poussière.

Ils portent des chèches qui les protègent contre la chaleur et font ressortir, dans les regards, une flamme trouble que ne rendra jamais une photo ou une image de film.

Un blessé, les pieds bandés, cerné par les mouches, est sur une civière.

Un autre près de lui, mais je ne suis pas sûr qu'il soit blessé, peut-être est-il juste épuisé, dort à même le sol, roulé en boule, la bouche ouverte, dans un drapeau qui lui fait office de drap.

Un petit groupe joue aux osselets, assis par terre, silencieux, buvant du thé, on dirait qu'ils veillent le blessé, ou l'homme endormi, ou les deux, ils nous regardent à peine.

C'est une des choses qui me frappent : ce silence ; cette dureté des visages ; cette âpreté ; cette absence, très étrange, même au repos, de gaieté, de légèreté ; ce peu de commerce, non seulement avec nous, mais entre eux ; très différent, tout à coup, de *l'urbanité* des rapports sur les fronts de l'est, à Benghazi, Misrata.

Le front est calme, à cet instant.

C'est l'heure de la prière et, après la prière, d'un repas sommaire que nous sommes censés partager avec eux : servis, en silence encore, comme dans un cloître à ciel ouvert, dans des quarts en étain, ce sont des bouts de viande en conserve noyés dans une purée d'oignons qui est, hélas, pour moi dissuasive mais qui n'empêche pas Gilles de trouver le tout « délicieux » et, quand il a fini sa ration, de l'échanger discrètement contre la mienne.

Ali Zeidan, après qu'ils sont allés, tour à tour, dans un ruisseau derrière nous, laver leurs quarts, prend le temps de rassembler les hommes et, aussi à l'aise face à ces montagnards que face aux chefs d'Etat et diplomates qui font son ordinaire, leur fait un beau discours, martial et politique, très Jean Moulin appelant à l'unité des groupes de résistance et des fronts.

Engoncé dans le gilet pare-éclats que j'ai enfilé, pour une fois, sous ma chemise et que je déteste, prenant la parole, à mon tour, sous l'œil sceptique, méfiant ou indifférent de la plupart, je m'engage à me faire l'écho, comme lui, Ali, à mon retour, auprès de l'opinion et des institutions de mon pays, de la vaillance de ces hommes, de leur détermination à vaincre et, encore, de leur unité.

Nous partons ensuite, mais pour revenir deux heures plus tard, le colonel Khalifa ayant, entre-temps, sur un autre point du front, un rendez-vous mystérieux et nous ayant prié de l'attendre, à l'abri, au checkpoint voisin (où je profite du « battement » pour parler à des journalistes) – et, là, à la tombée du soir, c'est un début de fantasia.

Depuis une pièce d'artillerie mobile que je n'avais pas vue car elle était cachée, à droite, de l'autre côté du poste, les insurgés tirent une salve.

Ils essuient un tir en retour, plus puissant, mais trop long, qui atterrit derrière nos lignes.

Puis, eux, une autre série de tirs, dont un, le premier, que je les soupçonne de nous « offrir » pour que Marc le filme – à quoi ceux d'en face ripostent par deux nouveaux obus, plus précis, et qui nous obligent à nous mettre à couvert, dans la poussière, couchés, mon gilet m'embarrassant décidément beaucoup.

Quand nous repartons pour de bon, j'ai vérifié deux choses.

Le courage de ces hommes, leur sang-froid au moment des tirs adverses – plus rien à voir, là non plus, comme déjà à Misrata, avec l'affolement, l'effervescence, l'amateurisme magnifique, au début de la guerre, des fronts de Brega, Ras Lanouf ou Ajdabiya.

Sur la question des relations entre Arabes et Amazighs, un équilibre presque exact entre les deux communautés : j'ai demandé à les dénombrer au moment du dîner ; à contrecœur, ils m'ont laissé faire ; ici, en tout cas, à Goualich, il y a vingt-trois Arabes pour vingt-huit Berbères et pas trace, très franchement, de cette tension interethnique dont je m'inquiétais et dont on dit, en Europe, qu'elle pourrait faire obstacle à la victoire.

Un témoignage.

Dimanche 17 juillet *(Choses vues dans le Djebel Nafoussa)*

Kabaw.

Deuxième nuit dans la maison de Mahmoud, un ancien commerçant, au cœur de la ville déserte de Kabaw.

Un vrai et merveilleux dîner (plat de viande, riz, raisins, sodas à gogo).

Puis nattes à même le sol, comme hier, deux par pièce, obscurité totale (c'est l'avantage).

Je n'ai pas dormi la nuit dernière, dérangé par un cancrelat que j'ai tenté, jusqu'à l'aube, de tuer avec ma chaussure.

Je vais essayer de faire mieux cette nuit – d'autant que Mahmoud a inondé la pièce de fly-tox et m'a donné, avec délicatesse, sans commentaire, un coussin et une couverture supplémentaires.

Mais, en attendant, je note.

Vite, sans ordre, à la fois pour trouver le sommeil et parce que je crains, tout à coup, d'oublier les choses, je consigne, très vite, à la seule lueur de mon PC, ces quelques scènes de la vie dans le Djebel Nafoussa.

On trouve tout dans les ruelles de Zintan où nous a conduits le colonel Mokhtar Khalifa, histoire de nous montrer, après le front, les traces des derniers combats et dévastations (routes cassées ; immeubles détruits ; cet immeuble où un missile – je n'arrive pas à comprendre comment – est entré par le toit, a percé les trois étages et est arrivé jusqu'aux caves). On trouve des caisses de munitions vides empilées dans une cage d'escalier. Des pick-up à l'arrière desquels ont été oubliées des roquettes de fabrication russe prises, elles aussi, à Kadhafi. Et on trouve, oublié sur la plage arrière d'une camionnette, un cylindre de fer blanc, 50 cm de hauteur, 20 de diamètre, étiqueté « 1 igniter for napalm bomb », qui a été saisi dans un fortin kadhafiste de Bir Ghanam. La preuve que Kadhafi utilise, a utilisé ou s'apprêtait à utiliser la plus sale des armes sales ?

Zintan encore. Une madrasa transformée en prison militaire. J'ai dit à Bachir Milad, ancien chauffeur de taxi et, aujourd'hui, directeur de la prison, que je souhaitais rencontrer seul avec mon équipe, sans témoins libyens, ceux de ses prisonniers qui l'accepteraient. Ils sont dix-huit hommes, certains assis, certains couchés, sur des matelas, dans une salle commune, aérée par une grande fenêtre dans le mur gauche en entrant. Les uns se cachent le visage, car ils ne veulent pas être filmés. D'autres, la plupart, acceptent. Pas de récits faisant état de mauvais traitements. Pas de traces visibles de coups. Des plateaux repas en plastique arrivent pendant que nous sommes là, plutôt corrects (riz, poisson pané, poivron). Et un témoignage au moins raconte l'histoire d'une unité de chars avançant vers une tranchée rebelle avec, sur ses arrières, autant de snipers que de tankistes (ceux-là menaçant ceux-ci de les abattre à la moindre velléité de recul ou de fraternisation avec l'ennemi).

Dans la pièce voisine, d'autres prisonniers, en nombre égal, mais venus, eux, du Niger, du Tchad, du Soudan. Une indication sur la proportion des mercenaires dans l'armée dite « loyaliste » ? L'aveu d'un Kadhafi s'entourant, tels les rois normands de Palerme, d'une garde sarrasine dont il sait qu'elle

491

n'aura, elle, d'autre choix que de tenir jusqu'au bout ? Ce qui frappe, pour l'instant, c'est le côté pauvres types de ces hommes, intimidés, presque terrifiés, m'expliquant qu'ils se sont à peine battus, qu'ils ont reçu une formation militaire à peine meilleure que celle de leurs adversaires – certains, d'ailleurs, prétendant qu'ils étaient déjà en Libye et qu'ils ont été recrutés voire, à les entendre, raflés parmi le million et demi de travailleurs immigrés qui formaient l'armée de réserve des soutiers du régime. Je ne sais pas s'ils disent la vérité. Et peut-être est-ce Bachir Milad qu'il faut croire quand il me dit, plus tard, après la séance d'interviews, en éclatant de rire, qu'ils ont tous été pris les armes à la main, qu'ils ont du sang libyen sur la conscience, que ce sont des chiens de guerre. Mais ce qui est sûr c'est qu'on est loin de l'image que je me faisais des terribles guerriers de Kadhafi. On disait « mercenaires ». Et j'imaginais des athlètes, recrutés sur les nouveaux marchés aux esclaves de la planète, durs à la guerre, invulnérables. Au lieu de quoi, ces pauvres hères, terrorisés par mes questions. Et, surtout, ce qui est frappant c'est qu'il y a là des gros et des fluets, des grands et des petits, des costauds et des maigrichons – comme si Kadhafi avait tout pris, absolument tout, la stratégie du chalutier, moins des guerriers que de la chair à canon.

L'hôpital de la ville. Important, l'hôpital de la ville. Car problème de ce matériel médical dont Human Rights Watch prétend qu'il aurait été « pillé » à Al-Awaniya pour être transféré ici. Le directeur nous entraîne dans la pièce sans fenêtre qui sert de QG administratif et où se trouvent les dossiers des patients. Il farfouille dans une armoire métallique et sort un document rangé dans une chemise plastifiée. C'est le procès-verbal de délibération du Conseil municipal d'Al-Awaniya constatant que la ville est quasi vide, que l'hôpital de la ville est maintenant suréquipé par rapport à ce qu'est devenue sa population et autorisant le transfert de son matériel vers Zintan où, en revanche, on manque de tout. Le colonel Khalifa avait raison. L'ONG s'est trompée.

Et puis le « clou » de cette nouvelle journée. Nous sommes sur la route de Gharyane, le dernier verrou avant Tripoli. C'est la route normale. Celle qui file sur la crête, sans détour, laissant à sa droite et à sa gauche toutes les villes de la région comme pour bien signifier que les artères, dans ce pays, étaient moins faites pour circuler que pour quadriller, contrôler, occuper l'espace intérieur (des routes pour les chars, pas pour les gens…). Et voilà qu'ici, à Al-Rehebat, une grosse flèche jaune, puis un double zéro peint en blanc, indiquent que le macadam devient, sur 1 600 mètres, jusqu'à une autre ligne, rouge celle-là, où attendent un groupe de combattants qui crient « vive la France ! » à notre arrivée, une piste d'atterrissage. Il est 18 heures. Le groupe, soudain, retient son souffle. Tout le monde regarde vers l'est, intensément, en silence. La plupart ont des lunettes de soleil car la lumière est encore vive, elle brûle. Et arrive, dans un fracas de réacteurs, puis un nuage de poussière, un avion qui se pose là, en plein désert. Nous découvrons, quand le nuage retombe, qu'il est marqué « Air Libya ». Il reste trente minutes, le temps de décharger une trentaine de caisses bâchées de kaki que des hommes, légèrement armés, entassent dans des pick-up qui filent aussitôt sur Zintan. Provenance Benghazi, me dit-on. Mais un membre de l'équipage,

493

à l'instant de réembarquer (avec une vingtaine d'habitants de Jabrah profitant de l'occasion pour aller voir
de la famille en Cyrénaïque), précise – et la nuance me
semble de taille : « Benghazi, oui, mais avec escale à
Malte ». Des vols comme celui-ci, il y en a eu sept depuis
trois semaines. Elles sont là, les fameuses livraisons de
matériel militaire dont *Le Figaro* a fait état le mois
dernier.

Kabaw, encore. Tombée du soir. Soleil rougissant
sur la ligne d'horizon. Rue principale d'une localité
qui fut l'une des plus belles de la région. Elle comptait
quelques milliers d'habitants avant la guerre. Dans les
greniers de boue séchée, de gypse et de pierre pourpre
non taillée de la vieille ville, se tenait, chaque année,
un festival de culture berbère. Aujourd'hui, c'est une
ville morte. Pas une maison d'hôte. Pas un commerce.
Une station-service à demi détruite, dont il a fallu
chercher le responsable jusqu'à minuit pour, à la fin,
négocier cinq bidons qui nous ramèneront jusqu'à la
frontière. Un air épais et lourd. Le frère du médecin
de Dublin, qui conduit depuis Djerba et qui semblait
si impatient de nous montrer sa ville, la voit soudain
avec nos yeux et semble s'excuser : « je n'ai plus guère
de voisins, c'est vrai ; et moi-même, j'avoue que j'ai
mis ma famille à l'abri, en Tunisie ; mais il en faudrait
peu pour que renaisse Kabaw ; si peu ; que l'OTAN
bombarde les pièces d'artillerie qui continuent, depuis
Al-Jawsh et Tiji, de nous tenir sous le feu – écoutez… »
On entend des détonations. La guerre n'est pas finie.
Le Djebel Nafoussa n'est encore, à Kabaw, que
l'ombre de la Libye libre.

Retour en arrière important. Hier. Moment où
nous nous apprêtons à remonter dans les voitures pour

aller sur le front de Goualich. Survient un civil, cheveux gris courts, tête d'intellectuel, prestance, qui
s'appelle Ousama Djewel et qui est le vrai patron de
la défense de Zintan et le supérieur hiérarchique, à ce
titre, du colonel Khalifa ainsi que du général sosie de
Younès. Qu'attendez-vous pour marcher sur Gharyane,
puis Tripoli, lui demandé-je ? Rien, me répond-il.
Enfin, rien de fondamental. Le Djebel Nafoussa ne
manque plus vraiment d'armes. Il a les meilleurs
combattants de la Libye libre. Ce qu'il nous faut c'est
le feu vert de Benghazi : mais votre présence (il se
tourne vers Ali Zeidan) est, pour nous, un signe
important. Celui de l'OTAN : quand vous, Français,
penserez-vous être en mesure de nous le donner (c'est
vers moi qu'il s'est tourné et je lui réponds, naturellement, que je n'en sais rien) ? Et puis... Il s'arrête au
milieu de sa phrase... Nous sommes debout, dans
l'entrée du bâtiment où le général sosie de Younès nous
a reçus. Marc filme. Et je sens, soudain, son embarras.
Je sens qu'il a peur de trop en dire. Je sens qu'il
redoute d'entrer trop précisément, devant des étrangers, dans le détail des stratégies et qu'il est tenté de
s'en tenir à ces deux feux verts (c'est déjà beaucoup
demander, deux feux verts ! pourquoi compliquer les
choses ?). Mais il voit que j'attends. Il voit que je fais
signe à Marc et Thomas de ne plus filmer et comprend
ce geste, j'imagine, comme un engagement de confidentialité. Ali lui dit, aussi, quelque chose en arabe où
je crois entendre le nom de Sarkozy. Il en a trop dit
ou pas assez. Il poursuit. « Et puis ce que nous attendons, ajoute-t-il à regret, c'est le renfort de nos frères
de Misrata dont les troupes, quand elles arriveront par
l'est, étrangleront, avec nous, la capitale ; seuls, je ne

suis pas sûr que nous ayons les moyens militaires de finir le travail ; et, quand bien même nous les aurions, cela serait-il absolument souhaitable ? »

Rien à dire au programme. C'est exactement celui de Paris. C'est celui que, depuis le voyage de Younès, je promeus et défends. Mais qu'entend-il par « pas absolument souhaitable » ? Et pourquoi cette réserve que l'on pourrait entendre comme un signe de méfiance à l'endroit de ses propres combattants ? Une hypothèse me vient. Là, maintenant. En écrivant. Peut-être le mauvais esprit de la nuit et de l'insomnie, mais je note quand même. Les hommes que j'ai vus à Goualich sont formidables. Valeureux. Ils semblent plus disciplinés, aussi, que tout ce que j'ai pu voir ailleurs. Mais il flottait, sur cette ligne de front, un parfum que je n'ai trouvé nulle part. Un parfum de Djebel algérien. De Panshir. Un côté Sierra Madre ou Foco au sens, jadis, de Debray (tiens... il n'a rien dit, celui-là... depuis le début de cette guerre, pas un mot... pas plus, d'ailleurs, qu'Alain Badiou, grand sourcier des événements historico-mondiaux mais qui n'a rien vu en Libye, rien entendu...). Et ce parfum me rappelle soudain, pour le meilleur *et* pour le pire, celui des guérillas de ma jeunesse. Le meilleur ? Ce côté caillou contre sable, nid d'aigle contre désert – ce côté guérilla des hauteurs qui a toujours donné des combattants indomptables et qui, ici, le moment venu, dans la bataille ultime, fera merveille. Le pire ? Ou, en tout cas, le moins bon ? Quelque chose d'un peu âpre, de farouche, peut-être de féroce dont j'ai, à Goualich, senti l'ombre furtive : il faut être très prudent, naturellement ; mais je me demande, tout à coup, s'il ne manque pas quelque chose à ces hommes pour être ceux de la « dernière poussée » – un minimum d'urbanité, entendue au sens figuré mais aussi, tant que l'on y est, au sens propre ; ce minimum de pratique, de sens, d'amour de la ville, dont l'expérience a prouvé qu'il est toujours requis des armées qui prennent ou reprennent une capitale ; est-ce que ce n'est pas ce qu'a voulu dire ce civil aux cheveux gris, supérieur hiérarchique du colonel Khalifa et du général sosie de Younès, quand il nous a confié, sur ce ton empreint de sagesse, qu'il préférait, avant d'attaquer, être sûr du renfort de Misrata ?

C'est juste une hypothèse. Je vois bien le mauvais usage qui pourrait en être fait. Mais au moins a-t-elle le mérite de me rappeler à l'autre urgence, la mienne, que j'ai fuie en venant ici : là-bas, très loin, dans ce coin perdu d'Europe où l'on a pris le parti des guerriers de Zintan et Kabaw et où je m'apprête à rentrer n'attend-on pas toujours, n'attend-on pas plus que jamais, le général Ramadan Zarmouh et les hommes de Misrata ? « Là-bas, très loin, un coin perdu d'Asie »... J'ai retrouvé, sans le vouloir, la première phrase, quarante ans après, des *Indes rouges*...

Lundi 18 juillet (*Où il se précise que, sans Misrata, le Djebel Nafoussa n'y arrivera pas – et inversement*)

Paris. Aucune nouvelle hier soir, en atterrissant, de Misrata. Rencontre, dans un café parisien, avec Wahid Burshan, membre du Conseil de transition de la ville de Gharyane qui est *le* verrou commandant, quand on vient du Djebel, l'accès à Tripoli. L'homme est brillant. Anglais parfait. Ingénieur formé en Grande-Bretagne et informaticien virtuose à qui revient le double mérite : 1. d'avoir, dès la fin février, la chose est peu connue, déconnecté le réseau de télécommunications de Benghazi du système central de Tripoli qui pouvait le couper à tout moment, l'espionner, le parasiter ; 2. d'avoir, le mois dernier, avec Abdul Karim Bazama, le conseiller à la Sécurité du CNT, ouvert la ligne aérienne dont j'ai vu, à Kabaw, l'une des deux pistes d'atterrissage et qui sert, en particulier, à l'acheminement des armes françaises vers le Djebel Nafoussa. Il sait que je reviens de là-bas. Et c'est pour cela qu'il a insisté pour me rencontrer. Il veut que je comprenne que Zintan n'est pas Gharyane. Ni Goualich, Al-Assabah. Et que, si l'on veut aller vite, si l'on veut que Tripoli tombe avant la fin du ramadan, c'est-à-dire avant la fin du mois d'août, il faut essayer de comprendre la réalité complexe de ce Djebel que nous prenons, par erreur, comme un tout – et procéder à une distribution plus équilibrée des armes que nous livrons.

Je l'arrête. Je lui dis que rien ne peut desservir la cause de la Libye autant que cette idée d'une rivalité entre villes, villages, tribus, de la même région. Il me répond qu'il le sait bien, que ce n'est évidemment pas sa position, mais qu'on ne peut pas, non plus, nier les réalités. Et, comme il me demande de le mettre en contact avec l'Elysée, je n'accepte d'appeler Nicolas Galey qu'après qu'il m'a bien entendu lui dire et répéter, même s'il le sait déjà, que cette histoire de tribus jalouses les unes des autres, engagées dans une guerre fratricide, est le type même de discours inaudible en Occident. Le propos, cela dit, ne tombe pas dans l'oreille d'un sourd. Il fait écho, forcément, à ce que j'ai senti dans le Djebel et que m'a laissé entendre, l'autre jour, l'homme aux cheveux gris courts, patron de la Défense de Zintan. Il confirme le très léger malaise avec lequel, quoi que j'en dise, je suis rentré. Et j'y vois une nouvelle raison de tenir sur mon analyse : le Djebel, oui, mais pas sans Misrata ; Misrata, vite, pour donner le signal au Djebel ; ma ligne stratégique depuis des semaines et des semaines ; à faire passer, plaider, imposer, plus que jamais.

Lundi 18 juillet, suite *(Où apparaît que le Président n'a pas oublié sa promesse de recevoir les officiers libres de Misrata)*

Réfléchi, toute la journée, à cette conversation avec l'homme de Gharyane. Parallèlement, et comme par un fait exprès, je reçois, au milieu de l'après-midi, un e-mail du fils de Souleiman m'indiquant, depuis Londres, que la délégation de Misrata a enfin donné son accord, qu'elle est prête à quitter la ville. Toujours le général Ramadan Zarmouh, m'écrit-il. Toujours le colonel Hachem. Mais c'est le président du Conseil municipal de transition qui, pour une raison non précisée, ne peut sortir de la ville et se ferait remplacer par un autre militaire, le colonel Beit Mal que j'ai croisé, lui aussi, à Misrata et qui fut l'un des artisans de la libération de la ville. Est-ce que cela me va ? Et comment si cela me va ! Plutôt deux fois qu'une, je suis d'accord. M'annoncerait-il trois seconds couteaux que je serais toujours d'accord.

J'appelle le Président. C'est bon, lui dis-je ! Elle arrive, la colonne Leclerc de la libération de Tripoli ! Ils sont là, presque là, les commandants de la future deuxième armée ! Toujours d'accord pour les voir ? Toujours d'accord. En personne ? En personne. Pas totalement mobilisé par la crise financière qui semble avoir pris, ces derniers jours, une tournure apocalyptique ? Mais non ; lui reste une troisième oreille pour écouter, ce matin, mon récit et, le moment venu, lorsqu'ils seront enfin sortis de l'enfer, celui de ces hommes. Je ne lui fais part, pour le moment, ni des craintes d'Ousama Djewel, ni de l'analyse de Wahid Burshan, ni de mes propres doutes sur le côté un peu « abrupt » des hommes du Djebel et sur la nécessité de les frotter, plus que jamais, pour des raisons non seulement militaires mais politiques, à l'esprit citadin de Misrata. J'envoie un e-mail à Londres accusant réception de la nouvelle. Un autre à Bachir Sebbah, l'armateur, lui demandant de me la confirmer, dès que possible. Cette fois, cela semble bon. Enfin.

Lundi 18 juillet, encore *(Touche-t-on au but ?)*

Message de Bachir me confirmant qu'ils sont bien dans le bateau. Ils seront à Malte, tous les trois, demain. Puis à Paris dans la soirée. A temps pour que le Président, le lendemain, mercredi, juste avant de s'envoler pour l'Allemagne, les reçoive. Je n'y croyais plus. Une fois n'est pas coutume, j'ai péché par excès de pessimisme.

Mardi 19 juillet *(Quand Misrata arrive, enfin, à Paris)*

Daniel Rondeau les a accueillis à Malte.

Moi, ce soir, avec François Margolin et Mansour, à Charles-de-Gaulle.

Le Raphael étant complet, c'est à l'hôtel Pas-de-Calais que nous les avons installés.

Il y a donc là Zarmouh, le général, avec sa tête de père tranquille, ses lunettes cerclées rectangulaires, ses cheveux de chauve compensé ramenés des bords vers le sommet du crâne, son perpétuel sourire.

Beit Mal, le colonel Beit Mal, son adjoint, plus jeune, avec sa belle gueule tout en angles, taillée au couteau, cicatrice au menton, nez un peu de travers, il a quelque chose de Franck, il n'ouvre quasiment pas la bouche.

Ahmed Hachem, celui que j'avais oublié et que je remets, en effet, aussitôt : petit, engoncé dans un costume, quelque chose dans la corpulence mais aussi dans la rondeur moqueuse des traits qui me rappelle, étrangement, Emmanuel Levinas.

Leur bonheur, tous trois, d'être à Paris.

Leur joie et, forcément, leur mélancolie.

Arriver, de l'une des villes les plus cassées de la planète, dans l'une des plus belles villes du monde.

Le choc, dans leurs yeux, de la Ville lumière et de son urbanité triomphante avec les images qu'ils ont en eux, incrustées au fond des yeux, de leur propre ville dévastée.

Urbicide et magnificence de la ville.

L'ombre de Misrata qui s'attache à chacun de leurs pas.

Boulevard Saint-Germain, quand nous descendons de voiture pour aller, avant l'hôtel, manger un sandwich dans un café et évoquer les rendez-vous de demain (Nicolas Sarkozy, puis Puga et ses militaires dans la foulée), je vois rouler une larme sur la joue de Ramadan Zarmouh, le résistant dépaysé.

Mercredi 20 juillet *(Les rendez-vous à l'Elysée se suivent et ne se ressemblent pas)*

Sarkozy. 8 h 30. Réception « cour fermée » (subtile hiérarchie élyséenne : à une extrémité, le Conseil national de transition qui représente le peuple libyen et a eu droit, le jour de la troïka du 8 mars puis, plus tard, d'Abdeljalil, au « grand format » comprenant l'option conférence de presse sur les graviers de la Cour d'honneur ; à l'autre extrémité, Younès et El-Sagezli qui n'eurent droit qu'au modèle réduit et clandestin ; entre les deux, la réception d'aujourd'hui).

Dans la grande salle de réunion, même dispositif que les autres fois. Sauf que, là, en face du Président et de ses hommes, il y a Mansour et pas Ali qui est retenu au Caire – mais aussi, cornaqués par Souleiman et Bachir, les trois officiers : le général Ramadan Zarmouh au centre ; les deux colonels à sa droite ; Mansour et Souleiman à sa gauche ; et moi en bout de table.

C'est le Président qui ouvre, les remerciant d'être venus.

Souleiman, qui n'est pas au fait des tours rhétoriques du Président, s'étonne de ce remerciement et dit que la gratitude est de leur côté.

Le Président prévient qu'il n'a pas beaucoup de temps ; qu'il part, tout de suite après, pour l'Allemagne ; mais qu'il est heureux de cette rencontre, attendue depuis des semaines.

Souleiman embraye en le remerciant, comme en avril, avec Abdelfattah Younès, de tout ce que la France a fait mais en disant, dans les mêmes termes aussi, que ce n'est pas encore assez, que la Libye attend davantage.

Le Président rétorque : « je vous avais promis les hélicoptères, c'est fait, vous les avez ».

Souleiman : « je le sais, nous le savons, leur intervention a tout changé et c'est de cela que nous vous sommes reconnaissants ».

Le Président : « il faut que vous sachiez que beaucoup de nos alliés ne pensent qu'à descendre du train et commenceront, d'ailleurs, de le faire, si ce n'est dans les prochains jours, du moins dans les prochaines semaines ».

Les officiers, qui n'ont encore rien dit, font, en anglais : « no ! ».

Le Président, en français : « si ! même Obama ! je suis de moins en moins sûr des intentions d'Obama ; il fournit les drones, d'accord ; mais pas grand-chose d'autre ; quant à nous… »

Il fait une grimace, comme s'il avait soudain très mal. Je me souviens de l'époque où ce genre de mimique me faisait craindre le pire.

« L'affaire n'est pas si facile, pour nous non plus. »
De nouveau, la grimace de douleur.

« Les choses ne se passent pas bien en Afghanistan. L'Opinion n'aime pas ça. Encore que… »
Sourire, maintenant. Et index pointé vers Souleiman.

« … encore qu'il faille, là aussi, éviter de dire des bêtises. D'abord nos soldats tués le sont, non dans des

503

engagements militaires, mais à la suite d'actes terroristes ; ce n'est pas du tout la même chose. Et puis, on ne se retire pas comme ça, la tête basse – on se retire une fois le travail accompli... »

Souleiman fait oui de la tête. Il fait celui qui a compris cela depuis longtemps.

« Mais enfin, reste que, pour ces raisons et pour d'autres, l'affaire n'est pas facile pour nous non plus. Mais cela m'est égal. Je le savais en m'engageant et ma résolution est entière, elle ne fléchira pas, nous irons au bout de cette guerre. »

Voyant, dans le visage aigu du colonel Beit Mal, l'œil noir qui le fixe et, peut-être, le mésinterprétant, il rectifie.

« Entendez-moi : c'est vous qui conduisez cette guerre ; nous vous aidons, mais c'est votre guerre et c'est vous qui irez au bout. »

Mais c'est Souleiman qui reprend.

« Justement, l'aide est insuffisante.

— Insuffisante, insuffisante... Savez-vous que, rien que la semaine dernière, nos avions ont largué 22 tonnes de bombes sur Tripoli ? 22 tonnes ! Et sans bavures ! Nos aviateurs font un travail remarquable.

— Bien sûr, nous savons. Mais le problème n'est pas Tripoli. C'est Misrata. Nous sommes venus, Monsieur le Président, vous parler de Misrata.

— Je sais, fait le Président ; parlons de Misrata ; combien d'hommes avez-vous ? »

Je fais signe au général Ramadan Zarmouh : à lui de prendre la parole.

« Nous avons trois mille hommes bien entraînés, fait-il, en arabe, l'interprète traduisant. Pas plus de trois mille. Mais, vraiment, de premier ordre. Et prêts à en découdre. »

Je lui refais signe, afin qu'il se souvienne de notre conversation d'hier soir.

« Ils ont l'expérience du combat ; celle de la discipline ; ils sont galvanisés, de surcroît, par leur première victoire ; et, comme tous les soldats du monde, ils brûlent d'en remporter une deuxième. »

Le Président l'observe. Le personnage, clairement, l'intéresse. Avec ses traits anonymes et réguliers, sa tête de Papy Mougeot, il l'intrigue bizarrement plus que Beit Mal et sa gueule de samouraï arabe – aurait-il, sur lui, des informations que je n'ai pas et qui ne cadrent pas avec son allure ?

« Nos plans d'attaque sont prêts », continue Ramadan.

Il sort la carte que François Margolin lui a apportée, ce matin, en catastrophe, et dessine, au feutre, une ligne qui va de Misrata à Zliten puis de Zliten à l'entrée de Tripoli.

« La clef de Tripoli est à Misrata, dit-il en faisant glisser la carte, à travers la table, en direction du Président. Si vous armez Misrata, je n'ai besoin que de quelques heures, je dis bien quelques heures, pour arriver à Tripoli. »

Le Président jette un coup d'œil à Puga, impénétrable. Puis sort, à son tour, une carte d'un dossier. La même. La carte de Misrata. Mais, de là où je me trouve, je vois bien que c'est une super carte, infiniment plus précise que notre pauvre carte routière. Les trois officiers se lèvent à demi, comme un seul homme, pour la regarder mieux.

« C'est incroyable, fait Ramadan, toujours traduit par l'interprète…

— Oui, fait Sarkozy, air modeste, comme si c'était un compliment.

— On voit tout, murmure Ramadan…

— Tout ! On pourrait presque voir vos déplacements ! »

Ramadan se rassied, sonné par la merveille de cette carte. Souleiman remonte au filet.

« Une chose, Monsieur le Président… Si vous décidez de livrer des armes à Misrata, il est important que ces armes arrivent, vraiment, à Misrata. Et, surtout, qu'elles arrivent vite…

— Pas de difficulté, le coupe le Président. Nous allons intercéder auprès de nos amis communs. »

Toujours la fiction, *le secret de Polichinelle*, de la France qui vend au Qatar sans demander ce que le Qatar fait, ensuite, des armes qu'il reçoit.

« Je ne me suis pas bien fait comprendre, insiste Souleiman. Si vous voulez que nous allions vite, il faut que les armes arrivent vite. Et, pour qu'elles arrivent vite, il faut qu'elles arrivent chez nous, directement, entre nos mains – autrement dit à Misrata, pas à Benghazi… »

Légère crispation, presque un mouvement de recul, du Président ; l'esquisse de la grimace de fausse douleur de tout à l'heure :

« Nul ne peut se substituer au Conseil national de transition.

— Bien sûr, fait Souleiman, inquiétude dans le regard, il a perçu le mouvement de recul.

— La seule chose que nos amis peuvent garantir c'est que les armes partent. C'est aussi, bien sûr, leur excellence. Mais, après, vous avez une autorité politique que le monde a reconnue. C'est à elle de décider de l'affectation de ces armes. »

Pour la première fois, j'interviens, montrant Souleiman (ce sera ma seule prise de parole de toute la réunion).

« L'autorité politique est là, Monsieur le Président. Souleiman Fortia est membre du Conseil national de transition. Il est pleinement investi par le Conseil pour discuter de tout cela et, au nom du Conseil, pour décider. »

Souleiman hoche la tête. Mansour, se souvenant de sa toute récente autorité d'ambassadeur de la nouvelle Libye à Paris, approuve aussi. Le Président consulte Lévitte du regard. Puis, peut-être rassuré, ou convaincu, ou y pensant à deux fois, ou repensant à l'histoire, qu'il m'avait racontée, des colis non déballés sur le port de Benghazi, il reprend.

« C'est vrai qu'il faut aller vite...

— A cause des vacances, fait le colonel Hachem qui n'a rien dit depuis le début de l'entretien... »

Le Président le regarde, interloqué, je suppose, par sa voix de basse, rocailleuse, *kissingérienne*, qui surprend toujours la première fois.

« Les vacances qui arrêtent tout, insiste Hachem, de l'air entendu de celui qui connaît les coutumes du bizarre village qui le reçoit. »

Le Président sourit.

« L'Etat n'est jamais en vacances. »

Puis, plus sérieux, du coq à l'âne :

« Croyez-vous qu'il partira ?

— Qui, demande Ramadan, en se retournant, comme si l'on parlait de quelqu'un derrière lui ?

— Kadhafi.

— Ah… ! Non, je ne pense pas.

— C'est mon avis. C'est pourquoi il faut le mettre à genoux.

— Et pourquoi pas le tuer, demande Ramadan d'un air complice ? »

Le Président, le bras tendu, la main ouverte, fait le geste de l'arrêter.

« D'abord parce que je ne veux pas en faire un martyr. Mais, ensuite, parce que je ne suis pas un assassin.

— Mais lui-même, est un assassin !

— Oui. Mais, en démocratie, les assassins finissent en prison. »

Puis, un ton en dessous :

« Maintenant, qu'il soit tué dans un affrontement, là, c'est autre chose ; je pense que ce serait une erreur, mais ce ne serait plus mon affaire. Mais revenons à Misrata… »

L'entretien devait durer vingt minutes. Il durera une heure. Les trois officiers décriront la situation des fronts, l'état des forces, le moral de leurs troupes. Ils rediront pourquoi et comment, à condition d'avoir l'armement idoine, il ne leur faudra pas vingt-quatre heures pour entrer dans Tripoli. Le Président donnera son accord, et sur le principe, et sur l'idée de ne pas passer par Benghazi mais de livrer directement à Misrata. Il les laissera enfin, avec Souleiman et Mansour, entre les mains de Puga pour une réunion à laquelle je n'assisterai pas mais où, comme avec Younès, les choses sont censées se mettre en musique. Debriefing à l'heure du déjeuner. Joie sans mélange des trois officiers. Sur un coin de nappe en papier, au stylo-feutre, la succession des villes qui les séparent de la capitale et qu'ils prendront, sans coup férir ou presque, dès que les armes promises seront arrivées. Et, ensuite, la liste des trente objectifs stratégiques intra muros que les cellules du CNT, infiltrées à Tripoli, ont transmise à l'Elysée et dont l'Elysée, ce matin, a fait confidence aux hommes de Misrata. Misrata a gagné. Misrata sera aidée dans les mêmes proportions que le Djebel Nafoussa. La guerre, ce matin, a passé un cap décisif. Ce 20 juillet était le jour de l'anniversaire de mon père.

Jeudi 21 juillet *(Leur art de la guerre et le nôtre)*

La seule petite chose qui m'agace, je ne dirai pas chez mes amis libyens, mais chez certains d'entre eux, c'est leur côté parano. J'en avais eu un signe au moment de l'affaire de la *friendly strike* de l'OTAN sur la dernière colonne de chars de Younès. Puis, à propos de Younès, dans le soupçon de double jeu qui lui collait, et lui colle encore, à la peau chez une partie des chebabs. A la limite, l'affaire de mon message à Netanyahu et du feu qu'il a failli mettre à la rue de Benghazi allait dans le même sens. Là, dernier épisode en date. Je n'ai pas eu le temps de le noter. Nous sommes avant-hier, jour de leur arrivée, à l'hôtel Pas-de-Calais, 1 heure du matin. Je leur parle de Sarkozy. Je leur fais d'ultimes recommandations sur la bonne façon, le lendemain, de l'aborder. Le colonel Hachem m'interrompt, de sa voix-Kissinger.

« Il y a une chose...

— Oui ?

— Je ne sais pas si je peux en parler...

509

— On peut parler de tout, entre nous, voyons…

— Bon. Les Anglais. Il y a quelque chose qui ne va pas avec les Anglais.

— Quelle chose ? »

Il jette au général Ramadan Zarmouh un regard mauvais. Ce n'est plus le regard du chebab d'Ajdabiya à Mustafa El-Sagezli s'assurant qu'il avait réellement le droit de raconter l'histoire de sa désobéissance et du passage de son unité à la tactique anti-Rommel. C'est celui de l'officier qui, même si cela doit déplaire, paraître un défi, une incongruité, une provocation, est décidé à vider son sac.

« Avant de bombarder un tank… Vous savez ce qu'ils font, avant de bombarder un tank, les Anglais ?

— Non.

— Ils préviennent le tankiste par radio…

— Pour lui laisser une chance, j'imagine. Je ne savais pas que c'était même possible. Mais les Français font pareil, je suppose.

— Justement, ce n'est pas sûr, rétorque Hachem, très vite, à voix toujours kissingérienne, mais basse, comme s'il craignait d'être écouté.

— Et vous en concluez quoi ? »

Cette fois, il ne répond pas. Il fait, avec le doigt, le geste de se sceller les lèvres comme s'il lui était interdit d'en dire davantage.

« Si, dites-moi. Pourquoi cette idée qu'on laisse cinq minutes à un malheureux Libyen, enfermé dans sa tourelle, pour s'en extirper et échapper au feu du ciel, vous semble-t-elle si scandaleuse ? »

Il ne répond toujours rien. Il refait encore le même geste de se sceller les lèvres. Et comme il se fait tard, je dis :

« Ecoutez, ça tombe bien. L'ambassadeur de Grande-Bretagne à Paris est un type formidable. Il sait que vous êtes là. Il veut vous connaître. J'organise un rendez-vous. Et vous lui poserez directement la question. »

Le rendez-vous a eu lieu aujourd'hui.

J'ai fait les présentations d'usage, dans un salon de la Résidence, donnant sur des jardins magnifiques.

L'ambassadeur a prononcé les mots de bienvenue non moins d'usage, répétant, comme Sarkozy, qu'il n'était pas question, pour l'Angleterre, de ne pas aller au bout.

Fortia a répété, mot pour mot, ce qu'il a dit, la veille, à Sarkozy, en particulier sur la nécessité de livrer les armes directement à Misrata.

Et Hachem, air buté, déjà boudeur, prend la parole :

« Monsieur l'ambassadeur… Il y a une question qui nous tracasse…

— Oui, fait l'ambassadeur, ton d'exquise courtoisie ?

— Quel jeu jouent, au juste, les Anglais ?

— Mais le vôtre, voyons. Exactement le vôtre. Quel est le sens de votre question ?

— Eh bien ma question, c'est : pourquoi les aviateurs anglais, avant de bombarder un char, prennent-ils la précaution de prévenir l'équipage ? »

L'ambassadeur, un rien désarçonné, jette un coup d'œil à sa conseillère en charge des affaires politiques qui s'est mise dans un coin, dans le fond de la pièce.

« Pour lui laisser une chance, bien sûr.

— Une chance de quoi ?

— De s'en sortir.

— Même si le type est un assassin ?

— L'important, c'est de détruire les chars. Pas de tuer les gens.

511

— Même s'ils vont, ces gens, se précipiter, le lendemain, pour conduire un nouveau char ? »

L'ambassadeur rit. Je le sens dépassé par l'argument, peinant à trouver le dernier mot. Heureusement, le colonel Hachem l'est tout autant. Et, comme si cette prise de parole, si éminemment dérogatoire à sa taiseuse nature, l'avait épuisé, il s'emmure dans le silence, cuvant sa parano comme d'autres un alcool – air, jusqu'au bout de la visite, de l'homme à qui on ne la fait pas et qui, même s'il en sait long, ne dira pas tout ce qu'il sait.

Vendredi 22 juillet *(A fronts renversés avec le Président)*

Retour dans le Sud.

Appel du Président.

Pour rien, juste bavarder : le sommet européen d'hier, sa victoire sur Merkel, le sauvetage in extremis de l'euro, le bon effet collatéral sur la construction européenne – et, naturellement, la fin de la visite de nos amis.

« Nous avons pris la bonne décision, fait-il. J'en suis convaincu, c'est la bonne décision. »

Pour la première fois, comme je sens qu'il a un peu de temps, j'ose lui poser la question qui me brûle les lèvres depuis des semaines et des semaines : s'il lui arrive de douter, si cela lui est arrivé. Il sursaute :

« Comment cela ?

— Pas de la justesse de la cause, bien sûr. Mais de l'issue. Le départ de Kadhafi… Le calendrier…

— Jamais, fait-il. Absolument jamais. »

Je sens qu'il ne bluffe pas. Il ajoute, comme s'il fallait me convaincre :

« Il faut laisser faire nos amis. Il faut qu'ils attaquent sur tous les fronts à la fois et je suis sûr qu'ils vont y arriver. C'est pour cela qu'il était si important que nous voyions ces gens de Misrata et que nous prenions les décisions que nous avons prises. »

Je lui demande s'il a avancé sur l'idée de la médiation Aznar.

« Oui, bien sûr. Mais pas Aznar. Felipe Gonzalez. Cela dit, ça n'a servi à rien. Le type, à Tripoli, est fou. Cliniquement fou. Il faut comprendre ce que cela veut dire – fou…

— Je comprends, mais…

— Tu ne le connais pas. La différence c'est que, moi, je le connais. Et je peux affirmer que ce type est cliniquement fou, pas rationnel. »

Comme souvent depuis quelque temps, j'ai l'impression de me faire l'avocat du diable. Lui, le va-t-en-guerre, jusqu'au-boutiste. Moi en quête de solutions, de raccourcis, disons, « politiques », qui seraient la continuation, par d'autres moyens, de la guerre.

« Je veux bien le croire. Mais ce n'est pas non plus un fanatique. C'est quelqu'un qui est capable d'entendre ce qu'on lui dit, d'évaluer un rapport de forces. Est-ce que Gonzalez lui a bien passé le double message : la vérité d'une main – la solution de l'autre ?

— Naturellement. Mais cela ne peut pas marcher. Car il y a un autre problème. Il a trop de sang sur les mains. Il sait que, s'il lâche, il se trouvera quelqu'un, un jour ou l'autre, forcément, pour lui faire la peau.

— Donc ?

« — Donc il faudra que nos amis aillent le chercher, le moment venu. Il n'y a pas d'autre solution. »

Je songe, une fois de plus, à tout ce qui se dit et s'écrit, partout, sur l'enlisement de cette guerre. Je songe aux déclarations de Juppé, l'autre jour, commençant à dire que le départ de Kadhafi n'est plus un préalable. Je songe à ce reporter américain nous expliquant, dans le *New York Times* d'hier, qu'il n'a pas vu une arme française dans le Djebel Nafoussa et que Sarkozy est beaucoup plus en arrière de la main qu'on ne le dit. Je repense à Vincent Jauvert, du *Nouvel Obs,* pourtant l'un des meilleurs observateurs de cette affaire, m'expliquant, cet après-midi même, que ce sont les Américains qui mènent le bal et qui déclareront la fin des opérations, à leur heure, comme on siffle la fin d'une récréation. Tous, à côté de la plaque. Tous, à côté de ce bloc de détermination, de sérénité, que rien ne fracturera.

Samedi 23 juillet *(N'être certain de rien et, pour cela, s'engager)*

Nuit à Londres. Début d'enquête sur le cas Saïf Al-Islam qui, je l'avoue, m'intrigue. J'attends d'en savoir plus, d'avoir plus réfléchi, pour noter. Jacques Martinez, pour l'heure. Il est là, par hasard, et a tenu à m'emmener, entre deux rendez-vous, voir, à l'Imperial War Museum, en fin d'après-midi, le *Battery Shelled* de Wyndham Lewis. Nous rentrons à pied vers l'hôtel Connaught. Il me parle du rapport des peintres et de la guerre. A force de te focaliser sur les écrivains, me

514

dit-il, tu oublies les peintres. Tu passes à l'as la peinture, par les peintres, de la guerre : Uccello, Picasso, Goya et, parmi eux, offrant l'avantage supplémentaire d'être, aussi, un écrivain, Wyndham Lewis. Et, soudain, à la manière brutale qui est parfois la sienne, au milieu du trottoir, il s'arrête. « Mais dis-moi… Cette guerre… Tu t'es embarqué, dans cette guerre, comme un fou… Comme un fou… Mais de toi à moi… Est-ce que tu es sûr de toi ? Est-ce que tu es sûr de savoir où tout cela va ? »

La franchise de la question me démonte un peu. Mais pas la question. Car sûr de quoi ? Que Kadhafi tombera ? Oui, absolument. Que le régime qui lui succédera sera un paradis démocratique ? Non, bien entendu. Mais attention, lui dis-je, retrouvant l'esprit de nos joutes d'il y a trente-cinq ans, l'été où nous nous sommes connus (La Piade, maison d'Inna Salomon qui était aussi, un peu, cet été-là, comme tous les autres étés, celle de Louis Althusser) ! C'est *parce que* je ne suis pas sûr, *parce qu'*il y a une part d'incertitude et de pari, *parce que* tout n'est pas joué et que l'on peut jouer avec ce jeu, que je me suis embarqué avec cette fougue. Si l'on était certain, cher Jacques, si l'issue était prescrite, alors pourquoi bouger ? pourquoi s'énerver ? pourquoi s'engager ? on laisserait l'Histoire s'écrire, on irait se coucher, c'est le paradoxe de l'engagement, c'est évident…

Je lui parle, toujours sur le trottoir, toujours faisant les cent pas, tournant en rond, sur Carlos Place où nous avons fini par arriver et qui prend des airs d'été 1977 à la Piade, des doutes de Malraux en Espagne. De ceux de Lawrence confiant dans les *Sept Piliers* comment, après le raid sur Akaba, il a « amèrement regretté de s'être empêtré dans cette révolte ». J'évoque Byron, dans les derniers mois, atterré par le peu de sérieux, les divisions intestines, la malhonnêteté, l'ingratitude, de ses Souliotes. C'est toujours la même histoire, mon cher ! Toujours ! C'est parce qu'ils ne savent pas tout, que les hommes s'engagent. C'est parce qu'ils sont dans l'incertitude, l'indécision, la brume, qu'ils y vont avec ferveur. C'est parce que le pari est juste mais qu'ils ne maîtrisent pas les paramètres, qu'ils se battent avec énergie. Eh bien de même ici et, bien sûr, toutes proportions gardées : c'est parce que cette guerre est juste *mais* qu'elle peut mal tourner, c'est parce que la démocratie est bonne *mais* qu'elle donne aussi la parole aux salopards, c'est parce que ce qui se passe en Libye est le premier démenti sérieux à la théorie du clash des civilisations *mais* que toute l'histoire pouvait, et peut encore, se retourner, virer en son contraire, et donner du grain à moudre aux ennemis de l'Occident, qu'il fallait et faut encore s'y engager corps et âme.

Alors après, bien sûr, il y a des risques. Je ne parle pas des risques physiques, naturellement. Je parle des autres. Je parle de la parole qu'on met en jeu, de la pensée qu'on met en œuvre. Je parle de cet engagement dans lequel il y a gage et je dis que ce que l'on met en gage c'est soi, sa réputation, ce à quoi on croit, ses valeurs, sa vie, son nom. Corps et âme, je répète, tandis que j'entre, pour finir, dans le tambour d'entrée de l'hôtel où m'attend une ex-petite amie de Saïf que je dois interviewer. S'engager corps et âme. C'est ainsi. La seule solution. Même si ces mots, moi aussi, me font frémir.

516

Samedi 23 juillet, suite (« *Le monde est fait pour aboutir à un beau livre* »)

Plusieurs fois, depuis le début de cette aventure, je me suis demandé ce qui me ressemblait le plus – de dire ou de faire, d'écrire ou de m'engager, de me mettre à un beau livre ou de renouer avec mes vieux démons de l'époque, début des années 1970, où, au lieu de rédiger sagement ma thèse, je me faisais embaucher comme vacataire au ministère de la Planification du Bangladesh. Eh bien je me demande si, en définitive, mon vrai choix n'est pas de choisir de ne pas choisir. Dire *et* faire. Faire *puis* dire. Voir les Libyens faire, contribuer à ce qu'ils font, *puis*, dans un second temps, quand tout sera fini ou même au fur et à mesure, comme ici, le raconter et le dire.

Le péril, je le vois bien : c'est de faire *pour* dire et, à chaque visage rencontré, à chaque incident vécu, se demander combien de lignes, de pages, ils vont laisser (Abdelfattah Younès, telle ligne de front, la reconnaissance du CNT, les lignes de défense de Benghazi, combien de divisions, non de soldats, mais de littérature et de mots : tant d'écrivains, et non des moindres, s'y sont fait prendre, c'est un risque).

Mais le gain, je le vois aussi : tous ces actes sans postérité, tous ces moments sans héritage, ces hommes qui ne laisseront rien et qui, pourtant, auront fait l'Histoire, toute cette Histoire qui se sédimente mais qui, sédimentée, n'a plus besoin de durer et s'évapore, n'est-ce pas à la littérature de lui offrir un mémorial, une chambre d'enregistrement, une archive, un reposoir ?

Les mots ne volent pas, ils restent. Le Verbe n'est pas au commencement, il est à la fin. C'est la vie qui passe, la mienne, celle des autres – mais heureusement il y a les textes, le devenir-texte de la vie, qui sauve un peu les choses. Tel est le texte dont je rêve. Tel est le livre qu'il faudrait, d'une manière ou d'une autre, que j'écrive sur cette guerre. Balzac se trompait : l'écriture n'est pas la mise à mort des personnes, mais leur chance de survie. Sartre aussi, dans ce commentaire de la *Critique de la Raison dialectique* (une interview par Madeleine Chapsal) où il comparait les livres, ses livres, à des petits cercueils : l'inverse, évidemment ; l'or des mots ; la grâce de l'archive ; fabriquer de l'archive pour rendre les êtres à la vie. Ce journal ? On verra.

Dimanche 24 juillet (*Carlos Fuentes a tout compris*)

Sa belle tête cuivrée, de plus en plus émaciée. Cette jeunesse nouvelle que, me dit-il, lui donne l'âge. Le grand roman sur lequel il travaille et auquel il dit consacrer l'essentiel de son temps. Nous parlons de Jean Seberg, qui fut sa maîtresse. Du père d'Arielle, qui était son ami. De García Márquez, qui perd la tête. De nos souvenirs communs d'Octavio Paz et du courage qu'il lui fallut, en 1978, pour organiser dans le Mexique « fidelcastrisé » de l'époque, une tournée des nouveaux philosophes. Mais le sujet qui l'intrigue et dont il a envie de parler c'est cette affaire libyenne et le temps que j'y consacre.

« Je ne me rends pas compte, lui dis-je, hurlant pour me faire entendre dans le brouhaha d'été de la Petite

Maison, à Nice, où nous dînons. N'est-ce pas le cas pour tous les écrivains engagés ? Toi-même dans les années 1960 et 1970 ? Ta vie d'ambassadeur du Mexique en France et le temps qu'elle a volé à tes livres ? Quand Díaz Ordaz, boucher de Tlatelolco, a été nommé à Madrid, ta démission fracassante, avec onde de choc, gestion de crise, emmerdements durables, je me souviens ? Et, récemment encore, ce pamphlet contre Bush qui a dû, quoi que tu en dises, faire prise de terre pour ton roman et lui pomper son énergie ?

— Oui et non, me répond-il. Jamais comme ça. Jamais comme toi. Jamais, moi, en tout cas, je ne suis allé dans le détail politique, militaire, diplomatique, des choses. Jamais je ne me suis donné tous ces rôles que tu te colles : chef de guerre, ministre bis, chroniqueur, conseiller – un théâtre à toi tout seul, une comédie de l'art, l'entière panoplie, c'est beaucoup pour un seul homme, mais tu as l'air de t'en tirer, c'est bien.

— Je ne me rends pas compte, lui dis-je. Je suis mal placé pour mesurer. J'essaie de faire les choses. J'ai pris une responsabilité en plaidant pour cette guerre. Alors, j'essaie de suivre. Tu me vois dire : j'ai amené les gens de Benghazi à l'Elysée et chez Clinton, puis les chefs militaires, puis les résistants de Misrata – maintenant tchao, bonsoir, je pars en vacances, débrouillez-vous. D'autant... »

Je vais lui dire qu'un livre sortira, de toute façon, de cette histoire. Forcément. Bon qu'à ça. Je ne sais pas encore lequel. Mais qu'est-ce qu'un écrivain peut faire, quand la guerre est finie, sinon se mettre à écrire et en tirer, quand même, un livre ? Mais nous sommes interrompus par Nicole, la patronne, sorte d'Arletty niçoise et, par ailleurs, sarkozyste Canal historique, qui

519

vient me dire sa déception depuis qu'elle a lu, dans *Nice Matin,* que mon alliance avec son héros était une alliance de circonstance qui n'irait pas au-delà de la fin de la guerre de Libye.

« Circonstance… Circonstance… Comment pouvez-vous dire circonstance ? Je croyais que cette guerre comptait beaucoup pour vous ? »

C'est Fuentes qui lui répond. Gentiment. Patiemment. C'est lui qui, charmeur, dans un français parfait, lui fait un cours accéléré d'histoire des intellectuels et des formes de leurs engagements. Nuances. Complexité. Comment un président de gauche peut faire une politique de droite. Comment un président de droite peut devenir plus audacieux qu'un président de gauche. Ce qu'est un acte politique. Qu'il arrive aux hommes de devenir plus grands qu'eux-mêmes et qu'il faut être assez honnête pour reconnaître cette part de grandeur. Qu'on peut soutenir un chef d'Etat, enfin, sur un aspect de sa politique sans le soutenir sur le reste.

C'est ce que je disais moi-même, à l'époque Bush, aux néoconservateurs américains. C'est le vrai reproche que je leur faisais quand j'expliquais : « si vous allez au restaurant avec un ami, vous choisissez un plat, vous ne commandez pas tout le menu ; pourquoi, sous prétexte que vous avez voulu la guerre en Irak, vous sentez-vous requis d'endosser la peine de mort, le créationnisme, la politique fiscale des Républicains ou leur croisade anti-avortement ? » Quand je soutiens la guerre de Libye tout en étant bien décidé à ne pas lâcher, pour autant, sur le reste de mes convictions et donc à voter, dans un an, pour le candidat du Parti socialiste, je fais très exactement l'inverse de ce que faisaient les néoconservateurs – et qui les a perdus.

Il y a trop de bruit. Nous arrêtons.

Dimanche 24 juillet, suite *(Et si Sarkozy savait, lui, que l'Histoire est tragique ?)*

On se souvient de la phrase de Raymond Aron sur Giscard – ce « trait de feu », dira Mitterrand, dans un bloc-notes de *L'Unité*, fin mai 1975 – à qui il reprochait de ne pas savoir que « l'Histoire est tragique ». Eh bien j'observe Nicolas Sarkozy. Je me remémore toutes ces conversations, téléphoniques ou de vive voix, que nous avons eues, au fil de ces mois. Et tant pis si c'est difficile à admettre : ce drôle de bonhomme, ce type bling bling, Fouquet's, ami des riches, ce prince si parfaitement prosaïque dont j'avais écrit, au début du quinquennat, qu'il n'avait rien compris à la règle d'or, la seule, celle des deux corps du roi selon Kantorowicz et de leur indispensable disjonction (Bénamou m'avait raconté que les conseillers élyséens reçurent consigne d'avoir lu, pendant le week-end, les mille pages de ce livre où un ex-ami semblait dire que se trouvait, codé, entre les lignes, le secret de l'inatteignable souveraineté), ce Souverain qui divorce, se remarie, en parle en conférence de presse, nous prend à témoin de ses amours et de ses voluptés, ce chef d'Etat qui envoie des textos devant le pape et s'abaisse à dire « casse-toi pauvre con » à un type qui lui gâche son bain de foule au salon de l'agriculture, ce président jeune qui est, au passage, le premier président de la

Vᵉ République à n'avoir jamais eu l'expérience directe de la guerre, on peut dire ce que l'on veut de lui, on peut, je le répète une fois de plus, cogner sur le reste, tout le reste, de sa politique, il y a une chose qu'il faut admettre, un mérite (mais est-ce bien, d'ailleurs, un mérite ?) qu'on ne peut pas lui retirer : c'est qu'il l'a, lui, ce sens de l'Histoire tragique ; il a, certes, ce côté « pourvu que ça dure », ou « si notre père nous voyait », de Napoléon à son frère Joseph – mais, face à cet événement tragique par excellence, face à cette quintessence du tragique, qu'est la conduite d'une guerre, face à ce gouffre, le vrai gouffre, au bord duquel on ne joue plus, il a, indéniablement, *le réflexe tragique.*

Dimanche 24 juillet, suite *(Qu'est-ce que le sens du Tragique ?)*

Il faut faire attention, bien sûr.

Car, dès qu'on dit « le » Tragique, surgit le couple diabolique du nietzschéisme de bazar (secousse de l'existence, Surhomme, Dionysos et le Crucifié, amor fati) et du schmittisme de pacotille (décision, grande politique, répondre à la volonté par la volonté, l'épée est l'axe du monde, le sens et le goût de l'ennemi) – double visage du wagnérisme en politique.

Mais, là, ce n'est pas cela. On parle, je parle, du nécessaire rappel : que tout n'est pas soluble dans tout ; que tout, en ce monde, n'est pas destiné à s'arranger, se pacifier, entrer doucement dans le bavardage universel ; que l'Histoire n'est pas finie ; qu'il n'est pas vrai qu'elle ne connaît plus que des *good guys*

522

plus ou moins pressés de s'aligner sur la norme de l'empire ; que l'universelle volonté d'aseptiser le monde et de le guérir bute parfois sur un os, pas un os chiqué, pas un simulacre d'os, un vrai os, un os pour de vrai, sur quoi les sirupeux, les sucrés, les maniaques de l'entente universelle et du compromis vont, inévitablement, se casser les dents ; qu'il y a du Mal, autrement dit ; Sarkozy dit de la « Folie » ; qu'ils sont en moi, ce Mal et cette Folie ; en lui, Sarkozy ; en chacun d'entre nous ; mais qu'ils sont, à haute dose, en Kadhafi et que, même quand il montre patte blanche, même quand il fait profil bas et avance, lui aussi, à pas de colombe, il reste que le Mal est le Mal et pas seulement l'ombre du Bien ; je parle du fait que la combinaison, l'arrangement, la diplomatie généralisée n'ont pas raison de toutes choses ; et que, ce drôle de président de la République, n'aurait-il rien fait d'autre de son mandat, ne ferait-il plus rien d'autre, qu'il aurait, mystérieusement, compris et fait *cela*.

Lundi 25 juillet *(Quand Tripoli met ma tête à prix)*

Conversation avec Boris Boillon, ambassadeur de France en Tunisie. La télévision libyenne, en particulier la chaîne Al-Jamahiriya, semble se déchaîner contre moi. Et a annoncé, il y a deux jours, une prime de 2,8 millions de dollars pour qui me ramènerait « mort ou vif ». Bien sûr, cela ne rassure guère. Non plus que tous ces blogs, pages de réseaux sociaux, fils twitters, qui, en arabe mais parfois, aussi, en français, souhaitent ouvertement mon exécution ou, comme le site

« Brave Patrie », l'annoncent. Mais en même temps...
La longue habitude que j'ai de ce genre de provocations... L'époque du *Daniel Pearl* où la République avait, pendant quelques mois, souhaité me protéger... Le groupe djihadiste pakistanais qui avait (depuis Peshawar – j'avais eu toutes les peines du monde, mais j'y étais arrivé, à éviter que l'information ne soit reprise par les agences) lancé une petite fatwa contre moi... Les Serbes en 1994... Le quotidien belge, *Dernière Heure*, paraissant, le 31 décembre 2008, avec ma photo, en pleine Une, accompagnée de la légende : « la prochaine cible de Belliraj » (Abdelkader Belliraj, islamiste déjà convaincu d'avoir tué deux Juifs belges, d'avoir commandité le meurtre de quatre autres Juifs et au domicile bruxellois duquel on venait de retrouver une liste de six personnalités, toujours juives, en tête de laquelle j'avais le douteux privilège de figurer)... Sans parler – et j'en oublie ! – de cet éphémère « comité de résistance contre l'occupation juive en France » qui, en 1978, après avoir fait sauter la stèle de Georges Mandel en forêt de Fontainebleau, avait plastiqué la façade du journal *Le Monde* qui refusait d'imprimer la liste de la dizaine de femmes et d'hommes qu'il venait de condamner à mort et où je figurais, déjà, en compagnie de Simone Veil et de quelques autres (c'est l'époque où, dans la maison de campagne que m'avait prêtée Olivier Orban, je passais mes week-ends à m'exercer au tir)... Assez longue habitude, oui, de tout cela. Vraie réflexion, à force, sur le sérieux de ce type de menace et, si sérieux, sur les moyens de le conjurer. Je connais le temps qu'il faut à des gens moyennement déterminés pour préparer un attentat et le réussir. J'ai pris l'habitude d'éviter de rester ce temps au même

endroit, dans la même ville, voire la même vie. J'évite les habitudes. Je regarde autour de moi. Je connais l'astuce qui permet, jusqu'à la toute dernière minute, d'éviter que mon nom apparaisse sur les listings de passagers des compagnies d'aviation. Là comme ailleurs, une seule solution : se battre, ruser – et gagner.

Lundi 25 juillet, suite (*Les déguisements de Lawrence*)

Repensé à cette façon que j'ai eue, l'autre matin, à l'Elysée, comme, d'ailleurs, la première fois, en mars, et comme la deuxième, la nuit de la venue de Younès à Paris, de m'asseoir, spontanément, du côté des Libyens. Il n'y avait aucun témoin. Pas de journalistes ni de photographes. Donc pas de souci tactique par rapport à Sarkozy, la gauche, la droite, la politique française, etc. J'ai fait cela d'instinct. Et le pire est que, maintenant encore, tandis que je revois la scène, cela reste une évidence, la seule chose à faire, la seule attitude juste : je ne me vois pas m'asseoir en face, avec les miens, mes compatriotes, les Français – ma place, sans doute ; et, pourtant, pas ma place ! Est-ce à ce type de situation que, mutatis mutandis, et sans comparer, là non plus, l'incomparable, se trouva confronté Lawrence quand, tout au long de son aventure au Hedjaz et en Syrie, il eut à servir ses « deux maîtres » : l'Angleterre et la révolte nationale arabe ? Et est-ce cela qu'il veut dire quand, en réponse à ceux qui s'étonnent de le voir arriver en costume arabe le jour où il accompagne Fayçal à Buckingham Palace, il déclare : « quand un homme sert deux maîtres et qu'il est forcé de déplaire à l'un d'eux, il vaut mieux qu'il offense le plus puissant » ? Lawrence, à un moment, eut à déplaire. Il eut à arbitrer, vraiment, et ce n'était plus affaire de seul déguisement, entre les deux maîtres que tout son pari, jusque-là, était de servir avec une égale loyauté. Et il fit d'ailleurs, ce jour-là, le choix inverse de celui de Buckingham puisqu'il joua son pays, l'Angleterre, pas les Arabes. Moi, à sa place ? Quel choix, si j'avais eu à choisir ? Et quel serait l'équivalent de son dilemme ? Si Sarkozy avait lâché... Si, comme je le craignais au début, les doctrinaires de l'enlisement avaient fini par le convaincre... Et si, comme en Bosnie, j'avais dû choisir entre la Justice, d'un côté, l'Histoire, ce que je crois bel et bon – et la France. Dieu merci, ce ne fut pas le cas.

Mardi 26 juillet (*Cinquième voyage en Libye : mon Rosebud*)

Tobrouk de nouveau.

Ou, plus exactement, Gambut, à mi-chemin de Tobrouk et de la frontière avec l'Egypte.

Ce voyage-ci, je l'ai fait seul.

Absolument et résolument seul.

Juste une voiture à Saloum, la ville frontière – comme la toute première fois, il y a cinq mois, la petite camionnette bleue livreuse de légumes, mais sans Gilles, sans Marc, sans garde du corps, sans personne.

Car, de ce que je cherche aujourd'hui, il n'est pas utile qu'il y ait de témoin.

Cela ne regarde que moi.

C'est la trace d'un homme dont je n'ai pas encore parlé ici et qui a, pourtant, sa place – et quelle place ! – dans cette aventure.

Il s'appelle André Lévy.

C'est l'homme le plus mystérieux que j'ai connu.

C'était, comme je l'ai dit, un jour, dans une de mes lettres à Michel Houellebecq, un bloc de silence et de secret.

Cet homme c'était mon père et j'ai fini par comprendre qu'il a joué un rôle clé dans cette affaire, mon affaire, celle de mon engagement à corps perdu, un peu fou, dans la défense de la Libye libre.

Je commence par le commencement.

Ou, plutôt par la fin – mais pour remonter vers le commencement.

Il y a André Lévy, le self-made man, qui, en 1948, année de ma naissance, pose les premières pierres de l'édifice invisible dont, comme l'a joliment écrit, à sa mort, Marc Lambron, il sera le roi secret.

Il y a, avant cela, à l'aube de ce geste qui marquera son entrée dans la société des privilèges, l'ancien de la guerre d'Espagne, puis le jeune communiste, qui ne renonce ni à ses rêves, ni à ses rages – il y a l'« indigné » et, en même temps que l'« indigné », l'« établi » qui écume les chantiers des banlieues rouges, s'y fait embaucher comme manœuvre et, une fois embauché, y sème le mauvais esprit du syndicalisme et de la grève.

Avant cela encore, il y a le Français Libre débarquant en Italie, en avril 1944, avec ses camarades de la légendaire 1re Division française libre qui restera, jusqu'à sa mort, le seul corps auquel il ait été fier d'appartenir, sous les ordres d'un homme, le général Diego Brosset, qui est bien le seul homme dont je l'aie

527

jamais entendu dire « mon chef » ; il y a le tout jeune garçon, oui, dont je n'ai jamais pu lire sans en avoir les larmes aux yeux cette citation au feu qui lui fut décernée par son « chef », le 19 juillet 1944, après l'entrée dans Rome, la déroute de la Xe armée allemande et, surtout, la prise de Monte Cassino où il fit montre d'un courage inouï : « ambulancier toujours volontaire de jour et de nuit quelle que soit la mission ; a assuré les évacuations sous les tirs de mortier avec un mépris total du danger allant à plusieurs reprises chercher les blessés dans les lignes sous le feu violent de l'ennemi ».

Et puis, pour qu'il s'illustre à Monte Cassino, pour qu'il se batte au coude à coude avec les Tabors et Goumiers marocains montant à l'assaut, non du ciel, mais de cette route qu'on appelait la route de la mort et dont les Allemands pensèrent, jusqu'au bout, qu'elle était ingagnable, pour qu'il soit de l'ultime offensive qui permit, entre les 11 et 17 mai, sous le feu des mortiers, de grimper les ravins à pic des monts Faito et Majo, d'escalader leurs falaises de boue et de couvrir enfin les Polonais qui plantèrent, les premiers, le drapeau au sommet du mont Cassin, pour qu'il soit cet ambulancier intrépide de cette héroïque 1re Division du général Brosset qui fut elle-même, avec la 2e DB du général Leclerc, l'une des deux armées légendaires de la France Libre, bref, pour qu'il se retrouve, là, au cœur de la bataille, il y avait deux chemins possibles, techniquement, géographiquement et concrètement possibles : je compulse toutes les histoires que je peux trouver de la 1re Division française libre ; je dévore les souvenirs des anciens combattants et les rapporte aux bribes d'information que j'ai tout de même pu glaner de son vivant ; et je m'aperçois qu'il y avait deux chronologies possibles, deux itinéraires, pas trois – et qui, tous deux, me ramènent… en Libye !

La même épreuve inaugurale forgea, je le précise, le même socle pour les deux André Lévy, pour l'enragé des chantiers d'Aubervilliers comme pour, ensuite, le roi secret de la place Saint-Ferdinand.

La même séquence « italienne » programma ses colères de jeune démobilisé rebelle en même temps que son appartenance à la Grande Confrérie, celle des « Gaullistes », qui lui permettra, le moment venu, de dire adieu au monde ouvrier et, fort de solides alliances, de se lancer dans son autre vie.

Mais l'essentiel est que, pour qu'il en arrive là, pour qu'il s'illustre sur les champs de bataille d'Italie et qu'après l'Italie il devienne ce jeune réfractaire oscillant entre communisme et gaullisme et entre leurs deux manières rivales de défier l'ordre du monde, il a eu deux cheminements possibles qui, l'un comme l'autre, sont nécessairement libyens.

Il a pu rejoindre la Division avec le flot de déserteurs de l'armée d'Afrique, d'évadés de France via l'Espagne, de Corses, qui arrivent entre juin et septembre 1943, après les batailles de Tunisie, au moment où elle se transforme en Division d'infanterie motorisée et où Diego Brosset, succédant à Koenig, en prend le commandement effectif : auquel cas il passe plusieurs mois cantonné à Zuwara, sur la côte libyenne, à 50 kilomètres de Tripoli et 50 de la frontière tunisienne, à attendre le grand départ pour l'Italie.

Ou bien il l'a rejointe un peu plus tôt, en février, à l'époque où la Division se forme et où Brosset n'est encore que le commandant, sous les ordres du général de Larminat, de l'une de ses deux brigades : auquel cas il fait partie des milliers de « juifs indigènes » qui décident, après Bir Hakeim, avec le 22ᵉ Bataillon de marche nord-africain, de quitter l'Algérie pour rejoindre la glorieuse armée – et c'est ici qu'il arrive, à Gambut, 60 kilomètres après Saloum, 60 avant Tobrouk, à l'autre extrémité de la Libye, dans le cantonnement gigantesque où les hommes de Brosset stationnent, l'arme au pied, pendant deux mois et quelques, avant de faire mouvement vers la Tunisie puis, donc, vers l'Italie.

Il ne m'a jamais dit laquelle de ces deux hypothèses était la bonne et où a eu lieu son incorporation.

Pas plus, d'ailleurs, qu'il ne m'a parlé de ses hauts faits de brancardier gravissant les pentes du mont Cassin pour y ramasser ses camarades blessés et pris entre les lignes.

Ni, non plus, de Diego Brosset, ce héros de la France Libre, ce Brave que le général de Gaulle, à sa mort, en 1944, salua comme son « compagnon » mais aussi, et c'était plus rare, comme son « ami » : et lui, mon père, qui avait servi sous ses ordres et qui, à Zuwara ou à Gambut, dans la partie ouest du désert de Libye ou dans sa partie est, avait passé des mois, dans sa compagnie, à attendre l'heure de s'embarquer pour aller libérer l'Italie puis l'Europe, ne m'en a jamais rien dit.

Parce que je ne l'ai pas assez interrogé ?

Parce que c'est toujours trop tard que l'on pense à poser les vraies questions ?

Ou parce qu'il était ce bloc de secret – et que, comme tous les héros, il était modeste et discret ?

Je ne sais pas.

Mais le fait est là.

Et j'en suis réduit, quant au détail de ce séjour libyen, aux conjectures et à l'interprétation des maigres indices que j'ai trouvés après sa mort et que j'ai pieusement conservés.

Indice : cette photo de groupe ; ils sont cinq ; on distingue la tache claire d'une tente derrière eux ; une forme floue, sur leur droite, qui pourrait être celle d'une automitrailleuse ; mon père, deuxième en partant de la droite, est le plus jeune ; tête nue, il a une expression indécise, à mi-chemin du sourire et de l'anxiété ; mais le signe qui m'intéresse c'est qu'il est, comme ses camarades, en short et que son voisin de gauche porte un casque plat et rond tandis qu'un autre, à l'autre extrémité du cliché, tient un Lee Enfield britannique – les stocks d'uniformes et d'armes américains n'étant arrivés qu'à partir de l'été 43, n'est-ce pas la preuve que la scène se situe plutôt en février, donc ici, à Gambut ?

Indice : cette lettre à la toute jeune fille, presque une enfant, qu'il a rencontrée, cinq ans plus tôt, à Béni-Saf, avant son premier engagement volontaire, en mai 1939, et à qui il a juré, s'il survivait, de revenir la chercher et de l'épouser ; cette lettre n'est pas datée ; le cachet du timbre, au recto du papier bible bleu, est effacé ; mais c'est bien l'écriture de mon père ; c'est son écriture serrée, presque illisible, mais, là, un peu plus appliquée ; et ce que j'en retiens c'est, outre sa façon étrangement romantique, de dire à sa petite correspondante qu'elle avait, quand il l'a quittée, l'âge de Juliette et Roméo, l'évocation d'un bain, en pleine nuit, dans une mer « couleur de mica » dont il lui dit qu'elle lui rappelle la mer de Béni-Saf et qui me donne, moi, à penser qu'il est forcément sur la côte, donc de l'autre côté, à l'ouest, à Zuwara.

Indice, toujours : cette autre lettre, non datée elle aussi, et l'oblitération du timbre également illisible, où il décrit sa tente, plantée sur un aérodrome abandonné et qu'il a fallu nettoyer, raconte-t-il, des milliers de clous, vis énormes, araignées métalliques, dispersés par les Allemands avant leur fuite et donc, je suppose, après Bir Hakeim et Al-Alamein, l'année précédente — comment, cette fois, ne pas reconnaître ce terrain vague de Kambut, à 5 kilomètres de Gambut, où je suis passé tout à l'heure, où il n'y a plus trace de quoi que ce soit mais où un vieux Bédouin m'a appris qu'il y a longtemps, très longtemps, se posaient des appareils britanniques ? et comment ne pas songer qu'on est ramené, là, de nouveau, à l'hypothèse février, région de Tobrouk, où je me trouve ?

Dans tous les cas, la situation est extraordinaire.

Dans l'autre hypothèse, la 2, il a connu cette ville de Zuwara que j'espérais, l'autre jour, lors de mon propre séjour dans le Djebel Nafoussa, d'apercevoir à la jumelle ; il a peut-être pu voir, lui, par temps clair, les pics rocheux où je me trouvais ; peut-être a-t-il même été, en permission, découvrir les grottes de Nalut et de Kabaw ; et peut-être est-il passé par Goualich ou, en face de Goualich, par ce village d'Al-Assabah que tiennent les troupes de Kadhafi et où j'aurais tant voulu pouvoir me rendre.

Dans l'hypothèse numéro 1, la plus vraisemblable, celle que confirment et la photo et la seconde lettre, il a stationné là même où je me tiens aujourd'hui ; il y a rêvé ; pensé ; il a bu dans le puits abandonné que je devine à droite de l'ancien dispensaire ; il a foulé la même poussière ; marché entre les mêmes maisons ; peiné sous le même soleil de plomb écrasant la même pierre bistre qui peinait déjà, comme aujourd'hui, à libérer sa propre lumière ; c'est là qu'on lui a enseigné l'usage des mines et la technique du déminage ; le maniement du lance-flammes et de l'arme blanche ; c'est là qu'il a appris à creuser, s'enterrer, conduire dans le désert, tous feux éteints, dans la caillasse, à la boussole ; c'est là qu'il s'est préparé à se battre — et à courir aussi, sans tirer, sous les tirs, pour aller dégager ses compagnons fauchés par la mitraille.

Et dans l'hypothèse, enfin, où les deux hypothèses auraient été également, c'est-à-dire successivement, vraies, dans l'hypothèse, après tout pas impossible, où il aurait été à Gambut en février puis à Zuwara pendant l'été et où il aurait, entre-temps, participé, en Tunisie, à la bataille de Kenitra, il aurait traversé la Libye d'est en ouest ; franchi les 1 400 kilomètres qui séparent ses deux frontières d'Egypte et de Tunisie ; il aurait, il y a presque soixante-dix ans, réalisé mon projet d'aujourd'hui et me l'aurait, peut-être, secrètement assigné.

Je l'imagine ici, à Gambut.

Je le vois marchant entre ces maisons écrasées de misère, dans son uniforme dépareillé où il avait dû se coudre le célèbre écusson bleu nuit orné de la croix de Lorraine rouge.

Je vois, debout et dans sa gloire, ce « fort français » dont mon guide me montre l'emplacement et où il a dû séjourner.

Je vois cette tombe mal entretenue, un peu délabrée, près de laquelle il y a, aujourd'hui, un bout de stèle en l'honneur de soldats néo-zélandais morts pour la liberté et j'essaie de la considérer avec les yeux qu'il avait.

Je l'entends rire de ce rire sans gaieté qui devait déjà être le sien, fraterniser avec ses compagnons tout en gardant ses distances, se porter volontaire pour les corvées comme il le fera, l'année suivante, pour le ramassage des blessés sous le feu ; je l'entends jouer le fier quand il a peur et se faire, à tout hasard, cette belle voix sourde, mélodieuse mais sans effets, qui l'accompagnera le reste de sa vie – apanage de ceux qui ont la force de ne vouloir plaire à personne.

Et puis je me vois, moi, son fils, l'autre semaine, sur le front d'Ajdabiya, écoutant Mustafa El-Sagezli, le chef des chebabs de Benghazi, dire que la première chose à faire, dans le désert, est, avant même de se battre, d'apprendre à creuser, s'enterrer, tracer des pistes dans la caillasse, courir et rouler à la boussole ; je me vois, moi qui ne sais pas conduire, n'ai jamais creusé un trou de ma vie et n'ai jamais, non plus, tenu une arme retrouvant, sinon ces gestes, du moins ces idées de gestes, dont je me demandais d'où elles pouvaient bien me venir et qui, là, soudain, me semblent si claires – pâles répliques, mais répliques quand même, de ces gestes fantômes qui me poursuivent à mon insu.

J'ai toujours soupçonné quelque chose de cette transmission.

J'ai toujours senti que, dans la façon que j'ai eue, toute ma vie, du Bangladesh à la Bosnie, et de l'Erythrée au Darfour, de me mettre en jeu au nom de valeurs supérieures, il y avait quelque chose de cet héritage paternel et de la volonté de m'y mesurer.

Et quand on disait « Malraux », quand on croyait, derrière mon engagement bosniaque, sentir l'invisible main d'Orwell ou d'Hemingway, je savais bien, moi, que j'avais un autre modèle et que ce n'était pas un modèle de papier.

Mais enfin je savais sans savoir.

Je le devinais sans en être certain.

Peut-être n'osais-je, d'ailleurs, même pas le formuler tant la réplique me semblait fade comparée à l'original.

Et lui-même, quand je l'interrogeais, faisait attention à m'en dire le moins possible – peut-être parce qu'il préférait me laisser dans l'incertitude plutôt que de me mettre au péril de cet empiètement des biographies et de la comparaison qui, fatalement, me confondrait.

Là, c'est clair.

Il n'y a plus vraiment de doute.

Cela fait peur, bien sûr ; j'ai la mémoire qui tremble un peu ; mais je suis heureux, en même temps, comme quand on a beaucoup couru et que l'on peut souffler.

Fallait-il que j'arrive ici, à cet âge, pour avoir confirmation de ce que, depuis mes débuts, je m'interdisais de formuler, et lui aussi ?

Fallait-il ces décennies passées, sous son regard, à ne rien comprendre à notre lien pour, aujourd'hui, alors qu'il n'est plus là ou, s'il est là, c'est perdu dans les étoiles qui commencent à monter dans le ciel libyen, trouver le secret des gestes qu'il m'a cachés et, en me les cachant, transmis ?

C'est bien possible.

Chaque homme a son histoire secrète, il suffit de savoir attendre.

Et c'est Butel qui, alors, aurait raison – et ce rendez-vous libyen serait bien, comme il me l'a écrit au tout début, ce rendez-vous d'une vie qui, à tâtons, s'y accomplit.

Mardi 26 juillet, suite *(L'ombre, protectrice, de Diego Brosset)*

J'ai dit que mon père n'avait jamais, devant moi, évoqué son chef, Diego Brosset.

Il y a une exception, en fait.

Une exception très étrange et dont la mémoire m'est revenue, là, à l'instant, dans cette maison d'hôte de Gambut où je me suis arrêté pour la nuit – il fait noir, il n'y a pas d'électricité, j'ai trop faim pour arriver à dormir mais il me reste assez de batterie pour noter.

Nous sommes en 1975.

Je viens d'être licencié par Grasset au prétexte que *L'Imprévu*, le quotidien que j'ai fondé avec Butel, a lamentablement échoué et que j'apparais désormais, aux dires de la direction de la Maison, comme « un has been ».

Mon père, informé par moi de la chose, a décrété que c'était « absurde » et, avec le culot qui était une des marques de sa prodigieuse souveraineté, a décidé de venir voir mon éditrice, Françoise Verny, qu'il ne connaît en aucune façon ; avec qui il n'a, apparemment, rien de commun ; mais qu'il se dit sûr de pouvoir convaincre, primo qu'un jeune homme de vingt-cinq ans ne peut pas être « un has been » et, secundo,

qu'il sait, lui, ce qu'est une entreprise et que l'entreprise Grasset commettrait une lourde erreur en se pri-
vant des services de son fils chéri.

Nous sommes chez elle, rue de Naples, un matin,
heure où elle est encore à jeun.

Elle considère avec une curiosité craintive ce grand
patron, courtois mais sec, dont on subit le regard avant
même qu'il ne vous fixe et dont les manières ont peu
à voir avec celles de l'édition.

Et c'est lui qui, alors qu'il ne boit jamais, paraît
frappé d'une sorte d'ivresse – une colère en fait ; une
colère saisissante de brutalité et qu'il semble aussitôt
regretter ; et une colère qui, surtout, lui arrache cette
phrase énigmatique et qui semble, sans que je comprenne pourquoi, troubler beaucoup son interlocu-
trice : « et puis... et puis... » – il se reprend, se
redresse sur son fauteuil comme s'il devait s'en aller :
« et puis, quand on a refusé Diego Brosset, on évite
de faire les malins ! »

Que vient faire Diego Brosset dans cette affaire de
licenciement d'un jeune employé d'édition ?

Et qu'est-ce que cette histoire de général, héros
de la France Libre, mort en 1944, dans un accident
de Jeep, qui aurait été « refusé » par la maison qui
m'emploie ?

Mon père, fidèle à son habitude, n'en dit pas plus.

Nous rentrerons à pied, au rythme de ce pas lent
qui a toujours eu le don de m'impatienter mais qui
est, comme sa voix, un autre signe de sa souveraineté,
jusqu'à la rue Saint-Ferdinand et, de tout le chemin,
pourtant long, il ne m'en dira pas davantage.

Françoise Verny elle-même, comme si un pacte
tacite s'était noué, là, en quelques instants, entre mon

père et elle, affichera une mine gênée, et ne dira rien non plus, esquivera les questions, chaque fois que, dans les jours et les mois suivants, je lui en reparlerai.

La seule chose sûre c'est que, quelques jours plus tard, l'on me notifie que mon licenciement pour hasbeenité est annulé et que, moyennant l'engagement pris de passer quelques mois, en pénitence, à réécrire les livres de l'ex-inspecteur Roger Borniche et de la duchesse de Bedford, je suis réintégré dans les cadres de la Maison.

Et le fin mot de l'affaire, son vrai fin mot, le secret de ce revirement – dû à l'intervention, il faut croire éloquente, mais dont je n'eus aucun détail, de Françoise Verny auprès du patron d'alors, neveu de Bernard Grasset, Bernard Privat – je les aurai plus tard, beaucoup plus tard, et en deux temps.

En 1991 d'abord, tandis que j'enquêtais, pour les besoins d'un film de télévision, sur l'histoire des intellectuels en général et dans la Résistance en particulier. J'étais allé voir Jean Bruller, alias Vercors, qui était l'incontournable témoin de ces temps déraisonnables. Nous avions parlé du *Silence de la mer,* bien sûr. Des éditions de Minuit, forcément. D'Aragon, dit François-la-Colère. De Mauriac dit Forez. Mais il m'avait aussi parlé, je ne sais plus pourquoi, peut-être à cause de Mauriac justement, d'un de ses amis les plus chers qui s'appelait Diego Brosset et que ses talents de militaire n'avaient pas empêché d'être écrivain, parfois même romancier et d'avoir, en 1927, soutenu par lui, Bruller, ainsi que par Mauriac, soumis un manuscrit de roman – *Il sera beaucoup pardonné* – à Grasset qui l'avait refusé…

Et puis, quelques années plus tard, mes derniers tête-à-tête avec Françoise Verny dont j'avais, à mon tour, facilité le retour chez Grasset. Elle avait reçu en plein

538

cœur la publication du *Dora Bruder* de Patrick Modiano. Elle s'était mise en tête de retrouver, du coup, la trace de sa Dora Bruder à elle, la petite Nicole Alexandre, son amie, qu'elle avait vue disparaître du lycée, un matin de 1944, pour ne plus y revenir puisqu'elle fut déportée à Auschwitz et gazée. Et, tandis que, poussée et aidée par Modiano qui le préfacera après sa mort, elle s'attelait à ce *Serons-nous vivantes le 2 janvier 1950 ?* qui sera le dernier livre signé d'elle en même temps qu'un bouleversant hommage à sa camarade partie en cendre et en fumée, nous nous sommes mis à parler, pour la première fois, du fond politique de l'affaire : l'antisémitisme, Vichy et, par voie de conséquence, cette France Libre dont j'avais toujours su qu'elle lui avait été vaguement liée à travers tel de ses amis (Maurice Clavel) ou à travers son ex-mari (Charles Verny) mais dont elle me confiait, là, qu'elle avait été sa vraie famille, sa seconde Eglise ainsi que la source d'une Foi presque aussi vive que l'autre – la « Mère Maquerelle » de l'édition, celle que François Mauriac, encore lui, avait toujours appelée « Miss Ficelle » en raison de son goût pour la brigue et l'intrigue, ce symbole du cynisme et de la compromission du milieu « gendeletttre », avouait, tout à coup, n'avoir jamais cessé de se reconnaître dans ce moment d'Histoire de France, de le révérer en secret et, quand l'occasion s'en présentait, d'essayer d'y être fidèle. Jusqu'au jour où, chez elle, rue de Naples, dans le salon même où elle m'avait reçu avec mon père, elle revint, de son propre chef, sur ce rendez-vous de 1975 et me dit que c'est bien l'évocation du nom de Diego Brosset qui, ce jour-là, l'avait attendrie, émue, convaincue – et requise.

Heureux temps où la formule « France Libre » pouvait avoir cette puissance magique ; où la chose même – *la* France Libre – faisait sens et lien pour des Français de tous horizons ; et où le nom d'un de ses héros pouvait être un mot de passe pour deux êtres aussi différents qu'André Lévy et Françoise Verny et un sauf-conduit pour un jeune homme qui, trente-cinq ans plus tard, alors que les témoins ont à peu près tous disparu, essaie d'en perpétuer l'esprit, ici, sous le ciel de Libye.

Jeudi 28 juillet *(Qui a tué Younès ?)*

Pourquoi l'annonce de l'assassinat d'Abdelfattah Younès me fait-elle pareil effet ?

L'homme, bien sûr. Cet homme que je connaissais et dont les images me reviennent, là, poignantes. Cet homme qui, quoi qu'on en dise aujourd'hui, m'avait fait, moi, grande impression. Et c'est sans doute pour cela que je n'arrivais pas à lui dire, dans l'avion, que je n'étais plus sûr, vu le retard, du rendez-vous avec Sarkozy. Je le revois, à l'escale de Rome, ne doutant de rien. Je le revois, face au Président, trouvant le bon angle pour convaincre. Je le revois, le lendemain matin, au beau milieu du hall du Raphael, en discussion avec le patron de Panhard, rigolard, ne doutant de rien. Il faisait, dans mon esprit, clairement partie des invulnérables. Il était le type d'homme avec qui je sentais qu'on pouvait, comme on dit, aller à la guerre. Ce n'est pas comme cela que ça s'est passé puisque c'est avec Mustafa El-Sagezli que je suis allé, la veille de notre vol pour Paris, sur le front d'Ajdabiya. Mais

540

je suis sûr que, si j'y étais allé avec lui, ou si, le mois précédent, je lui avais demandé de m'accompagner à Brega ou, le mois suivant, à Misrata je me serais senti si profondément en sécurité que je me serais épargné la peur, l'incertitude, le cœur qui bat. Et, là, mort comme un débutant. Abattu comme un animal. Tout petit, soudain. Fléchissant les genoux. Pleurant, mais pour de bon. Incrédule. La voix brisée, quand il comprend. Enragé. Implorant Dieu, ou ses bourreaux, ou les deux, mais sans réponse. Ne sachant même pas vraiment – c'est ainsi, en tout cas, que je l'imagine – ce qui est en train de lui arriver. Si, Kadhafi. Il a dû avoir le temps, tout de même, dans les quelques secondes qu'a duré son agonie, de reconnaître la signature de son Maître et, soit de le maudire, soit de maudire le jour où il a décidé de le quitter. Adieux au monde. Adieux, dans la lumière montée du sol, à ses deux colonels, peut-être ceux de la Control Room, la veille de notre voyage à Paris, je ne sais pas. Et sa peau criblée de balles, puis arrosée d'essence, brûlée. Et son cadavre méconnaissable.

Et puis, après, il y a les questions politiques, naturellement, que soulève l'événement. Car de deux choses l'une. Ou bien c'est Kadhafi qui l'a tué. Il faisait partie du club fermé des traîtres sur la tête desquels le « Guide » avait mis le prix, deux millions de dollars, peut-être trois, et il s'est trouvé un sicaire, à Benghazi, pour exécuter la sentence et empocher la prime ; l'hypothèse n'est pas bonne car c'est la preuve que Benghazi est moins tenue qu'on ne le dit, moins nettoyée que je ne l'ai moi-même pensé et qu'on y trouve toujours des cellules dormantes de kadhafistes. Ou bien c'est de l'intérieur du camp rebelle que sont sortis les assassins ; ce sont des extrémistes religieux ; ou bien des impatients qui ne comprennent pas que l'armée dont il assurait le commandement n'avance pas plus ; ou la famille d'un chebab qu'il aurait, à l'inverse, imprudemment exposé et qui en serait mort ; et, de nouveau, c'est terrible car cela alimente la thèse du camp rebelle divisé, des luttes de tendances hostiles au sein du Conseil national de transition, de la guerre qui tourne mal et de la nécessité de se sortir, très vite, de ce bourbier. Terrible pour terrible, je préfère, naturellement, la première hypothèse. Je la trouve plus vraisemblable, d'abord ; mais, surtout, meilleure pour mes amis, moins coûteuse en termes d'image — ce pour quoi je passe la moitié de la nuit à joindre Doha, et Benghazi, pour convaincre ceux que je peux atteindre de blinder la thèse du meurtre commandité par Tripoli.

Vendredi 29 juillet (« *Eléments de langage* » *en réaction à la mort de Younès*)

J'oublie l'émotion.

Je mets entre parenthèses les images.

Je renonce même à me demander laquelle est la plus vraisemblable de la thèse de l'infiltration ou de celle du règlement de comptes.

Car l'urgence est de répondre à l'avalanche de réactions que la mort de Younès a provoquée chez ceux qui ne manquent aucune occasion de discréditer les insurgés ou de jeter le doute sur le principe même de cette guerre — ah, le CNT... on vous l'avait bien dit... grotesques... pas sérieux... pantins de l'Occident... harkis... panier de crabes...

Et je mets au point un petit argumentaire personnel auquel je crois à 95 % et dont les points essentiels sont les suivants.

1. Toutes les Résistances, toutes les rébellions armées, ont eu à faire face à des drames de cette nature, fruits de machinations plus ou moins clairement ourdies par l'ennemi : la Résistance française connut maints cas d'élimination, après trahison, de responsables de premier plan, à commencer, toutes proportions gardées, par Jean Moulin ; l'Alliance du Nord, en Afghanistan, vit son chef, Ahmed Shah Massoud, victime d'un attentat à la caméra piégée après avoir été vendu, sur le territoire même de l'Alliance, par l'un de ses piliers ; la même chose se passa avec le FLN algérien dont les rangs furent décimés par des agents infiltrés ou des maquisards retournés par les services français ; ou encore Cabral, en Guinée portugaise, assassiné par la PIDE ; les révolutions, en un mot, sont toutes à la merci d'un commando dormant, d'une cinquième colonne, d'un gang instrumentalisé ; et leurs états-majors politico-militaires – il faut avoir perdu toute mémoire historique pour l'ignorer – ont toujours été les cibles privilégiées de ces doubles jeux, de ces tueurs sortis de l'ombre.

2. Le coup est, certes, dur pour Benghazi. D'autant que le CNT perd, avec le général Younès, celui de ses commandants qui, parce qu'il avait été le numéro 2 de Kadhafi, connaissait le mieux sa psychologie, les secrets et rouages de son pouvoir, les bunkers qu'ils avaient construits ensemble, sa tactique, sa stratégie (et cela explique que Tripoli ait pu s'attacher à sa perte, mettre sa tête à prix et en faire, tant sur le plan personnel que militaire, un objectif prioritaire). Mais, si le coup est rude, il n'est pas fatal. D'abord parce que Younès, s'il

avait ce mérite de connaître de l'intérieur le système ennemi et s'il avait, de surcroît, la confiance des alliés et, en particulier, de la France n'était pas, pour autant, le seul homme clé de la situation. Ensuite parce qu'il y a, non seulement donc à Benghazi, mais aussi à Misrata et dans le Djebel Nafoussa des officiers de métier comme des commandants civils aussi valeureux que Younès et non moins aptes que lui à mener la Libye libre à la victoire. Et enfin parce que sa disparition n'a été suivie d'aucun recul sur aucun des trois fronts (Brega, Goualich et les environs de Misrata) – au contraire.

3. Une commission d'enquête, diligentée par le Conseil national de transition, s'est engagée à faire la lumière sur ce meurtre. Mais une chose est sûre. La façon que l'on a eue, depuis quelques jours, d'en prendre prétexte pour présenter le CNT comme une coalition hétéroclite et opaque d'éléments virtuellement en lutte les uns contre les autres est absurde et témoigne, là encore, d'un manque préoccupant de mémoire historique. Qu'il y ait, au sein du CNT, des archéos et des modernes, des représentants des tribus et des émanations des classes moyennes urbanisées, des ex-kadhafistes, parfois des islamistes repentis et des opposants historiques, militants de longue date des droits de l'homme, je le sais bien. Mais en déduire je ne sais quelle fragilité, pour ne pas dire illégitimité, de ce CNT n'a pas de sens. C'est oublier que la composante démocratique y représente l'écrasante majorité et marque des points tous les jours. Et c'est oublier, là aussi, l'histoire générale des Résistances qui ont toujours été des coalitions de cette sorte, amalgamant dans une improbable unité toutes les composantes d'une nation : n'est-ce pas quand on nie cette évidence, et quand on ne veut voir qu'une seule tête,

que, comme dans l'Algérie du FLN, les choses tournent, à terme, le plus mal ? et devrait-on faire rétrospectivement grief au pouvoir insurgé de Londres d'avoir amalgamé, en 1940, des gens de gauche et de droite, des républicains en deuil de leurs valeurs et des hommes d'Action française rendant la République responsable de la défaite, des francs-maçons et des nationalistes, des juifs et des antisémites, des communistes et des socialistes, des gaullistes et même des antigaullistes ?

Tels sont mes trois points. Tels sont les « éléments de langage » du Parti BHL. Et la conclusion est celle-ci : les rumeurs n'y feront rien ; la rébellion libyenne, après l'assassinat de l'un des siens, est, plus que jamais, et peut-être pour cette raison même, condamnée à se rassembler et à gagner.

Samedi 30 juillet *(Quand je recommande un successeur pour le général assassiné)*

Des combats à Benghazi. A l'intérieur même de Benghazi. Qui l'eût cru ? Qui aurait pu imaginer que la « capitale rebelle » puisse être le théâtre de ces affrontements dont me parle Ali Zeidan au téléphone et que rapporte, pour partie, la presse ?

Message à Abdeljalil : « veillez bien, Monsieur le Président, au choix du successeur ; si vous prenez Khalifa Hifter, ou Omar Hariri, vous nourrirez les soupçons de division au sein du Conseil ; car c'étaient les deux rivaux de Younès ; ses challengers depuis le début ; n'avez-vous pas un autre bon général dont on ne puisse pas dire qu'il conspirait contre le défunt ? »

Message, en retour, du Président : il nommera Souleiman Mahmoud Al-Obeidi qui est un bon soldat et qui présente l'avantage supplémentaire d'appartenir à la tribu des Obeidi, qui fut celle d'Abdelfattah. Le message ajoute que je dois faire attention à moi. Tous ces événements ont échauffé les esprits. Suis-je informé que la télévision de Tripoli diffuse en boucle des images de moi avec une promesse de prime qui n'a rien à envier à celle des assassins d'Abdelfattah ?

Evidemment, j'en suis informé puisque je suis, depuis hier soir, placé sous protection policière. Bizarre impression, d'ailleurs. Voir débarquer, sans crier gare, avec une sous-préfète au physique de James Bond girl, cinq fonctionnaires du GIPN relayés, depuis ce matin, par une unité du GAHP descendue exprès de Paris. Et apprendre que l'Unité de coordination de la lutte antiterroriste vous a placé sur un « niveau d'alerte » préoccupant. Il va falloir vivre avec cela. Combien de temps ?

Dimanche 31 juillet *(Orwell ? Byron ?)*

Dans mon argumentaire sur l'inévitable division des guerres de libération et des Résistances, j'ai failli ajouter l'exemple de la guerre d'Espagne (voir Orwell). Et, plus encore, celui de la Grèce lorsque Byron y débarque en janvier 1824 (voir la correspondance de Byron lui-même, son découragement, voire son désespoir, face à cette autre guerre que se livrent, entre eux, à Missolonghi, les « héritiers de Leonidas »). Je me suis arrêté à temps : c'est l'histoire de deux défaites.

546

Lundi 1ᵉʳ août *(Un Rabbin lituanien ?)*

Appel de Maître C. C'est aujourd'hui seulement qu'il me le dit et il a l'air bien embêté. Des cambrioleurs ont fait effraction dans son étude pendant le week-end du 14 Juillet. Ils ont vidé ses armoires. Tout mis sens dessus dessous. Mais ils n'ont pris, apparemment, qu'une chose : un trousseau de clefs qui était dans le tiroir verrouillé de son bureau personnel et où se trouvait, entre autres, la clef du coffre où il stocke, depuis vingt-cinq ans, mon Journal. Qu'y avait-il dans le trousseau ? Quelle clef de qui et de quoi ? Et combien d'autres à part la mienne ? Secret professionnel oblige, il ne m'en dit rien ; il se contente de m'expliquer qu'il est, pour ce qui me concerne, allé lui-même, dès l'ouverture des banques, vider le coffre et en louer un autre ; et me laisse donc à mes spéculations. Ce journal et l'autre... Cette pure chronique libyenne, que je publierai quand tout sera fini et l'autre, impubliable, et qui lui fait pourtant contexte — sorte de « livre caché », ou « brûlé », à la façon de celui dont Rabbi Nahman de Braslaw, arrière-petit-fils du Baal Chem Tov, disait qu'il ne pouvait être lu par personne, éventuellement par le messie, et encore ! à condition d'être démembré, redéployé, brisé, comme les Tables du Commandement. Ce qui se passerait si quelqu'un tombait dessus... La différence des contenus... Les aveux qui sont dans l'autre et que j'expurge de celui-ci... Et puis la différence des styles... Le côté soigné de cette chronique-ci, écrit — et l'autre ton de la chronique cachée... Ce qui fait l'unité d'un écrivain, alors... S'il est le même, vraiment, quand il se laisse

547

aller et quand il s'apprête... Et si, par parenthèse, c'est vraiment dans le premier cas qu'il est le plus lui-même... Les mirages de l'authenticité... Flaubert for ever... L'artifice au poste de commande... Je n'ai pas tellement bougé, sur ces sujets, depuis trente ans...

Mardi 2 août (*Service de la Vérité*)

Deux maîtres, oui. Plus, dans mon cas, un troisième : la Vérité.

Mercredi 3 août (*Grandeur de l'échec*)

Et si la Libye, après tout, était une cause perdue ? Une belle cause, mais perdue ? C'est la rumeur du jour. C'est, depuis la mort de Younès et l'incontrôlable désordre qu'elle provoque dans les rangs insurgés, le thème de tous les commentaires. Eh bien soit. Ce ne serait pas la première fois. Et je n'ai jamais pensé, de toute façon, que d'être gagnante, de marcher au bras et au pas des vainqueurs, ajoute quoi que ce soit à la légitimité d'une cause. Disjoindre la vérité de la victoire et faire, le cas échéant, un haut fait de ses défaites : geste dandy, geste levinassien, les deux à la fois, quelle joie. Sans parler de Malraux qui a écrit, et filmé, *L'Espoir* au moment où, comme chacun sait, il n'y avait plus d'espoir du tout – sans parler, oui, de ce grand roman, puis de ce grand film, qui racontent la naissance d'une armée révolutionnaire, l'éclosion d'une illusion lyrique, le développement d'une fraternité à l'instant très précis où il n'y a plus à peindre qu'une défaite héroïque. Et sans parler, non plus, de cette phrase de Lawrence, dans la quatrième partie des *Piliers,* qui m'a toujours semblé si énigmatique : il parle du cours victorieux que prend cette révolte arabe à laquelle il s'est si étroitement lié ; et il insiste sur « la honte physique du succès » qu'il a toujours ressentie après chacune de ses victoires et qui lui fait, très logiquement, préférer les belles défaites.

Mercredi 3 août, suite *(Retouche au portrait de Mouammar Kadhafi)*

Un officier de la République qui s'est occupé de Kadhafi au moment de sa visite en France en 2007. Je prends un malin plaisir à le faire parler. Les caprices du « Guide ». Ses folies... Le jour où il a fait, pendant deux heures, attendre le président français... Celui où il a eu, soudain, trop chaud et a demandé à son chauffeur de doubler l'ensemble du convoi et de le conduire, d'urgence, à Marigny car il voulait prendre un bain sans tarder... Le ballet des Amazones courant autour de sa voiture et le plaisir qu'il prenait à accélérer pour les obliger à courir plus vite, encore plus vite, aux limites de leur résistance, jusqu'à les semer... Son visage boursouflé, ses traits de clown, quand on le regardait de près... Ses sautes d'humeur... Peut-être des médicaments, il n'est pas sûr... Le jour où il a tenu à aller chasser, à Rambouillet : l'officier de sécurité craint de le laisser seul avec un fusil, il ne le quitte pas des yeux mais, quand la partie de chasse s'achève, catastrophe ! un arbre tombe, un arbre énorme, qui, à 5 secondes près, le tuait – jusqu'aujourd'hui, dans son bunker de Tripoli, il doit penser qu'il a, ce jour-là, à Paris, échappé à un attentat et que Sarkozy fourbissait ses armes... Ou, le jour de sa rencontre avec les femmes françaises, au Pavillon Gabriel, l'estrade qui casse, il tombe, il manque se briser le cou et c'est l'officier qui, à la dernière seconde, le rattrape et le sauve – encore un complot déjoué ? Ou sa fureur, au Louvre, contre l'un de ses propres gardes du corps, un Libyen, qui a fait un faux mouvement et l'a bousculé : il lui assène un coup de poing, énorme, sur la nuque, comme on cogne un lapin ou un veau – il traitait ses hommes, vraiment, comme des animaux... Et puis les deux fois où il a demandé que la voiture s'arrête en plein Paris, c'était dans le coin des bouquinistes – j'essaie de savoir les livres qu'il a choisis, leurs titres, si c'est lui qui les a payés, mais le policier a oublié...

Mercredi 3 août, suite *(Avec qui sont les fous de Dieu ?)*

Après l'enlisement, le fiasco... C'était, hier, le thème de la chronique de Jean-François Kahn dans *Libération*. Et c'est comme ça que, ce matin, Thierry Guerrier attaque notre entretien sur Europe. Et la Syrie, chers amis ? Est-ce que le vrai fiasco n'est pas là, dans l'impuissance de la communauté internationale à agir, à prendre même position – et dans le fait que tout le monde ait l'air de trouver normale la position du Brésil, de l'Inde et de l'Afrique du Sud : « les Syriens peuvent crever ; l'essentiel est que l'Europe et, d'une manière générale, l'Occident ne profitent pas de la situation pour marquer des points, imposer leurs valeurs et empocher, au passage, les dividendes moraux de sauveurs des peuples ». En attendant, Saïf Al-Islam, le fils de Kadhafi, donne une interview au *New York Times* où il affirme avoir pactisé avec Ali al-Salabi qu'il présente comme le « guide spirituel » des djihadistes libyens : ensemble, dit-il, nous allons débarrasser la Libye des libéraux et des pro-occidentaux... Ah, le grand « moderniste » ! Le « rempart » contre l'islamisme !

Jeudi 4 août *(Peur sur la ville)*

Beaucoup de menaces de mort sur internet. Et, surtout, Ali qui m'appelle, de la part d'Abdeljalil, pour me dire que celui-ci ne souhaite pas que je maintienne mon départ à Benghazi pour le 8. Situation incontrôlée. Des combats, en ville, au-delà de ce que dit la presse. Je comprends. Il m'en remercie. Mais tout cela me semble témoigner, quand même, d'un climat bien étrange.

Jeudi 4 août, suite *(Le Président, nouveau verbatim)*

Cette conversation-ci, j'aimerais pouvoir la porter à la connaissance de tous les imbéciles qui pérorent sur le fiasco libyen, la pauvre France empêtrée et le président de la République à la recherche de la première idée qui passe et qui lui permettra de se tirer de ce mauvais pas.

Je lui ai envoyé, ce matin, un message lui suggérant le nom de *la* personne qui m'est apparue, soudain, la mieux placée pour transmettre une offre de reddition à Kadhafi. Il me rappelle. Verbatim.

« J'ai eu ton message. Bien sûr que l'idée de Boris B. est une bonne idée. Mais il est trop proche de moi. Et puis, quel serait le sujet ? Je l'enverrais à Tripoli pour faire quoi ? Pour négocier quoi ? Et avec qui ? Allons donc… Il n'y a rien à négocier avec ce type. Il est fou, je te l'ai dit. Et il ne peut plus y avoir, avec lui, la moindre discussion sérieuse. Je me suis fixé une stratégie. Ce n'est pas aujourd'hui que je vais en changer. Par tempérament, d'abord : je ne suis pas du genre à changer de cap comme ça. Et puis, aussi, à cause de ce qui se passe sur le terrain. Les gens peuvent dire ce qu'ils veulent : nos amis du CNT progressent bien. Ils progressent doucement, d'accord. Ça va moins vite que prévu, c'est vrai. Et heureusement, par parenthèse, que j'ai dissuadé Cameron de programmer notre voyage à Benghazi pour juillet. Tu nous imagines débarquant en pleine émotion liée à la mort de Younès ! Non. Quand on ira, ce sera avec un vrai projet. Ce sera pour prendre la parole, pour nous adresser aux habitants de Benghazi, pour dire des choses fortes. Ce pour quoi nous avons besoin d'une situation qui semble, je dis bien semble, sinon réglée, du moins stabilisée. Sur Younès, au passage, j'ai lu ce que tu as écrit. C'est toi qui as raison. Alors, bien entendu, ils vont nous trouver trois vagues cellules d'islamistes infiltrés ! La belle affaire ! Comme s'il n'y avait pas des infiltrations dans toutes les situations de ce genre ! Cela étant dit, je ne sais pas quelles sont tes informations. Mais nos amis ont le vent en poupe. Et ils progressent – c'est ça le plus important ! – sur chacun des trois fronts : Brega, Zintan, Misrata. Après, les gens peuvent raconter ce qu'ils veulent. Ils peuvent surinterpréter, par exemple, le fait que j'aie rappelé le porte-avions *Charles de Gaulle*. Je vais aller l'accueillir, d'ailleurs. Il ne faut le dire à personne, mais j'irai l'accueillir moi-même, mercredi. Et je dirai, à ce moment-là, ce qu'il y a à dire sur le sujet. A savoir, en particulier, que les états d'âme des Munichois n'ont aucune espèce d'importance face à l'issue qui, elle, ne fait pas de doute. La victoire sera au rendez-vous. Et, une victoire étant une victoire, personne ne viendra plus dire : "comme c'était long ! comme elle s'est fait attendre ! comme on aurait préféré une guerre moins enlisée, etc. !". A un moment donné, le temps s'accélérera. Il écrasera tout comme à travers un téléobjectif. Et on n'aura même plus l'impression, avec le recul, d'une guerre longue. La vérité c'est qu'elle sera, cette victoire, à la mesure, et de la difficulté, et de l'enjeu. Car attention ! La partie qui se joue là dépasse ma personne, mon mandat. C'est la position de la France dans le monde arabe que nous sommes à l'aube d'établir. C'est l'ordre du monde, le style des relations internationales, pour les prochaines décennies que nous sommes en train de définir. C'est un événement de longue portée. Un séisme lent. Tout cela mérite bien un peu de patience. Restons en contact. Merci pour ce que tu fais. »

10 h 30. Nouvel appel de Nicolas Sarkozy. Veut me parler de mon entretien de ce matin avec Frédéric Gerschel pour *Le Parisien*. Mais, très vite, il passe à l'essentiel. « Ton interview était prémonitoire. Car on a, de nouveau, frappé très fort cette nuit. Il semble même que Kadhafi ait un général, son général en chef, qui soit mort au combat, à Brega. Ça avance sur tous les fronts. Tous. Et ça commence à prendre, franchement, bonne tournure. Si Misrata a eu les armes qu'elle demandait ? Bien entendu. Un seul chiffre. Le Qatar vient de livrer six-cents pick-up. Dont la moitié pour Misrata. Sans parler d'équipements lourds qui sont en train d'arriver. Oui, le travail commencé le 20 juillet est en train de produire ses effets et ils sont inéluctables. Il y a un signe qui ne trompe pas : ça ne réagit plus ; il n'y a plus le moindre tir sur nos hélicoptères ; c'est fini. Alors, je dis c'est fini… Ça ne veut pas dire, bien sûr, que la guerre soit finie. Mais on est en très très bonne voie. Il faudrait juste que les gens du Conseil national de transition soient un peu plus audacieux. Ils sont encore traumatisés par la mort de Younès, et on les comprend. Mais, surtout, par l'épisode de mars, quand ils sont arrivés jusqu'à Ben Jawad et ont dû rebrousser chemin. Mais ils vont comprendre, je crois, que la situation a changé. Tu y retournes bientôt ? Ce serait bien. Car tu peux leur expliquer des choses. Il faut faire attention, bien sûr. Mais ce serait vraiment bien. A part ça, j'ai eu Cameron. Il m'a dit que c'est moi qui avais eu raison de différer le voyage à Benghazi. On ira. Mais on ira pour

passer un message. Ce sera : "l'épisode militaire est fini ; on entre dans la séquence politique ; et voilà quels en sont les paramètres". J'ajoute que j'avais une autre raison de ne pas me précipiter : c'est qu'il ne fallait pas donner le sentiment que l'on acceptait, même tacitement, l'idée d'une partition du pays. Là, quand on ira, ce ne sera peut-être pas encore à Tripoli, mais enfin on s'adressera à l'ensemble du pays. Et, au-delà du pays, à l'ensemble du monde arabe. »

Mardi 9 août *(Que fait le CNT ?)*

Dissolution par Abdeljalil de l'ensemble du comité exécutif du CNT. Je sais que les choses, comme dit Sarkozy, avancent bien. Je sais qu'elles se développent sur tous les fronts. Mais en même temps... Tout ça devient, parfois, un peu difficile à défendre... On est si peu audibles quand on explique que ces soubresauts sont normaux, que les démocraties naissantes ont bien le droit, elles aussi, de remanier leur gouvernement etc... « Je ne doute jamais », me faisait dire Gerschel dans *Le Parisien* d'avant-hier. C'est vrai. Mais il y a quand même des moments délicats. Parfois, devant les maladresses d'Abdeljalil et du CNT, on se sent comme ces défenseurs de Dreyfus si pâle, si en retrait, qui suppliaient : « vous ne pourriez pas nous changer d'innocent ? »

Vendredi 12 août *(Quand Jibril m'annonce
la date du soulèvement de Tripoli)*

Jean Nouvel fête son anniversaire. Tombée du soir.
Fraîcheur et douceur de l'air. Les derniers joueurs de
pétanque, sur la grand-place que surplombe l'appartement de Jean, ont fait taire leurs derniers sifflets et
rangé leurs dernières boules. Buffet campagnard. Jolie
atmosphère d'amitié estivale et provençale. Hubert
Tonka, conseiller de Nouvel, me raconte la fin de Jean
Baudrillard, dont il fut l'ami et l'éditeur. Il me raconte
aussi comment, à une époque, chaque semaine ou
presque, une petite dame venait à la librairie qu'il partageait, rue Gay-Lussac, avec un marchand de livres
d'occasion et proposait un gros cabas de livres. L'ami
marchand prenait. Il négociait le prix et prenait. Sauf
que quelques jours plus tard, parfois quelques heures,
venait immanquablement un monsieur qui, très poliment, disait : « vous avez dû recevoir la visite d'une
dame ; je viens vous racheter les livres qu'elle vous a
vendus ». Cet homme, c'était Louis Althusser. Cette
dame, c'était Hélène, sa femme. Les livres qu'elle vendait ainsi, semaine après semaine, c'était ses livres à
lui, Louis. Et ni Tonka ni l'ami libraire n'ont jamais
eu le fin mot de cet étrange manège qui faisait que,
sans explication, l'un passait son temps à reconstituer
la bibliothèque que l'autre dispersait. (Même histoire, soit dit en passant, même manège, racontés par
Cocteau dans les années 1930, entre lui, Cocteau et
Maurice Sachs...)

A un moment de la soirée, mon téléphone sonne.
Voyant s'afficher l'indicatif de Doha, je prends. C'est

556

Mahmoud Jibril qui me demande de transmettre, d'urgence, un message au président Sarkozy. Le message est à peu près le suivant : « l'heure du soulèvement, à Tripoli, est proche ; avant la fin du mois ; mais il faut, pour que notre jeunesse descende dans les rues et affronte la soldatesque de Kadhafi, neutraliser les derniers objectifs militaires qui peuvent faire mal ; vous connaissez ces objectifs ; l'état-major particulier du Président les connaît aussi ; il y en a trente ; parmi ces trente, dix peuvent être neutralisés par nos soins ; mais, pour les autres, pour la vingtaine d'autres, rien ne pourra être fait sans vous, sans l'OTAN, sans la France ». Je connais ces objectifs en effet. Il s'agit de la Control Room de l'état-major, d'un centre de vidéosurveillance, de deux arsenaux, de plusieurs bases, de la piste de décollage privée de Kadhafi dont me parlait l'ambassadeur de Grande-Bretagne à Paris et dont il m'annonçait que la destruction serait un des signes de la fin. Je promets de transmettre mais profite de la circonstance pour lui dire, moi, deux choses.

Primo : il est urgent de rendre publics les résultats de l'enquête sur la mort d'Abdelfattah Younès ; urgent de donner les preuves de l'infiltration d'une cinquième colonne kadhafiste à Benghazi ; et urgent de faire taire, ainsi, les spéculations qui ont fait tant de mal, en Europe, à la cause de la Libye libre. Secundo : il est capital de mieux présenter cette affaire de dissolution du comité exécutif du CNT que tout le monde a comprise comme une dissolution du CNT lui-même ; capital, autrement dit, d'insister sur le côté « remaniement » de la chose (un gouvernement donne sa démission, le Premier ministre et le Président consultent et, comme dans tout système démocratique, nomment un gouvernement de remplacement, mieux adapté à la nouvelle période) ; et essentiel, au passage, de faire en sorte que restent, dans ce deuxième gouvernement Jibril, des éléments du premier (ce sera la preuve tangible que l'on n'est pas dans le schéma « limogeage général » que beaucoup ont en tête et qui a eu cet effet désastreux sur l'Opinion).

Jibril écoute. Sur le second point, il me confirme que nous sommes sur la même longueur d'ondes et qu'il vient d'ailleurs de s'exprimer en ce sens sur une télévision arabe. Sur le premier, en revanche, il me confie, avec une naïveté désarmante, qu'il n'y a pas de preuve de l'implication de Kadhafi dans le meurtre de Younès ; que ceux des assassins qui ont déjà été arrêtés (il en reste encore deux, dans la nature) ont assuré avoir opéré seuls, sans aide ni commandite extérieure ; et il faut que ce soit moi qui recommande un communiqué où, à la guerre comme à la guerre, on évite, même si l'on n'en a pas les preuves formelles, d'exclure l'hypothèse du meurtre venu de Tripoli. Mais peut-être l'heure n'est-elle plus à ce genre de considérations et ne pense-t-il, déjà, qu'à l'imminence du soulèvement. J'envoie un SMS à Sarkozy.

Samedi 13 août *(Quand le président de la République accuse réception de l'annonce de Jibril)*

Appel de Sarkozy. « Bien reçu, me dit-il. Tout cela est clair. Et je vois parfaitement ce que sont ces trente cibles moins dix. Ce qu'il faut dire à Jibril c'est que nous nous tenons prêts. D'ailleurs, il n'en doute pas. Il sait ce que nous faisons déjà. Il sait tout ce que, à travers nos amis, nous avons déjà livré à Misrata et ce que nous comptons encore livrer. Pardon ? Une base à Draguignan, où l'on serait en train de repeindre des chars en beige ? Bof... Des chars en beige, ce peut être aussi pour l'Afghanistan. De toute façon, je m'en moque. S'ils veulent s'emparer de l'information, ça les empêchera de s'emparer d'autre chose. Il y a, dans ce pays, assez de pétainistes pour, quoi qu'on fasse, tenter de discréditer l'opération comme ils ont déjà tenté de le faire avec ce qu'on a fait en Côte-d'Ivoire. Je reviens à Jibril. Sait-il ce que j'ai dit, hier, à Toulon pour le retour du *Charles de Gaulle* ? Ma détermination sans faille, la solidité de mon soutien et, à travers moi, du soutien de la France. Il y a une chose, quand même, que j'aimerais que tu lui dises avant qu'on ne déclenche les opérations à Tripoli. Il faudrait qu'on en ait fini avec Brega. Franchement, nous y sommes presque. Et cela aurait deux avantages. Stratégiquement, cela ferait diversion en obligeant Kadhafi à masser des troupes à l'est. Et, symboliquement, ce serait un tournant – nos amis retrouvant confiance en eux-mêmes. Car il faut bien voir que, jusqu'à l'heure où nous parlons, ils vivent dans la crainte d'un retour de bâton, d'un recul. Et moi-même, pour dire la vérité, je n'avais qu'une vraie crainte : c'est que toutes ces histoires, la mort de Younès, la propagande adverse, leur enlèvent l'envie de se battre. Alors, s'ils montrent que ce n'est pas le cas, s'ils prennent Brega et ne la reperdent pas, ce sera une avancée considérable et, à partir de là, tout sera possible. Dis cela à Jibril. Dis-le-lui de ma part. Et qu'il n'écoute pas les esprits faux qui lui diront que la France est incapable de faire deux choses à la fois : la crise financière d'un côté et la guerre en Libye de l'autre. Merci, en tout cas, de ce message. Je t'appelle dès que j'ai du nouveau. Enfin... Du nouveau, j'en ai toutes les demi-heures. Du vrai nouveau. »

Lundi 15 août *(Quand Kadhafi se met dans le rôle du nazi)*

J'ai transmis, comme promis, le message de Sarkozy à Jibril. Et, comme prévu, les Libyens libres avancent. Zaouïa, à l'ouest, est reprise. Brega est sur le point de l'être. Gharyane devrait être sous leur contrôle dans les jours, voire les heures, qui viennent. Et, pendant ce temps, Kadhafi ne trouve rien de mieux à faire que de vomir, maudire, promettre à un prompt désastre les « rats » de la rébellion. Sans savoir, ou sans s'apercevoir, ou sans paraître voir, qu'il leur rend, de la sorte, le plus magnifique hommage qui soit. Les rats de Tobrouk n'étaient-ils pas le nom donné à l'héroïque garnison australienne qui défendit la ville, pendant 250 jours, en 1941, face à Rommel ? N'est-ce pas le titre du beau film que Charles Chauvel tira, à la fin de la guerre, de ce haut fait ? Puis celui de la série télévisée américaine qui, adolescent, m'a tant fait rêver ? Et encore d'un autre film, il me semble, relatant les faits d'armes de la 7e division blindée britannique ? Le lapsus est énorme. Et l'aveu accablant. Dans ce remake 2011, c'est Kadhafi qui met les rebelles dans le rôle des alliés antinazis — et lui dans celui de Rommel.

Mardi 16 août *(Une fois de plus, écouter Lacan)*

Partout, à la télévision, dans les journaux, dans les conversations, une seule et même question. Que va faire Kadhafi ? Comment réagira-t-il ? Ne va-t-il pas emporter ses proches et, de proche en proche, sa ville dans une fantasia, un feu d'artifice ultimes ? N'est-il pas trop fou, en d'autres termes, pour comprendre qu'il a perdu ? N'est-il pas assez fou, plus exactement, pour préférer une belle apocalypse à un exil médiocre ? Je ne crois pas cela. Je pense, depuis le premier jour, que, s'il tient bon, c'est juste parce qu'il spécule sur les divisions de la coalition, la lassitude des opinions, le coût de cette guerre. Et je pense que, le jour où il aura compris, le jour où il aura saisi ce qu'a d'inéluctable sa défaite, il n'y aura plus ni « fierté » ni désir de « martyre » ni rien – mais une fuite, un sauve-qui-peut. Le mot fameux de Lacan, placardé, pendant son internat à Sainte-Anne, sur un mur de la salle de garde : « n'est pas fou qui veut ».

Mercredi 17 août *(D-Day)*

Nicolas Sarkozy au téléphone. Il m'annonce que des armes sont arrivées, la nuit dernière, par la mer, de Misrata à Tripoli et que le Jour J est proche (dans 72 heures, coucher du soleil, après la prière). Puis appel de Martine Aubry qui veut comprendre où l'on en est : « je lis tout, dit-elle ; mais j'ai peine à me faire une idée ; le régime est-il vraiment fini ? l'offensive aussi proche

561

que je l'entends dire ? ou faut-il croire ceux qui insistent sur la résistance de Kadhafi ? et puis ces promesses de jumelage que l'on a faites à Misrata – je n'aime pas promettre et ne pas tenir ; est-ce qu'il n'est pas temps de leur donner un contenu ? » Je n'ose lui dire ce que je sais. Mais je lui dis, tout de même, que ce n'est pas le meilleur moment pour les jumelages, qu'ils peuvent attendre encore un peu – j'espère qu'elle me comprend à demi-mot.

Jeudi 18 août *(La charia ?)*

Le Conseil national de transition rend publique sa charte programmatique. Elections libres et transparentes... Droits de l'homme... Libertés publiques... Tout y est... Avec une phrase, tout de même, qui laisse rêver : « la charia est la source principale de la loi ».

Ne tournons pas autour du pot.

Il y a trois façons de l'entendre, cette phrase.

1. Nous aurions tous été abusés. Mustafa Abdeljalil ne serait pas seulement un ancien kadhafiste, mais un islamiste déguisé. La Libye sera l'Arabie Saoudite. On y coupera la main des voleurs. On y lapidera la femme adultère. On passera, pour la construire, sur le corps de ces 90 % de Libyens qui sont musulmans, souvent pieux, mais conservateurs. On écrasera, au passage, les chebabs internautes, les révolutionnaires qui ne prient pas et que j'ai vus en si grand nombre sur les fronts, les femmes de Benghazi qui vont toutes à visage découvert. C'est absurde. Personne n'y croit.

2. Mustafa Abdeljalil sait qu'il y a, en Libye, selon les estimations les plus pessimistes des services de renseignement des pays les plus hostiles, entre 5 et 10 % d'islamistes. Il sait aussi que c'est de leurs rangs que sont sortis, comme souvent, quelques-uns de ses meilleurs combattants. Il ne veut pas les perdre. Il veut leur donner un gage. Ou il veut, ce qui revient au même, leur couper l'herbe sous le pied. Et il inscrit donc cette phrase comme, dans la Constitution égyptienne, le fameux article 2 dont chacun sait qu'il est lettre morte et n'a jamais empêché que le Code Napoléon soit le seul droit en vigueur. La plupart des pays arabes sont dans ce cas. La charia n'étant, au demeurant, consignée dans nul livre, ses prescriptions n'étant l'objet d'aucune formalisation incontestable, on ne prend pas grand risque en l'affichant – et c'est le pari que fait Abdeljalil. Hypothèse plausible.

3. Variante, ou addition, à cette hypothèse numéro 2. La Libye sort d'un régime où il n'y avait pas de loi du tout. Il n'y avait pas d'Etat. Pas de partis. Pas d'associations. Pas de société civile. A plus forte raison, pas de loi. C'était le régime du bon plaisir. C'était la loi du plus fort, de la jungle, du caprice. La loi islamique, alors, cela veut dire *une* loi. La loi islamique, affichée à côté de la loi démocratique et de ses droits de l'homme, la loi islamique à laquelle on ajoute d'ores et déjà que sera garantie dans la Constitution le droit pour les fidèles des autres religions de pratiquer leur culte, cela signifie la fin du n'importe quoi, de la guerre de tous contre tous, du chaos mortel aux faibles, du tout est permis. La Libye est un pays sans lien social, qui ne tenait que par la force répressive d'un Guide. Le message serait : nous devenons un pays normal où le dernier

mot reviendra à la loi. Plausible, aussi. C'est, à ce jour, l'explication que je retiens. Tout en sachant, hélas, que nous entrons dans la zone où rien n'est totalement impossible.

Vendredi 19 août *(Villepin à Djerba)*

Nicolas Sarkozy ce matin. M'annonce qu'il verra Jibril mercredi. Saïf Al-Islam a essayé de le joindre hier. Il ne l'a pas pris. Villepin à Djerba ? Il n'y est pour rien, prétend-il. Il aurait pu lui tendre ce piège, il ne l'a pas fait. Tout le monde, de toute façon, veut, maintenant, se mêler de tout. Cameron veut envoyer Aznar en ambassade. Lui, Sarkozy, a mandaté par acquit de conscience, et parce qu'il ne veut pas que l'on puisse un jour lui reprocher de n'avoir pas, jusqu'à la dernière minute, tout tenté, un officier de la DGSE. Mais il sait que Kadhafi, et Saïf, ne voudront pas partir. Il le *sait*. Et il sait surtout, comme moi, que l'heure du grand jour approche, demain en principe. Gharyane vient de tomber. C'était le dernier verrou avant Tripoli. Alors, que tout ce petit monde s'agite, que tel ou tel tienne à se ridiculiser, qu'il veuille rester dans l'histoire comme celui qui, à l'heure de la victoire, ne songeait qu'à sauver la mise au dictateur, tant pis pour lui, tant pis pour eux, cela n'a plus aucune importance.

Dimanche 21 août *(Quand le Président respire)*

Le soulèvement de Tripoli a commencé. Cellules dormantes. Eléments des Forces spéciales françaises, émiraties et, dans une moindre mesure, anglaises à la manœuvre. Explosions en chaîne, toute la nuit, dans le centre-ville (les fameux « objectifs secrets » dont me parlait Jibril, le soir de l'anniversaire de Jean Nouvel). Quatre cents combattants de Misrata, menés par le général Ramadan Zarmouh ont débarqué, par surprise, sur une plage à l'est de la ville et ont fait mouvement vers la place Verte. Kadhafi en fuite. Sa famille aussi. Les agences annoncent que Saïf Al-Islam aurait été arrêté avant de démentir. Confusion. Déroute. Le Président, tout à l'heure, au téléphone. Il semble soulagé. On respire.

Lundi 22 août *(Portrait de Saïf Al-Islam)*

La grande énigme romanesque de toute l'affaire c'est, évidemment, Saïf, le fils préféré, le disciple, le Lin Piao de Kadhafi, son proche compagnon d'armes, son dauphin.

Je ne sais pas grand-chose de lui. Je ne l'ai jamais rencontré et, au train où vont les choses, ne le rencontrerai jamais. Mais je lis ce qui s'écrit. Je scrute, depuis six mois, ses apparitions. Je suis même allé à Londres, le mois dernier, interroger une de ses anciennes maîtresses et, dans la foulée, quelques-uns de ceux qu'il a connus dans son autre vie, celle du fêtard et du play-boy qu'il était aussi et que tout le monde, comme il se doit, s'empresse aujourd'hui d'oublier. Et, de ce que je vois et entends, des bribes que j'ai rassemblées et essayé de faire coller, ressortent deux informations principales – et, elles, incontestables.

La première, c'est qu'il y a eu cette autre vie. Il est ce salaud, d'accord. Il est cet homme de guerre impitoyable, bien sûr. Il a été ce soudard capable, comme son père, avant son père, de promettre aux « rats » qui constituent son peuple de les noyer dans des « rivières de sang ». Mais, avant cela, ou en même temps, il y a eu l'autre Saïf. L'hédoniste. L'heureux du monde. L'homme des folles soirées londoniennes et des vacances parisiennes, en bande, à un million de dollars la nuit. Le compagnon de ski de G. à Zermatt et de bateau de P. dans les Caraïbes. L'amoureux des longues nages. L'ami des *rich and beautiful*. Le familier des chics et des puissants qui le tenaient pour l'un des leurs. Le personnage pittoresque dont me parlait le commandant Pace pendant la traversée vers Misrata. Il y a le ballet des femmes autour de lui et d'abord de celle-ci, la londonienne, je l'appelle Kate, elle est mannequin, jolie comme une Anglaise de Paul Morand. Elle a un faux air d'innocence qui faisait merveille, hier encore, dans les fêtes de Tripoli où je ne suis même pas certain qu'il eût à la payer pour qu'elle vienne. Il y a l'ancien élève de la London School of Economics à qui étaient promis les succès, les honneurs, la vie réussie des brillants sujets de l'enseignement britannique. Il n'est pas seulement le fils Kadhafi. Il n'est pas al-Bachir, le tyran du Soudan, qui ne connaît d'autre langage que celui des armes et n'a jamais eu d'autre solution que de s'accrocher à son fauteuil misérable. Il était Saïf le frimeur. Et ce Saïf avait le choix.

La seconde c'est que, jusqu'à une date récente et, en fait, jusqu'à ces toutes dernières semaines, il a réellement, concrètement, politiquement, eu ce choix. Je veux dire que le réseau, *ce* réseau, a fonctionné à plein régime et qu'un essaim de femmes, de banquiers d'affaires, de compagnons de bringue et de corruption, d'amis, s'est mobilisé pour, à Londres, mais aussi à Davos, New York, Paris, Milan, Montevideo, sauver Saïf, exfiltrer Saïf, le tirer de ce mauvais film où on le voyait s'enfoncer et le ramener parmi les vrais siens. Et je veux dire aussi, et c'est plus important encore, que les leaders de la coalition se sont mis de la partie et que, soit qu'ils aient surestimé son poids politique et militaire dans le dispositif loyaliste et donc, à l'inverse, le choc que provoquerait sa défection, soit qu'ils l'aient estimé à sa vraie valeur et aient fait le juste calcul, ils lui ont ouvert toutes les portes, offert toutes les échappatoires – de Cameron à Sarkozy en passant par certains responsables du Conseil national de transition (Sarkozy ne me l'a-t-il pas dit, à mots couverts, la semaine dernière encore ?), tout le monde ou presque était prêt, s'il se désolidarisait d'avec son père, à lui donner un sauf-conduit et à le rendre à son autre vie, celle du Gatsby arabe dont veulent bien se souvenir, quand on leur promet l'anonymat, les amis de la jet-set monégasque, les princes de la finance new-yorkaise ou parisienne qui, jusqu'à ces tout derniers jours, le tenaient pour l'un des leurs. Kadhafi était condamné : dès le premier instant, quoi qu'il fît, il ne pouvait que survivre ou mourir. Pas Saïf : enfant gâté jusqu'au bout, membre du club des puissants jusqu'à l'avant-dernière minute, il ne tenait qu'à lui de se réveiller de ce cauchemar qu'était devenue sa vie – un mot de lui, un geste, et il échappait au sort terrible vers lequel il s'achemine maintenant, inexorablement, tragiquement, sans esquive possible.

Or ce mot il ne l'a pas dit. Ce geste il ne l'a pas fait. Cette perche que lui tendait le Système, il ne l'a pas saisie. Et, non content de ne pas la saisir, il en a rajouté dans la provocation, il a surenchéri dans les mots qui le tuaient et le désignaient, lui, l'ancien de la London School, l'amant attentionné que semblait se rappeler Kate, comme ce meurtrier délicat, cet impardonnable barbare. Il y a eu une exception, peut-être : ce fameux soir d'avril où il m'a envoyé cet émissaire du sultanat d'Oman ; mais il a tout fait, aussitôt après, pour faire oublier sa démarche, brûler ses derniers vaisseaux, viser le point de non-retour que l'on n'atteint, généralement, que forcé et contraint, et créer, ce faisant, s'étant mis le dos au mur, la situation dans laquelle il se trouve aujourd'hui et qui ne lui laisse plus que deux options. Dans le meilleur des cas, le sort d'un Karadzic, ou d'un Mladic ou, mieux, d'un Tarek Aziz passé, du jour au lendemain, du statut de grand de ce monde, négociant avec les plus grands, à celui de gibier de potence suppliant, du fond de sa geôle, qu'on lui fasse l'ultime faveur de l'exécuter sans délai et d'abréger ainsi sa souffrance. Dans le pire, le supplice réservé, parfois, aux bourreaux lorsque leurs victimes qui ont survécu, ou les enfants de leurs victimes, finissent par les rattraper – tomber aux mains d'un groupe rebelle qu'aucun appel au calme ou à la retenue lancé par Abdeljalil et par le CNT n'empêcherait de lui faire payer, cash, ces années de cruauté. L'heureux du

568

monde, l'hédoniste, l'habitué du Ritz et de Saint-Barth, arrêté, malmené, torturé, jeté (au figuré et, ce qu'à Dieu ne plaise, au propre) aux chiens qu'il voulait lâcher sur son peuple et que son peuple lui retournerait – et ce alors qu'il ne tenait qu'à lui, je le répète, de s'extraire de cet enfer et de dire stop. Telle est l'énigme.

Alors, la question c'est : pourquoi ?

Qu'est-ce qui peut bien se passer dans la tête d'un homme qui fait un pareil choix ?

Et est-ce, d'ailleurs, un choix – et, si oui, de qui : lui, Saïf ? ou l'autre, son double, son mauvais jumeau, son diable intime, son inconscient ?

Il y a l'hypothèse de l'aveuglement : convaincu, comme son père, que les choses finiraient par s'arranger, la coalition par se lasser et le régime, pour peu que la famille tienne, par reprendre sa vraie place dans le bon concert des nations. Trop intelligent pour avoir cru cela. Trop informé pour ne pas savoir, depuis le début, et comme je l'avais d'ailleurs dit à son émissaire, que la partie était perdue et que même si, par un extraordinaire retour de fortune, les armées adverses composaient et laissaient aux Kadhafi un bout de leur pouvoir, ce serait un pouvoir symbolique à la tête d'un pays croupion, mis au ban des nations, sans intérêt. Peu probable.

Il y a l'hypothèse du suicide : une vraie quoique obscure volonté de mourir qui sommeillait derrière les ricanements du personnage et aurait trouvé là, dans la chute annoncée du régime et l'apocalypse qui irait avec, une scène à sa mesure. Trop romantique. Trop wagnérien. Et certainement pas raccord, de surcroît, avec cette image de lui, il y a quelques semaines, je sais que c'est un détail, mais tant de choses, en ces affaires, se jouent dans les détails, lançant à une caméra de télévision que tout allait bien, et mieux que bien, et que la preuve en était qu'il rentrait d'une longue nage sur une plage de Tripoli. Il y avait cette part physique, en Saïf, dont nous parlait le capitaine Pace, lors de la traversée de Misrata – et je ne le vois pas, ce personnage, mourir en « shahid » comme n'importe quel exalté en manque de vierges délicieuses l'attendant au paradis. Absurde.

Il y a le choix de fierté ou, pour mieux dire, le choix d'Achille : mieux vaut une vie brève mais éclatante à une interminable survie – mieux vaut, quand on s'est rêvé fils de roi et roi soi-même, quand on a failli être le chef moderne d'une Libye modernisée, quand on a tutoyé les hommes d'Etat les plus respectés de la planète, mourir debout que vivre vautré dans le rôle d'un roi Farouk ou, pire, d'un fils de roi Farouk ruminant son amertume et son échec. Pas crédible, là non plus. Pas raccord avec le cynisme jouisseur, profiteur, sans scrupules ni principes, d'un personnage dont tous ceux qui l'ont connu assurent, au contraire, qu'il se serait accommodé d'un rôle de Majesté en exil passant le reste de son temps à tirer, de Monte-Carlo à Saint-Moritz, les dividendes d'un règne défunt qui aurait, longtemps encore, impressionné les jet-setteurs. On ne prend pas le risque, pour ne pas finir comme le roi Karol de Roumanie, de mourir torturé, supplicié, forcé de livrer ses secrets, phalanges broyées, pendu à un croc de boucher – même les causes les plus nobles produisent, parfois, des tortionnaires et il le sait.

Il y a l'hypothèse Drieu – le Drieu La Rochelle qui comprend, dès 1943, qu'il s'est trompé de combat et qu'Hitler a perdu ; qui sait qu'il peut, s'il le veut, rallier à tout moment le parti adverse (Malraux ne lui propose-t-il pas, à l'été 1944, de l'accueillir sous un nom d'emprunt dans sa Brigade Alsace-Lorraine et, ainsi, de le blanchir ?) ; mais qui trouve plus convenable, plus à la hauteur de l'image qu'il a de lui-même d'aller au bout de son erreur et de la payer — dandy de la mort, faisant de sa propre mort son œuvre politique suprême… Là non plus, cela ne colle pas. Car il faut un peu de grandeur (une grandeur noire, mais une grandeur quand même) pour raisonner ainsi. Et j'ai peine à créditer Saïf de quelque grandeur que ce soit — j'ai beau chercher, interroger, réfléchir, je ne vois pas quelle part de cette image de soi lui était assez précieuse pour qu'il aille, pour la préserver, jusqu'à franchir cette invisible ligne à partir de laquelle on ne joue plus, on ne discute ni ne négocie plus : on est face à ces situations limites où il n'y a plus que la vie et la mort qui comptent et qui se jouent. Attention à ne pas habiller trop grand un criminel sans doute très ordinaire.

Non. On peut tourner le problème dans le sens que l'on voudra. Il n'y a qu'une explication plausible au parti pris de cet homme qui a choisi de fermer la porte de sortie qui lui restait. C'est qu'il aurait fallu, pour la franchir, affronter, provoquer, braver son père et s'opposer, une bonne fois, à lui. Il aurait fallu, non seulement lui désobéir, mais le laisser à son destin, l'abandonner à sa folie, le tuer. Et rien n'est peut-être plus difficile, à un homme en général, et dans sa culture en particulier, que de se décider à tuer son père. Même quand ce père est un assassin ? Même quand il est ce fou sanguinaire qu'est Kadhafi ? Eh oui… Peut-être même davantage… Le fils d'Amin Dada… Oudaï et Quoussaï, les fils de Saddam, qui l'ont suivi dans sa folie barbare et le précédèrent, comme fera peut-être Saïf, dans une mort atroce... Chuckie Taylor, le fils du boucher du Liberia, élevé aux Etats-Unis et riche, comme Saïf, d'un autre projet de vie mais qui répondit, lui aussi, à l'ordre du père pour venir diriger, avec lui, les plus cruels de ses escadrons de la mort... Et, quand on survit au père, quand on a eu la force de ne pas mourir, quel naufrage : Nicu Ceausescu, noyé dans la débauche et l'alcool ; Vassili, le fils préféré de Staline ; d'autres...

J'imagine les conversations entre Saïf et Kadhafi.

J'imagine le fils tentant de convaincre le père, le pressant, l'implorant.

J'imagine l'enfant de la London School of Economics qui devait être, j'en suis sûr, l'orgueil du père, sa fierté, le seul conseiller qu'il écoutait – je l'imagine, dès février, lui faisant partager les informations dont il dispose, les conseils que lui prodiguent les amis, les ultimes avertissements d'une communauté internationale dont il a toujours été, auprès du père et pour lui, l'intercesseur privilégié.

Je l'imagine rejoignant son père, la nuit, sous l'une des innombrables tentes où, depuis le début des bombardements, il se cache et lui remontrant, en d'interminables et patientes palabres, que le régime va à l'abîme, qu'il faut reculer, composer, sortir dans l'honneur d'une tourmente qui n'est, à cette date, pas encore tout à fait fatale.

Je l'imagine, devant l'obstination de l'autre, songeant à se défausser, se révolter, se tirer, s'y préparant même en secret – trahir ? non, pas trahir ; ce n'est pas trahir que de tout faire, tout, pour sauver un père aimé et, devant son obstination, devant son étrange refus d'entendre, hésiter à l'accompagner en enfer et se cabrer.

Je l'imagine, à bout d'arguments, épuisé, les nerfs avivés par la tension qui règne dans Tripoli et par la vie d'errant dans sa propre ville qu'il doit, lui aussi, mener depuis que les raids de l'OTAN ont commencé, je l'imagine s'emportant, explosant – il y a forcément eu un moment, oui, où quelque crainte ou respect que lui inspire son père, et ne serait-ce qu'en une ultime manœuvre destinée à le réveiller, il lui a dit : c'est fini, je m'en vais, plutôt Baby Doc, après tout, ou le fils du Shah d'Iran, ou n'importe quel night-clubbeur de Monte-Carlo, que le cyanure, le martyre auquel je ne crois pas ou la Cour de justice où ils nous traîneront toi et moi.

J'imagine le père, alors, jetant ses dernières forces à lui dans le huis clos de cette étrange bataille et tonnant, tel Priam : « non, fils, tu ne partiras pas ; ta place est auprès de ton père ; c'est ainsi depuis la nuit des temps ; ce sera ainsi à Tripoli ; ce n'est pas un ordre, c'est l'ordre du monde et du temps ; tais-toi et plie ».

Et j'imagine le fils vaincu, toutes velléités de révolte bues, toutes résistances foudroyées : ah ! il est plus facile de briser un fils, de le rappeler aux commandements archaïques du sang et de la race que de vaincre une armée rebelle qui vous défie à Misrata et à Zintan – et c'est ce qui s'est produit.

Etre Enée plus qu'Œdipe.

Etre l'Enée d'un Anchise que rien ne peut arracher aux flammes qui menacent Troie – mais on brûlera avec lui, tant pis, c'est écrit.

Oublier Capri, Paris, les délices de toutes les Capoue modernes, l'argent qui reste en assez grande quantité pour nourrir mille vies comme celle qu'il ne tient qu'à lui, pour peu qu'il fasse ce pas, ce simple pas, hors du rang des meurtrières légions du père, de continuer de mener — et cela parce que les voix d'outre-monde l'appellent et le rappellent à sa mauvaise étoile, son abîme, sa vocation de fils maudit, sa prédestination à rebours, cette loi de l'ancien monde dont aucun vernis, aucune singerie, aucune London School of whatever, n'a su étouffer la réquisition longtemps muette mais qui, là, hurle à la mort.

De cette folle histoire d'un fils adoptif de l'Occident dont on découvre, à l'heure de vérité, que le nouveau chiffre n'a rien effacé de l'ancien, il y a, pour le coup, un précédent.

Un précédent que je connais bien pour l'avoir longuement, intimement, étudié.

C'est celui d'un autre ancien de la London School of Economics, le bourreau de Daniel Pearl, Omar Sheikh.

Et c'est mon hypothèse : qu'il y a des maudits ; au sens propre des damnés ; c'est-à-dire des hommes en qui jamais le coup de dé du destin choisi n'abolira le hasard de la mauvaise loi où il leur a été donné de naître et qui leur devient, à la toute fin, une robe de Nessus où ils étouffent.

C'est ainsi.

Lundi 22 août *(Quand Longuet rend les armes)*

Atterrir à Benghazi. Y être autorisés par la double administration de l'OTAN et du Conseil national de transition. Arriver directement dans la capitale de la

Libye libre sans avoir à en passer par le franchissement des frontières tunisienne et, pire, égyptienne. Et éviter, ainsi, le cauchemar des mille et quelques kilomètres de cette mauvaise route qui va de Saloum à Tobrouk, puis à Beïda, Derna, Benghazi... Nous sommes, toujours, le même petit groupe. Plus François Margolin, ès qualités. Moins Mansour, désormais ambassadeur et qui n'a pu se libérer. Et plus Christophe, Bruno, Olivier, Laurent et Dominique, les cinq policiers d'élite qui ne m'ont plus quitté depuis leur irruption dans ma vie, ce fameux vendredi, il y a maintenant trois semaines. Pour tous, c'est plus qu'une économie de temps. Plus qu'une économie de fatigue. C'est mieux, beaucoup mieux, que le gain de ces mille et quelques kilomètres qu'il a fallu se cogner chaque fois et qui, chaque fois, à l'aller comme au retour, nous laissaient épuisés. C'est un sentiment de liberté nouveau. C'est, à l'instant très précis où l'avion se pose et commence de rouler sur la piste, une sensation d'euphorie qui s'empare de vous et exulte. C'est, rapporté à tous ces souvenirs de désastre et de lutte, de défaites et d'efforts, de doutes parfois, qui s'égrènent au fil de ces six mois mais qui, là, se rassemblent et envahissent ma mémoire, la certitude, la première vraie certitude, que la guerre est finie et que ceux qui l'ont voulue ont gagné.

D'ailleurs, à peine débarqué, j'ai Marie-Joëlle en ligne qui me dit qu'elle a reçu un appel de Gérard Longuet demandant à me parler d'urgence. Et, quand je rappelle, un peu difficilement il faut bien le dire, car s'il y a une chose qui ne s'est toujours pas arrangée depuis mon coup de téléphone à Sarkozy, le 5 mars, à Benghazi, ce sont les communications, même par

Iridium et Thuraya, je tombe sur un Longuet tout sucre tout miel, aimable au-delà du nécessaire, qui tient à me dire (sic) sa « reconnaissance » de ministre et, à travers elle, la reconnaissance des « soldats français », ceux que j'ai rencontrés et « ceux qui n'existent pas », pour ma ténacité, ma détermination et, à partir de là, ma contribution à cette belle victoire française. Je ne connais pas Longuet. Je pense même que c'est la première fois que nous nous parlons. Mais je me souviens de toutes les déclarations pour le moins sceptiques qu'il a pu faire au fil des mois. Je pense à tout ce qui m'a été rapporté des propos peu aimables que semble lui avoir inspirés mon action. Mais bon. A la paix comme à la paix. Je suis de trop heureuse humeur pour me laisser miner par ces mauvaises pensées. Je choisis de ne pas m'y attarder et promets que nous nous verrons, oui, naturellement, dès mon prochain retour à Paris.

Lundi 22 août, suite *(Bal des Guermantes à Benghazi)*

J'ai toujours été fasciné par ce fameux Bal des Têtes qui forme le cœur du *Temps retrouvé* et où le Narrateur revoit, rassemblés pour une ultime parade, mais rendus méconnaissables par le temps passé, par les ravages qu'il a induits sur leurs visages ou dans leurs âmes, ou par le surgissement, au contraire, d'une vérité qu'ils portaient en eux mais qui aurait attendu l'avant-dernière heure pour se révéler, tous les personnages de la *Recherche*.

Eh bien Benghazi libéré, c'est l'anti-temps retrouvé. Non que les personnages n'aient pas changé. Ils ont changé, bien sûr. Ils ont plus changé en six mois qu'ils n'avaient sans doute changé, et qu'ils ne changeront jamais, pendant des années et des années. Sauf qu'ils ont changé à l'envers. Et que ce temps, au lieu de les vieillir, les a paradoxalement rajeunis.

Ainsi Mustafa El-Sagezli que je n'avais plus revu depuis Ajdabiya, puis notre retour mouvementé, vers Paris et l'Elysée, avec Younès : il a toujours le même regard étrange, un peu trop brillant et dont l'éclat, réduit à lui-même, pouvait laisser soupçonner une dureté secrète – s'y est accordé, maintenant, un sourire plus apaisé, presque doux, qui l'humanise.

Ainsi Souleiman Fortia dont je comprends seulement maintenant, en comparant avec sa légèreté nouvelle, avec ses plaisanteries d'enfant ou avec sa façon de faire comme s'il était cinéaste, oui, non seulement architecte, mais cinéaste, vraiment cinéaste, prenant le pouvoir sur notre film et lui donnant, pour rire, sa vraie ampleur et des idées de script, tout ce que l'air de la guerre, le martyre de sa ville et celui des siens, l'avaient alourdi. Ainsi le Docteur Almayhoub, le vieux professeur, proscrit par Kadhafi, qui avait organisé pour nous ce fameux « dîner des tribus » d'où était sorti « l'appel à l'unité » qu'avaient repris les grands journaux européens et qui a peut-être joué son rôle dans l'unification réelle des tribus de Libye : je ne l'aurais pas reconnu du tout, lui, quand il a surgi dans le hall du Tibesti, je n'aurais jamais retrouvé, sous la silhouette allègre, presque sautillante, de l'inconnu qui s'approche de la table où nous planifions, avec Ali, notre départ pour Tripoli, demain, le vieillard plaintif, souffreteux, d'il y a six mois – je ne l'aurais jamais

577

identifié, non, s'il n'y avait cette drôle de voix, chuintante, qui était sa signature et l'est restée.

Ou Tournesol qui surgit, lui aussi, au Tibesti, au même endroit, dans le même coin du bar, face à la télévision, que la toute première fois, mais dont la silhouette ancienne, dans son manteau trop court et qui le rendait si malingre, me semble tout à coup l'ombre anticipée, le spectre trop précoce, de l'homme à la chemisette à manches courtes et à la silhouette enjouée qui s'avance aujourd'hui vers moi – c'est *avant* qu'il avait cette voix des morts dont parle le Narrateur et qui est devenue celle de Monsieur de Cambremer ou de Bloch et *maintenant* qu'il a, comme par miracle, retrouvé sa voix de vivant.

Des cas comme ceux-là, j'en aurais des dizaines d'autres. Jusqu'au réceptionniste de l'hôtel dont les gestes, la façon de nous donner nos clefs, ou de nous rendre nos passeports, ou de nous indiquer le business center qui n'a jamais marché, étaient étrangement retenus, interrompus, économisés, comme s'il avait perdu la force de les pousser jusqu'au bout ou s'attendait, à tout instant, à ce que lui soit signifiée leur tragique inutilité : ce sont les mêmes gestes, mais aboutis, amplifiés, réaccordés, bien enchaînés et retrouvant, pour ainsi dire, leur innocence et leur fluidité.

J'avais noté cela, à Sarajevo, après la levée du siège.

Je l'avais observé, quoique dans une moindre mesure, en janvier 2002, à Kaboul, sur le visage endeuillé mais paradoxalement apaisé des compagnons de Massoud.

C'est, ici, la même chose en encore plus spectaculaire : comme si cette guerre ou, plus exactement, cette victoire tant attendue, tant rêvée, mais dont on désespérait et qui, maintenant, est là, à portée de main, avait instauré un nouveau temps, non plus « perdu », ni « retrouvé », mais gagné et, surtout, allégé, délesté, exonéré des tourments et empêchements dont il accablait chacun.

Des uns, on a le sentiment qu'ils ont effacé ces six mois de guerre et s'apprêtent, non à les revivre, mais à les rejouer comme, au cinéma, on refait une prise. Des autres, on dirait qu'ils sont revenus plus haut encore, plus en amont, vers une source plus ancienne que le kadhafisme aurait occultée mais qui s'autorise enfin à sourdre. Et comme le Narrateur de la *Recherche*, je ne peux m'empêcher de me demander ce que ce miracle du Temps a fait, sinon à l'auteur de ces lignes, du moins à ses compagnons de voyage : Gilles, que j'observe à la dérobée, et qui a retrouvé, pour ce dernier voyage, l'air de juvénilité qu'il avait dans nos premiers voyages à Sarajevo.

Mardi 23 août *(Dernière conversation avec le président Abdeljalil)*

Le seul qui échappe à cette règle du rajeunissement généralisé c'est Mustafa Abdeljalil.

Est-ce juste la fatigue ? L'ascèse du ramadan ? Ces délégations, tunisiennes, marocaines, turques, qui se pressent maintenant dans sa ville, font antichambre et à qui il faut donner de son temps ? Est-ce le poids du pouvoir, des responsabilités qui pèsent sur ses épaules, des obstacles qui demeurent et qui seraient trop lourds à lever ? Est-ce sa modestie naturelle, sa tempérance

comme disaient les Anciens, cette mélancolie qui m'a
frappé dès notre première rencontre et dont il ne parviendrait pas, même à l'heure de la victoire, à se dépar-
tir tout à fait ? Est-ce un truc au contraire ? Une ruse
d'homme de pouvoir ? Est-ce son passé qui lui pèse,
lui fait peur – sorte de fil à la patte mental qui le
retiendrait d'habiter complètement son rôle ? Toujours est-il qu'il arrive à pas prudents, un peu lents,
tout petit dans un costume trop grand et dans lequel
il flotte un peu. Je parle de son vrai costume, bien sûr.
Mais je ne peux m'empêcher de penser aussi à l'autre,
le métaphorique, celui du rôle qui est désormais le sien
et dans lequel il flotte également. Il s'assied à côté de
moi, sur la banquette trop étroite de cette salle trop
grande et presque froide, malgré l'été, du bâtiment
officiel où est son nouveau quartier général (il s'est
assis sur le bord de la banquette, presque en déséqui-
libre, toujours la même retenue, la même hésitation à
occuper l'espace qui lui est imparti, la même humilité). Il me regarde à peine. Il me remercie d'être là.
Longuement, chaleureusement, il me remercie, mais
sans vraiment me regarder, toujours intimidé, toujours
cet air triste et abattu – l'homme qui ne voulait pas
forcément être roi, qui n'était pas taillé pour le rôle,
qui n'en avait, au sens propre, pas tout à fait l'étoffe
et qui, pourtant, est là, bien là, et porte le pays à bout
de bras.

Je lui délivre le message verbal que le président français m'a confié et qui tient en trois points. Salut à sa
ténacité et à celle du peuple libyen : à l'heure où
d'aucuns doutaient ou, en tout cas, s'interrogeaient, lui
n'a jamais dévié de son cap et cela est remarquable.
Gloire à cette alliance entre égaux qui s'est nouée entre

les peuples français et libyen, et qui est plus qu'une alliance car elle est scellée dans le combat commun et dans l'espérance partagée : de combien de peuples cela peut-il se dire ? de quels traités, aujourd'hui, a-t-on le sentiment qu'ils ont été écrits en lettres de feu et de larmes ? Et puis ce fameux voyage, plusieurs fois différé, mais dont l'heure, cette fois, est proche et qui, pour lui, Nicolas Sarkozy, revêt une importance plus grande encore : le temps ayant passé, pourquoi ne pas le transformer, ce voyage, en un voyage en trois étapes qui correspondraient, si lui, Abdeljalil, en est d'accord, aux trois stades de l'Histoire telle qu'elle s'est réellement déroulée : Benghazi parce que tout y a commencé ; Misrata parce que c'est là qu'étaient les clefs de la victoire ; et puis, enfin, Tripoli la capitale libérée… ?

Mustafa Abdeljalil répond en réitérant l'invitation adressée à son homologue français : plus que jamais, bien sûr ; selon l'itinéraire qu'il lui plaira ; attendons juste, quelques jours, que le pays soit sécurisé. Il me redit que, pour lui aussi, les liens entre nos deux pays, et même entre les trois si l'on inclut les amis anglais, sont des liens de fraternité trempés dans ce que les peuples ont finalement de plus sacré : ne se sont-ils pas noués, ces liens, entre Bir Hakeim et Koufra, Zuwara et Gambut, dans les combats menés au cœur des années noires de la période la plus noire du XXᵉ siècle ? et comment ne verrions-nous pas, dans les événements d'aujourd'hui, dans cette nouvelle guerre que nous avons gagnée ensemble, dans cette nouvelle alliance que nous avons scellée, une façon d'être fidèles au serment de nos pères ou de nos grands-pères qui se battaient déjà, au coude à coude, dans le même désert libyen ? Et quant au mot de ténacité (il se le fait répéter, plusieurs fois, par Ali, pour être bien certain de l'avoir compris et de bien le répéter – en anglais) il se permet d'en retourner le compliment à son homologue français : car enfin, lui, Libyen, n'avait pas le choix ; il était dos au mur, condamné à gagner ou mourir ; alors que Nicolas Sarkozy n'était obligé à rien, tenu par rien – et rien n'est plus beau que cette ténacité désintéressée dans une guerre qui n'était pas la sienne et qui était juste une guerre juste...

J'insiste, mais en mon nom, sur le fait qu'une autre bataille commence demain, que dis-je ? aujourd'hui même, et qu'elle sera, cette bataille, au moins aussi décisive, peut-être plus, que la première car ce sera celle de la paix. Le beau geste qu'il a fait, ce 21 août, en ces heures cruciales où chaque mot que l'on prononce est gravé dans le marbre de l'Histoire, en annonçant aux éléments de son armée qui pourraient se livrer à « des actes de vengeance » que ce « pourrait être la raison ou la cause » de sa « démission ». Mes réserves, en revanche, quand je le vois, trois jours après, offrir une récompense de 1,7 million de dollars, financée par des hommes d'affaires libyens, à qui ramènera, mort ou vif, le prévenu Kadhafi – ne craignez-vous pas, Monsieur le Président, de retourner contre Kadhafi, ce faisant, les armes que Kadhafi lui-même a utilisées contre vous et définitivement déshonorées ? Et puis cette affaire de charia que je ne suis pas sûr de bien comprendre : qu'est-ce que cela veut dire ? comment cela s'ajuste-t-il aux promesses antérieures d'installer en Libye une authentique démocratie ?

Sur le premier point, il me confirme qu'il a compris, mieux que personne, sur quels gestes symboliques sera jugé le nouveau régime. Sur le second il me rappelle que la Libye ne sera pas un lieu sûr, ni pour les Libyens, ni pour le monde, tant que le tyran sera en état de nuire — nous avons des informations, martèle-t-il, impérieux tout à coup, et comme se réveillant, nous avons des informations qui nous font craindre une « catastrophe » tant qu'il continuera de se déplacer, plus ou moins impunément, dans ce pays qui n'est plus le sien car il y est hors la loi. Et quant à l'affaire de charia, il se lance dans un long développement que me traduit Ali, mais peut-être pas assez précisément et avec son téléphone qui, comme d'habitude, sonne sans arrêt — mais, de ce que je comprends, ressort, en gros, que, si la charia est là, si elle est expressément mentionnée comme « source principale » (et non, par parenthèse, « source unique ») de la loi, s'il est solennellement rappelé, en d'autres termes, que la Libye est un vieux pays musulman qui n'entend pas tirer un trait sur sa mémoire, l'événement du texte est ailleurs : il est dans le projet d'un Etat garantissant la liberté d'opinion et d'expression, le droit de se déplacer et de manifester, l'existence des partis, la transparence des élections, l'indépendance de la justice, le respect de la présomption d'innocence, la liberté de culte pour les autres religions, bref, les principes de la démocratie telle que nous l'entendons en Occident. A peu de choses près ce que j'écrivais moi-même, ici, il y a quelques jours, mais que je voulais vérifier.

Sentant que l'entretien touche à sa fin, je me permets une dernière question, la toute dernière, qui me taraude depuis des mois. Et voyant qu'il m'encourage du regard et décelant même, dans ce regard, un soupçon de curiosité, peut-être le premier depuis le début de cette conversation jusqu'ici plutôt formelle, je me lance. « Vous souvenez-vous, Monsieur le Président, de notre rencontre, le jour de la constitution du Conseil national de transition ? » Il fait oui de la tête. « Je vous ai proposé, cet après-midi-là, sans mandat, sans lettre de créance d'aucune sorte et, je puis vous le dire aujourd'hui, sans aucune garantie de succès, d'intervenir auprès du président Sarkozy et de solliciter son aide. » Il hoche, encore, la tête. « Ma question est simple : qu'avez-vous pensé, à cet instant ? pourquoi avez-vous accepté ? comment avez-vous fait confiance à un inconnu dont vous ne saviez rien et qui débarquait de nulle part en proposant la lune ? »

La curiosité, dans le regard de Mustafa Abdeljalil, a fait place à une lueur d'amusement. Et j'ai même, l'espace d'un instant, l'impression de retrouver le bon regard d'Izetbegovic le jour où, dans l'avion qui nous menait à Rome, chez le pape, je lui avais rappelé, non pas notre première, mais notre deuxième rencontre, quand nous lui avions demandé ce qu'il penserait de la constitution d'une brigade internationale pour la Bosnie – ou celui, vingt ans plus tôt, de Mujibur Rahman, premier président du Bangladesh, le jour où je lui avais raconté l'histoire, qu'il connaissait à peine, du projet de brigade de Malraux dont j'étais, devant lui, le premier et, finalement, le seul volontaire. « Je vais vous répondre, commence-t-il. Et je vais le faire le plus honnêtement que je le peux. D'abord, je vous ai fait confiance. J'ai vu votre visage. J'ai lu dans vos yeux. Et que voulez-vous que je vous dise ? Vous aviez les yeux d'un homme honnête. Je connais un peu les êtres, vous savez. Je les ai beaucoup observés, souvent jugés, et je ne me suis pas tellement trompé sur eux. Dans vos yeux, j'ai vu l'éclat de la sincérité – j'ignorais si vous réussiriez ou pas, mais je savais que vous étiez sincère et cela, pour moi, comptait plus que tout. Car, après, il y a autre chose, Monsieur Lévy. Je suis un homme pieux. Je crois que, tous, nous sommes dans la main de Dieu. Je crois que tout ce qui arrive, arrive par la volonté de Dieu. Et quelque chose m'a dit que, si vous étiez là, c'est que Dieu y était favorable. C'est vous, Monsieur Lévy, qui étiez face à moi. Mais Dieu était l'acteur invisible de notre rencontre. Si je m'étais trompé ? Eh bien soit. Je me trompais. Mais cela ne changeait rien. Car Dieu reste le plus grand. Et rien ni personne ne peut remettre en cause sa toute-puissance... »

L'entretien tire, cette fois, vraiment à sa fin. Une délégation tunisienne l'attend. Plus un commandant du Fezzan, depuis un bon moment déjà, qui vient l'avertir d'un conflit fratricide qui menace à Koufra. Et il y a son chef de sécurité qui a vu les gilets pare-balles de mes anges gardiens et voudrait le convaincre de demander les mêmes pour les membres du CNT qui vont se transporter à Tripoli. Il se lève donc. J'ai l'impression que c'est à regret mais il se lève. Nous faisons une dernière photo souvenir. Il s'enquiert de la suite de mon voyage. S'inquiète gentiment de mon intention d'aller à Tripoli. Je lui dis, car c'est le seul élément du message que j'avais oublié, que Sarkozy l'attend, avec Jibril, à la réunion des « amis de la Libye », jeudi prochain, à Paris. A petits pas, devisant de cela et du reste, nous arrivons sur le perron où règne, dans la foule des conseillers, agents de sécurité, chauffeurs, une atmosphère de victoire et d'euphorie. Mais, même là, il n'est pas au diapason. Même là, il paraît circonspect, sur la réserve, attentif à ne pas se laisser aller à une émotion inconsidérée. Et il repart du même pas lent, timide, hésitant, dont il était venu – et comme si je ne sais quelle diététique politique lui recommandait de ne pas se mettre à l'heure de la joie autour de lui. Me revient l'image de lui, au Raphael, le jour du dîner des journalistes, se mettant subitement en retrait, boudant presque et laissant la vedette à Essaoui. Il avait de bonnes raisons, ce soir-là, d'être inquiet. Il était fondé, ô combien ! à éviter de pavoiser. Mais aujourd'hui ? Quel est ce chef de guerre qui a gagné sa guerre mais que la victoire ne porte pas ? Quel est ce Président qui a eu raison contre tout le monde, qui devrait être fier, se glorifier, mais que sa gloire embarrasse ? J'aime cette façon de résister à son propre destin. J'aime cette idée du Président qui ne sourit pas, du Président qui ne pavoise pas. J'aime que, jusque dans la victoire, il se souvienne du vaincu qu'il a failli être. Là est, peut-être, sa vraie grandeur.

Mardi 23 août, suite *(Une discussion avec les prétendus « al-Qaïdistes » de Derna)*

Cette rencontre, je l'attendais depuis longtemps.

C'est Mustafa El-Sagezli, l'ancien patron des che-babs de Benghazi devenu vice-ministre de l'Intérieur ou l'équivalent, qui l'a organisée pour moi.

Elle a lieu tard dans la nuit, dans une ferme des faubourgs de Benghazi devant laquelle je devine, en arrivant, dans l'ombre, la présence de plusieurs pick-up ainsi que d'accompagnateurs, apparemment nombreux, certains couchés près des pick-up, enroulés dans des couvertures, formes allongées, embusqués.

L'homme, de fait, est déjà là, assis à une table massive, vêtu de noir, entouré de trois de ses compagnons revêtus, eux, de la disdashia, la longue chemise blanche immaculée, uniforme des salafistes, et qui se lèvent quand nous entrons.

Il est grand.

Il a un visage émacié, glacé, sans expression.

Des grandes mains, plutôt belles, avec des veines noires, très apparentes.

Un filet de barbe, pas celle des islamistes.

Il s'appelle Abdel Hakim Al-Hasadi.

C'est le supposé « émir de Derna » dont la presse internationale a fait ses choux gras, que nous avions cherché en vain lors de l'un de nos passages par sa ville et qui est censé attester de la présence d'Al-Qaïda dans les rangs de la rébellion libyenne.

« Donc, vous voilà, dis-je !

— Et vous voilà, vous, rétorque-t-il, son visage s'éclairant.

— On parle beaucoup de vous, en Europe !

— Et de vous en Libye – si vous saviez… »

Sur quoi il éclate de rire – ses trois compagnons éclatant du même rire, ou plutôt non, pas le même, le leur est en dessous ou, mieux, en dedans, concentré, comme s'il ne devait surtout pas couvrir celui du chef. Ils s'asseyent. Je m'assieds. Le chef me les présente : Khaled Salem Mackiaz, Majdi Fatah Hawat, Ismaïl Mohmed Salabi.

« Trois bons musulmans, dit-il. Trois combattants. »

Je sais, un peu, qui ils sont. Le second, Majdi Hawat, est un intellectuel, ancien prisonnier politique, leader des moudjahidins de la Montagne verte (il prétend, d'emblée, être « proche » de la France : « Honoré de Balzac, Emile Zola et Michel Platini »…). Le troisième est l'un des commandants de la Brigade du 17 février, combattant de première ligne et très lié, à travers son frère, Ali Salabi, au Qatar.

« Nous avons entendu parler de vous. Et Mustafa nous a bien dit que vous étiez un ami, un vrai ami de la Libye – c'est pourquoi nous sommes venus comme ça… »

Il fait le geste de montrer qu'il est venu les mains nues ; les trois autres font le même geste, mais à nouveau un cran en dessous, les mains plus bas sur la table, de la hiérarchie avant toute chose, on dirait une comédie. Je songe à leur faire observer que, pour des gens venus les mains vides, ils sont, si j'en juge par le monde qu'il y a dehors, lourdement accompagnés. Mais je préfère entrer dans le vif.

« Commençons par le commencement : Guantanamo…

— Voilà, rugit l'homme de Derna, comme si c'était le coup d'envoi d'un match et qu'il marquait, tout de suite, le premier point ! Ça commence bien… »

Il rit, de nouveau. Mais c'est un autre rire. Artificiel. Comme pour masquer l'accès de colère ou l'adoucir.

« Je n'ai jamais été à Guantanamo. Jamais. Je sais que c'est ce qu'ont écrit des journalistes, confrères à vous…

— Je ne suis pas journaliste…

— A la bonne heure ! Abdullah ! Alors, si vous avez accès aux médias, rectifiez. Ce serait déjà bien que cette rencontre puisse servir à ce qu'on ne me ressorte plus jamais cette histoire de Guantanamo. »

Je prends note. Je me promets de vérifier (ce que j'ai évidemment fait, dès mon retour à l'hôtel, en réveillant, à Paris, H., ma source infaillible en ces matières – sur ce point, l'homme dit la vérité) mais, pour l'instant, je prends note.

« D'où sort ce mensonge, alors ? Vous avez bien été emprisonné par les Américains ?

— Non. Autre erreur. J'ai été emprisonné par les Libyens. Ce sont les Américains qui, en 2002, au Pakistan, m'ont arrêté ; mais quand, après interrogatoire, il a été établi que je n'avais pas de lien avec Al-Qaïda, ils m'ont livré aux Libyens.

— Pourquoi le Pakistan ?

— Parce que je venais d'Afghanistan.

— Vous savez que je connais assez bien, et l'Afghanistan, et le Pakistan ?

— Naturellement. »

Regard entendu à ses trois camarades. Début de fou rire, encore. J'observe que celui qui est en bout de table, Salabi, visage long et mince, lèvres tristes, la tête penchée sur la poitrine comme s'il voulait s'empêcher de rire trop fort, est le sosie de Tariq, le dernier fixeur de Daniel Pearl que j'avais retrouvé, à Islamabad et qui avait préféré, à la fin, ne pas travailler pour moi. Pourquoi rient-ils ? Je poursuis.

« Et que faisiez-vous là, au Pakistan, en Afghanistan ?

— J'étais professeur. Installé à Jalalabad et professeur.

— On n'est pas professeur, à Jalalabad, à la veille du 11 septembre !

— Il faut que vous compreniez... »

Il prend l'air du professeur, justement, qui s'apprête à délivrer sa leçon.

« Il faut que vous compreniez que, pour des gens comme nous… »

Il balaie du regard ses trois compagnons que la familiarité soudaine de ce « nous », cette façon de les associer à un destin commun, fait rosir de plaisir et baisser, à nouveau, les yeux – mais de bonheur.

« … quand Kadhafi nous a mis hors la loi, jetés dans ses prisons, torturés, il n'y avait nulle part où aller. J'ai essayé la Grande-Bretagne : impossible. J'ai essayé un ou deux pays arabes : tous avaient des accords d'extradition avec la Libye. Pareil l'Amérique latine. Il ne restait que l'Afghanistan où nous pouvions aller sans papiers.

— Soit. Mais j'ai connu Jalalabad, moi aussi, à cette époque. Vous étiez en pays taliban…

— C'est vrai. Mais je ne suis pas, je n'ai jamais été, taliban. »

Par la baie vitrée restée ouverte, un de ses gardes du corps passe discrètement la tête.

« Pas taliban, ça veut dire quoi ?

— Ça veut dire ce que ça veut dire. Je m'installe. J'épouse une Afghane. Je prends mon travail de professeur dans une école. Mais je ne suis pas Taliban.

— Ni Al-Qaïda ?

— Ni Al-Qaïda. Si j'avais été Al-Qaïda je serais resté où j'étais, je ne serais pas rentré en Libye dès qu'un accord a été possible avec le régime. »

Un instant, je me demande ce que je fais là, face à ces quatre types qui, Al-Qaïda ou non, n'ont pas non plus l'air d'aimables proscrits rentrés d'exil. Mon goût des « dingos » comme dit toujours Justine ? Mon éternelle envie d'aller voir comment ça fonctionne, vraiment, dans le cerveau de l'autre ? Diable en tête ? Bord à bord avec l'ennemi ? Comme dans l'Europe des années de plomb quand j'allais, en Italie, en Allemagne, faire le voyage dans la tête de *nos* djihadistes à nous, membres ou anciens membres des Brigades Rouges, de la Bande à Baader et autres Action Directe ? L'obscure mais tenace fascination pour la part sombre de ce monde, sa part maudite ? Je poursuis mes questions.

« Vous avez pourtant dit : les gens d'Al-Qaïda sont de bons musulmans.

— Cette phrase a été tirée de son contexte. Je ne pense pas cela.

— Que pensez-vous, alors ? Quelle est votre position sur Al-Qaïda ?

— Je suis contre toute idéologie, et celle-ci en particulier, prônant le meurtre. L'islam est une religion de compassion et de paix.

— Tout le monde le dit. Ça ne veut rien dire.

— Je suis opposé aux attentats et aux destructions.

— De nouveau, tout le monde est sur cette ligne. Soyez précis. Que pensez-vous de Ben Laden ?

— Je l'ai approuvé quand il combattait les Russes. Mais pas quand il s'en est pris à des innocents, des femmes, des enfants, des civils. La guerre aussi a ses lois, qu'il faut respecter.

— Et quand il a décidé de combattre l'Occident ?

— Je pense que c'était une erreur. Avec l'Occident, je suis partisan du dialogue, et d'une meilleure compréhension. Cette guerre qui s'achève est, d'ailleurs, une occasion d'approfondir cette compréhension. »

Le type a l'air sincère. C'est fou comme, dès qu'on est en face de lui, vraiment en face, l'autre vous paraît compliqué, nuancé – un homme qui, comme vous, tâtonne, se contredit, avance parfois, recule souvent, s'inscrit dans votre tête comme un être vivant, et non plus comme un bloc d'images et de préjugés.

« Parlons du Groupe islamique combattant libyen, dis-je ; je sais que vous avez été lié.

— Autre mensonge. Ce sont les médias qui cherchent à accroître leur audience à travers ces fausses informations et les grands titres qu'ils affichent. Je n'ai jamais appartenu à ce groupe.

— Bon. Mais que pensez-vous d'eux ?

— D'abord, il faut savoir qu'ils ont commencé par être un groupe pacifiste. C'est la répression de Kadhafi qui les a conduits à prendre les armes.

— Et là ?

— Là, ils ont commis des erreurs. Ils ont versé illégalement le sang. Mais tout le monde fait des erreurs, à part le Prophète. Eux en ont pris conscience et ont fait marche arrière. C'est cela qui compte.

— Marche arrière ?

— Référez-vous aux "Etudes correctives" qu'ils ont publiées il y a deux ans. Elles rejettent l'assassinat de civils sous prétexte de djihad.

— Comme vous ?

— Moi, je n'ai jamais versé le sang d'innocents.

— D'accord. Mais j'ai tout de même lu, de vous, des déclarations ambiguës sur le terrorisme.

— J'aimerais savoir lesquelles. J'ai une certaine conception de l'islam. Je suis un musulman attaché à ses principes éthiques. Mais le changement, pour moi, ne peut pas venir par les armes.

— Il doit venir comment ?

— Par l'étude. Par le dialogue. Je suis un professeur, je vous le répète. Je suis un combattant, bien sûr. Mais je suis, d'abord, un professeur.

— Parlons, justement, de vos combattants, combien sont-ils ? »

Il hésite. Regarde El-Sagezli à la façon, de nouveau, du combattant d'Ajdabiya, en avril. Je me rends compte, tout à coup, qu'ici aussi il est le patron et qu'ici aussi on attend son accord pour parler. Parce qu'il est le patron des chebabs de Cyrénaïque ? A cause de son nouveau poste au ministère de l'Intérieur ? Ou bien – l'idée, soudain, me traverse l'esprit – parce qu'il serait, lui aussi, de la mouvance ?

« Plusieurs centaines, finit par répondre Al-Hasadi, qui ont la même perception de cette guerre.

— Vous ne voulez pas me donner le chiffre exact ? »

Nouveau coup d'œil à El-Sagezli qui reste impénétrable.

« Je peux déjà vous dire une chose : ce sont les meilleurs, ceux que nous envoyons sur les fronts les plus exposés, en première ligne. D'ailleurs, vous en connaissez certains.

— Comment cela ? »

C'est El-Sagezli, cette fois, qui répond. A voix très basse. Le ton de quelqu'un qui ne doute pas d'être respectueusement écouté.

« Vous les avez vus à Ajdabiya... Ce sont eux qui veillaient sur votre sécurité. Ils sont vingt-cinq. »

Je revois en pensée, très vite, les chebabs croisés sur la première ligne d'Ajdabiya. Lesquels ? A quel moment ? Et reconnaissables à quoi ?

« Merci, alors, aux vingt-cinq d'Ajdabiya, fais-je, en levant mon verre de thé comme si c'était une coupe de champagne et en décidant d'avancer, d'aller au bout de cette rencontre, sans étaler mes états d'âme sur les signes qui devraient permettre d'identifier un islamiste.

Mais parlons plutôt des autres. Ceux de Derna, le fief d'Abdel Hakim. On parle d'un émirat à Derna. »

C'est Abdel Hakim, là, qui reprend la parole. Colère froide, de nouveau. Et ne requérant plus l'approbation d'El-Sagezli.

« Propagande, là aussi ! Pure propagande de Kadhafi ! Et c'est honteux que des journalistes professionnels reprennent cette propagande ! Nous sommes des citoyens libyens, attachés à l'unité de la Libye. Je ne suis pas un émir. J'ai fait allégeance au Conseil national de transition.

— On nous a parlé d'imams, à Derna, lançant des appels au martyre.

— C'est faux, aussi. Il y a peut-être eu, au début de la guerre d'Irak, des appels au djihad. Mais jamais au martyre.

— Et aujourd'hui ?

— Des appels à la guerre, oui, bien sûr. Mais contre Kadhafi. Il nous a déclaré la guerre. Notre seule façon de nous défendre c'était de rendre coup pour coup. »

Son premier lieutenant, Majdi, celui qui, en se présentant, nous a dit qu'il était « gradué en français » et admirait, pêle-mêle, Honoré de Balzac, Michel Platini et Emile Zola, hoche vigoureusement la tête, avec un air de souveraine répulsion. J'en profite pour m'adresser à lui et lui passer, ce faisant, la parole.

« Cette guerre, vous l'avez gagnée... »

Il affecte la prudence de celui qui n'est sûr de rien car la victoire est dans la main de Dieu.

« ... mais comment voyez-vous la Libye de demain ? »

Son visage s'éclaire, je sens qu'il attendait la question et qu'il a sa réponse prête, bien ficelée.

« Comme un pays meilleur !

— On annonce des élections libres. Présenterez-vous des candidats ?

— Nous ne sommes pas un parti.

— Vous pourriez l'être.

— Oui. Mais nous n'avons pas fait cette révolution pour occuper des postes.

— Vous dites constamment "nous"... Qui est ce "nous" ? »

Terrain miné. On touche aux fondamentaux. C'est le chef, al-Hasadi, qui reprend la parole.

« Ce sont les révolutionnaires. Toutes tendances confondues. Il y a, parmi eux, des musulmans séculiers. Nous les respectons.

— Y a-t-il tout de même des points, dans la politique future de la Libye, sur lesquels vous serez particulièrement exigeants ? »

Il prend son temps. La conversation, de surcroît, semble s'être installée à un niveau de franchise tel qu'il a le souci d'être précis – et, donc, il prend son temps.

« Les principes fondamentaux de l'islam, finit-il par lâcher... Les piliers de notre sagesse... Combien sont-ils déjà, feint-il de demander, sourire complice, en se tournant vers le spécialiste de Balzac, Platini et, maintenant, Lawrence d'Arabie – mais qui, son tour étant passé, se garde bien de répondre... ? Sept ? Allez, on se bornera à cinq ! Nous n'aimerions pas, c'est vrai, que la future Constitution néglige les cinq principes. »

Les cinq piliers, seulement ? L'unicité de Dieu, la prière obligatoire, le ramadan, l'aumône aux pauvres et le pèlerinage à La Mecque ? Le redoutable émir, le croisé de l'islam, l'épouvantail de tous les services occidentaux, ne serait qu'un banal théocrate ?

« Question, alors, par laquelle j'aurais dû commencer : vous considérez-vous comme des islamistes ?

— Je ne sais pas ce que vous appelez islamistes. Je suis pieux. J'ai une conception stricte de l'islam. Mais nul n'est obligé de la partager.

— Je pose ma question encore autrement. Quelle est la différence entre votre islam et celui d'Al-Qaïda ?

— D'abord les meurtres, je vous l'ai dit. Mais aussi le fait que, pour Ben Laden, tous les problèmes des musulmans venaient de l'Occident et des Américains. Nous, nous ne pensons pas cela. »

De nouveau le « nous ». Et qui, cette fois, semble, si j'en crois son regard, englober Mustafa El-Sagezli. Serait-il, *à ce point*, des leurs ? Je ne le crois pas. Mais une position, oui, sûrement, d'équidistance entre tous les courants de cette révolution – proche de ces hommes non moins que des laïcs tendance Jibril ou, autrefois, Younès ; et peut-être, pour cela, l'un des hommes clé de la Libye de demain.

« Vous n'êtes pas contre les Américains ?

— La seule chose que j'ai contre eux c'est qu'ils nous ont fait perdre quarante-deux ans en soutenant Kadhafi. Mais, là, ils ont été avec nous, ils ont lutté à nos côtés, comme vous, les Français, on est obligés de le reconnaître.

— Vous demandez-vous, parfois, pourquoi la France a fait cela ?

— Non. Car nous connaissons la réponse. Elle savait, d'abord, que Kadhafi était fini. Et, par ailleurs, c'est quand elle a perçu le drame humanitaire d'enfants et de femmes massacrés qu'elle a pris la position que nous connaissons. »

Son autre lieutenant, Ismaïl, demande la parole. Il a de grosses mains aux pouces calleux. Elles contrastent avec la finesse de ses traits, sa maigreur, la délicatesse de sa façon de parler.

« Pour nous, Libyens, le seul souci c'est notre patrie. C'est ça que vous devez comprendre. Nous sommes d'abord des patriotes. Donc si vous êtes avec nous, nous sommes avec vous. Si vous êtes avec la Libye, que Dieu vous garde, vous êtes bénis. C'est aussi simple que ça. »

Puis Majdi, le gradué de littérature française et de Platini, qui, tout à l'heure, parlait très vite, en avalant ses mots et qui, soudain, semble les peser.

« Quelque chose a changé avec cette guerre et le soutien que vous nous avez apporté. L'heure est à jeter des ponts.

— Soit. Mais des ponts ça ne veut rien dire non plus. Entre quoi et quoi, d'abord ? Et quel rapport entre les deux rives ? Egalité ? Pas égalité ? Et cette question, déjà : l'islam ? est-ce que c'est, pour vous, la seule religion possible ? »

Il marque un temps. Minute de vérité ? Peut-être. Car c'est Hakim qui reprend la parole.

« Non. C'est une autre différence entre nous et Ben Laden. Il pensait que vous étiez des kafirs, des mécréants. Ce n'est pas notre point de vue. Vous êtes des gens du Livre.

— Donc l'islam c'est quoi ? La meilleure des religions ?

— Oui. Parce qu'elle est venue la dernière. Elle prend ce qu'il y a de meilleur dans les autres et fait une troisième religion qui synthétise les premières et elle est donc la meilleure.

— Si elle est la meilleure, pourquoi ne voudriez-vous pas que le monde entier l'adopte ?

— Je ne pense pas que le monde doive devenir musulman. Je ne pense pas cela du tout.

— Soit. Mais pourquoi ?

— Le monde est un jardin. Dans un jardin il y a plusieurs couleurs. Il est bon que ces couleurs subsistent. »

Je pense à l'interview que nous a donnée, ce matin, pour le film, Mustafa. Je pense au vibrant hommage qu'il adressait aux religions sœurs, le christianisme et le judaïsme.

« Prenons un exemple concret, dis-je : le voile.

— Oui.

— Vous êtes pour le voile, ou non ?

— Il fait partie de nos préceptes. Mais...

— Mais ?

— Mais il ne doit pas être imposé. C'est à chaque femme de faire son choix.

— Vous ne parlez ainsi que parce que vous n'êtes pas au pouvoir. Y seriez-vous que vous vous exprimeriez différemment.

— Non. Je pense que la société serait plus pure si toutes les femmes portaient le voile. Je pense que cela va mieux avec leur féminité. Et de cela, oui, j'aimerais pouvoir les convaincre. Mais vous ne me ferez jamais dire que, directement ou indirectement, j'ai la tentation de les y forcer.

— Combien de femmes avez-vous ?

— Pardon ?

— Vous êtes marié. Combien avez-vous de femmes ? »

Il rit, longuement, comme s'il était surpris par le caractère direct de la question et qu'il cherchait à gagner du temps. J'ai même l'impression, un instant, de lire dans son regard une imperceptible hésitation.

« Trois, finit-il par dire. Lui, par contre... »

Il montre Majdi, son compagnon francophile :

« Lui une seule. Il a peur d'elle. »

Les quatre hommes s'esclaffent. Surtout le petit gros, assis le plus près de moi, qui n'a pas ouvert la bouche depuis le début de l'entretien et ne l'ouvrira d'ailleurs pas.

« D'ailleurs, vous ne nous avez pas encore demandé si nous sommes antisémites. Vous voulez une preuve que nous ne le sommes pas ?

— Bien sûr.

— Si vous me présentez une belle jeune femme juive, j'en ferai ma quatrième femme. Non, je blague ! »

Je ne peux m'empêcher d'imaginer la situation et de me demander ce qu'il ferait de cette quatrième femme : convertie ? humiliée ? traitée comme les trois autres ? favorite ?

« On va parler de l'antisémitisme. Mais revenons d'abord, une seconde, à votre théorie du jardin. Quel rapport entre les couleurs ? Quel rapport entre les différentes religions ?

— Des traités, reprend Abdel Hakim.

— Pardon ?

— Oui, des traités. L'islam est la religion des traités. Il y a un verset du Coran qui dit : "respecte les traités".

— Bon. Et ils diraient quoi, ces traités ?

— En tant que musulmans, nous pouvons conclure des pactes avec toutes les religions et, aussi, avec les doctrines laïques. L'essentiel est que ces pactes soient dans l'intérêt des deux parties. »

De nouveau Mustafa. L'image de Mustafa, si heureux, quand, au camp des chebabs de Benghazi, il nous avait parlé de son fameux plan de cisaillage de la Libye jusqu'à Koufra – et sa façon de répéter, alors, « nous avons un deal, nous avons un deal ». Soudain, je comprends mieux.

« Dans quels domaines, les traités ?

— Tous les domaines. Il y a des valeurs communes et des valeurs propres à chaque partie. Ensemble, nous promouvons la justice. Mais, après, nous vous laissons vivre votre foi et vous nous laissez vivre la nôtre.

— Parce que nous nous respectons ?

— Parce qu'il ne doit pas y avoir de contrainte en religion. Et, aussi, parce que c'est affaire de conscience pour chacun.

— Vous savez que c'est la définition même de la laïcité ? »

Il me regarde, l'air sidéré – pas choqué, non, juste sidéré et comme si ma remarque lui ouvrait un horizon.

« Vous croyez ?

— Mais oui. »

Il semble réfléchir. Il a une drôle d'expression, le regard tourné vers l'intérieur, qui lui donne des yeux de statue. Il finit par lâcher.

« Ok... Maybe... »

J'enchaîne.

« Alors, ces traités... Ils vaudront avec toutes les autres religions ? Sans exception ?

— Bien sûr.

— Y compris le judaïsme ?

— Naturellement.

— Vous savez que je suis juif ? »

Il rit. De nouveau, il rit. Mais de bon cœur.

600

« Pourquoi riez-vous ?

— Parce que Kadhafi nous l'a assez répété ! Pas un jour où la télévision officielle ne parlait de vous en vous présentant comme un agent sioniste.

— Et vous, alors ? Comment parlera-t-on de moi dans la société que vous allez construire ?

— Comme d'un brave. Et qui nous aura aidés comme peu d'autres.

— Et quel serait mon statut si j'étais libyen ?

— Le même que n'importe quel citoyen, avec toutes les libertés, y compris celle de pratiquer votre religion.

— Donc vous n'êtes pas antisémite... »
Nouvel éclat de rire.

« Comment le serais-je ? Nous sommes tous sémites. Nous sommes des cousins.

— Ça, c'est, de nouveau, la langue de bois.

— Non. Il y a eu des juifs libyens avec lesquels nous avons cohabité dans l'harmonie. Il y avait entre nous respect et reconnaissance mutuelle.

— Jusqu'à ?

— Jusqu'au conflit israélo-palestinien, le conflit territorial, c'est lui qui a été source de conflit.

— Je voulais y venir. Quelle est votre position sur ce conflit ?

— Nous sommes contre l'oppression des Palestiniens par Israël. Mon opinion est qu'il faudrait un Etat unique où les deux côtés auraient des droits égaux.

— Vous ne dites donc pas que les juifs devraient quitter la région ?

— Bien sûr que non ! C'est en Europe que les juifs ont été persécutés, je vous signale, pas en Libye. En

601

témoignent le massacre perpétré par les Allemands, les chambres à gaz, l'Holocauste. »

Au moins n'est-il pas négationniste. C'est déjà ça. Contrairement à Kadhafi qui invitait Garaudy au Centre de conférences de Benghazi. Ismaïl l'interrompt :

« Voulez-vous une histoire ?

— Oui, dis-je.

— J'avais un oncle... »

Il laisse sa phrase en suspens. Comme pour ménager son effet. Abdel Hakim, agacé, lui fait signe d'accélérer.

« Il a été nourri par une nourrice juive. Elle était comme sa mère. »

C'est à ses compagnons qu'il s'est adressé, regard de gêne et de défi mêlés – comme si, à eux-mêmes, il n'avait jamais raconté cette histoire. Puis, à moi :

« Connaissez-vous Chomsky ?

— Je l'ai lu, oui.

— Et qu'en pensez-vous ?

— Grand savant, mauvais intellectuel.

— Pourquoi ?

— Nous sommes en désaccord sur à peu près tout. Y compris, d'ailleurs, sur Israël dont je défends, moi, farouchement, l'existence. Mais aussi sur la Libye : il n'a pas pris position contre Kadhafi. »

L'entretien s'est prolongé tard dans la nuit. Mais je crois que l'essentiel est là. Le reste étant dûment consigné dans les bandes de Marc Roussel qui a, comme d'habitude, tout filmé. L'important, pour moi, est que cette conversation ait eu lieu. L'essentiel est que j'aie pu dialoguer, plusieurs heures, avec des hommes qui ne sont pas sans ressemblance avec certains de ceux que j'ai rencontrés, à Islamabad et Karachi, lors de mon enquête sur Daniel Pearl. Au Pakistan, ils m'auraient tué s'ils avaient su qui j'étais. Ici, je sens un désir de dialoguer, de se comprendre, de *traiter*. Et, de ce désir ou, plus exactement, de ce climat en apparence pacifié, je vois, comme dans l'affaire de la charia, trois types d'explication possibles.

La première. Je me suis fait enfumer, rouler dans la farine, abuser. Ces hommes sont des terroristes, mais masqués, et qui attendent leur heure. Ils ont les meilleurs combattants, les militants les plus disciplinés, des hommes prêts au martyre c'est-à-dire à mourir pour leurs idées. Ils sont dans l'ombre, pour le moment. Mais ils attendent le moment propice et, à ce moment-là, frapperont. Lénine en Islam. Technique arabe du coup d'Etat. Classique. Je n'y crois guère.

La seconde. Toujours des extrémistes. Toujours masqués. Mais vaincus et le sachant. Dissous dans le printemps arabe et conscients de cette dissolution. Comptant sur la démocratie pour leur permettre, non seulement de s'exprimer, mais de convaincre et de gagner. Aujourd'hui, ils sont une force parmi d'autres, une idéologie entre tant d'autres, une couleur du jardin intérieur – mais, demain, ils renverseront la tendance. Non plus les bolcheviks en 1917 mais les communistes après la chute du Mur de Berlin. Non plus préparer le coup d'Etat, mais espérer le retour du balancier. Et, en attendant, profil bas. Patience et longueur de temps. Par chance, ils ont le temps. Et même le temps de Dieu, c'est-à-dire l'éternité. Variante de la première explication. Fanatisme à visage humain. Là aussi, je me serais fait avoir, mais à plus long terme. Ce n'est pas, non plus, l'hypothèse qui me paraît la plus plausible.

Et puis la troisième, enfin. Des islamistes, toujours. Mais adeptes, tout d'abord, de cet « islam intermédiaire » dont nous avait parlé, le soir de notre première arrivée, l'un de nos interlocuteurs sur la Corniche de Benghazi. Et puis riches, surtout, d'une expérience dont je n'exclus pas que, de leur point de vue, elle change tout : ils ont rencontré l'Occident ; mais, loin de le rencontrer comme cet empire des Croisés que leur dépeignait leur propre propagande, ils l'ont vu comme un allié qui, pour la première fois, songeait moins à les piller qu'à les armer, à les aider contre un tyran et, somme toute, à les sauver. Nous avons fait la guerre à leur despote. Nous avons donné de nous, ce faisant, une image à laquelle ils n'étaient pas préparés. Et peut-être cela change-t-il, en effet, quelque chose à leur vision du monde.

Pas exclu que je sois naïf. Mais, aujourd'hui, sortant de cette ferme, dans la douceur de cette nuit de fin de ramadan, je penche vers cette troisième hypothèse.

Ce n'est pas encore l'islam des Lumières pour lequel je me bats depuis longtemps.

Mais ce n'est plus, non plus, cet islam de guerre à outrance qui veut la mort de l'Occident.

Et ces islamistes désorientés, ces islamistes qui ont perdu le nord, ces islamistes dont on a brouillé les repères, perturbé la vision du monde, détraqué les logiciels, ces islamistes que je sens sincèrement troublés, là, par exemple, par l'idée d'un type, moi, dont ils savent le soutien qu'il leur a apporté, dont ils voient qu'il a pris la peine, de surcroît, et ce soir, de venir dialoguer mais dont ils sentent bien, en même temps, qu'il ne cède sur rien, qu'il ne leur fait grâce d'aucune question, qu'il est un adversaire sans nuances du djihadisme non moins qu'un ami, sans réserves non plus, d'Israël – ces islamistes qui disent, du coup, vouloir « traiter » avec les « Juifs » et les « Croisés », quelque chose me dit qu'il n'est en effet pas impossible qu'à notre geste fraternel ils répondent par une sorte de main tendue.

Je me rappelle Mauriac, en 1935, quand Thorez et les « joueurs de flûte » communistes entonnaient leur propre chant des sirènes et inventaient cette politique de la main tendue. On fait quoi d'une main tendue, demandait-il avec la fausse ingénuité qui le caractérisait ? On la prend avec des gants ? du bout des doigts ? franchement ? on la prend comme au judo ? on la baise ? on la mord ? on la laisse ouverte ? on s'en saisit et on la tient prisonnière ?

C'est toute la question.

Mais d'une chose, je suis convaincu : pour eux, pour moi, quelque chose s'est passé ce soir – pour la première fois des visages, des voix, donc une interlocution véritable.

Et d'une autre : pour eux, pour nous, cette guerre de Libye sera nécessairement un tournant – un coin fiché dans l'idéologie de granit du djihadisme ; une défaite pour la doctrine dite du clash des civilisations ; et, plus que le discours du Caire d'Obama, plus que toutes les belles paroles lénifiantes dont on nous abreuve depuis vingt ans, l'amorce d'un dialogue possible avec, pour peu qu'elles renoncent à la politique du crime, les franges les plus radicales du monde arabo-musulman. C'est une intuition. A peine une hypothèse. Mais que je suis reconnaissant à Mustafa de m'avoir permis d'entrevoir et, ici, de formuler.

Jeudi 25 août *(Arriver à Tripoli)*

J'avais plusieurs moyens d'entrer à Tripoli. Je pouvais passer par la Tunisie et remonter la route côtière comme font la plupart des journalistes. Je pouvais retourner à Zintan et redescendre les montagnes jusqu'à Gharyane, puis Bab al-Azizia. Ou je pouvais voler de Benghazi à Misrata et, de là, emprunter la route de l'est, celle-là même qu'ont prise, samedi, les unités de Misrata qui ont donné le fameux « last push » que le général Ramadan Zarmouh était venu, le 20 juillet, promettre à Sarkozy. C'est la troisième solution que nous choisissons après un bref débat avec Souleiman Fortia et Ali Zeidan qui, hélas, à la toute dernière minute, apprend qu'il ne pourra pas nous accompagner car il doit partir d'urgence pour Koufra où vient d'éclater une querelle entre groupes de combattants rebelles.

Contacter, alors, Alcaud à Paris pour qu'il dépose une demande d'autorisation de survol auprès des autorités de l'OTAN. Joindre, sur place, à Benghazi, l'officier de liaison libyen chargé des contacts avec les hautes sphères otaniennes et qui nous donne son accord verbal mais en nous demandant d'attendre une acceptation officielle et écrite. Aller attendre, sur place, à l'aéroport, sur la piste, comme si le fait d'être là pouvait précipiter les choses. Et d'ailleurs c'est un peu le cas car, voyant que la confirmation tarde, que l'officier de liaison ne répond plus et que toute la chaîne de commandement, OTAN et aéroport, est plongée dans la torpeur de ce début de journée de jeûne, je convaincs le commandant de bord de passer outre les formalités et, en souvenir de ses débuts de jeune pilote casse-cou pendant la guerre du Liban, de décoller à vue.

45 minutes de vol. Nous sommes le premier avion non officiel à atterrir sur l'aéroport de Misrata hier encore impraticable. Nous retrouvons, prévenu je ne sais comment car, si les pistes ont été sommairement réparées ainsi que, visiblement, la tour de contrôle, les communications téléphoniques avec Benghazi sont toujours impossibles, le général Ramadan Zarmouh, escorté de ses principaux lieutenants ainsi que du tout jeune homme à casquette, presque un enfant, qui, en mai, nous avait guidés dans Misrata et que l'on voit, sur une photo de Marc qui a fait le tour du monde, arpentant fièrement, une kalachnikov à la main et un sourire énigmatique aux lèvres, l'avenue principale de sa ville encerclée. Emotion, bien sûr. Embrassades. Evocation de ces jours, à Paris, qui, me dit Ramadan, ont changé la face de cette guerre. Il nous délègue le colonel Hachem, son second, l'homme à la voix kissingérienne. Il met à notre disposition trois voitures (une conduite par Hachem, l'autre par un commandant enturbanné qui est le sosie de Ben Laden et la troisième par Souleiman lui-même qui n'est pas retourné à Tripoli depuis des années et qui semble, de nous tous, le plus ému) plus deux de ces « cuirassés roulants » – un en tête de cortège, un en queue – que nous avions vu fabriquer, pendant le siège, dans l'atelier artisanal de Magasba et que nous appelions les chars Ben-Hur.

Défilent Zliten, Al Qarabulli et Homs, toutes ces villes, ou ces fantômes de ville, dont Ramadan nous avait inscrit les noms sur un bout de nappe en papier, à Paris, en jurant que, s'il recevait les armes idoines, il les prendrait en quelques heures. Au début, il faut passer des barrages, les mêmes, faits de sable solidifié et de containers renversés, qui marquaient, à l'intérieur de Misrata, la progression des rebelles – sauf qu'ils sont, ici, comme autant d'énormes buttes témoins, dressées tous les 5 ou 6 kilomètres, attestant qu'on a longtemps piétiné, tenu sous la mitraille, et attendu les armes françaises. Puis la route est plus fluide, très peu de barrages, à peine des checkpoints où flottent le drapeau libyen de l'ancienne monarchie et, souvent, le drapeau de la République française – signe que l'avancée des rebelles, à partir, en gros, de Zliten, a été plus rapide et que les kadhafistes se sont repliés sans combattre.

C'est au bout de deux heures, exactement deux heures, soit à peu près le temps dont le général Ramadan Zarmouh disait à Sarkozy qu'il aurait concrètement besoin pour libérer la ville, que nous arrivons sur une sorte de corniche bordée, à droite, de champs d'oliviers, puis de palmiers qui bordent eux-mêmes une plage magnifique : sans que l'on ait besoin de me le dire, sans que quiconque, d'ailleurs, ait besoin de dire quoi que ce soit, nous comprenons que nous sommes en train d'arriver à Tripoli. A droite, le port commercial désert, puis un port militaire abandonné et, au loin, ancrés au fond de la rade comme s'ils avaient eu à éviter un cyclone, des myriades de navires qui semblent des navires fantômes. A gauche, des immeubles modernes que leurs habitants ont désertés, des squelettes de constructions pharaoniques qui allaient être la fierté du régime mais qui ont été stoppées net, en plein élan, il ne reste que les grues, elles-mêmes abandonnées ou, parfois, désossées. Autour de nous, une circulation qui se fait tout à coup plus dense, des norias de pick-up roulant pied au plancher et main sur le klaxon, des drapeaux, des fanions, des banderoles où l'on a taggué des caricatures de Kadhafi du type de celles que j'avais vues à Tobrouk, toute une jeunesse en liesse qui salue notre convoi par une fantasia de tirs. Face à nous, dans le lointain, mais peut-être est-ce un effet d'optique dû à la brume de chaleur montée de la mer, la masse compacte des buildings qui signalent la grande ville. Et, soudain, au détour du dernier coude de cette route de corniche, sur la gauche, une place, la place Verte, ce symbole absolu du régime, la Heldenplatz de Kadhafi, l'endroit où il rassemblait ses partisans et leur adressait ses harangues de fou, nous y sommes.

La première chose qui frappe c'est la taille de la Place – plus petite que sur les images et que dans mon imagination. C'est aussi que, sans doute à cause du ramadan, elle est étonnamment vide, presque déserte – le vieux marché fermé, tous les cafés aussi, des milliers de douilles vides jonchant le sol, et une cinquantaine d'hommes, pas plus, qui viennent nous saluer, nous donner l'accolade, nous remercier d'être venus.

Mais, soit que le bruit de l'arrivée d'étrangers se soit aussitôt répandu, soit que l'excitation de nos chebabs d'escorte, ceux des deux chars Ben-Hur, tirant en l'air des rafales de kalachnikov pour mieux exprimer leur joie chaque fois qu'un vieux de la Place vient à nous et nous embrasse, les gens commencent d'arriver, de plus en plus nombreux, des jeunes maintenant, parfois des enfants, tous armés, certains lourdement, et se mettent à tirer eux aussi.

L'un me propose, dans un mauvais anglais, de me conduire au palais d'Aïcha, la fille de Kadhafi, où les libérateurs auraient retrouvé des trésors – il répète plusieurs fois, en arabe, « des trésors ».

Un autre me dit qu'il peut faire mieux et me conduire, lui, si je veux, à l'endroit où a été capturé le fils Kadhafi. « Mohamed ? – Non, Saïf ! – Je croyais que son arrestation avait été démentie ? – Bien sûr que oui, on l'a arrêté ; après, il s'est échappé, c'est vrai ; mais c'est parce que nos chebabs ont suivi de trop près les recommandations de modération du président Abdeljalil ; mais dire qu'on ne l'a pas capturé du tout, ça c'est la propagande du Frisé. »

Un troisième voudrait faire plus fort encore et prétend pouvoir me conduire à la cache de Kadhafi lui-même, personne ne la connaît, sauf lui, foi de Hakim – mais les autres le font taire, l'un va même lui donner un coup qu'il esquive en levant le coude, il n'insiste pas.

Quant à moi, j'improvise un bref discours, assez semblable à mon adresse aux chebabs de Benghazi, mais en encore plus fervent, en encore plus ému et bouleversé (grand jour… grandeur d'un peuple qui se libère… votre libération et la nôtre… images de la libération de Paris… votre chef, Mustafa Abdeljalil, est comme un père et il faut le respecter comme un père… et brève exhortation, surtout, à ne pas céder à la tentation du règlement de comptes et de la vengeance…).

Les jeunes crient Allah Akbar – je réponds Libya Hora. Ils acclament la France, je salue la Libye. Les tirs en l'air se multiplient, certains depuis les fenêtres des immeubles, à côté du portrait géant du Guide qui surplombait la Place et dont il ne reste que des lambeaux à peine reconnaissables, le reste ayant été lacéré ou brûlé.

610

Au bout d'une quinzaine de minutes, le bruit des rafales de joie se mêlant à celui de mes chebabs d'escorte qui, eux-mêmes, surenchérissent en tirant carrément des obus de leurs canons pointés vers le ciel, le concert des détonations couvrant complètement ma voix, quelques-uns des jeunes semblant, pardessus le marché, reconnaître le Français, « Monsieur Bernard », dont ils ont vu les images diabolisées, et la tête mise à prix, passer en boucle, pendant des mois, à la télévision, tous se mettant à me photographier avec leurs portables et expédiant leurs photos Dieu sait où, les SMS partant dans tous les sens, les téléphonages se multipliant – notre équipe de policiers français finit par estimer qu'il serait peut-être bon de ne plus trop s'éterniser ; la ville n'est-elle pas encore infestée de loyalistes qui ont jeté leurs uniformes et opèrent maintenant en civil ? Etonnant spectacle, alors, de ces cinq hommes dont m'avait surtout frappé, jusqu'ici, l'extrême discrétion, le tact et, en toute circonstance, la courtoisie sans faute – et qui, en moins de temps qu'il ne faut pour le dire, se métamorphosent en autant de forteresses humaines à l'abri desquelles nous regagnons les voitures.

Jeudi 25 août, suite *(Dans Tripoli libérée)*

Nous avons un peu de mal à nous extraire de la Place devenue, en quelques minutes, noire de monde et bloquée, maintenant, par un embouteillage de pick-up qui ont surgi de toutes les rues adjacentes, mêlant leurs klaxons à la fantasia des tirs d'obus et d'armes légères qui devient assourdissante.

Suivis par ceux des pick-up dont les chauffeurs sont les plus excités et qui nous font le même encombrant cortège que les chebabs à pied de Benghazi le jour de mon discours sur la Corniche, nous allons alors jusqu'aux abords de Bab al-Azizia, l'ancien quartier général du Guide, où règne une autre forme d'effervescence : on vient d'arrêter, semble-t-il, un sniper ; il est encadré par deux gamins en armes ; il a les mains liées dans le dos ; la foule, autour de lui, hurle, l'insulte – mais, peut-être parce que nous sommes là, il n'y a pas de violences physiques.

Puis, ayant fini, mais à grand-peine, par semer notre encombrant cortège qui, ne pouvant plus mener le même rodéo urbain dans les ruelles de la Vieille Ville, se disperse comme il s'était formé, très vite, nous nous arrêtons quelques minutes, au milieu d'une rue, nous aussi assez fébriles, chacun d'entre nous, Hachem, le sosie de Ben Laden, Gilles, François, moi, donnant un ordre contradictoire. Nous nous arrêtons, oui, pour étudier, penchés sur le capot de ma voiture, le plan que nous avons apporté de Paris, le plan du Guide bleu, mais qui, une fois de plus, semble faux et nous donne, lui aussi, des indications contradictoires.

Les rues sont vides et écrasées de soleil. Pas une boutique n'est ouverte. Si. Là-bas. Un vieil homme accroupi sur le seuil de son restaurant vide et sans nourriture. Il parle un mauvais anglais et nous indique, par de rapides mouvements de bras, un dédale de ruelles.

Quelques mètres plus loin, nous tombons sur une église blanche : l'ancienne cathédrale.

Puis, une petite place et, sur la place, un grand bâtiment tout en brique : l'ancienne synagogue, à l'abandon, mais sur le fronton de laquelle subsistent la forme des Tables de la Loi et deux inscriptions en hébreu.

Au coin d'une rue minuscule, voici, sur un mur, une plaque en marbre que nous nous faisons traduire par un homme qui se tient là et se trouve être le propriétaire de l'unique « hôtel de charme » de Tripoli : elle indique, la plaque, qu'ici se trouvait l'ancien consulat de France.

Nous repartons vers le sud, quartier d'Abou Salim qui est le seul, avec le quartier voisin de Mashrour et peut-être, mais c'est moins clair, le quartier de Hatba Charkia, où Hachem et le sosie de Ben Laden nous déconseillent d'entrer car des combats s'y dérouleraient toujours.

Nous passons devant l'hôpital, qui a l'air d'avoir été déserté : plus un véhicule ; pas la moindre ambulance ; trop dangereux de s'y arrêter.

Nous cherchons l'ambassade de France – « l'ancienne ou la nouvelle », nous demande un chauffeur de taxi, le seul que nous rencontrions ? « La nouvelle, bien sûr », répond François qui a pris la direction des opérations. Et le taxi de nous guider, dans le quartier al-Andalus, jusqu'à un petit immeuble, blanc, banal, avec des balcons cubiques en avancée sur la rue, où il me faut beaucoup de diplomatie pour dissuader Gilles d'aller planter un drapeau français.

Tout près de là, dans une rue complètement déserte (présence de snipers ?), nous tombons sur un homme, lance-roquettes à l'épaule, qui dit nous avoir vus à Zintan le mois dernier et qui, rejoint par un groupe de

613

camarades, dont un qui a travaillé deux ans à Toulouse et parle un peu de français, voudrait nous mener à un endroit où les kadhafistes auraient, dans leur retraite, procédé à l'éxécution sommaire de cent cinquante prisonniers.

Et puis, en pleine avenue, un bâtiment d'un jaune pisseux où, l'équipe s'étant scindée en deux, l'une de nos caméras va filmer la plus étonnante séquence de la journée.

Un immeuble de bureaux, éventré par les bombardements, avec, devant ses grilles, trois soldats, avachis, qui crient : « no journalists ! no journalists ! »

Un homme arrive, en uniforme, la cinquantaine bedonnante, qui bredouille quelques mots d'anglais et explique qu'il était professeur au lycée du quartier ; qu'il dirige désormais la milice du secteur ; et qu'il a dû, tout à l'heure, expulser manu militari une équipe de télévision entrée dans les lieux sans autorisation et ayant tenté d'en repartir en faisant main basse sur les documents qui y traînaient.

« Comment, s'exclame-t-il ? Vous ne savez pas où vous êtes ? Mais c'est le quartier général d'Abdallah Senoussi, voyons ! Le chef des services secrets de Kadhafi ! L'homme de ses basses œuvres et de ses coups tordus ! »

Comme on lui explique qu'il n'a pas affaire, cette fois, à des « journalistes » mais à des « Français », il consent à nous laisser entrer, mais à la condition expresse de nous accompagner partout.

Et là...

Deux énormes caméras, une vingtaine de mètres au-dessus du sol : « elles épiaient tous ceux qui passaient

614

dans la rue ; si quelqu'un les regardait plus d'une seconde, il était immédiatement arrêté ».

Une pièce, sans fenêtre, capitonnée : « c'était pour étouffer les cris de ceux que Senoussi torturait, personnellement, à toute heure, même la nuit ».

Une chambre avec un lit immense et un carton de bouteilles de San Pellegrino : « introuvables en Libye ; c'est ici qu'il recevait ses maîtresses ».

Le bureau de Senoussi, maintenant. « Vous jurez de ne toucher à rien ? » Bien sûr ! Et c'est la caverne d'Ali Baba : canapés en cuir ; écrans plasma ; et, par terre, un pêle-mêle de billets d'avion, cartes de visite des meilleurs restaurants de Tripoli, bristols d'invitation, photos d'identité d'informateurs de tous âges (leur nom inscrit au dos), et des papiers, des monceaux de papiers, en arabe.

Et puis, enfin, le clou. Un cabinet particulier aux rayonnages remplis de dossiers. Sur la couverture de l'un de ces dossiers, que l'homme interdit d'ouvrir, la mention : « International » (les dossiers secrets de trente ans de terrorisme ?). Dans un autre, qu'il ouvre lui-même, des listes de noms aux consonances non-libyennes (des mercenaires africains auxquels le Guide accordait la nationalité libyenne ? il y en a des milliers !). Et, dans un autre encore, des photos et des rapports, toujours en arabe, que l'homme découvre aussi et commence à traduire : ce sont les rapports de mouchards infiltrés au sein du Conseil national de transition ; les plus anciens sont du 19 février ; ce sont des comptes rendus de réunions ; des notes sur la situation militaire à Benghazi ; des photos, des dizaines et des dizaines de photos, rangées comme dans des albums de famille et montrant, en particulier, des camps d'entraînement de la Rébellion ; qui a pris ces photos ? d'où venaient les informateurs ? l'homme décide que cela suffit ; « le CNT va venir récupérer tout cela dès demain », fait-il, soudain inquiet ; discrètement, François embarque quelques feuillets en partant.

Dans le quartier Qarqash, au beau milieu d'une avenue bordée d'immeubles de style colonial qui rappellent le quartier italien de Tanger, on nous montre l'emplacement d'un ancien camp d'entraînement pour femmes soldats.

Nous verrions bien, tant qu'à faire, le palais des rois Senoussis, qui nous semble, au vu de notre plan, pas trop loin de là où nous sommes, mais nous avons beau expliquer, épeler, dessiner, personne ne sait nous l'indiquer – et pas davantage Hachem et nos amis de Misrata à qui l'agitation ambiante, ajoutée au souci qu'ils ont de notre sécurité et ajoutée, surtout, au fait qu'ils ne connaissent pas la ville, fait perdre un peu les pédales.

Nous allons à Tajoura, en revanche, ce quartier au nord-est de la ville où Ramadan nous a raconté, avant le départ, que les éléments d'élite de son armée ont débarqué par surprise, de nuit, samedi dernier, ouvrant la ville aux autres insurgés venus, comme nous, par la route – et qu'Hachem, pour le coup, connaît bien puisqu'il était là.

Nous nous faisons raconter la bataille par Mohamed Chaboun, jeune commandant à la barbe bien taillée, aux yeux intelligents et fiévreux, que je prends d'abord pour un unijambiste, mais non, il est juste blessé, marchant sur des béquilles, mais marchant quand même et continuant, visiblement, de diriger son unité.

Il faisait partie des premiers des premiers, se rappelle-t-il, sous le regard fraternel d'Hachem. Il était avec lui, Hachem, et avec Ramadan Zarmouh, de la toute première escouade des deux cents qui sont arrivés ici, à 5 heures et qui ont foulé le sable de la capitale.

Il a, tout juste débarqué, été fauché par une balle mais il n'a pas cédé et a tenu, s'aidant de deux bâtons, puis porté par deux de ses hommes, à rester à la tête de l'unité pendant qu'elle progressait, sans rencontrer trop de résistance, jusqu'à la vieille ville.

Il est 19 h 30. Le soleil est tombé sur la mer. C'est le moment, enfin, de la rupture du jeûne – des gobelets de lait et des dattes servis sur le capot des pick-up. Acceptons-nous l'hospitalité de Chaboun qui nous propose de passer la nuit dans sa tente de commandement, sur le front de mer ? Irons-nous dans un des deux hôtels, le Radisson et le Corinthia, qu'occupent les journalistes, depuis qu'ils ont réussi à s'extraire du gouvernemental Rixos où ils étaient séquestrés ? Ou retournons-nous dans « ma ville », comme dit Hachem, mais oui, ma ville, celle dont il me rappelle que j'ai été fait citoyen d'honneur et qui m'attend ? J'opte pour la solution Hachem. Mais je suis heureux d'être venu, heureux d'avoir fait le trajet ainsi, par la route – et heureux d'avoir bouclé la boucle.

Lundi 29 août *(Un PV pour violation de no-fly zone)*

Voici un document qu'il faudra, quand tout sera fini, faire encadrer.

Sous en-tête d'une mystérieuse « HA Movement & Transportation Coordination Cell », signée d'un certain « Major Ortman » qui semble être l'« Operation Unified Protector » du secteur, précédée d'une ligne en vert marquée « Classification, NATO unclassified », une lettre adressée, pour moi, à Fabrice Alcaud et qui dit : « Pls be advised that every unapproved and non-coordinated air movement (like you did with your movement from HLLB to HLMS) is considered as a violation of NFZ ». En clair, une notification d'infraction. Un vol de HLLB (Benghazi) à HLMS (Misrata) qui constituait une violation caractérisée de la zone d'exclusion aérienne et qui m'est verbalisé comme tel. Dans le code de la route, on appelle cela un PV.

Jeudi 15 septembre *(Avec Sarkozy, Cameron, Juppé, en Libye libre)*

Cette fois, c'est vraiment la fin, le dernier acte, tous les délais expirés, l'expression du dernier mot.

J'ai voulu arriver un peu avant. En principe, d'ailleurs, j'aurais dû être là dès hier soir. Mais les lourdeurs bureaucratiques otaniennes, peut-être l'intention mauvaise d'un régisseur invisible du ballet politique qui s'annonce, peut-être aussi le ressentiment d'une machine qui me ferait payer mon infraction aérienne du mois dernier, ont fait que je n'ai pu atterrir que ce matin, quelques heures seulement avant Cameron et Sarkozy. Mais tout va bien. J'ai pu faire les images qui me manquaient pour le film – c'était le but. Plus l'autre but, le but non dit – finir cette aventure dans l'état où je l'ai commencée : libre ; cavalier seul ; ne m'autorisant que de moi-même ; me missionnant ; me transportant ; bougeant selon ma seule inspiration et, pour cela, m'employant à ne rien devoir, rien demander, servir la République, oui, mais ne jamais se servir d'elle ; c'était mon débat avec Houellebecq s'affichant, dans notre livre, usager de la France ; mes propres deniers, par exemple ; c'est un détail, bien sûr, mais le diable est dans ce détail ; le diable ? le spectre du clerc assermenté ; le mauvais modèle de l'écrivain rallié ; j'ai écrit, il y a trente-trois ans, que jamais je ne serais le conseiller d'un prince ; eh bien je m'y suis tenu ; soufflant, bien sûr, ma vérité ; l'insufflant à qui voulait l'entendre ; mais conseiller de personne ; ou, alors, conseiller provisoire ; et encore ! éclaireur serait plus juste ; élément précurseur que l'on était libre d'écouter ou pas, et qui était libre, lui, à l'inverse, et à tout instant, de rompre ; si Sarkozy n'avait pas suivi ? si, après la reconnaissance du CNT, il n'avait pas reçu Younès ? si, après Younès, il n'avait pas reçu, pour les armer, les officiers libres de Misrata ? eh bien je l'aurais dit ; comme avec Mitterrand trahissant, à Sarajevo, l'espoir qu'il avait fait lever, j'aurais pris acte de la reculade et je l'aurais dénoncée ; c'était la loi non écrite ; la base de notre accord tacite, mais qui a tenu et qui, maintenant, va se défaire.

Pour être complètement sincère, je dois aussi convenir qu'il ne me déplaisait pas d'être là quand Cameron et lui arriveraient, les accueillant en quelque sorte dans ce Tripoli où je les ai précédés et dont j'ai senti souffler l'esprit, il y a trois semaines déjà, en même temps que retentissaient les salves d'honneur des chebabs qui nous saluaient au cœur battant de la ville, sur cette

619

place Verte, désormais place des Martyrs où, hélas, eux n'iront pas. Je suis là, dans une chaleur d'étuve, en bas de la rampe qui monte aux urgences du grand hôpital où les attendent infirmières, patientes, mères de famille, les femmes de Tripoli. Elles sont des centaines. Elles sont massées dans les escaliers, les couloirs, les salles. Beaux visages de femmes qui n'ont plus peur et qui rient. Et les cinq hélicoptères arrivent, à la minute dite, dans un fracas de rotors. On a tellement attendu, espéré, les hélicoptères en Libye ! A Misrata, à Zintan, à Benghazi, partout, nous avons si souvent entendu : « où sont les hélicos ? pourquoi tardent-ils tant ? » Eh bien ceux-là, les derniers de cette guerre, sont à l'heure. Ils soulèvent, en se posant, des tempêtes de poussière et de sable sale. Mais c'est la tempête finale. C'est une tempête symbolique et heureuse. C'est la belle tempête de la liberté qui a gagné.

Je suis là, donc. Nicolas Sarkozy et David Cameron débarquent les premiers, suivis d'un escadron de sherpas et entourant Mustafa Abdeljalil. Ils lèvent les bras en signe de victoire. Ils les lui lèvent comme font, sur un ring, des entraîneurs pour leur champion qui l'a emporté. Le bonheur se lit sur les visages. Un instant d'appréhension peut-être, quand on pose le pied sur le sol libyen. Une dernière tempête, à l'arrivée du dernier hélicoptère, tellement forte, celle-là, qu'on est tous obligés de tourner et de baisser la tête. Mais je regarde Abdeljalil. Je regarde Jibril à ses côtés. Et je vois bien, dans leurs yeux, que c'est la dernière fois qu'ils courberont la tête. Je les salue, d'abord, eux – Abdeljalil, Jibril. Puis les deux Européens – Sarkozy, Cameron. Et, au pas de charge, entourés par une foule que la Sécurité renonce à contenir, nous montons vers les femmes. Bousculade. Folle cohue. Confusion, foule en fusion, qui font exploser le déroulé du protocole et qui sont, à cet instant, le signe éclatant du bonheur.

Au pied de l'ascenseur, poussé par la cohue, je tombe nez à nez sur Henri Guaino. Je n'ai pas changé d'avis sur son discours de Dakar. Sans doute pense-t-il toujours, lui aussi, aux noms d'oiseau dont il me gratifia alors. Mais je lui tends la main. Il la prend. Quand nous montons dans l'ascenseur, on s'aperçoit qu'on est trop nombreux, en surcharge, et que quelqu'un doit descendre. Ce ne sera pas lui. Ce ne sera pas moi. Cet instant-là nous dépasse et lui et moi. Et j'ai le réflexe, pour ma part, de mettre en suspens les querelles. L'événement est le plus fort. Il me requiert de toute sa force. Le reste ne compte pas.

Alain Juppé. Je savais qu'il était du voyage. Je savais que nous allions nous retrouver, à un moment ou à un autre, forcément, face à face. Et, pour tout dire, je m'en inquiétais un peu. Que ferait-il lorsqu'il croise-rait celui que l'on a présenté, si souvent, comme le « ministre bis » des Affaires étrangères ? Que ferais-je ? Comment réagirais-je si je lui tendais la main et que lui ne la prenait pas ? Eh bien non. La poignée de main a été franche. Le regard, cordial. Et, devant un groupe de journalistes interloqués, il a même prononcé une phrase, appuyée, pour dire sa satisfaction de « par-tager » ce moment avec moi. Plus tard, après Benghazi, au moment du retour vers Paris, le Président fera en sorte que nous ayons un tête-à-tête. Et, là, comme des joueurs qui, à la fin de la partie, retournent leurs der-nières cartes, nous évoquerons les sujets qui ont fâché.

La séance du 10 mars, à l'Elysée, où fut reconnu le Conseil national de transition ? Il dit qu'il en était informé et que la seule chose qui l'ait surpris fut la publicité donnée à la chose par Jibril. Les attaques contre moi, dont les gorges profondes du Quai d'Orsay n'ont cessé d'abreuver la presse : inventions de journalistes, rumeurs, il n'était informé de rien, il ne l'a pas voulu. L'option de l'ingérence militaire ? Ce devoir de protéger pris à la lettre et dont j'ai toujours pensé qu'il l'avait endossé à regret ? Il y a toujours été favorable, toujours, sans la moindre réserve et il est, de toute façon, « fier de servir ce Président ». La conférence de presse du 6 mars, alors ? La phrase, ce jour-là, au Caire, sur l'« intervention militaire en Libye » qui aurait « des effets tout à fait négatifs » ? Il ne s'en souvient pas. « Fais attention, prévient Sarkozy ; il tient un journal ; il a ses dates à jour. » Non, il a beau chercher, il ne s'en souvient franchement pas. Et l'étrange est que je lui fais plutôt crédit de cette franchise (de même que je lui fais crédit de la sincérité de sa colère quand il évoque, d'une voix blanche, les attaques dont il est l'objet sur le Rwanda et que j'ai, pour le coup, relayées – il va jusqu'à soutenir qu'il a été parmi les premiers, le 15 mai 1994, à l'issue de la réunion du Conseil des ministres de l'Union européenne à Bruxelles, à dénoncer et nommer le génocide ; et, ma foi, je décide, jusqu'à plus ample vérification, de le croire sur parole...).

Est-ce la comédie d'il y a quinze ans qui recommence, quand l'évidence de nos sincérités nous avait fait nous réconcilier avant que Gilles ne nous brouille dans la scène de la Sorbonne ? Est-ce cette mélancolie que je sens chez lui, ce côté cassé, désenchanté, Venise au Quai, tentation du retrait assumée et en ménage avec l'exercice de son pouvoir, qui, brusquement, m'émeuvent et me font penser que, lorsqu'on en est là, lorsqu'on a, un peu, rendu les armes, on prend moins la peine de mentir ? Ou est-ce juste l'Evénement qui a triomphé et qui, là aussi, dicte sa loi ? Je penche pour la dernière solution. L'autre version de l'histoire me paraissant, tout à coup, dérisoire.

Mais celui que j'observe avec le plus de curiosité c'est, bien sûr, le Président.

Je l'observe, à Benghazi, quand une famille de Tobrouk, endimanchée, lui amène le bébé dont, le jour de mon deuxième appel, celui pour la venue de Younès à Paris, je lui avais annoncé la naissance et que l'on avait prénommé Sarkozy : à son air stupéfait, et rêveur, je vois qu'il ne m'avait pas cru.

Je l'observe à Tripoli, dans la salle de réunion de l'hôtel Corinthia, faisant face au Conseil national de transition au grand complet : le gouverneur militaire de la ville, Abdelhakim Belhaj, alias Abou Abdallah al-Sadek, qui fut l'un des fondateurs du Groupe islamique combattant libyen et qui est, aujourd'hui, l'incarnation même, avec Al-Hasadi et les révolutionnaires de Derna, de la possible menace islamiste, est dans la salle ; il le sait ; il le voit ; et cela ne l'empêche pas de dire, avec force, que la France n'a pas fait ce qu'elle a fait pour se retrouver, un jour, avec une dictature fondamentaliste qui serait pire que celle de Kadhafi (plus tard, lors de la conférence de presse, cette soudaine inspiration de dédier la révolution libyenne à la jeunesse insurgée de Syrie).

Et puis je l'observe enfin, sur la place de la Liberté, à Benghazi, debout à la tribune où j'avais moi-même pris la parole, le dernier soir de mon deuxième séjour, il y a quatre mois. Cameron est en train de parler. Il se prépare pour son propre discours qui va, dans quelques minutes, arracher à la foule le long cri de joie, à la limite de la suffocation ou du sanglot, qu'elle retient depuis la nuit où les avions français frappèrent les premiers chars qui s'apprêtaient à éventrer la ville. Et, de là où je me trouve, légèrement en contrebas, derrière lui, j'observe un drôle de manège qui échappe à la foule ainsi qu'à la plupart des journalistes : sous le masque impassible et presque figé, en contradiction avec cette gueule de Président qu'il a fini par se faire et à laquelle a travaillé, j'en ai vu les progrès, cet événement libyen, la jambe droite qui bat la mesure, qui s'impatiente, qui s'énerve presque et qui atteste d'une juvénilité tenace – deux corps en un ; les deux fameux corps du roi, vraiment les deux, mais incarnés dans la même chair ; ce n'est pas la thèse de Kantorowicz qui tenait le second corps pour un corps subtil, immatériel ; mais c'est une thèse ; c'est une solution ; c'est une variante intéressante.

J'observe Cameron, aussi, naturellement. Son air, lui, de publicité pour bébé Cadum. Son physique de trader ado ou d'étudiant d'Oxford monté en graine. Je les observe tous les deux, face à cette circonstance qui leur ressemble si peu et qu'ils ont pourtant produite. Ils sont si jeunes. Cadets de ces prédécesseurs qui, d'une manière ou d'une autre, avaient tous tâté de la grande Histoire. Puînés de cette Histoire avec laquelle ils sont les premiers à n'avoir plus de contact biographique, physique, vécu. Et je me dis que c'est peut-être là le secret. Ce trop d'Histoire qui paralysait les autres. Ce déficit d'Histoire qui les a rendus, eux, plus libres et qu'ils ont comblé en s'engageant ainsi, tête baissée, dans ce soutien à une révolte arabe. Non plus trop tard dans un monde trop vieux mais très jeunes dans un monde soudain plus jeune. Et si c'était l'une des clefs du mystère ?

Et puis il y a les Libyens, évidemment.

Gogha, sourire complice, dans l'indescriptible bousculade qui se fait à l'entrée du musée des horreurs du kadhafisme où les deux Cadets de l'Histoire sont invités à se recueillir, tout près de la villa néocoloniale qui avait vu naître le Conseil national de transition. Peut-être me trompé-je. Mais il me semble voir dans ce sourire complice quelque chose comme : « allez, on oublie tout... moi, votre faux pas de Jérusalem... vous, ce communiqué qui vous désavouait... »

Jibril. J'ai vu Jibril sourire. J'ai vu Jibril heureux. Le temps de ce sourire, le temps de ce soupir qu'est cette journée libyenne, j'ai vu Jibril le Terrible (celui qui, le soir de la rencontre avec Clinton, avait exigé une sortie de secours) métamorphosé en un joyeux compagnon, bousculé, bousculant, rajustant ses lunettes qui ont manqué tomber, blaguant, oubliant ses mines de technocrate, à l'unisson de la foule.

Et puis Abdeljalil. Il y a une image, au moins, d'Abdeljalil que je ne suis pas près d'oublier. C'est son dernier visage quand l'hélico l'emporte, je crois que c'est de l'hôpital vers l'académie militaire des amazones de Tripoli. Il est assis sur le siège central, devant la porte ouverte, face au vide, sanglé, seul. Et il fait au peuple des siens qui le regarde décoller un signe de la main, juste un signe, mais qui dit mieux qu'un long discours sa souveraineté retrouvée, son autorité et sa fierté de libérateur de la Libye. Abdeljalil, à cet instant, me fait, toutes proportions gardées, penser à un certain général français assénant à son peuple l'idée qu'il avait libéré la France alors que chacun savait que, sans les Alliés, rien n'aurait été possible. Un humble de Gaulle. Un de Gaulle sans le texte. Mais le geste de De Gaulle rappelant à la foule française que les généraux Brosset et Leclerc n'avaient pas moins fait que les Américains.

Que feront-ils, Abdeljalil, Jibril, Gogha, de leur révolution ?

Sauront-ils la préserver de l'appétit de ceux de ses enfants qui rêvent déjà de la dévorer ?

Sauront-ils être des Girondins définitifs ou seront-ils des Montagnards arabes, fossoyeurs de leurs libertés conquises au prix de tant de souffrances ?

Et ce moment de grâce, cette séquence que nous avons vécue survivra-t-elle à son triomphe ou connaîtra-t-elle le sort qu'ont connu tant de révolutions ?

La question s'adresse à tous.

Et tous ceux qui sont ici, au chevet de la nouvelle Libye, se la posent en secret.

Quand on a accompli cela, quand on a été le témoin et l'acteur de ce temps déraisonnable qui vit triompher une révolte dans un pays reculé du monde arabe, qu'est-ce qu'on en fait ? on l'oublie ? on s'en décharge comme d'une tâche menée à bien ? on s'en dévêt comme d'un habit de lumière ? ou on tente de rester à la hauteur de ce que l'on a fait, contemporain de ce moment de soi, fidèle à son éclat ?

Evénement oblige.

Histoire recherche acteurs, espérément.

Elle est si pleine, l'Histoire, de héros d'un événement magnifique qui sont devenus les demi-solde d'eux-mêmes et de leurs engagements.

Puisse cette promesse-ci être tenue.

Puissent tous ceux qui l'ont portée rester requis par ce qu'elle eut de grand.

Et puisse-t-elle, aussi, donner l'exemple – partout où l'on se bat contre la tyrannie et où l'on est en mal d'espérance.

Ma journée s'achève. Je quitte la Libye. J'ai, dans la tête, les visages défaits des combattants des monts Nouba, des Darfouris, des Angolais, dont j'ai croisé la vie cassée et pour qui je n'ai rien pu. Je pense à Massoud assassiné après que la France l'eut humilié et à Izetbegovic désespéré le soir de la signature, à Paris, d'un accord scélérat. Je pense à tous ces vaincus, damnés de la terre et de la guerre, qui, en Syrie, en Colombie, au Burundi, ailleurs, avaient peut-être les yeux fixés, tous ces mois, sur la grande lueur qui s'est levée à Benghazi. C'est pour eux aussi que sonnerait le glas de la révolution libyenne. Et c'est à eux qu'elle parlera si elle laisse à la liberté sa chance.

Jeudi 20 octobre (*Epilogue, la mort de Kadhafi*)

Ces images de son cadavre. Ce visage, encore vivant, mais en sang, sur lequel il semble que l'on s'acharne. Cette tête nue, étrangement et soudainement nue – je m'aperçois qu'on ne l'avait jamais vue que coquettement enturbannée et il y a là quelque chose de poignant qui rend ce criminel pitoyable.

J'ai beau me dire que cet homme était un monstre. J'ai beau me passer et repasser, toute cette fin de journée, les autres images, celles qui me hantent depuis huit mois et qui sont celles des fusillés en masse, des torturés, des pendus du 7 avril, des emmurés vivants que la révolution de février a extraits de leurs geôles et qui, à partir d'aujourd'hui, n'ont plus peur. J'ai beau me répéter qu'il a eu, ce mort, cent fois l'occasion de négocier, de tout arrêter, de se sauver — et que, s'il ne l'a pas fait, s'il a préféré saigner son peuple tant qu'il pouvait, c'est qu'il est, en connaissance de cause, allé au-devant de son destin. J'ai beau songer que nous sommes mal placés pour infliger à quiconque des leçons d'humanité révolutionnaire, nous, Européens, qui avons sur la conscience les massacres de septembre 1792, les femmes tondues à la Libération, Mussolini pendu par les pieds et outragé, les Ceausescu abattus comme deux vieilles bêtes.

N'empêche. Je dois être une incurable belle âme. Un adversaire irréductible de ce mal absolu qu'est la peine de mort. Car il y a quelque chose, dans ce spectacle, qui me révulse. Il blesse, en moi, un instinct très profond, très ancré, et que je ne parviens pas à raisonner. Je le dis à Mansour, au téléphone. Puis à Mustafa El-Sagezli, en déplacement à Rome, qui m'appelle pour partager sa joie. Quand Bachir Sebbah me joint à son tour, depuis notre chère ville de Misrata, pour me passer le colonel Hachem, tout heureux lui aussi, et qui veut me donner la primeur du récit de la capture (« il nous traitait de rats... mais c'est lui qui était comme un rat, au fond de sa canalisation... ce sont mes combattants qui l'ont déniché, tiré de son trou, neutralisé... »), j'essaie de leur dire, à tous deux, que la noblesse du vainqueur se mesure aussi au sort qu'il réserve à son vaincu : « savez-vous la différence entre César et Saladin ? le premier, vainqueur des Gaules, perdit le bénéfice moral de son triomphe en

628

humiliant son adversaire, en l'exhibant comme un trophée, en le faisant étrangler ; la gloire du second, à l'inverse, doit beaucoup à la magnanimité dont il fit montre après l'avoir emporté sur les Croisés et alors qu'il les tenait à sa merci... »

J'ai l'impression qu'ils m'entendent. Mustafa, surtout, semble partager mon trouble. Je l'espère. Oh, je l'espère si fort. Car de deux choses l'une. Ou bien ce crime commis en commun est l'un des actes fondateurs de l'ère qui s'annonce et c'est un triste présage. Ou bien c'est le dernier acte de l'âge barbare, le bout de la nuit libyenne, le râle ultime d'un kadhafisme qui aurait eu besoin, avant d'expirer, de se retourner contre son auteur et de lui inoculer son propre venin – et viennent, alors, les temps nouveaux. C'est mon acte de foi. Et c'est, ce soir, mon vœu le plus cher.

TABLE

633

634

DEUXIÈME PARTIE

L'ESPOIR

636

« L'ENLISEMENT »

QUATRIÈME PARTIE

LA VICTOIRE

DU MÊME AUTEUR (suite)

Beaux-Arts

FRANK STELLA, La Différence, 1989.
CÉSAR, La Différence, 1990.
PIERO DELLA FRANCESCA, La Différence, 1992.
PIET MONDRIAN, La Différence, 1992.

Questions de principe

QUESTIONS DE PRINCIPE I, Denoël, 1983.
QUESTIONS DE PRINCIPE II, Le Livre de Poche, 1986.
QUESTIONS DE PRINCIPE III, *La suite dans les idées*, Le Livre de Poche, 1990.
QUESTIONS DE PRINCIPE IV, *Idées fixes*, Le Livre de Poche, 1992.
QUESTIONS DE PRINCIPE V, *Bloc-notes*, Le Livre de Poche, 1995.
QUESTIONS DE PRINCIPE VI, *Avec Salman Rushdie*, Le Livre de Poche, 1998.
QUESTIONS DE PRINCIPE VII, *Mémoire vive*, Le Livre de Poche, 2001.
QUESTIONS DE PRINCIPE VIII, *Jours de colère*, Le Livre de Poche, 2004.
QUESTIONS DE PRINCIPE IX, *Récidives*, Grasset, 2004.
QUESTIONS DE PRINCIPE X, *Ici et ailleurs*, Le Livre de Poche, 2007.
QUESTIONS DE PRINCIPE XI, *Pièces d'identité*, Grasset, 2010.

Chroniques

LE LYS ET LA CENDRE, Grasset, 1996.
COMÉDIE, Grasset, 1997.
ENNEMIS PUBLICS (*avec Michel Houellebecq*), Flammarion/Grasset, 2008.

Composé par Nord Compo Multimédia
7, rue de Fives, 59650 Villeneuve-d'Ascq

*Cet ouvrage a été imprimé
par CPI BRODARD ET TAUPIN
72200 La Flèche
pour le compte des Éditions Grasset
en octobre 2011*

Dépôt légal : novembre 2011
N° d'édition : 16966 – N° d'impression : 66388
Imprimé en France